CO

F. Scott Fitzgerald

Beaux et damnés

Traduit de l'anglais (États-Unis)
par Marie-Claire Pasquier

Gallimard

Cette traduction a d'abord paru
dans *Romans, nouvelles et récits*, tome 1
des œuvres de F. Scott Fitzgerald
dans la Bibliothèque de la Pléiade.

Titre original :
THE BEAUTIFUL AND DAMNED

© Éditions Gallimard, 2012, pour la traduction française.

F. Scott Fitzgerald est né le 24 septembre 1896 à Saint Paul (Minnesota), dans le Middle West. Il est d'ascendance irlandaise. D'origine modeste, il fréquente pourtant la haute société de Saint Paul, découvre les séductions vénéneuses de l'univers des riches et les cruautés des différences sociales, dont il fera le matériau d'un grand nombre de ses œuvres de fiction. De l'époque de Princeton, où il est admis en 1913 et où il fera des études médiocres, il gardera le regret de n'avoir pu faire partie de l'équipe de football ni du corps expéditionnaire américain, la guerre en Europe ayant pris fin avant qu'il puisse s'embarquer.

La chance lui sourit pourtant avec son premier roman, *Loin du paradis*. Il paraît en 1920, fait scandale, est un énorme succès. Fitzgerald devient le porte-parole de la génération nouvelle, de l'âge du jazz, des *flappers*, les danseuses de charleston aux cheveux courts et aux genoux nus. Riche et célèbre, il peut épouser la fille qu'il convoite, la plus belle, Zelda Sayre. Mais la gloire de Scott ne dure que le temps des Années folles. Après la crise économique de 1929-1930, son univers passe de mode. Il travaille à Hollywood, oublié. Depuis le début des années 30, Zelda ne quitte plus guère les institutions psychiatriques. Il meurt d'une crise cardiaque le 21 décembre 1940, laissant un beau roman inachevé : *Le Dernier Nabab.*

Pour Shane Leslie, George Jean Nathan et Maxwell Perkins avec gratitude pour tout leur soutien et leurs encouragements.

Le vainqueur appartient au butin.

ANTHONY PATCH

LIVRE I

Chapitre I

ANTHONY PATCH

En 1913, lorsque Anthony Patch eut vingt-cinq ans, cela faisait déjà deux ans que l'ironie, le Saint-Esprit de notre époque, était descendue sur lui — en théorie, du moins. L'ironie était le dernier coup de chiffon sur la chaussure, l'ultime coup de brosse sur l'habit, une sorte de « nous y voilà » intellectuel ; et pourtant, au début de cette histoire, Anthony Patch n'a pas encore dépassé le stade conscient. Tel que vous le découvrez, il se demande fréquemment s'il n'est pas dépourvu d'honneur et légèrement fou, mince pellicule honteuse, obscène, qui miroite à la surface du monde comme du pétrole sur l'eau propre d'un étang, mais ce sentiment alterne avec les moments où il se considère comme un jeune homme assez exceptionnel, d'un raffinement subtil, parfaitement adapté à son environnement et un peu plus remarquable que toutes les personnes de sa connaissance.

Tel était-il lorsqu'il était en pleine santé, ce qui le rendait joyeux, agréable, et aussi attachant pour les hommes intelligents que pour toutes les femmes. Dans cet état, il considérait qu'il accomplirait un jour sans bruit quelque chose de subtil que les élus estimeraient digne d'attention et, lorsqu'il s'éteindrait, il irait rejoindre les étoiles de moindre éclat dans un ciel nébuleux, incertain, à mi-chemin entre la mort et l'immortalité. En attendant que cela advienne, il demeurerait Anthony Patch — pas un homme modèle, mais une personnalité originale et dynamique, obstinée, dédaigneuse, fonctionnant de l'intérieur vers l'extérieur, quelqu'un qui savait que l'honneur n'existe pas, tout en étant homme d'honneur, qui savait que le courage est un leurre, tout en montrant de la bravoure.

UN HOMME DE MÉRITE ET SON FILS TALENTUEUX

Anthony tirait autant de légitimité sociale de sa qualité de petit-fils d'Adam J. Patch que s'il avait fait remonter sa lignée, au-delà des mers, jusqu'aux croisés. Une telle chose va de soi ; malgré l'exemple *a contrario* des Virginiens et des Bostoniens, une aristocratie fondée uniquement sur l'argent présuppose la fortune chez les individus qui la composent.

Or Adam J. Patch, plus familièrement connu sous le sobriquet de Patch-le-Grincheux, avait quitté la ferme de son père à Tarrytown au début de l'année 1861 pour s'enrôler dans un régiment de cavalerie de New York. Il revint de la guerre avec le grade de chef d'escadron, fonça sur Wall Street et, dans un tourbillon d'agitation, de rage, d'applaudissements et de malveillance, il amassa une somme de quelque soixante-quinze millions de dollars.

Cela mobilisa ses énergies jusqu'à l'âge de cinquante-sept ans. C'est alors qu'il décida, après une sévère attaque d'artériosclérose, de consacrer le restant de ses jours à la régénération morale de l'univers. Il devint le réformateur d'entre les réformateurs. Rivalisant avec les efforts magnifiques d'Anthony Comstock — à qui son petit-fils devait son prénom —, il décocha tout un assortiment d'uppercuts et de horions à l'alcool, à la littérature, au vice, à l'art, aux spécialités pharmaceutiques, et aux spectacles du dimanche. Son esprit, soumis à l'influence de cette moisissure sournoise qui finit par s'emparer de tout le monde, à quelques exceptions près, s'adonna à toutes les formes d'indignation que permettait l'époque. Du fauteuil de son bureau, dans sa propriété de Tarrytown, il dirigea contre ce formidable ennemi hypothétique, le péché, une campagne qui se poursuivit pendant quinze ans, et au cours de laquelle il se montra un monomaniaque impénitent, une peste universelle et un raseur de première classe. L'année où s'ouvre cette histoire le découvre en perte de vitesse. Sa campagne n'avait guère donné de résultats, et 1861 faisait place, à petits pas, à 1895. Ses pensées s'attardaient sans fin sur la guerre de Sécession, tant soit peu sur sa femme et son fils défunts, et dans une mesure infinitésimale, sur son petit-fils Anthony.

Au début de sa carrière, Adam Patch avait épousé une demoiselle anémique de trente ans, Alicia Withers, qui lui avait apporté une dot de cent mille dollars et l'accès aux milieux bancaires de New York. Aussitôt après, et non sans panache, elle lui avait donné un fils. Après quoi, comme totalement dévitalisée par une performance aussi magnifique, elle s'était effacée pour ne plus quitter l'ombre de la nursery. Le garçon, Adam Ulysse Patch, devint un incorrigible pilier de club, un fin connaisseur des bons usages et un conducteur de cabriolets à deux chevaux. À l'âge invraisemblable de vingt-six ans, il entreprit de rédiger ses Mémoires sous le titre « La Société new-yorkaise telle que je l'ai connue ». Sur la foi des rumeurs accompagnant sa conception, les éditeurs se l'arrachèrent, mais comme, après sa mort, on découvrit que cet ouvrage était d'une insupportable incontinence verbale et d'un ennui monumental, il ne fut jamais publié, même à compte d'auteur.

Ce Chesterfield de la Cinquième Avenue se maria à l'âge de vingt-deux ans. Il épousa Henrietta Lebrune, la « Contralto de Salon » de Boston, et, à la requête du grand-père, on donna à l'unique enfant né de cette union le nom de baptême d'Anthony Comstock Patch. Lorsqu'il alla à Harvard, le « Comstock » disparut dans les ténèbres de l'oubli et l'on n'en entendit plus jamais parler.

Le jeune Anthony avait une photo de son père et de sa mère pris ensemble. Il l'avait si souvent eue sous les yeux au cours de son enfance qu'elle avait acquis l'impersonnalité du mobilier, mais toutes les personnes qui pénétraient dans sa chambre la regardaient avec intérêt. Elle montrait un dandy des années 1890, mince, bel homme, au côté d'une grande dame brune portant un manchon et, apparemment, une tournure. Entre eux se tenait un petit garçon aux longues boucles châtaines, habillé dans un costume de velours à la petit Lord Fauntleroy. C'était Anthony à l'âge de cinq ans, l'année de la mort de sa mère.

Ses souvenirs de la contralto de Boston étaient flous, et d'ordre musical. C'était une dame qui chantait, chantait, chantait dans le salon de musique de leur maison à Washington Square, quelquefois entourée d'invités : les hommes, bras croisés, posés au bord des canapés, retenant leur souffle, les femmes, mains sur les genoux, chuchotant parfois quelque chose à l'oreille des hommes, et applaudissant en poussant des petits cris après chaque air. Souvent elle chantait pour Anthony seul, en italien ou en français, ou dans un dialecte étrange et barbare qu'elle supposait être la façon de parler des Noirs du Sud.

Ses souvenirs du bel Ulysse, le premier homme d'Amérique à avoir porté des vestons à col châle, étaient beaucoup plus vifs. Lorsque Henrietta Labrune Patch fut partie « rejoindre une autre chorale », comme le disait parfois le veuf d'une voix enrouée, père et fils allèrent s'installer chez le grand-père à Tarrytown. Tous les jours, Ulysse rendait visite à Anthony dans la nursery, et là, pendant parfois près d'une heure, il exhalait des mots agréables, fortement aromatisés. Il ne cessait de promettre à Anthony de l'emmener à la chasse, à la pêche et à Atlantic City : « Oh, bientôt, bientôt… », mais cela ne se concrétisa jamais. Ils firent tout de même un voyage. Quand Anthony avait onze ans, ils se rendirent à l'étranger, en Angleterre et en Suisse. Et là, dans le meilleur hôtel de Lucerne, son père mourut, non sans avoir beaucoup transpiré, geint et réclamé à grands cris de l'air, de l'air. On rapatria en Amérique un Anthony au comble du désespoir et de la terreur, et ayant contracté un fond de mélancolie qui ne devait plus le quitter de sa vie.

LE PASSÉ
ET LA PERSONNALITÉ DU HÉROS

À onze ans, il avait une véritable horreur de la mort. Au cours de six de ses années d'enfance impressionnables, ses parents étaient morts et sa grand-mère avait décliné presque imperceptiblement jusqu'au jour où, pour la première fois depuis son mariage et pendant l'espace d'une journée, elle avait régné sans partage sur son propre salon. Ainsi, pour Anthony, la vie était une lutte contre la mort qui guettait, en embuscade, à chaque coin de rue. Cédant à son imagination hypocondriaque, il avait contracté l'habitude de lire au lit : cela l'apaisait. Il lisait jusqu'à être vaincu par la fatigue, et souvent il s'endormait avec la lumière allumée.

Jusqu'à l'âge de quatorze ans, sa distraction favorite fut sa collection de timbres. Une immense collection, aussi exhaustive que pouvait l'être celle d'un garçon de son âge — son grand-père considérait, assez sottement, que cela lui apprenait la géographie. Anthony entretint donc une correspondance avec une demi-douzaine de négociants en « timbres et médailles », et il était rare que le courrier ne lui apporte pas de nouveaux albums ou des offres de vente de timbres sur papier glacé. En proie à une fascination mystérieuse, il transférait interminablement ses acquisitions d'un album dans un autre. Ses timbres étaient son plus grand bonheur, et lorsqu'il jouait avec eux, quiconque se risquait à l'interrompre était accueilli par une grimace d'impatience. Chaque mois, ils dévoraient son argent de poche, et la nuit, il restait éveillé en les revoyant sans fin dans sa tête dans toute leur variété et leur splendeur multicolore.

Jusqu'à seize ans, il vécut presque exclusivement replié sur lui-même, s'exprimant avec difficulté, aussi peu américain que possible, et considérant ses contemporains avec une perplexité polie. Il avait passé deux ans en Europe avec un tuteur privé qui le persuada que Harvard était ce qu'il lui fallait. Cela lui « ouvrirait des portes », le stimulerait énormément et lui procurerait un nombre immense d'amis altruistes et dévoués. C'est donc à Harvard qu'il alla : il n'y avait pour lui pas d'autre issue logique.

N'ayant pas idée du système de castes en vigueur, il vécut un certain temps isolé, sans qu'on recherchât sa compagnie, dans une grande et belle chambre de Beck Hall — garçon brun, mince, de taille moyenne, à la bouche timide et sensible. L'argent de poche qu'on lui allouait était plus que suffisant. Il commença à se constituer une bibliothèque en achetant à un bibliophile ambulant des éditions originales de Swinburne, Meredith et Thomas Hardy, ainsi qu'une lettre autographe de Keats, jaunie et illisible, découvrant par la suite qu'on la lui avait fait payer une somme exorbitante. Il devint un dandy raffiné, amassa une collection extravagante de pyjamas de soie, de robes de chambre en brocart et de cravates trop flamboyantes pour être portées. Dans ces atours gardés secrets, il se pavanait devant une glace de sa chambre ou bien restait allongé, drapé dans du satin, sur la banquette devant la fenêtre qui donnait sur la cour carrée, avec une vague conscience de l'agitation qui y régnait, trépidante, immédiate, et à laquelle il semblait ne devoir jamais prendre part.

Bizarrement, il s'aperçut, au cours de sa quatrième année, qu'il avait acquis auprès de ses pairs une certaine réputation. Il apprit qu'on le considérait comme un personnage assez romantique, un érudit, un reclus, un puits de science. Cela l'amusa, mais lui fit secrètement plaisir. Il commença à sortir, un peu au début, puis beaucoup. Il s'inscrivit au Hasty Pudding Club. Il se mit à boire — sans ostentation, dans le respect des traditions. On disait de lui que s'il n'était pas devenu étudiant aussi jeune, il aurait pu connaître une grande réussite. Lorsqu'il obtint son diplôme, en 1909, il avait seulement vingt ans.

Puis à nouveau l'étranger — Rome, cette fois, où il tâta alternativement de l'architecture et de la peinture, commença le violon et commit quelques exécrables sonnets italiens, censés être les élucubrations d'un moine du XIIIe siècle célébrant les joies de la vie contemplative. Parmi ses proches à Harvard, on sut qu'il était à Rome, et ceux qui se trouvaient en Europe cette année-là vinrent lui rendre visite et firent en sa compagnie, lors d'excursions nocturnes, des découvertes qui remontaient à plus loin que la Renaissance, et bien évidemment que la République. C'est ainsi que Maury Noble, de Philadelphie, resta deux mois à Rome et, à eux deux, ils prirent conscience du charme propre aux femmes latines, et partagèrent le sentiment délicieux d'être très jeunes et libres au sein d'une civilisation qui était très vieille et libre. Un nombre non négligeable de relations de son grand-père vinrent le voir, et s'il avait voulu, il aurait pu être *persona grata* auprès de la gent diplomatique. En fait, il s'aperçut qu'il était de plus en plus enclin à la convivialité, mais que sa conduite était encore dictée par la réserve et, conséquemment, la timidité, qui avaient été si longtemps les siennes au cours de son adolescence.

Il rentra en Amérique en 1912 en raison de l'un des retours subits de maladie de son grand-père et, après une conversation excessivement pénible avec le vieillard en perpétuelle convalescence, il décida d'ajourner jusqu'après la mort de celui-ci l'idée de vivre à l'étranger de façon permanente. Après de longues recherches, il prit un appartement dans la 52e Rue et, selon toute apparence, se fixa pour de bon.

En 1913, le processus d'adaptation d'Anthony Patch au monde qui l'entourait était en bonne voie. Sur le plan physique, il avait fait des progrès depuis ses années d'études : il était encore trop maigre, mais ses épaules s'étaient développées et son visage bistre avait perdu l'air effaré de sa première année. Il était secrètement ordonné, et toujours vêtu avec un soin impeccable — ses amis déclaraient qu'ils ne l'avaient jamais vu ébouriffé. Son nez était trop pointu ; sa bouche, un de ces malencontreux miroirs de l'humeur, avait tendance à s'affaisser visiblement lorsqu'il était malheureux, mais ses yeux bleus étaient pleins de charme, qu'ils fussent pétillants d'intelligence ou mi-clos dans une expression d'humour mélancolique.

Bien qu'étant l'un de ces hommes à qui manque la symétrie des traits essentielle à l'idéal aryen, il était ici et là considéré comme joli garçon et, en outre, il était soigné de sa personne, en apparence et dans la réalité, avec cette propreté particulière qui dérive de la beauté.

L'IMPECCABLE APPARTEMENT

La Cinquième et la Sixième Avenue semblaient à Anthony être les montants d'une échelle gigantesque qui s'étendait de Washington Square à Central Park. Remonter vers le haut de la ville sur l'impériale d'un bus qui l'amenait à la 52e Rue lui donnait invariablement la sensation de gravir à la force du poignet des échelons traîtres, l'un après l'autre, et quand le bus s'arrêtait avec une secousse à son propre échelon, il ressentait comme un certain soulagement à descendre les marches métalliques raides jusqu'au trottoir.

Ensuite, il ne lui restait qu'à parcourir un demi-pâté de maisons dans la 52e Rue, à dépasser un alignement massif de maisons de grès brun, et en un clin d'œil il se retrouvait sous les hauts plafonds de son grand salon. C'était parfaitement satisfaisant. Après tout, c'est là que la vie commençait. C'est là qu'il dormait, prenait son petit déjeuner, lisait et recevait.

La maison elle-même, datant des années 1890, était construite en matériaux sans distinction. Pour répondre aux besoins croissants en petits appartements, on avait totalement refait chacun des étages afin de les louer séparément. Des quatre appartements, celui d'Anthony, au premier, était le plus chic.

Sur le devant, le grand salon avait une belle hauteur de plafond et trois grandes fenêtres qui donnaient agréablement sur la 52e Rue. Dans ses aménagements, il évitait, avec un incontestable succès, de se rattacher à aucune époque précise. Il évitait la raideur, l'encombrement, la nudité et la décadence. Il ne sentait ni le tabac ni l'encens, il était majestueux, d'une vague couleur bleutée. Il y avait un canapé profond et des fauteuils club en cuir brun souple sur lesquels planait, comme une buée, une atmosphère de somnolence. Il y avait un grand paravent en laque de Chine avec des motifs géométriques principalement constitués de pêcheurs et de chasseurs noir et or ; cela formait un coin alcôve abritant un énorme fauteuil gardé par un lampadaire orange. Au fond de la cheminée se trouvait un écran armorié noir de suie.

Après avoir traversé la salle à manger qui, Anthony prenant tous ses repas au-dehors à part le petit déjeuner, n'était riche que de fastueuses possibilités, et longé un corridor relativement long, on arrivait à ce qui était le cœur même de l'appartement — la chambre et la salle de bains d'Anthony.

Elles étaient toutes les deux immenses. Sous le plafond de la chambre, même le grand lit à baldaquin paraissait de taille moyenne. Sur le parquet, un tapis exotique en velours cramoisi était doux comme de la toison sous ses pieds nus. Par contraste avec le caractère assez solennel de la chambre, la salle de bains était gaie, vivement éclairée, extrêmement accueillante et même vaguement facétieuse. Sur les murs, accrochées dans leurs cadres, trônaient des photographies de quatre beautés de la scène de l'époque : Julia Anderson dans *The Sunshine Girl*, Ina Claire dans *The Quaker Girl*, Billie Burke dans *The Mind-the Paint Girl* et Hazel Dawn dans *The Pink Lady*. Entre Billie Burke et Hazel Dawn, il y avait une gravure qui représentait une vaste étendue de neige sur laquelle régnait un soleil froid et redoutable : cela symbolisait, disait Anthony, la douche froide.

La baignoire, équipée d'un ingénieux porte-livre, était vaste et basse. À côté, un placard débordait de linge pouvant suffire à trois hommes et à toute une génération de cravates. Il n'y avait pas de mince serviette-éponge baptisée tapis de bain, mais un tapis épais qui était, comme celui de la chambre, un miracle de douceur, et qui, au sortir de la baignoire, semblait presque masser les pieds mouillés…

Bref, un lieu prestigieux : on voyait clairement que c'est là qu'Anthony s'habillait, coiffait ses cheveux immaculés et, à vrai dire, qu'il y faisait tout sauf dormir et manger. Cette salle de bains, c'était sa fierté. Il pensait que s'il avait eu une bien-aimée, il aurait mis sa photo en face de la baignoire pour que, perdu dans les vapeurs apaisantes de l'eau du bain, il puisse poser les yeux sur elle et laisser sa beauté lui inspirer des rêveries d'une chaude sensualité.

NI NE FILE

L'appartement était entretenu par un valet anglais portant le nom singulier, et presque théâtralement approprié, de Bounds, dont la présentation réglementaire n'était gâchée que par le fait qu'il portait un col mou. Il eût été facile de remédier à ce défaut s'il avait été au seul service d'Anthony, mais il était également le « Bounds » de deux autres messieurs du voisinage. De 8 heures à 11 heures du matin, il n'appartenait qu'à Anthony. Il arrivait avec le courrier et préparait le petit déjeuner. À 9 heures et demie, il tirait sur le bord de la couverture d'Anthony et ne prononçait que quelques mots rapides : Anthony ne se les rappelait jamais littéralement, mais il soupçonnait qu'ils devaient être désapprobateurs. Puis il servait le petit déjeuner sur une table à jouer dans le salon, faisait le lit, et, après avoir demandé sur un ton peu amène s'il y avait quelque chose d'autre à faire, il se retirait.

Dans la matinée, au moins une fois par semaine, Anthony allait voir son agent de change. Ses revenus se montaient à un peu moins de sept mille dollars par an, représentant les intérêts du capital qu'il avait hérité de sa mère. Son grand-père, qui n'avait jamais permis à son propre fils de dépenser plus que la somme confortable qui lui était allouée, jugeait que cette somme était suffisante pour les besoins d'Anthony. À chaque Noël, il lui envoyait une obligation de cinq cents dollars qu'Anthony vendait le plus souvent, si c'était possible, car il était toujours un peu, oh, pas trop, à sec.

Les visites à son agent de change oscillaient entre les conversations de pure courtoisie et les discussions sur les risques des placements à huit pour cent, et Anthony y prenait toujours plaisir. Il lui semblait que l'imposant immeuble de la société de gestion le rattachait fermement aux grandes fortunes, dont il respectait le sens de la solidarité, et l'assurait qu'il bénéficiait du soutien adéquat des hautes sphères de la finance. De ces hommes pressés, il tirait un sentiment de sécurité comparable à celui que lui procurait la contemplation de l'argent de son grand-père. Davantage même, car celui-ci paraissait être, vaguement, un crédit à terme qu'offrait le monde à la rectitude morale d'Adam Patch, alors que l'argent de Wall Street semblait avoir été conquis et gardé à la force du poignet grâce à des prodiges de volonté ; en outre, il s'agissait plus clairement, plus explicitement d'argent.

Même si Anthony était toujours à courir après ses revenus, il les considérait comme suffisants. Dans un avenir doré, bien sûr, il posséderait des millions. En attendant, il tirait sa *raison d'être** [1] de la rédaction d'essais théoriques sur les papes de la Renaissance. Ce qui nous renvoie à la conversation qu'il eut avec son grand-père tout de suite après son retour de Rome.

Il avait espéré trouver son grand-père mort, mais avait appris, en téléphonant du quai, qu'Adam Patch allait relativement mieux. Le lendemain, cachant sa déception, il s'était rendu à Tarrytown. À huit kilomètres de la gare, son taxi pénétra dans une allée soigneusement entretenue qui dessinait un véritable labyrinthe de murs et de grillages protégeant la propriété : c'était, disaient les gens, parce qu'on savait bien que si les socialistes prenaient le pouvoir, l'un des premiers hommes qu'ils assassineraient serait ce vieux grincheux de Patch.

Anthony était en retard, et le vénérable philanthrope l'attendait dans un solarium entièrement vitré où il parcourait pour la deuxième fois les journaux du matin. Son secrétaire, Edward Shuttleworth, qui, avant sa régénération, avait été joueur, tenancier de bar, totalement dépravé, fit entrer Anthony dans la pièce, exhibant son rédempteur et bienfaiteur comme s'il s'agissait d'un trésor inestimable.

Ils se serrèrent gravement la main. « Je suis bien content d'apprendre que vous allez mieux », dit Anthony.

1. Les mots ou expressions en italique suivis d'un astérisque sont en français dans le texte original.

Le patriarche, comme s'il avait vu son petit-fils la semaine précédente, tira sa montre de son gousset.

« Le train avait du retard ? » demanda-t-il doucement.

Il avait été irrité d'attendre Anthony. Il était persuadé que, dans sa jeunesse, il avait toujours réglé ses affaires pratiques avec le plus grand scrupule, qu'il avait tenu ses engagements avec une ponctualité sans faille, et que c'était même là la raison primordiale de sa réussite.

« Il a souvent eu du retard ce mois-ci », remarqua-t-il avec, dans la voix, un soupçon d'accusation. Puis, après un long soupir : « Assieds-toi. »

Anthony observait son grand-père avec la stupéfaction muette que lui inspirait toujours sa vue. Que ce vieillard faible, dépourvu d'intelligence, possédât un pouvoir tel que, malgré ce qu'affirmait la presse à sensation, les hommes dont il n'eût pas pu acheter l'âme, directement ou indirectement, dans toute la République, auraient à peine peuplé White Plains, lui paraissait aussi difficile à croire que le fait qu'il ait pu être un jour un bébé rose et joufflu.

Ces soixante-quinze années d'existence avaient agi sur lui comme un soufflet magique : le premier quart de siècle lui avait insufflé de la vie en abondance, et le dernier avait tout résorbé. Il avait résorbé les joues, la poitrine et les muscles des bras et des jambes. Il lui avait tyranniquement repris ses dents, une par une, avait suspendu ses petits yeux dans des poches bleuâtres, lui avait arraché les cheveux par touffes, l'avait fait passer, par endroits, du gris au blanc et ailleurs du rose au jaune, transférant impitoyablement les couleurs comme un enfant qui joue avec une boîte de peinture. Puis, traversant son corps et son âme, il s'était attaqué au cerveau. Il lui avait envoyé des sueurs nocturnes, des larmes, des craintes sans fondement. Son caractère résolument normal, il l'avait partagé entre crédulité et soupçon. Dans le matériau brut de son enthousiasme, il avait taillé des douzaines d'obsessions mineures mais incontrôlables. Son énergie s'était affaiblie en caprices d'enfant gâté et à sa volonté de puissance s'était substituée une aspiration sotte et puérile à un royaume terrestre de harpes et de cantiques.

Une fois expédiées avec précaution les politesses d'usage, Anthony comprit qu'on s'attendait qu'il s'explique sur ses intentions et, dans le même temps, une lueur dans l'œil du vieil homme l'avertit qu'il devait éviter, pour l'instant, d'évoquer son souhait de vivre en Europe. Il aurait aimé que Shuttleworth eût le tact de se retirer — il détestait cet homme —, mais le secrétaire s'était installé sans façon dans un rocking-chair et promenait alternativement sur les deux Patch les regards de ses yeux éteints.

« Maintenant que tu es rentré, il faudrait que tu fasses quelque chose, dit avec douceur son grand-père, que tu accomplisses quelque chose. »

Anthony attendit qu'il ait parlé de « laisser quelque chose derrière toi quand tu disparaîtras ». Puis il lança une suggestion.

« Je pensais… je me disais que peut-être, ce pour quoi je serais le plus doué serait d'écrire… »

Adam Patch tressaillit, voyant déjà dans la famille un poète aux cheveux longs avec trois maîtresses.

« … des livres d'histoire, acheva Anthony.

— D'histoire ? Quel genre d'histoire ? La guerre de Sécession ? La Révolution ?

— Non, pas ça. Une histoire du Moyen Âge. » En même temps naissait dans son esprit l'idée d'écrire une histoire des papes de la Renaissance, vue sous un angle nouveau. Cela dit, il ne regrettait pas d'avoir parlé du Moyen Âge.

« Le Moyen Âge ? Et pourquoi pas ton propre pays ? Quelque chose que tu connaisses bien.

— C'est que… j'ai vécu si longtemps en Europe…

— Écrire sur le Moyen Âge, je n'en vois pas l'intérêt. "L'âge des ténèbres", c'est comme ça qu'on l'appelait. On ne sait rien de ce qui s'y est passé, et tout le monde s'en fiche. Tout ce qu'on sait, c'est que c'est terminé. » Il poursuivit pendant plusieurs minutes sur l'inutilité de ce type d'étude, faisant naturellement allusion à l'Inquisition et à « la corruption des monastères ». Puis :

« Crois-tu que tu seras capable d'avancer ton travail à New York — en fait, as-tu la moindre intention de t'y mettre ? » La fin de la phrase dite avec une touche à peine perceptible de cynisme.

« Mais, bien sûr.

— Quand auras-tu terminé ?

— C'est que… il faudra faire un plan d'ensemble, et pas mal de lectures préliminaires.

— Je pensais que ça, c'était déjà fait. »

La conversation avança par à-coups jusqu'à une conclusion plutôt abrupte lorsque Anthony se leva, regarda sa montre et annonça qu'il avait rendez-vous avec son agent de change dans l'après-midi. Il avait prévu de rester quelques jours chez son grand-père, mais il était fatigué et irritable après sa traversée mouvementée et ne se sentait pas disposé à affronter des remontrances sous forme de discours subtilement édifiants. Il reviendrait dans quelques jours, déclara-t-il.

Il n'empêche que c'est à cause de cet entretien que l'idée du travail avait pris dans son esprit une forme permanente. Durant l'année qui s'était écoulée depuis lors, il avait dressé plusieurs listes de références, il avait même essayé des titres de chapitres et une division par périodes de l'ouvrage, mais il n'existait à l'heure actuelle pas une ligne véritablement rédigée, ou qui semblât avoir des chances de jamais l'être. Anthony ne faisait rien et, au rebours de la logique exposée dans les manuels les plus respectés, il parvenait à se distraire avec une satisfaction au-dessus de la moyenne.

L'APRÈS-MIDI

On était en octobre 1913, au milieu d'une semaine de journées agréables, avec le soleil qui s'attardait dans les rues transversales et l'atmosphère si languide qu'elle semblait alourdie par la chute fantomatique des feuilles. Il était plaisant d'être assis près de la fenêtre ouverte à finir un chapitre d'*Erewhon*. Il était plaisant de bâiller sur le coup de 5 heures, de lancer le livre sur une table et de se rendre d'un pas allègre dans sa salle de bains en fredonnant.

Vers... vous... belle dame,

chantait-il en ouvrant le robinet.

Vers... vous... belle dame,
Je lève... les yeux
Après vous... mon cœur soupire...

Il haussa le ton pour couvrir le bruit de l'eau qui coulait dans la baignoire et, tout en regardant la photo de Hazel Dawn sur le mur, il cala contre son épaule un violon imaginaire et le caressa doucement avec un archet fantôme. À travers ses lèvres fermées, il émit un fredonnement dont il s'imagina vaguement qu'il ressemblait au son du violon. Au bout d'un moment, ses mains interrompirent leur mouvement giratoire et vinrent se promener sur sa chemise, qu'il se mit à déboutonner. Déshabillé, et adoptant la posture de l'homme en peau de tigre du panneau publicitaire, il se contempla dans la glace avec une certaine satisfaction, s'arrêtant pour tâter l'eau d'un pied prudent. En réglant un robinet, et après quelques grognements préliminaires, il se laissa glisser dans la baignoire.

Une fois accoutumé à la température de l'eau, il se détendit, dans un état de contentement rêveur. Son bain terminé, il s'habillerait en prenant son temps et il remonterait la Cinquième Avenue jusqu'au Ritz où il avait rendez-vous pour dîner avec les deux compagnons qu'il voyait le plus souvent, Dick Caramel et Maury Noble. Ensuite, Maury et lui iraient au théâtre, tandis que Caramel rentrerait sans doute chez lui en trottinant pour aller travailler à son livre qui, en principe, n'était pas loin d'être terminé.

Anthony était content de penser que lui n'allait pas travailler à son propre livre. L'idée de s'asseoir pour faire venir non seulement des mots pour habiller des pensées, mais également des pensées dignes d'être habillées — cette notion même échappait absurdement au royaume de ses désirs.

Émergeant de son bain, il paracheva sa toilette avec l'attention méticuleuse d'un cireur de bottes. Puis il entra sans hâte dans la chambre et, tout en sifflotant un air étrange, imprécis, il se promena en boutonnant par-ci, ajustant par-là, goûtant la chaleur de l'épais tapis sous ses pieds.

Il alluma une cigarette, jeta l'allumette par le

haut de la fenêtre à guillotine, puis s'arrêta net, la cigarette tenue à dix centimètres de ses lèvres légèrement entrouvertes. Ses yeux étaient fixés sur une tache de couleur brillante sur le toit d'une maison un peu plus loin dans la ruelle.

C'était une jeune fille en négligé rouge, sûrement de la soie, qui séchait ses cheveux au soleil encore chaud de cette fin d'après-midi. Le sifflotement d'Anthony mourut dans l'air lourd de la chambre ; il s'avança prudemment d'un pas vers la fenêtre, ayant soudain l'impression que la fille était belle. Posé sur le parapet de pierre à ses côtés, il y avait un coussin de la même couleur que son vêtement, et elle appuyait ses deux bras dessus pour plonger son regard dans la courette ensoleillée en contrebas, où Anthony entendait des enfants jouer.

Il la regarda pendant plusieurs minutes. Il ressentait un vague trouble, que ne suffisait pas à expliquer l'odeur chaude de l'après-midi ou l'éclat triomphant du rouge. Il continuait à penser que cette fille était belle, puis soudain il comprit : c'était la distance, non pas une distance rare et précieuse comme celle qui existe entre deux âmes, mais une distance malgré tout, même si elle se comptait en mètres. L'air automnal les séparait, et aussi les toits et les voix indistinctes. Et pourtant, l'espace d'une seconde presque inexplicable, une seconde obstinément suspendue dans le temps, il avait connu une émotion plus proche de l'adoration que celle du baiser le plus profond qu'il ait jamais connu.

Il finit de s'habiller, trouva un nœud papillon noir et l'ajusta avec soin devant la glace à trois faces de la salle de bains. Puis, cédant à une impulsion, il se rendit rapidement dans la chambre et regarda à nouveau par la fenêtre. La femme était maintenant debout. Elle avait rejeté ses cheveux en arrière, et il pouvait bien la voir. Elle était corpulente, avait largement trente-cinq ans et un physique insignifiant. Avec un claquement de langue, il retourna dans la salle de bains et refit sa raie.

Vers… vous… belle dame,

chanta-t-il d'un ton dégagé,

Je lève… les yeux.

Puis, avec un dernier et apaisant coup de brosse qui laissa une surface brillante aux reflets iridescents, il sortit de la salle de bains et descendit la Cinquième Avenue jusqu'au Ritz-Carlton.

TROIS HOMMES

À 7 heures, Anthony et son ami Maury Noble sont assis à une table d'angle sur la terrasse fraîche du toit de l'hôtel. Maury Noble ne ressemble à rien tant qu'à un grand matou mince et imposant. Il a des yeux fendus et toujours plissés par une série de tressaillements prolongés. Ses cheveux sont lisses et aplatis, comme s'ils avaient été léchés par une mère chatte — mais alors, de taille herculéenne. Pendant l'époque où Anthony était à Harvard, Maury était considéré, dans sa promotion, comme un personnage, le plus brillant, le plus original, élégant, tranquille, et faisant partie des élus.

Tel est l'homme qu'Anthony considère comme

son meilleur ami. C'est le seul homme de sa connaissance qu'il admire, et aussi, plus qu'il ne souhaiterait l'admettre, qu'il envie.

Pour le moment, ils sont contents de se retrouver, leurs yeux sont pleins de bienveillance, après une brève séparation, ils ressentent tous les deux l'attrait de la nouveauté. Chacun des deux est détendu en présence de l'autre, éprouve une nouvelle sérénité. Maury Noble, avec son beau visage absurdement félin, en ronronnerait presque. Quant à Anthony, nerveux comme un feu follet, agité, il est en cet instant calmé.

Ils sont engagés dans une de ces conversations spontanées, à bâtons rompus, comme seuls peuvent s'y adonner des hommes de moins de trente ans ou des hommes gravement préoccupés.

ANTHONY : 7 heures. Où est notre Caramel ? *(Avec impatience.)* Je voudrais bien qu'il en finisse avec cet interminable roman. J'ai passé plus de temps à mourir de faim...

MAURY : Il lui a trouvé un nouveau titre. *L'Amant-démon.* Pas mal, non ?

ANTHONY, *intéressé* : *L'Amant-démon* ? Ah, « les plaintes d'une femme... » Pas mal, pas mal du tout.

MAURY : Bon titre. Quelle heure as-tu dit ?

ANTHONY : 7 heures.

MAURY, *ses yeux se rétrécissant — pas de façon désagréable, mais pour exprimer une légère désapprobation* : Il m'a rendu fou, l'autre jour.

ANTHONY : Comment ça ?

MAURY : Son habitude de prendre des notes.

ANTHONY : Moi aussi. Apparemment, j'avais dit quelque chose la veille qu'il trouvait digne d'intérêt, et il ne l'avait pas retenu. Alors il ne me lâchait plus. Il me disait : « Tu ne peux pas essayer de te concentrer ? » Et je lui disais : « Écoute, tu m'ennuies à mourir. Comment veux-tu que je me rappelle ? »

Maury rit en silence, par une dilatation de ses traits qui exprime en douceur son appréciation.

MAURY : Dick ne voit pas forcément plus de choses que les autres. C'est juste qu'il peut prendre note d'une plus grande proportion de ce qu'il voit.

ANTHONY : Ce talent assez impressionnant...

MAURY : Ah oui, impressionnant !

ANTHONY : Et cette énergie — une énergie ambitieuse, bien dirigée. Il est tellement drôle — incroyablement stimulant, excitant. Souvent, à être avec lui, on en a presque le souffle coupé.

MAURY : Ça, oui.

Silence, puis :

ANTHONY, *avec son visage mince, toujours un peu hésitant lorsqu'il est le plus convaincu* : Mais pas une énergie invincible. Un de ces jours, peu à peu, elle s'envolera, et avec elle son talent assez impressionnant, ne laissant derrière elle qu'un homme fragile, nerveux, égoïste et bavard.

MAURY, *riant* : Nous voilà tous les deux à nous persuader que le petit Dick va moins au fond des choses que nous. Et je te parie qu'il estime, lui, que la supériorité est de son côté — l'esprit créateur supérieur au simple esprit critique, tout ça...

ANTHONY : Oui, oui. Mais il a tort. Il a tendance à céder à des milliers d'enthousiasmes absurdes. Si ce n'était qu'il est plongé en plein réalisme et qu'il doit en conséquence adopter le vêtement du cynique, il serait... oui, il serait aussi crédule que le sont les aumôniers sur les campus. C'est un idéaliste. Oh, oui. Il s'imagine que non, parce qu'il a rejeté le christianisme. Tu te souviens de lui à l'université ? Il avalait tous les auteurs qu'il lisait, l'un après l'autre, leurs idées, leur technique, leurs personnages, Chesterton, Shaw, Wells, l'un après l'autre, n'en faisant qu'une bouchée.

MAURY, *repensant à ce qu'il a dit en dernier*: Je m'en souviens.

ANTHONY : C'est vrai. Par nature, c'est un dévot qui gobe tout. Prenons l'art…

MAURY : Commandons. Il va être…

ANTHONY : D'accord. Commandons. Je lui ai dit…

MAURY : Tiens, le voilà. Regarde, il va se cogner contre le serveur. *(Il lève un doigt pour faire signe, comme s'il s'agissait d'une pince délicate, amicale.)* Eh, te voilà, Caramel.

UNE VOIX QUI VIENT S'AJOUTER AUX AUTRES, *avec véhémence* : Salut, Maury. Salut, Anthony Comstock Patch. Comment va le petit-fils du vieil Adam ? Les *débutantes* se pendent toujours à tes basques ?

> *De sa personne, Richard Caramel est petit et blond — à trente-cinq ans, il sera chauve. Il a des yeux jaunâtres — l'un des deux clair et lumineux, l'autre aussi opaque qu'une mare boueuse. Il a un front bombé comme ceux des bébés dans les bandes dessinées. Il a encore d'autres parties qui font saillie : sa bedaine, de façon prophétique, ses mots donnent l'impression de déborder de sa bouche, même les poches de son smoking sont bourrées à craquer, comme par contamination, de toute une collection écornée*

d'horaires, de programmes et de bouts de papier — c'est là-dessus qu'il prend ses notes en fronçant à l'excès ses yeux jaunes dépareillés et en utilisant sa main libre pour réclamer le silence.

Quand il arrive à la table, il serre la main d'Anthony et de Maury. Il est de ces hommes qui serrent la main à tout bout de champ, même à des gens qu'ils ont vus une heure plus tôt.

ANTHONY : Salut, Caramel. Content que tu sois là. On avait besoin d'un intermède comique.

MAURY : Tu es en retard. Tu as couru après le facteur autour du pâté de maisons ? Nous nous sommes fait les griffes sur ton personnage.

DICK, *fixant avec intensité Anthony de son œil clair* : Qu'est-ce que vous avez dit ? Dis-moi, je vais l'écrire. J'ai supprimé trois mille mots de ma première partie, cet après-midi.

MAURY : Noble esthète. Et moi, je me suis versé de l'alcool dans l'estomac.

DICK : Je veux bien le croire. Je parie que vous venez de passer une heure, tous les deux, à discuter d'alcool.

ANTHONY : Nous ne sommes jamais ivres morts, mon damoiseau.

MAURY : Nous ne ramenons jamais chez nous les dames dont nous avons fait connaissance en étant bourrés.

ANTHONY : De manière générale, nos parties de plaisir ont pour caractéristique une certaine distinction hautaine.

DICK : Du genre idiot où l'on se vante d'être « éméchés » ! L'ennui, c'est que vous êtes tous les deux en plein XVIIIe siècle ! Style hobereau de la vieille Angleterre. On boit sans dire un mot jusqu'au moment où on roule sous la table. On ne prend jamais du bon temps. Oh, non ! Ça ne se fait pas !

ANTHONY : Extrait du sixième chapitre, je parie ?

DICK : Vous allez au théâtre ?

MAURY : Oui. Nous comptons passer la soirée à méditer sur les grands problèmes de la vie. La chose s'appelle sobrement *La Femme*. Je pense qu'on en aura pour notre argent.

ANTHONY : Ciel ! C'est de ça qu'il s'agit ? Retournons plutôt aux Follies.

MAURY : Je n'ai plus envie. Je l'ai déjà vu trois fois. *(À Dick :)* La première fois, on est sortis après le premier acte, et on est tombés sur un bar formidable. Quand on est rentrés, on s'est trompés de théâtre.

ANTHONY : On s'est longuement disputés avec un jeune couple terrifié dont nous pensions qu'ils avaient pris nos places.

DICK, *comme s'il se parlait à lui-même* : Je crois que... quand j'aurai fait encore un roman et une pièce de théâtre, et peut-être un recueil de nouvelles, j'écrirai une comédie musicale.

MAURY : Je vois. Avec des paroles intellectuelles que personne n'écoutera. Et tous les critiques pleureront après « ce bon vieux *Pinafore* ». Et je continuerai à briller comme personnage absurde et plein d'éclat dans un monde absurde.

DICK, *avec emphase* : L'art n'est pas absurde.

MAURY : Il l'est, en soi. Et pas du fait qu'il essaye de donner un peu de sens à la vie.

ANTHONY : En d'autres termes, Dick, tu joues devant une salle peuplée de fantômes.

MAURY : N'empêche que le spectacle est bon.

ANTHONY, *à Maury* : Au contraire, je serais plutôt d'avis que si le monde est absurde, à quoi bon écrire ? La seule tentative de lui donner un sens est dénuée de sens.

DICK : Et même, en admettant, soyons pragmatiques, accordons aux pauvres hommes le droit à l'instinct de survie. Vous voudriez que tout le monde accepte ces conneries de sophismes ?

ANTHONY : Mais oui, pourquoi pas.

MAURY : Non, mon cher ! Je crois qu'à part une petite élite d'un millier de personnes, il faudrait obliger tous les Américains à accepter un système de règles morales rigide — le catholicisme, par exemple. Je ne trouve rien à redire à la morale conventionnelle. Je m'élève en revanche contre ces hérétiques médiocres qui s'emparent des découvertes de la sophistication et qui adoptent une posture de liberté morale à laquelle leur intelligence ne leur permet pas de prétendre.

Là-dessus, on apporte le potage, et ce que Maury aurait pu encore ajouter est perdu à jamais.

LA NUIT

Ensuite, ils allèrent voir un revendeur de billets et, à prix réduit, obtinrent des places pour une nouvelle comédie musicale qui s'appelait *High Jinks*. Ils attendirent quelques instants au foyer du théâtre pour regarder arriver la foule des premières. Il y avait des capes d'opéra tout en fourrures et soies multicolores. Il y avait des bijoux qui ruisselaient des bras et des gorges et des lobes d'oreilles blancs et roses. Il y avait, par milliers, les chatoiements des hauts-de-forme en soie. Il y avait des escarpins d'or, de bronze, rouges et d'un noir luisant. Il y avait les hautes coiffures bien serrées de maintes femmes, et les cheveux lisses, gominés, d'hommes soignés. Il y avait surtout le flux et le reflux de cette joyeuse mer humaine qui jacassait, gloussait, écumait dans un lent mouvement de vagues et qui, ce soir, déversait son torrent étincelant dans le lac artificiel des rires...

Après le spectacle, ils se séparèrent — Maury pour se rendre à un bal au Sherry's, Anthony pour rentrer chez lui se coucher.

Il se fraya lentement un chemin à travers la foule chaotique de Times Square la nuit, que la Course de chars avec ses mille satellites illuminait d'une ambiance de carnaval intime et d'une beauté rare. Des visages tourbillonnaient autour de lui, un kaléidoscope de filles, laides, laides comme le péché — trop grosses, trop maigres —, et qui pourtant flottait dans cet air automnal comme il flottait dans leur souffle chaud, passionné, répandu dans la nuit. Malgré toute leur vulgarité, se disait-il, il se dégageait d'elles, en ce lieu, un mystère vague et subtil. Il prit une grande inspiration, laissant pénétrer dans ses poumons les parfums et l'odeur pas désagréable de cette multitude de cigarettes. Il croisa le regard d'une jeune beauté brune assise toute seule dans un taxi fermé. Les yeux de cette fille, dans la pénombre, suggéraient la nuit et les violettes, et l'espace d'un instant il sentit remuer en lui le souvenir lointain, à demi oublié, de l'après-midi.

Deux garçons juifs le dépassèrent, parlant d'une

voix forte et se haussant du col pour jeter autour d'eux des regards suffisants. Ils portaient ces costumes trop ajustés qui étaient alors plus ou moins en vogue. Leurs cols rabattus s'emboîtaient dans leur pomme d'Adam. Ils portaient des demi-guêtres grises et avaient suspendu leurs gants gris au pommeau de leur canne.

Passa une vieille dame à l'air égaré, soutenue comme un panier d'œufs par deux hommes qui lui faisaient avec volubilité l'éloge de Times Square — à une telle vitesse que la vieille dame, tâchant de marquer son intérêt de façon impartiale, secouait la tête de-ci de-là, comme une vieille pelure d'orange agitée par le vent. Anthony surprit quelques bribes de leur conversation.

« Là, c'est l'hôtel Astor, maman !

— Regarde ! Regarde l'enseigne lumineuse, la Course de chars…

— Tiens, c'est là qu'on était aujourd'hui. Non, *là* !

— Ça, par exemple !…

— Tu devrais te faire du souci, et tu deviendrais mince comme du papier à cigarettes. » Il reconnut l'une des plaisanteries à la mode cette année-là, lorsqu'elle jaillit, stridente, de l'un des couples qui le côtoyaient.

« Alors, moi, je lui ai dit, écoute, j'ai dit… »

Le ronronnement des taxis quand ils passaient près de lui, et les rires, les rires incessants, bruyants et rauques comme des croassements, se mêlant au grondement du métro sous leurs pieds et, par-dessus tout, les révolutions des lumières, qui se rapprochaient puis s'éloignaient — s'égrenant comme des perles, se formant et se reformant en barres et en cercles scintillants et en figures monstrueuses, grotesques, qui se découpaient de façon fantastique sur le ciel.

Il se tourna avec soulagement vers le silence qui soufflait comme un sombre courant d'air dans une rue transversale, passa devant une rôtisserie à la devanture de laquelle, sur une broche automatique, tournaient sans cesse une douzaine de poulets. Par la porte parvenaient des bouffées d'odeurs chaudes, pâteuses et roses. Ensuite un drugstore, qui sentait les médicaments, le soda renversé, avec des effluves agréables en provenance du rayon des produits de beauté. Puis une blanchisserie chinoise, encore ouverte, aux vapeurs étouffantes, qui sentait le linge plié et vaguement jaune. Tout cela le déprimait. En atteignant la Sixième Avenue, il s'arrêta chez un marchand de cigares au coin de la rue et se sentit mieux en sortant de là : la boutique était attrayante, on y retrouvait des sentiments humains dans une brume bleu marine, et l'on s'offrait un article de luxe...

Une fois dans son appartement, il fuma une dernière cigarette, assis dans le noir devant sa fenêtre de salon ouverte. Pour la première fois depuis plus d'un an, il se retrouva prenant un plaisir extrême à être à New York. Il y avait là comme une saveur épicée, pouvait-on dire, une qualité rare qui évoquait presque le Sud. Une ville solitaire, malgré tout. Lui qui avait vécu seul pendant toutes ses années d'enfance avait appris, depuis peu, à éviter la solitude. Au cours de ces derniers mois, lorsqu'il n'avait rien de prévu pour la soirée, il s'empressait de se rendre dans l'un de ses clubs pour y trouver de la compagnie. Oui, il y avait là une solitude...

Sa cigarette, ourlant les plis fins du rideau de volutes de fumée blanche et légère, continua à rougeoyer jusqu'au moment où l'horloge de l'église St. Anne, au bout de la rue, eut sonné 1 heure avec une beauté plaintive et de bon ton. Dans le silence, à un pâté de maisons de là, le métro aérien fit résonner un roulement de tambour ; s'il s'était penché par la fenêtre, il aurait vu la rame qui, comme un aigle furieux, prenait le virage au coin de la rue plongée dans le noir. Cela lui rappela un roman fantastique qu'il avait lu récemment où les villes avaient été bombardées par des trains aériens, et, l'espace d'un instant, il s'imagina que Washington Square avait déclaré la guerre à Central Park et qu'il y avait là une menace qui se dirigeait vers le nord, chargée de batailles et de mort soudaine. Mais une fois le métro passé, l'illusion s'évanouit ; elle s'atténua jusqu'à n'être plus qu'un très faible roulement de tambour, puis un bruissement d'aigle au loin.

Il y avait les cloches et le murmure continu des klaxons en provenance de la Cinquième Avenue, mais sa rue à lui était silencieuse et là, il était à l'abri de toutes les menaces de la vie, car il y avait sa porte, et le long corridor, et la protection de sa chambre — il était à l'abri, à l'abri ! La lumière du réverbère qui parvenait jusqu'à sa fenêtre lui semblait dans l'instant présent être comme la lune, mais en plus lumineux et en plus beau.

FLASH-BACK : AU PARADIS

La Beauté, qui renaît tous les cent ans, était assise dans une sorte de salle d'attente en plein air que traversaient des rafales d'un vent blanc et parfois, à toute vitesse, une étoile hors d'haleine. En passant, les étoiles lui faisaient un clin d'œil complice et les vents ébouriffaient sans cesse ses cheveux avec douceur. Elle était incompréhensible car, chez elle, l'âme et l'esprit ne faisaient qu'un, la beauté de son corps se confondait avec l'essence de son âme. Elle représentait cette unité que les philosophes ont recherchée en vain à travers les siècles. Dans cette salle d'attente ouverte aux vents et aux étoiles, elle était assise depuis cent ans, paisiblement absorbée par sa propre contemplation.

Il lui apparut, à la longue, qu'elle allait renaître. En soupirant, elle entama une longue conversation avec une voix qui était celle du vent blanc, une conversation qui dura des heures et dont je ne peux restituer ici qu'un fragment.

LA BEAUTÉ, *remuant à peine les lèvres, le regard dirigé, comme toujours, au-dedans* : Où vais-je donc voyager maintenant ?

LA VOIX : Vers un nouveau pays, une terre que tu n'as jamais vue.

LA BEAUTÉ, *avec irritation* : Je déteste faire irruption dans ces nouvelles civilisations. Et cette fois, je vais y rester combien de temps ?

LA VOIX : Quinze ans.

LA BEAUTÉ : Comment s'appelle cet endroit ?

LA VOIX : C'est l'endroit le plus luxuriant, le plus magnifique de la terre — un endroit où les hommes les plus sages sont à peine plus sages que les plus stupides ; un endroit où les dirigeants ont la mentalité de petits enfants et où les législateurs croient au Père Noël ; où des femmes laides ont pouvoir sur des hommes forts...

LA BEAUTÉ, *stupéfaite* : Pardon ?

LA VOIX, *très déprimée* : Oui, c'est véritablement

un spectacle mélancolique. Des femmes avec des mentons fuyants et des nez informes se promènent au grand jour en disant « Faites ci ! » et « Faites ça ! », et tous les hommes, même ceux qui sont très riches, obéissent tacitement à ces femmes dont ils parlent en disant « Mme Untel » ou « Mon épouse ».

LA BEAUTÉ : Mais ce n'est pas possible ! Je peux comprendre, bien sûr, qu'ils obéissent à des femmes pleines de charme, mais à de grosses bonnes femmes ? À de grands échalas ? À des femmes au visage décharné ?

LA VOIX : Et pourtant, si.

LA BEAUTÉ : Et moi, alors ? Quelles sont mes chances ?

LA VOIX : Ce ne sera pas gagné d'avance, pour me servir d'une expression toute faite.

LA BEAUTÉ, *après un silence contrarié* : Pourquoi pas les vieux pays, ceux où pousse la vigne, ceux des hommes au doux langage, ou alors les pays des vaisseaux et des océans ?

LA VOIX : On peut s'attendre qu'ils soient bientôt très occupés.

LA BEAUTÉ : Ah bon !

LA VOIX : Ta présence sera, comme toujours, l'intervalle entre deux regards significatifs dans un miroir quelconque.

LA BEAUTÉ : Que serai-je ? Dis-moi.

LA VOIX : Au début, on pensait que cette fois tu te présenterais comme une actrice de cinéma, mais, tout bien considéré, ce n'est pas souhaitable. Pendant tes quinze années, tu seras déguisée en ce qu'on appelle « une jeune fille du monde ».

LA BEAUTÉ : C'est quoi ?

On entend dans le vent un nouveau bruit qui, pour notre propos, doit être interprété comme La Voix *se grattant la tête.*

LA VOIX, *après un silence* : C'est une sorte d'aristocrate factice.

LA BEAUTÉ : Factice ? C'est quoi, factice ?

LA VOIX : Cela aussi, tu le découvriras dans ce pays. Tu découvriras beaucoup de choses qui seront factices. Et tu feras aussi beaucoup de choses qui seront factices.

LA BEAUTÉ, *avec flegme* : Tout ça m'a l'air d'un vulgaire…

LA VOIX : Et ça l'est bien plus que ça n'en a l'air. Pendant ces quinze années, on te désignera comme une fille émancipée, une garçonne, une *jazz-baby*, une vamp en herbe. Tu danseras les nouvelles danses avec ni plus ni moins de grâce que tu ne dansais les anciennes.

LA BEAUTÉ, *dans un murmure* : Est-ce qu'on me payera ?

LA VOIX : Oui, comme d'habitude — en amour.

LA BEAUTÉ, *avec un rire léger qui ne trouble que momentanément l'immobilité de ses lèvres* : Et est-ce que cela me plaira d'être appelée *jazz-baby* ?

LA VOIX, *d'un ton posé* : Tu adoreras ça…

Ici prend fin le dialogue, avec La Beauté *toujours assise calmement, les étoiles arrêtées en une extase d'admiration, et le vent, en rafales blanches, qui lui souffle dans les cheveux.*

Tout cela a lieu sept ans avant qu'Anthony, devant les fenêtres de son salon, n'écoute le carillon de l'église St. Anne.

Chapitre II

PORTRAIT D'UNE SIRÈNE

Un mois plus tard, un froid vif s'abattait sur New York, amenant novembre, les trois grands matchs de football et tout un frémissement de fourrures dans la Cinquième Avenue. Il amena aussi un sentiment de tension dans la ville, et d'excitation étouffée. Tous les matins, désormais, Anthony trouvait des invitations dans son courrier. Trois douzaines de créatures féminines vertueuses du premier cercle proclamaient leur capacité physique, sinon véritablement leur empressement, à donner des enfants à trois douzaines de millionnaires. Cinq douzaines de créatures féminines vertueuses du deuxième cercle proclamaient non seulement cette capacité, mais en outre une ambition farouche ayant pour objet les trois premières douzaines de jeunes gens, qui étaient, bien sûr, invités à chacune des quatre-vingt-seize soirées — en même temps que l'entourage de la jeune femme, amis de la famille, simples connaissances, camarades d'université, et jeunes *outsiders* souhaitant vivement s'intégrer. Ensuite, il y avait un troisième cercle en provenance des alentours de la ville, de Newark et des banlieues du New Jersey, jusqu'au Connecticut et aux parties les moins recommandables de Long Island — incluant très certainement des couches sociales qui, de proche en proche, descendaient jusqu'aux bas quartiers de la ville : de jeunes juives entraient dans une société d'hommes et de femmes juifs, de Riverside jusqu'au Bronx, et aspiraient à rencontrer un jeune agent de change en début de carrière et à célébrer des noces casher. De jeunes Irlandaises, ayant enfin l'autorisation de le faire, jetaient les yeux sur de jeunes politiciens ambitieux, sur des entrepreneurs de pompes funèbres pleins de piété et sur des enfants de chœur qui avaient grandi.

Et, naturellement, la ville dans son ensemble était contaminée par cette atmosphère de début de saison. Les jeunes ouvrières ou vendeuses, les pauvres, pas bien belles, qui emballaient du savon dans les usines ou montraient aux clientes des lingeries dans les grands magasins rêvaient que, peut-être, dans toute l'excitation spectaculaire provoquée par l'hiver, elles mettraient la main sur le mâle convoité, tout comme, au milieu du désordre d'une foule de carnaval, un pickpocket malhabile voit augmenter ses chances. Les cheminées commençaient à fumer et la pestilence du métro s'atténuait. Les actrices se produisaient dans de nouvelles pièces, les éditeurs sortaient de nouveaux livres, et le couple Castle revenait avec de nouvelles danses. Les chemins de fer sortaient de nouveaux indicateurs contenant de nouvelles erreurs qui venaient remplacer les anciennes auxquelles les voyageurs s'étaient habitués.

La ville entière ouvrait la saison !

Un après-midi, sous un ciel gris acier, Anthony, marchant dans la 42ᵉ Rue, tomba à l'improviste sur Richard Caramel qui sortait de chez le coiffeur de l'hôtel Manhattan. La journée était froide, c'était la première journée vraiment froide, et Caramel portait l'une de ces vestes longues tombant au genou, doublées de peau de mouton, qui avaient été longtemps portées par les ouvriers du Middle West et commençaient à trouver les faveurs de la mode. Son feutre mou était d'un marron discret, et dessous, son œil clair brillait comme une topaze. Il arrêta Anthony avec enthousiasme, lui tapant sur les bras plutôt pour lutter contre le froid que par jeu, et après son inévitable poignée de main, il démarra en fanfare.

« Un froid de tous les diables… Jésus, j'ai travaillé toute la journée comme un malade jusqu'à ce qu'il fasse si froid dans ma chambre que j'ai cru que j'allais attraper une pneumonie. Mon abrutie de propriétaire qui économise le charbon a fini par monter après que j'ai passé une demi-heure à m'époumoner pour l'appeler du haut de l'escalier. Elle s'est mise à m'expliquer le pourquoi du comment. Seigneur ! Au début elle m'a rendu fou, et puis je me suis mis à voir en elle un personnage, et pendant qu'elle parlait, j'ai pris des notes — sans qu'elle puisse me voir, tu comprends, comme si quelque chose me passait par la tête… »

Il avait saisi Anthony par le bras et lui faisait remonter Madison Avenue d'un bon pas.

« Où va-t-on ?

— Nulle part en particulier.

— Alors, à quoi bon ? » demanda Anthony.

Ils s'arrêtèrent et se regardèrent en face, et Anthony se demanda si le froid rendait son visage aussi repoussant que celui de Dick Caramel, dont le nez était cramoisi, le front bombé bleu, les yeux jaunes dépareillés rouges et coulant sur les bords. Au bout d'un moment, ils se remirent en marche.

« J'ai fait du bon travail sur mon roman. » Dick fixait ostensiblement le trottoir et s'adressait à lui. « Mais il faut que je sorte de temps en temps. » Il jeta un coup d'œil d'excuse à Anthony, comme pour quêter un encouragement. « Il faut que je parle. Je suppose qu'il y a très peu de gens qui réfléchissent vraiment, je veux dire qui se posent quelque part pour penser et qui ont des idées qui s'enchaînent. Moi, je réfléchis quand j'écris, ou dans les conversations. Il faut quelque chose pour démarrer, en somme, quelque chose à défendre ou à contredire, tu ne crois pas ? »

Anthony répondit par un vague grognement et retira doucement son bras.

« Ça ne m'ennuie pas de te porter, Dick, mais avec ce manteau…

— Je veux dire, poursuivit Richard Caramel avec gravité, que sur le papier, ton premier paragraphe présente l'idée que tu vas ensuite récuser ou développer. Dans une conversation, tu t'appuies sur la dernière chose dite par ton interlocuteur, mais quand tu réfléchis tout seul, eh bien, tes idées se succèdent comme les images dans une lanterne magique, et chacune d'elles chasse la précédente. »

Ils dépassèrent la 45e Rue et ralentirent légèrement le pas. Ils allumèrent tous deux une cigarette et soufflèrent dans l'air d'énormes nuages de fumée et d'haleine givrée.

« Allons jusqu'au Plaza prendre un lait de poule, suggéra Anthony. Ça te fera du bien de marcher. Ça débarrassera cette fichue nicotine de tes poumons. Allez, viens ; je te laisserai parler de ton bouquin pendant tout le chemin.

— Je ne veux pas t'en parler si ça t'embête. Ne te crois pas obligé de me faire une grâce. » Les mots sortaient en se bousculant, et même s'il s'efforçait de garder un air détaché, il faisait une petite grimace hésitante. Anthony fut forcé de protester :

« Si ça m'embête ? Bien sûr que non.

— J'ai une cousine », commença Dick, mais Anthony l'interrompit en allongeant le bras et en exhalant un soupir d'exultation.

« Magnifique, ce temps, lança-t-il, tu ne trouves pas ? J'ai l'impression d'avoir dix ans. Je veux dire que je ressens ce que j'aurais dû ressentir quand j'avais dix ans. Incroyable ! Ciel, pendant une seconde le monde m'appartient, et la seconde suivante, le monde se moque de moi. Aujourd'hui, le monde m'appartient et tout paraît facile, facile. Même "rien", ça paraît facile !

— J'ai une cousine qui habite au Plaza. Une fille formidable. On peut aller lui dire bonjour. C'est là qu'elle habite pendant l'hiver — enfin, ces derniers temps — avec son père et sa mère.

— Je ne savais pas que tu avais des cousines à New York.

— Elle s'appelle Gloria. Elle vient du même endroit que moi, Kansas City. Sa mère est une bilphiste pratiquante, et son père est un monsieur un peu ennuyeux mais parfaitement bien élevé.

— C'est quoi pour toi ? Du matériau littéraire ?

— Ils essayent de l'être. Son père n'arrête pas de me répéter qu'il vient de faire la connaissance d'un personnage formidable pour un roman. Puis il me parle d'un de ses crétins d'amis et il me dit : "Ah, voilà un personnage pour toi ! Pourquoi est-ce que tu n'écris pas sur lui ? Ça intéresserait tout le monde." Ou alors il me parle du Japon, ou de Paris, ou de tout autre endroit qui saute autant aux yeux, et il me dit : "Pourquoi est-ce que tu n'écrirais pas là-dessus ? Ça ferait un cadre magnifique pour une nouvelle !"

— Et ta cousine ? demanda Anthony d'un air détaché. Gloria... Gloria comment ?

— Gilbert. Mais oui, tu en as entendu parler, Gloria Gilbert. Elle sort dans tous les bals universitaires, ou de ce genre.

— C'est un nom qui me dit quelque chose.

— Jolie fille. Drôlement séduisante, en fait. »

Ils atteignirent la 50e Rue et tournèrent pour rejoindre l'Avenue.

« D'une manière générale, je ne m'intéresse pas aux filles très jeunes », déclara Anthony en faisant la moue.

Ce n'était pas strictement exact. Tout en ayant l'impression que la *débutante** moyenne passait chacune des heures de sa journée à se demander ce que le vaste monde la destinait à faire pendant l'heure qui suivait, toute jeune fille qui tirait sa subsistance de son capital de beauté l'intéressait énormément.

« Gloria est drôlement mignonne. Une cervelle d'oiseau. »

Anthony émit un bref hennissement sarcastique.

« Tu entends par là qu'elle ne babille pas sur des questions littéraires ?

— Ce n'est pas ce que je veux dire.

— Dick, tu sais très bien ce qui passe à tes yeux pour de l'intelligence chez une jeune fille. Le genre de fille qui se met avec toi dans un coin pour discuter très sérieusement de la vie. Celles qui, quand elles avaient seize ans, se demandaient avec solennité si embrasser un garçon, c'était bien ou mal, et s'il était immoral pour un étudiant de première année de boire de la bière. »

Richard Caramel était offensé. Sa moue se crispa comme du papier froissé.

« Non », commença-t-il, mais Anthony l'interrompit sans ménagement.

« Mais si. Celles qui maintenant se mettent dans un coin pour palabrer sur le tout dernier Dante scandinave qu'on peut se procurer en traduction anglaise. »

Dick se retourna vers lui, toute sa personne semblant curieusement s'affaisser. La question qu'il posa avait presque un ton de supplique.

« Mais qu'est-ce que vous avez, Maury et toi ? Quelquefois vous me parlez comme si j'étais en quelque sorte un inférieur. »

Anthony était embarrassé, mais il était également froid et légèrement mal à l'aise ; il se réfugia donc dans l'attaque.

« Je ne crois pas que ça compte beaucoup chez toi, l'intelligence.

— Bien sûr que si, s'exclama Dick avec colère. Qu'est-ce que tu veux dire ? Pourquoi est-ce que ça ne compterait pas ?

— Tu risquerais d'en savoir trop long pour ta plume.

— C'est impossible.

— Je peux imaginer un homme, insista Anthony, qui en saurait trop long pour ce que son talent peut exprimer. Comme moi. Suppose par exemple que j'aie plus de sagesse que toi, et moins de talent. Ça me paralyserait. Toi, au contraire, tu as l'eau qu'il faut pour remplir le seau, et le seau qu'il faut pour contenir l'eau.

— Je ne te suis pas du tout », pleurnicha Dick, la

mine abattue. Complètement désemparé, il semblait bouffi de contrariété. Il fixait Anthony droit dans les yeux, et se cognait dans les passants qui lui lançaient des regards fulminants.

« Je veux simplement dire qu'un talent comme celui de H. G. Wells peut aller de pair avec l'intelligence d'un Herbert Spencer. Mais un talent inférieur ne peut s'exprimer avec grâce que s'il sert de support à des idées inférieures. Et plus tu regardes une chose de près, plus tu peux en parler de façon divertissante. »

Dick réfléchit, incapable de mesurer avec précision ce que les remarques d'Anthony contenaient de critique. Mais Anthony, avec cette facilité qui semblait si souvent couler de source, chez lui, poursuivit, ses yeux noirs brillant dans son visage mince, le menton levé, la voix un ton plus haut, dressé de tout son être :

« Disons que je sois fier, sensé et sage — un Athénien parmi les Grecs. Eh bien, je peux échouer là où un homme de moindre mérite réussirait. Lui pourrait imiter, pourrait enjoliver, pourrait se montrer enthousiaste, il pourrait se montrer constructif par optimisme. Alors que mon moi hypothétique serait trop fier pour imiter, trop sensé pour être enthousiaste, trop raffiné pour être utopiste, trop grec pour enjoliver.

— Tu ne penses donc pas que c'est son intelligence que l'artiste met en œuvre ?

— Non. Il s'efforce d'améliorer par son style, s'il le peut, ce qu'il imite, et de choisir, à la lumière de son interprétation de ce qui l'entoure, ce qui constitue son matériau. Mais après tout, un écrivain écrit parce que c'est son mode de vie. Ne me dis pas que tu adhères à ce qu'on raconte sur le "Rôle divin de l'Artiste" ?

— Je n'ai même pas l'habitude de me considérer comme un artiste.

— Dick, dit Anthony en changeant de ton, je te demande pardon.

— Pourquoi ?

— Pour cette sortie. Je suis sincèrement désolé. Je me suis laissé emporter par la rhétorique. »

Un peu radouci, Dick répondit :

« J'ai souvent dit qu'au fond tu étais un philistin. »

Un crépuscule grésillant était tombé lorsqu'ils franchirent la façade blanche du Plaza, et qu'ils se mirent à déguster la mousse et l'onctuosité jaune de leur lait de poule. Anthony regarda son compagnon. Le nez et le front de Richard Caramel tendaient à retrouver lentement une coloration identique, le rouge s'effaçant de l'un et le bleu de l'autre. En jetant un coup d'œil dans une glace, Anthony fut content de voir que sa peau à lui ne s'était pas décolorée. Au contraire, son teint avait pris un léger éclat ; il se dit qu'il n'avait jamais eu aussi bonne mine.

« Bon, ça va bien comme ça », déclara Dick, sur le ton d'un athlète à l'entraînement. « Je veux monter voir les Gilbert. Tu m'accompagnes ?

— Disons que oui. Si tu ne me colles pas les parents pour aller t'isoler dans un coin avec Dora.

— Pas Dora, Gloria. »

Un réceptionniste les annonça par téléphone et, ayant pris l'ascenseur jusqu'au dixième étage, ils suivirent un long corridor sinueux et frappèrent au 1088. La porte fut ouverte par une dame entre deux âges — Mrs. Gilbert en personne.

« Comment allez-vous ? » Elle s'exprimait dans le

langage conventionnel des dames américaines bon genre. « Ah, je suis vraiment ravie de vous voir... »

Quelques interjections hâtives de la part de Dick, puis :

« Mr. Pats ? Entrez, je vous en prie, laissez votre pardessus ici. » Elle montra un siège et changea d'intonation pour émettre un rire d'excuse entrecoupé de minuscules halètements. « Ah, quel plaisir, quel plaisir ! Mon Dieu, Richard, cela fait une éternité que tu n'es pas venu ici... non... non ! » Ces derniers monosyllabes servaient pour moitié de réponse et pour moitié de ponctuation entre les vagues ébauches d'intervention de Dick. « Venez donc vous asseoir, raconte-moi ce que tu deviens. »

On se croisait, on se recroisait. On restait debout et l'on faisait le plus léger des signes de tête, on souriait sans relâche d'un air stupide et mal à l'aise ; on se demandait si elle s'assiérait un jour ; on finit par s'affaler avec soulagement dans un fauteuil, par être installé pour une agréable visite.

« Je suppose que c'est parce que tu as été très pris... en plus de tout le reste », dit Mrs. Gilbert avec une certaine ambiguïté. Elle lançait « ... en plus de tout le reste » pour équilibrer toutes ses phrases bancales. Elle avait deux autres formules : « du moins, c'est comme ça que je vois les choses », et « purement et simplement ». Les trois en alternance donnaient à chacune de ses remarques l'allure d'une réflexion de portée générale sur la vie, comme si elle avait calculé toutes les causes et fini par mettre le doigt sur la cause ultime.

Le visage de Richard Caramel, Anthony put le constater, était redevenu tout à fait normal. Le front et les joues étaient couleur chair, le nez, avec bienséance, ne se faisait pas remarquer. Il fixait sa tante de son œil jaune brillant, lui prêtant cette attention vive, excessive, que les jeunes hommes ont pour habitude de prodiguer à toutes les femmes qui n'ont plus de valeur à leurs yeux.

« Et vous, Mr. Pats, vous êtes également écrivain ?... Eh bien, nous pouvons peut-être tous nous réchauffer au soleil de la gloire de Richard. » Rires légers menés par Mrs. Gilbert.

« Gloria est sortie », annonça-t-elle, l'air de poser un axiome dont elle ne manquerait pas de tirer les conséquences. « Elle est partie danser quelque part. Gloria sort, sort, sort. Je lui dis que je ne vois pas comment elle tient le coup. Elle danse tout l'après-midi, toute la nuit, au point que, j'en ai peur, elle ne va plus être que l'ombre d'elle-même. Son père se fait beaucoup de souci pour elle. »

Elle les regarda à tour de rôle en souriant. Tous deux sourirent.

Elle était composée, observa Anthony, d'une succession de demi-cercles et de paraboles, comme ces figures que les gens doués réalisent à la machine à écrire : la tête, les bras, le buste, les hanches, les cuisses et les chevilles formaient un incroyable empilement de rondeurs. Elle était d'allure soignée, avec des cheveux d'un gris soutenu artificiel. Son visage imposant abritait des yeux d'un bleu délavé et s'ornait d'une ombre de moustache blanche à peine perceptible.

« Je dis toujours, déclara-t-elle à Anthony, que Richard est une âme d'une autre époque. »

Dans le silence tendu qui suivit, Anthony envisagea un instant une plaisanterie, une formule pour sugérer qu'en ce cas il avait dû beaucoup vivre et souffrir.

« Nous avons tous des âmes d'âge différent,

continua Mrs. Gilbert, radieuse. Du moins c'est ce que je dis.

— C'est possible », opina Anthony, faisant mine de se rallier à une idée qui ouvrait des horizons. La voix continuait son babil :

« Gloria a une âme très jeune, irresponsable, en plus de tout le reste. Elle n'a aucun sens des responsabilités.

— Elle est pétillante, tante Catherine, dit Richard aimablement. Le sens des responsabilités nuirait à son charme. Elle est trop jolie pour ça.

— Tout ce que je sais, admit Mrs. Gilbert, c'est qu'elle sort, elle sort, elle sort... »

Le nombre de fois où Gloria avait le tort de sortir se perdit dans le bruit de la poignée de la porte qui s'ouvrit pour laisser entrer Mr. Gilbert.

C'était un homme de petite taille avec une moustache posée comme un petit nuage blanc sous un nez qui n'avait rien de remarquable. Il avait atteint le stade où la valeur de son rôle dans la société était un négatif noir et impondérable. Ses idées étaient les illusions communément répandues vingt ans plus tôt. Son esprit naviguait de façon anémique et vacillante dans le sillage des éditoriaux des quotidiens. Après avoir obtenu son diplôme dans une université — petite mais assez redoutable — de l'Ouest, il était entré dans une affaire de celluloïd, et comme sa fonction ne réclamait que le minimum d'intelligence qu'il pouvait y apporter, il s'en acquitta correctement pendant plusieurs années, en fait jusqu'aux alentours de 1911, où il commença à échanger la négociation de contrats contre celle de vagues accords avec l'industrie cinématographique. Vers 1912, ladite industrie cinématographique avait décidé de ne faire qu'une bouchée de Mr. Gilbert, et il se retrouva alors, si l'on peut dire, délicatement perché en équilibre sur le bout de la langue prête à l'avaler. Pendant ce temps, il occupa le poste de gestionnaire de contrôle de l'Associated Mid-Western Film Materials Company, passant six mois de l'année à New York et les six autres mois entre Kansas City et Saint Louis. En toute crédulité, il avait le sentiment qu'un avenir heureux se profilait à l'horizon, son épouse pensait de même, et sa fille également.

Il désapprouvait la conduite de Gloria. Elle rentrait tard le soir, ne prenait jamais ses repas avec eux, elle était toujours au milieu d'histoires embrouillées. Un jour où il l'avait irritée, elle s'était servie contre lui de termes dont il n'aurait pas cru qu'ils faisaient partie de son vocabulaire. Sa femme était d'un commerce plus facile. Au bout de quinze années de perpétuelles chamailleries, il était arrivé à la dompter : dans la guerre entre un optimisme confus et une inertie systématique, quelque chose dans le nombre de « Oui, mais oui » avec lesquels il pouvait tuer la conversation lui avait assuré la victoire.

« Oui, oui, mais oui, disait-il, oui, oui, mais oui. Voyons, c'était l'été... voyons, 1891 ou 1892 — oui, oui, mais oui. »

Quinze années de « Oui, mais oui » avaient eu raison de Mrs. Gilbert. Quinze autres années de cette incessante affirmation qui n'affirmait rien, accompagnée du perpétuel tapotement qui faisait tomber des champignons de cendres de trente-deux mille cigares, l'avaient brisée. À ce mari, elle avait fait l'ultime concession de la vie conjugale, plus absolue, plus irrévocable que l'engagement premier : elle l'écoutait. Elle se racontait que les années lui avaient apporté la tolérance, alors qu'en fait elles avaient réduit à néant le peu de courage moral qu'elle avait pu posséder naguère.

Elle le présenta à Anthony.

« Mr. Pats », dit-elle.

Le jeune homme et le vieil homme se touchèrent la main. Celle de Mr. Gilbert était molle, usée jusqu'à présenter la consistance pulpeuse d'un pamplemousse pressé. Puis le mari et la femme échangèrent quelques mots ; il lui dit qu'il s'était mis à faire plus froid dehors. Il dit qu'il était allé jusqu'à un kiosque de la 44e Rue pour trouver un journal de Kansas City. Il avait d'abord pensé rentrer en bus, mais il faisait trop froid, oui, oui, oui, trop froid.

Mrs. Gilbert ajouta du zeste à son aventure en se montrant impressionnée par le courage avec lequel il avait bravé la morsure de l'air.

« Ah, tu ne manques pas de cran ! s'exclama-t-elle avec admiration. Moi, je ne serais sortie pour rien au monde. »

Avec une impassibilité toute virile, Mr. Gilbert resta indifférent à ce mélange de crainte et de respect qu'il avait suscité chez sa femme. Il se tourna vers les deux jeunes gens et s'assura un triomphe complet au sujet du temps. Il invita Richard Caramel à se rappeler à quoi ressemblait le mois de novembre au Kansas. Mais à peine le thème avait-il été lancé qu'il fut immédiatement récupéré pour être développé, caressé, étiré, et, au bout du compte, privé de toute vitalité par celui qui l'avait introduit.

La thèse immémoriale selon laquelle les journées étaient quelque peu chaudes mais les nuits très agréables fut avancée avec succès, et ils se mirent d'accord sur la distance exacte entre deux points d'une obscure ligne de chemin de fer que Dick avait mentionnée par inadvertance. Anthony fixa sur Mr. Gilbert un regard intense et se retrouva dans un état second que traversa, après un moment, la voix souriante de Mrs. Gilbert :

« J'ai comme l'impression qu'ici le froid est plus humide ; on dirait qu'il me pénètre jusqu'à la moelle des os. »

Comme cette remarque, dûment saluée de « oui, oui », attendait sur le bout de la langue de Mr. Gilbert, on ne saurait lui en vouloir d'avoir brusquement changé de sujet.

« Où est Gloria ?

— Elle devrait être là d'une minute à l'autre.

— Vous connaissez ma fille, monsieur... ?

— Je n'ai pas ce plaisir. Dick m'a souvent parlé d'elle. Richard et elle sont cousins.

— Oui ? » Anthony sourit avec effort. Il n'était pas habitué à la compagnie des gens plus âgés que lui, et ses lèvres se crispaient en une protestation excessive d'amabilité. C'était si charmant de penser que Gloria et Dick étaient cousins. Dans la minute qui suivit, il parvint à lancer à son ami un regard de détresse.

Richard Caramel s'excusait, ils allaient être obligés de s'éclipser.

Mrs. Gilbert était absolument désolée.

Mr. Gilbert trouvait que c'était bien dommage.

Mrs. Gilbert eut encore l'inspiration de dire qu'elle était ravie de leur visite, même s'ils n'avaient vu qu'une vieille dame beaucoup trop vieille pour flirter avec eux. Anthony et Dick considérèrent évidemment cette remarque comme une boutade pleine d'esprit, car leur rire se poursuivit pendant la durée d'une mesure à trois temps.

Reviendraient-ils bientôt ?

« Oh, oui. »

Gloria serait *tellement* désolée !

« Au revoir...

— Au revoir... »

Sourires !

Sourires !

Bang !

Deux jeunes gens navrés empruntant le corridor du dixième étage du Plaza en direction de l'ascenseur.

LES JAMBES D'UNE DEMOISELLE

Derrière l'indolence séduisante de Maury Noble, son manque d'à-propos et son ironie facile, se cachait une surprenante ténacité d'homme d'expérience. Son intention, comme il l'avait affirmé à l'université, était de consacrer trois ans à voyager, trois ans à profiter à fond de ses loisirs — et ensuite, de devenir le plus vite possible immensément riche.

Ses trois années de voyages étaient terminées. Il avait fait le tour du monde avec une détermination et une curiosité qui, chez tout autre, eussent paru pédantes, sans la spontanéité qui rachète tout, presque un Baedeker fait homme. Mais, dans son cas, cela prenait un air de dessein secret, d'objectif lourd de sens, comme si Maury Noble était une sorte d'Antéchrist prédestiné, poussé par le destin à parcourir toutes les régions possibles de la terre pour observer les milliards d'êtres humains qui la peuplaient et qui, un peu partout, procréaient, pleuraient et se massacraient les uns les autres.

De retour en Amérique, il sortait à la recherche

de distractions avec la même application régulière. Lui qui n'avait jamais pris plus de quelques cocktails ou de trois verres de vin à la suite, s'entraîna à boire comme il se serait entraîné à apprendre le grec. Comme le grec, cela allait lui ouvrir les portes d'un trésor d'états psychiques nouveaux, de sensations et de réactions nouvelles dans la joie ou dans la souffrance.

Ses habitudes offraient matière à des hypothèses ésotériques. Il occupait trois pièces dans une garçonnière de la 44e Rue, mais on l'y trouvait rarement. La standardiste avait reçu l'ordre très strict de ne jamais laisser parvenir à son oreille quelqu'un qui n'aurait pas commencé par donner son nom. Elle avait une liste d'une demi-douzaine de personnes pour qui il n'était jamais là, et une liste égale de personnes pour qui il était toujours là. En tout premier sur la deuxième liste figuraient Anthony Patch et Richard Caramel.

La mère de Maury vivait avec son fils marié à Philadelphie, et c'est là que Maury passait généralement ses week-ends. De sorte qu'un samedi soir où Anthony, errant dans les rues glaciales en proie à une crise de profond ennui, s'arrêta en passant à Molton Arms, il fut enchanté d'apprendre que Mr. Noble était chez lui.

Son moral remontait en flèche plus vite que le rapide ascenseur ne volait. C'était une chance, une chance fabuleuse, que d'être sur le point de bavarder avec Maury, qui serait également heureux de le voir. Ils se regarderaient avec une profonde affection tout juste perceptible dans leur regard, affection qu'ils dissimuleraient l'un et l'autre derrière des moqueries légères. En été, ils seraient sortis ensemble pour aller siroter avec indolence deux Tom Collins allongés, tout en laissant se ramollir leurs cols et en regardant les numéros plus ou moins divertissants de quelque cabaret paresseux du mois d'août. Mais il faisait froid dehors, le vent soufflait tout autour des grands immeubles, et décembre était au coin de la rue. Mieux valait donc une bonne soirée à boire un ou deux whiskys Bushmills ou une petite goutte du Grand Marnier de Maury, avec les livres miroitant comme des objets décoratifs sur les murs, et Maury irradiant une divine inertie, se prélassant comme un gros chat dans son fauteuil favori.

Il était là ! La pièce se referma sur Anthony, l'enveloppant de sa chaleur. Le rayonnement que dégageait cet esprit fortement persuasif, ce tempérament presque oriental dans son impassibilité apparente, réchauffait l'âme inquiète d'Anthony et lui apportait une paix qui ne pouvait se comparer qu'à celle que vous donne une femme idiote. Il faut tout comprendre, sinon il faut tout accepter comme allant de soi. Maury emplissait la pièce, pareil à un dieu, à un tigre. Les vents au-dehors s'étaient calmés. Les chandeliers de cuivre sur la cheminée brillaient comme des cierges sur un autel.

« Comment se fait-il que tu sois chez toi aujourd'hui ? » Anthony s'affala dans la mollesse d'un sofa et cala ses coudes au milieu des coussins.

« Je suis là depuis une heure seulement. Il y avait un thé dansant, et je suis resté si tard que j'ai raté mon train pour Philadelphie.

— Bizarre d'y rester si longtemps, commenta Anthony avec curiosité.

— En effet. Et toi, qu'est-ce que tu as fait ?

— Geraldine. La petite ouvreuse du théâtre Keith's. Je t'en ai parlé.

— Ah oui !

— Elle m'a rendu visite vers 3 heures, et elle est restée jusqu'à 5 heures. Une drôle de fille. Elle m'attendrit. Elle est complètement idiote. »

Maury ne disait rien.

« Si étrange que cela puisse paraître, poursuivit Anthony, en ce qui me concerne, et même pour ce que j'en sais, Geraldine est un parangon de vertu. »

Cela faisait un mois qu'il la connaissait, une fille aux habitudes nomades, sans rien de caractéristique. Quelqu'un l'avait incidemment repassée à Anthony, qui la trouvait amusante et qui avait bien aimé les chastes baisers de lutin dont elle l'avait gratifié lors de leur troisième soirée, quand ils avaient traversé Central Park en taxi. Elle avait vaguement une famille, un oncle et une tante fantômes qui partageaient avec elle un appartement dans le labyrinthe des rues au-delà de la 100e. Il aimait bien être avec elle, sa présence était familière, intime mais pas trop, reposante. Il n'avait pas envie d'aller plus loin dans leur relation, non par quelque scrupule d'ordre moral, mais par peur de troubler par les complications d'un attachement la sérénité qui peu à peu semblait régner sur sa vie.

« Elle a deux trucs, raconta-t-il à Maury. L'un des deux est de rabattre ses cheveux sur ses yeux, puis de souffler dessus pour les dégager, et l'autre est de dire "Vous divaguez", quand quelqu'un fait une remarque à laquelle elle n'entend goutte. Ça me fascine. Je passe des heures à m'émerveiller des symptômes de folie qu'elle détecte dans mon imagination. »

Maury bougea un peu dans son fauteuil et prit la parole.

« Je trouve remarquable qu'une personne puisse vivre dans une civilisation aussi complexe tout en la comprenant si peu. Une femme de ce genre prend l'univers entier sans se poser la moindre question. De l'influence de Rousseau à la répercussion des tarifs douaniers sur son dîner, tous ces phénomènes lui sont totalement étrangers. Elle a été propulsée directement de l'âge des fers de lance à notre époque, avec l'équipement d'un archer pour affronter un duel au pistolet. On pourrait déblayer d'un coup la croûte entière de l'histoire, elle ne verrait même pas la différence.

— Notre Richard devrait bien écrire sur elle.

— Anthony, tu ne penses pas sérieusement qu'elle vaut la peine qu'on écrive sur elle ?

— Autant que n'importe qui, répondit-il en bâillant. Tu sais, je me disais aujourd'hui que j'ai une grande confiance en Dick. Tant qu'il s'en tiendra aux gens et pas aux idées, et tant qu'il tirera son inspiration de la vie et pas de l'art, pour peu que cela puisse suivre son cours naturel, je suis convaincu qu'il sera un type formidable.

— Je pense que la découverte du petit carnet noir révélerait que c'est à la vie qu'il s'attache. »

Anthony se redressa sur son coude et répondit avec ardeur :

« Il essaye de s'attacher à la vie. C'est ce que font tous les écrivains, à l'exception des plus mauvais, mais en somme la plupart d'entre eux se nourrissent d'aliments prédigérés. L'incident ou le personnage peuvent être empruntés à la vie, mais l'écrivain les interprète habituellement à la lumière du dernier livre qu'il a lu. Imaginons par exemple qu'il rencontre un capitaine au long cours et qu'il se dise que c'est un personnage original. La vérité, c'est qu'il perçoit la ressemblance qu'il y a entre lui et le dernier capitaine au long cours créé par Richard Henry

Dana, ou tout autre écrivain qui parle de capitaines au long cours. Et c'est cela qui lui permet de donner forme sur le papier à son capitaine au long cours. Bien sûr, Dick peut donner vie à n'importe quel personnage pittoresque qui se prête à un traitement romanesque, mais pourrait-il peindre avec précision sa propre sœur, par exemple ? »

Et les voilà partis à discuter littérature pendant une demi-heure.

« Un classique, suggéra Anthony, est un livre dont le succès a survécu aux réactions de la période ou de la génération suivantes. À ce moment-là, il est assuré de son avenir, comme un style d'architecture ou d'ameublement. Il échappe à la mode, il a acquis une sorte de dignité pittoresque. »

Au bout d'un moment, le thème perdit de sa saveur. Les deux jeunes gens ne faisaient guère cas des questions techniques ; ce dont ils raffolaient, c'était des généralités. Anthony venait de découvrir Samuel Butler, et les aphorismes enlevés des *Carnets* lui paraissaient la quintessence de la critique. Maury, dont l'esprit était tempéré par la rigueur même de ses projets de vie, semblait à tout coup le plus sage des deux. Pourtant, du point de vue des capacités intellectuelles, ils n'étaient pas fondamentalement différents.

Ils firent dériver la conversation du monde des lettres aux anecdotes de leurs journées respectives.

« C'était chez qui, le thé ?

— Chez des gens qui s'appellent Abercrombie.

— Pourquoi es-tu resté tard ? Tu as rencontré une *débutante** irrésistible ?

— Oui.

— Vraiment ? » De surprise, la voix d'Anthony monta d'un ton.

« Pas exactement une *débutante**. Elle dit qu'elle a fait ses débuts dans le monde à Kansas City, il y a deux ans.

— Une laissée-pour-compte ?

— Non », répondit Maury avec une pointe d'amusement. « C'est la dernière chose que j'aurais l'idée de dire d'elle. Je dirais que c'était... la fille la plus jeune de l'assemblée.

— Pas assez jeune pour te faire rater un train.

— Très jeune quand même. Une petite beauté. »

Anthony gloussa à sa façon monosyllabique.

« Maury, tu retombes en enfance. C'est quoi pour toi, une petite beauté ? »

Maury regarda fixement le vide d'un air désemparé.

« Écoute, je ne saurais pas te la décrire ; je peux seulement dire que c'était une beauté. Elle était formidablement vivante. Elle suçait des boules de gomme.

— Quoi !

— C'était une forme de vice mineur. Elle a un tempérament nerveux, elle dit qu'elle suce toujours des boules de gomme dans les thés dansants, parce qu'il faut rester tellement longtemps debout sans bouger.

— De quoi avez-vous parlé ? de Bergson ? du bilphisme ? de savoir s'il est immoral de danser le one-step ? »

Maury n'était pas démonté ; on ne pouvait jamais le prendre à rebrousse-poil. « En fait, oui, nous avons parlé de bilphisme. Apparemment, sa mère est une adepte. Mais nous avons surtout parlé de jambes. »

Anthony s'esclaffa.

« Ciel ! Des jambes de qui ?

— Des siennes. Elle a beaucoup parlé des siennes. Comme si c'était une sorte de précieux bibelot. Ça donnait grande envie de les voir.

— Qu'est-ce qu'elle est ? danseuse ?

— Non, j'ai appris que c'était une cousine de Dick. »

Anthony se redressa si brusquement que le coussin qu'il libéra se redressa lui aussi comme une créature animée, et plongea à terre.

« Elle s'appelle Gloria Gilbert ? s'écria-t-il.

— Oui. Est-ce qu'elle n'est pas étonnante ?

— Je n'en sais fichtre rien, mais pour ce qui est d'être un raseur, son père…

— Écoute », interrompit Maury avec une conviction implacable, « ses parents sont peut-être aussi tristes qu'un chœur de pleureuses, mais quant à elle, j'ai tendance à voir en elle un personnage authentique et original. D'apparence, la fille très conventionnelle qui sort de Yale, tout ça, mais au fond différente, absolument différente.

— Continue, continue, insista Anthony. Dès que Dick m'a dit qu'elle n'avait pas une once de cervelle, j'ai compris que c'était quelqu'un d'intéressant.

— Il a dit ça ?

— Il l'a juré sur l'honneur », dit Anthony, avec un de ses gloussements caractéristiques.

« En fait, ce qu'il entend par "cervelle", chez une fille, c'est…

— Je sais, interrompit Anthony avec vivacité. Il entend par là un vernis d'opinions erronées sur la littérature.

— Exactement. Le genre qui croit que le relâchement moral de notre pays, d'année en année, est une excellente chose, ou le genre qui croit que c'est très inquiétant pour l'avenir. Soit le pince-nez, soit des poses. Eh bien, celle-là, elle a parlé de jambes. Elle a aussi parlé de peau — sa peau à elle. Toujours la sienne. Elle m'a raconté quel genre de hâle elle aimait avoir l'été, et comment elle y arrivait toujours à peu près.

— Toi, tu l'écoutais, ravi par sa voix de contralto ?

— Par sa voix de contralto ? Non, par le hâle. Je me suis mis à réfléchir à la question du hâle. Je me suis mis à me demander de quelle couleur j'étais devenu la dernière fois que je me suis exposé au soleil, il y a environ deux ans. J'avais un hâle assez réussi. Une jolie couleur bronzée, si mes souvenirs sont exacts. »

Anthony trouva refuge au milieu des coussins, mort de rire.

« Tu as démarré au quart de tour, oh, Maury ! Maury le garde-plage du Connecticut. La noix de muscade faite homme. Extra ! L'héritière s'enfuit avec le garde-côte à cause de sa pigmentation voluptueuse ! On finit par découvrir qu'il y a du sang tasmanien parmi ses ancêtres. »

Maury soupira. Il se leva, se dirigea vers la fenêtre et souleva le store.

« La neige tombe fort. »

Anthony, qui riait encore sous cape, ne répondit pas.

« Un hiver de plus. » De la fenêtre, la voix de Maury parvenait comme dans un murmure. « On vieillit, tu sais. J'ai vingt-sept ans, figure-toi. Plus que trois ans avant la trentaine, et je serai alors ce que les étudiants appellent un homme d'un certain âge. »

Anthony garda un moment le silence.

« Oui, tu es vieux, c'est vrai, finit-il par acquiescer. Premiers signes d'une sénescence dissolue et branlante : tu as passé ton après-midi à parler de hâle et des jambes d'une fille. »

Maury tira le store en le faisant claquer brusquement.

« Idiot, s'exclama-t-il. Entendre ça venant de toi ! Tu me vois ici, jeune Anthony, là où je me tiendrai encore pendant une génération ou davantage, à contempler des êtres pleins d'entrain tels que toi et Dick et Gloria Gilbert qui passeront devant moi, dansant, chantant, s'aimant et se détestant les uns les autres, émus, éternellement émus. Alors que moi, la seule chose qui m'émeuve, c'est mon absence d'émotion. Je me tiendrai là, viendra la neige... ah, il faudrait un Caramel pour prendre des notes... encore un hiver passera, et j'aurai trente ans et toi et Dick et Gloria, vous continuerez à être éternellement émus, à danser devant moi, à chanter. Mais quand vous aurez tous disparu, je serai toujours là, à dire des choses que de nouveaux Dick pourront écrire, à écouter le récit des désillusions, des réactions cyniques et des émotions de nouveaux Anthony, oui, et à parler à de nouvelles Gloria du hâle des étés à venir. »

Le feu se réveilla soudain dans l'âtre. Maury s'éloigna de la fenêtre, attisa les flammes avec un tisonnier et laissa tomber une bûche sur les chenets. Puis il se rassit dans son fauteuil, et ce qu'il lui restait de voix se perdit dans le feu ranimé qui crachait des flammes rouge et jaune le long de l'écorce.

« Après tout, Anthony, c'est toi qui es jeune et terriblement romantique. C'est toi qui es infiniment plus impressionnable et qui trembles à l'idée de ce qui pourrait venir troubler ton calme. C'est moi qui m'efforce sans relâche d'être ému, qui me laisse aller mille fois, sans pouvoir cesser d'être moi. Rien ne parvient à me faire vibrer.

« Pourtant, murmura-t-il après un autre long silence, il y avait chez cette petite fille avec son hâle absurde quelque chose d'éternellement vieux — comme moi. »

TURBULENCE

Anthony se retourna, encore tout endormi, dans son lit, accueillant une tache de soleil froid sur son couvre-lit, quadrillé par les ombres de la fenêtre à petits carreaux. Le matin emplissait la chambre. Le coffre sculpté dans le coin, la penderie ancienne et impénétrable, étaient dans la chambre comme des symboles sombres de l'indifférence de la matière. Seul le tapis était accueillant et périssable sous ses pieds périssables. Et Bounds, qui détonnait affreusement avec son col mou, était d'une substance aussi évanescente que la vapeur d'haleine glacée qu'il exhalait. Il se tenait près du lit, la main toujours baissée là où il avait secoué le couvre-lit, ses yeux bruns imperturbablement fixés sur son maître.

« Bows ! murmura le dieu endormi. C'est vous, Bows ?

— C'est moi, Monsieur. »

Anthony bougea la tête, s'obligea à ouvrir les yeux et les cligna d'un air de triomphe.

« Bounds.

— Oui, Monsieur ?

— Pouvez-vous vous rendre... ouah, ouh aah... bon Dieu ! » Anthony bâilla à s'en décrocher la mâchoire et le contenu de sa cervelle sembla s'agglutiner en une sorte de purée. Il recommença.

« Pouvez-vous venir vers 4 heures servir le thé avec des sandwichs ou quelque chose ?

— Oui, Monsieur. »

Anthony réfléchit, paralysé par le manque d'inspiration.

« Des sandwichs, répéta-t-il, faute de trouver mieux, disons des sandwichs au fromage, et à la confiture, du poulet, des olives. Laissez tomber le petit déjeuner. »

L'effort d'imagination l'avait épuisé. Il referma les yeux avec lassitude, laissa sa tête rouler, inerte, et relâcha aussitôt les muscles qu'il avait réussi à mettre sous tension. D'une lézarde dans son esprit émergea le fantôme vague mais inéluctable de la nuit précédente — mais dans ce cas précis, cela se révélait n'être rien d'autre qu'une conversation apparemment interminable avec Richard Caramel qui était venu lui rendre visite à minuit. Ils avaient vidé quatre bouteilles de bière et grignoté des croûtons de pain sec cependant qu'Anthony écoutait Dick lui lire la première partie de *L'Amant-démon*.

Lui parvint une voix, au bout de plusieurs heures. Anthony n'en tint aucun compte, le sommeil se refermait sur lui, l'enveloppait, se faufilait dans les moindres venelles de son esprit.

Il se réveilla en sursaut, et dit : « Quoi ?

— Pour combien, Monsieur ? » C'était encore Bounds, qui se tenait patient, immobile, au pied de son lit. Bounds qui partageait ses bons et loyaux services entre trois messieurs.

« Combien de quoi ?

— Je crois, Monsieur, qu'il vaut mieux que je sache combien de personnes Monsieur attend. Il faudra que je prévoie pour les sandwichs.

— Deux, grommela Anthony ; un monsieur et une dame. »

Bounds répondit : « Merci, Monsieur », et s'éloigna, affublé de son col mou qui était une humiliation et un reproche, reproche à chacun de ces trois messieurs qui ne réclamaient de lui qu'un tiers de son temps.

Après un long moment, Anthony se leva et passa sur sa personne mince et bien faite un peignoir moiré brun et bleu. Avec un dernier bâillement, il entra dans sa salle de bains et, allumant la lampe de sa table de toilette (la pièce n'avait pas de fenêtre donnant sur l'extérieur), il se contempla dans la glace avec un certain intérêt. Quelle pitoyable apparition, se dit-il ; c'est généralement ce qu'il se disait le matin, le sommeil lui donnant une pâleur spectrale. Il alluma une cigarette et parcourut quelques lettres et le *New York Tribune* du matin.

Une heure plus tard, rasé, habillé, assis à son bureau, il examinait un bout de papier qu'il avait sorti de son portefeuille. Quelques notes à peine lisibles y étaient griffonnées. « À 5 heures, voir Mr. Howland. Aller me faire couper les cheveux. Voir pour la facture de chez Rivers. Librairie. »

Et, sous la dernière : « Reste à mon compte 690 dollars (barré), 612 dollars (barré), 607 dollars. »

Finalement, tout en bas, il griffonna à la hâte : « Dick et Gloria Gilbert pour le thé. »

Ce dernier point lui apporta une satisfaction manifeste. Sa journée, habituellement gélatineuse, informe, invertébrée, venait d'acquérir une structure mésozoïque. Elle s'avançait avec assurance, et même crânement, vers un point culminant, comme ce qu'on attend d'une pièce de théâtre ou d'une journée. Il redoutait le moment où l'ossature de la journée se briserait, où, ayant enfin rencontré la jeune fille, ayant parlé avec elle, il aurait raccompagné son rire à la porte en s'inclinant, et se retrouverait devant les fonds de tasse mélancoliques et les sandwichs non consommés en train de rassir.

Les journées d'Anthony étaient de plus en plus décolorées. Il ressentait cela en permanence, et en attribuait parfois l'origine à une conversation qu'il avait eue avec Maury Noble le mois précédent. Qu'il pût se sentir oppressé par un sentiment aussi naïf, aussi présomptueux que le sentiment de gâchis était absurde, mais on ne pouvait nier qu'un indésirable résidu de fétichisme l'avait poussé à se rendre trois semaines plus tôt à la bibliothèque de son quartier d'où, grâce à la carte de lecteur de Richard Caramel, il avait sorti une demi-douzaine de livres sur la Renaissance italienne. Que ces livres fussent encore empilés sur son bureau dans l'ordre où il les avait déposés, que cela lui coûtât douze centimes par jour de retard, ne diminuait en rien leur force de témoignage. Ils étaient les témoins, en toile ou en maroquin, de sa défection. Anthony, alarmé, avait souffert pendant plusieurs heures de panique aiguë.

Comme justification à son mode de vie, il y avait bien entendu, en tout premier lieu, l'Absurdité de la Vie. Comme assistants et ministres, majordomes et laquais servant ce Grand Khan, il y avait un millier de livres qui rutilaient sur ses étagères, il y avait son appartement et tout l'argent qui lui reviendrait le jour où le vieil homme au bord du fleuve, là-haut, s'étranglerait sur son dernier sermon. Il était délivré, fort heureusement, d'un monde encombré d'insupportables *débutantes** et de Geraldine stupides. Il ferait mieux d'imiter l'immobilité féline de Maury et d'arborer fièrement la sagesse accumulée par plusieurs générations successives.

Dominant ces pensées, en contradiction avec elles, il y avait quelque chose que son cerveau ne cessait d'analyser et de traiter comme un complexe fastidieux, mais qui, même s'il l'avait organisé selon la logique et bravement foulé aux pieds, l'avait mené, dans la neige fondue de la fin novembre, jusqu'à une bibliothèque qui ne possédait aucun des livres dont il avait le plus besoin. On peut légitimement analyser Anthony en allant aussi loin que ses propres analyses ; il serait évidemment présomptueux d'aller au-delà. Il constatait en lui une horreur croissante de la solitude. L'idée de prendre un repas seul le terrifiait ; pour y échapper, il dînait souvent avec des hommes qu'il détestait. Les voyages, qu'il avait naguère adorés, lui paraissaient, à la longue, insupportables ; ce n'étaient que couleurs dépourvues de substance, poursuite chimérique de l'ombre de ses rêves.

Si je suis par nature un homme faible, se disait-il, j'ai besoin d'un travail à faire, oui, d'un travail. Il songeait avec inquiétude qu'il n'était qu'un être qui se satisfaisait de sa médiocrité, sans l'équilibre de Maury ou l'enthousiasme de Dick. Il trouvait tragique de n'avoir envie de rien ; pourtant il voulait quelque chose, quelque chose. Par éclairs, il savait de quoi il s'agissait : un chemin d'espérance qui le mènerait vers ce qu'il pensait être une vieillesse imminente et de mauvais augure.

Après des cocktails et un déjeuner au club universitaire, Anthony se sentit mieux. Il était tombé sur deux camarades de promotion de Harvard, et par contraste avec la lourdeur grisâtre de leur conversation, sa propre vie reprenait des couleurs. Tous deux étaient mariés. L'un passa le moment du café à évoquer une aventure extraconjugale, recueillant les insipides sourires approbateurs de l'autre. Ils étaient tous les deux, se disait-il, un Mr. Gilbert en puissance. Le nombre de leurs « oui » n'aurait qu'à quadrupler, leur nature se rabougrir de vingt ans, et ils ne seraient plus alors que des machines périmées, démolies, des hommes professant une similisagesse, bons pour la casse, soignés jusque dans leur sénilité extrême par les femmes qu'ils avaient démolies.

Ah, lui était plus que ça — tandis qu'après le dîner il arpentait le long tapis du hall, s'arrêtant devant la fenêtre pour regarder l'agitation de la rue. Il était Anthony Patch, brillant, au pouvoir magnétique, l'héritier de bien des années et d'une longue lignée d'hommes. Le monde était maintenant à lui, et cette dernière et vigoureuse ironie à laquelle il aspirait était à portée de main.

Dans les vagabondages d'un enthousiasme juvénile, il se voyait comme un puissant de l'univers ; avec l'argent de son grand-père, il pourrait bâtir son propre piédestal, être un Talleyrand, un Sir Francis Bacon. Sa lucidité, sa subtilité intellectuelle, la souplesse de son intelligence, toutes ces facultés en pleine maturité et dominées par un objectif encore à naître, tout cela lui trouverait une tâche à accomplir. Sur cette note mineure, son rêve s'évanouit : une tâche à accomplir. Il essaya de s'imaginer au Congrès, fouillant dans les ordures de cette incroyable bauge avec les philistins bornés, porcins, dont il voyait parfois le portrait en rotogravure dans les suppléments des journaux du dimanche, ces prolétaires montés en grade qui exposaient à la nation, dans un bavardage insipide, des idées dignes d'élèves encore au lycée ! Des hommes petits aux ambitions banales qui avaient cru par la médiocrité s'élever au-dessus de la médiocrité pour atteindre le paradis terne et prosaïque du gouvernement par le peuple. Et au sommet, l'élite, une douzaine d'hommes astucieux, égoïstes et cyniques, qui se contentaient de diriger ce chœur de cravates blanches et de boutons de col métalliques dans un hymne discordant, stupéfiant, où se confondaient vaguement la richesse, récompense de la vertu, et la richesse, preuve du vice, sur fond de célébration perpétuelle de Dieu, de la Constitution et des montagnes Rocheuses !

Sir Francis Bacon ! Talleyrand !

De retour dans son appartement, la grisaille ressurgit. L'effet des cocktails s'était dissipé, le laissant somnolent, l'esprit nébuleux, et d'humeur fâcheuse. Lui, Sir Francis Bacon ! Cette seule pensée était amère. Anthony Patch, sans réussite à son actif, sans courage, sans la force de reconnaître la vérité lorsqu'on la lui mettait sous le nez. Il n'était qu'un sot prétentieux, qui se bâtissait des carrières sous l'influence des cocktails tout en regrettant, timidement et en secret, l'effondrement d'un idéalisme déficient et pitoyable. Il avait meublé son âme avec le goût le plus délicat, et maintenant il aspirait aux vieux oripeaux. Il était vide, lui semblait-il, vide comme une vieille bouteille…

Le téléphone intérieur sonna à la porte. Anthony se leva d'un bond et porta le tube à son oreille. C'était la voix de Richard Caramel, jouant la solennité ampoulée :

« Monsieur, Miss Gloria Gilbert ! »

LA BELLE DAME

« Comment allez-vous ? » dit-il, en souriant et en tenant la porte entrouverte.

Dick s'inclina.

« Gloria, je te présente Anthony.

— Bien ! » s'écria-t-elle, en tendant une petite main gantée.

Sous son manteau de fourrure, sa robe était bleu de porcelaine, avec un tour de cou en dentelle blanche tuyautée.

« Laissez-moi vous débarrasser. »

Anthony tendit les bras et la masse de fourrure brune vint y tomber.

« Merci. »

« Qu'est-ce que tu penses d'elle, Anthony ? demanda Richard Caramel sans ménagement. Est-ce qu'elle n'est pas magnifique ?

— Ça alors ! » s'écria la jeune fille d'un air de défi — au demeurant impassible.

Elle était éblouissante — lumineuse ; c'était une souffrance de chercher à capter sa beauté d'un seul coup d'œil. Ses cheveux, d'une splendeur divine, mettaient de la gaieté dans la couleur hivernale de la pièce.

Anthony allait de-ci de-là, tel un magicien, transformant la lampe champignon en une splendeur orangée. Le feu, tisonné, éclaira de reflets dorés les chenets de cuivre dans l'âtre.

« Je suis un vrai bloc de glace », murmura Gloria sur un ton indifférent, regardant autour d'elle avec des yeux aux iris du plus délicat, du plus transparent blanc bleuté. « Quel joli feu ! Nous avons trouvé un endroit où l'on pouvait se tenir debout sur une espèce de grille en fer, et cela vous envoyait de l'air chaud, mais Dick a refusé de rester là avec moi. Je lui ai dit de continuer sans moi, et de me laisser en profiter. »

Assez conventionnel, tout cela. Elle semblait parler sans effort, pour son plaisir. Anthony, assis à un bout du canapé, examinait son profil éclairé par la lampe, au premier plan : la régularité exquise du nez et de la lèvre supérieure, le menton, volontaire sans excès, parfaitement équilibré sur un cou assez bref. Sur une photographie, elle devait apparaître comme une beauté purement classique, presque froide, mais l'éclat de ses cheveux et de ses joues, à la fois empourprées et fragiles, faisait d'elle l'être le plus vivant qu'il eût jamais vu.

« Je trouve que vous avez le nom le plus heureux du monde », était-elle en train de dire, toujours comme si elle se parlait à elle-même. Son regard se posa un instant sur lui, puis s'envola plus loin, allant effleurer les appliques italiennes suspendues aux murs à intervalles réguliers comme des tortues jaunes lumineuses, les étagères de livres, puis son cousin de l'autre côté. « Anthony Patch. Seulement, vous devriez plus ou moins ressembler à un cheval, avec un visage long et étroit, et vous devriez être en guenilles.

— Ça, c'est le côté Patch. Et Anthony, à quoi devrait-il ressembler ?

— Vous, vous ressemblez à Anthony », l'assura-t-elle d'un ton sérieux (il se disait qu'elle l'avait à peine vu), « l'air plutôt majestueux, poursuivit-elle, et solennel. »

Anthony s'autorisa un sourire déconcerté.

« Mais, voyez-vous, ce que j'aime, ce sont les noms

allitératifs, à l'exception du mien. Le mien est trop flamboyant. Je connaissais deux filles qui s'appelaient Jinks. Imaginez, si elles s'étaient appelées autrement —Judy Jinks et Jerry Jinks. Drôle, non ? Qu'est-ce que vous en pensez ? » Ses lèvres enfantines étaient entrouvertes, dans l'attente d'une réplique.

« Dans la prochaine génération, proposa Dick, tout le monde s'appellera Peter ou Barbara, parce que aujourd'hui tous les personnages de roman tant soit peu originaux s'appellent Peter ou Barbara. »

Anthony poursuivit la prophétie :

« Bien sûr, les prénoms Gladys et Eleonor, qui ont été ceux des héroïnes privilégiées de la génération précédente, et qu'on voit fleurir aujourd'hui dans la bonne société, seront transmis aux petites vendeuses de la génération suivante…

— Remplaçant Ella et Stella, interrompit Dick.

— Et Pearl et Jewel, ajouta Gloria avec entrain, et Earl, Elmer, et Minnie.

— Et c'est alors que j'interviendrai, fit remarquer Dick, et, reprenant le prénom désuet de Jewel, je le donnerai à un personnage étrange et attirant, et je lui ferai démarrer une toute nouvelle carrière. »

Gloria reprit le fil de la conversation, et broda sur ce thème en prenant une voix aux intonations montantes, à demi moqueuses, dans ses fins de phrase — comme pour défier les interruptions — et entrecoupant ses propos de rires indistincts. Dick lui avait dit que le domestique d'Anthony s'appelait Bounds — elle trouvait cela merveilleux ! Dick avait fait un jeu de mots assez médiocre sur le fait que Bounds faisait du patchwork, mais s'il y avait quelque chose de pire que les jeux de mots, avait-elle dit, c'était quelqu'un qui, en retour, lançait inévitablement à l'auteur du jeu de mots un regard de feinte réprobation.

« D'où êtes-vous ? » demanda Anthony. Il le savait, mais sa beauté avait paralysé son esprit.

« De Kansas City, dans le Missouri.

— On l'a mise dehors au moment même où on interdisait les cigarettes.

— On a interdit les cigarettes ? Je vois là la main de mon vénérable grand-père.

— C'est un rigoriste, non ?

— Je rougis pour lui.

— Moi aussi, avoua-t-elle. Je hais les rigoristes, surtout quand leur rigueur s'exerce contre moi.

— Il y en a beaucoup ?

— Des douzaines. Par exemple : "Oh, Gloria, si tu fumes autant, tu vas ruiner ton joli teint !" et : "Oh, Gloria, pourquoi ne te maries-tu pas, il serait temps de te ranger." »

Anthony exprima avec force son assentiment, tout en se demandant qui avait eu l'audace de parler ainsi à quelqu'un comme elle.

« Et puis, ajouta-t-elle, il y a tous les rigoristes subtils qui viennent vous dire qu'ils en ont entendu de belles sur votre compte et qu'ils ont pris votre défense. »

Il finit par s'apercevoir que ses yeux étaient gris, calmes et tranquilles, et lorsqu'ils se posèrent sur lui, Anthony comprit ce que Maury avait voulu dire en affirmant qu'elle était à la fois très jeune et très vieille. Elle parlait d'elle-même comme pourrait le faire une enfant très charmante, et les commentaires qu'elle faisait sur ce qu'elle aimait et n'aimait pas étaient pleins de spontanéité, dépourvus de toute affectation.

« Je dois avouer, fit Anthony gravement, que

même moi j'ai entendu dire quelque chose à votre sujet. »

Aussitôt en éveil, elle se redressa d'un coup. Ces yeux, qui avaient le gris et la pérennité d'un granit tendre, rencontrèrent les siens.

« Dites-moi. Je vous croirai. Je crois toujours ce qu'on me raconte à mon sujet. Pas vous ?

— Toujours, répondirent les deux hommes à l'unisson.

— Alors, dites-moi.

— Je ne devrais peut-être pas », dit Anthony pour la taquiner, souriant malgré lui. Elle marquait soudain un tel intérêt, se passionnant de façon presque risible pour tout ce qui touchait à elle.

« Il veut parler de ton surnom, dit son cousin.

— Quel surnom ? » demanda Anthony, avec un étonnement poli.

Elle se montra aussitôt intimidée, puis se mit à rire, se renversa sur les coussins et parla en levant les yeux au ciel :

« Gloria, d'est-en-ouest. » Il y avait du rire dans sa voix, un rire aussi indéfini que les ombres mouvantes qui jouaient dans ses cheveux, entre le feu et la lampe. « Seigneur ! »

Anthony était toujours perplexe.

« Que voulez-vous dire ?

— Je veux dire *moi*. Ce sont des idiots de garçons qui ont inventé ce sobriquet.

— Comprends donc, Anthony, expliqua Dick, une voyageuse connue dans tout le pays, etc. Ce n'est pas de ça que tu voulais parler ? On l'appelle comme ça depuis des années, depuis qu'elle a dix-sept ans. »

Les yeux d'Anthony se firent mi-tristes, mi-amusés.

« Mais qu'est-ce que c'est que ce Mathusalem au féminin que tu as amené ici, Caramel ? »

Elle ignora cette remarque, qui ne lui plaisait sans doute qu'à moitié, car elle renoua avec le sujet principal.

« Qu'est-ce que vous avez donc entendu dire sur moi ?

— Quelque chose en rapport avec votre physique.

— Ah bon, dit-elle, avec une ombre de déception, c'est tout ?

— Votre hâle.

— Mon hâle ? » Elle ne savait que penser. Sa main monta à sa gorge, y resta posée un instant, comme si elle palpait avec les doigts des nuances de couleurs.

« Vous vous rappelez Maury Noble ? Le garçon que vous avez rencontré il y a environ un mois. Vous lui avez fait forte impression. »

Fille réfléchit un moment.

« Je me rappelle. Mais il ne m'a pas téléphoné.

— Il n'a pas osé, je pense. »

Il faisait maintenant nuit noire au-dehors, et Anthony se demandait si son appartement avait jamais pu lui sembler gris — avec les livres et les tableaux aux murs qui dégageaient une chaleur amicale, et ce cher Bounds qui servait le thé en restant dans une ombre respectueuse, et ces trois personnes sympathiques qui propageaient, de part et d'autre du feu joyeux, des ondes d'intérêt et de rire.

MÉCONTENTEMENT

Le jeudi après-midi, Gloria et Anthony prirent le thé tous les deux au grill-room du Plaza. Le costume de Gloria, bordé de fourrure, était gris, « parce que avec le gris, il faut forcer sur le maquillage », expliqua-t-elle, et elle portait une petite toque crânement perchée sur sa tête, qui permettait à des boucles blondes de s'échapper dans une splendeur insouciante. Sous un éclairage plus vif, Anthony avait l'impression qu'elle avait une personnalité infiniment plus douce ; elle paraissait si jeune, dix-huit ans à peine. Ses formes, sous son fourreau collant — ce qu'on appelait alors une « jupe entravée » — étaient incroyablement souples et minces et ses mains, qui n'étaient ni « artistiques » ni boudinées, étaient petites, comme de jolies mains d'enfant.

Lors de leur entrée, l'orchestre entonnait les gémissements qui préludent à un tango brésilien — un air plein de castagnettes et d'harmonies simples, vaguement langoureuses, au violon, qui s'accordait bien à l'atmosphère du lieu hivernal, bourré d'une foule d'étudiants tout excités à l'approche des vacances. Méthodique, Gloria envisagea plusieurs possibilités, et, ce qui irrita plutôt Anthony, lui fit faire ostensiblement le tour de la salle jusqu'à une table pour deux située à l'autre bout. Une fois arrivée là, elle se posa une nouvelle fois la question : s'assiérait-elle à droite ou à gauche ? Pendant qu'elle faisait son choix, ses beaux yeux, sa jolie bouche étaient empreints de gravité. Et Anthony remarqua une fois de plus l'extrême naïveté de chacun de ses gestes. Toutes les choses de la vie étaient considérées par elle comme lui étant allouées pour faire son choix et les distribuer à sa guise, c'était comme si elle ne cessait de sélectionner des présents à un étalage inépuisable.

Distraitement, elle regarda un moment les danseurs, faisant à voix basse un commentaire sur un couple qui évoluait près d'eux.

« Tiens, voilà une jolie fille en bleu », et cependant qu'Anthony, docilement, regardait : « Là ! Non, derrière vous... là !

— C'est vrai, opina-t-il sans conviction.

— Vous ne l'avez pas vue.

— J'aime mieux vous regarder, vous.

— Je sais, mais elle était jolie. Sauf qu'elle avait des chevilles épaisses.

— Ah bon ? Possible... » dit-il sans rien en penser.

En passant près d'eux avec son danseur, une fille lança un salut :

« Salut, Gloria, hello !

— Hello ! »

« Qui était-ce ? demanda-t-il.

— Je ne sais pas. Quelqu'un. » Elle aperçut un autre visage. « Salut, Muriel ! » Puis, à Anthony : « C'est Muriel Kane. Elle, je trouve qu'elle a du charme, mais pas plus que ça. »

Anthony eut un petit gloussement d'appréciation.

« Du charme, mais pas plus que ça », répéta-t-il.

Elle sourit, manifestant un intérêt immédiat.

« Qu'est-ce que ça a de drôle ?

— C'est drôle, voilà tout.

— Vous avez envie de danser ?

— Et vous ?

— Un peu. Mais restons plutôt assis, décida-t-elle.

— Pour parler de vous ? Vous aimez parler de vous, non ?

— Oui. » Prise en flagrant délit de vanité, elle se mit à rire.

« J'imagine que votre autobiographie serait un classique.

— Dick dit que je n'en ai pas.

— Dick ! s'exclama-t-il. Que sait-il de vous ?

— Rien. Mais il dit que la biographie d'une femme

commence avec le premier baiser qui compte, et se termine quand on dépose dans ses bras son dernier enfant.

— Il cite son livre.

— Il dit que les femmes qui ne sont pas aimées n'ont pas de biographie, elles n'ont qu'une histoire. »

Anthony se remit à rire.

« Vous n'allez pas me dire que vous vous considérez comme une femme qui n'est pas aimée ?

— Non, sans doute pas.

— Alors, pourquoi est-ce que vous n'avez pas de biographie ? Vous n'avez jamais eu un baiser qui comptait ? » À peine ces mots s'étaient-ils échappés de ses lèvres qu'il inspira brusquement, comme s'il voulait les reprendre. Quel bébé !

« Je ne sais pas ce que vous entendez par "qui compte", objecta-t-elle.

— J'aimerais que vous me disiez quel âge vous avez.

— Vingt-deux ans, dit-elle en affrontant gravement son regard. Quel âge me donniez-vous ?

— Autour de dix-huit ans.

— Je vais me mettre à avoir cet âge-là. Ça ne me plaît pas du tout d'avoir vingt-deux ans. Rien que je déteste plus que ça.

— Le fait d'avoir vingt-deux ans ?

— Non. Le fait de vieillir, tout ça.

— Vous ne voulez pas vous marier un jour ?

— Je ne veux pas avoir de responsabilités, et avoir à m'occuper de plein d'enfants. »

Il était clair qu'elle ne mettait pas en doute l'excellence de tout ce qui sortait de sa bouche. Il attendit en retenant un peu son souffle la remarque suivante, supposant qu'elle s'enchaînerait à la précédente. Elle souriait, sans avoir l'air amusé, mais aimablement, et, au bout d'un moment, une demi-douzaine de mots tombèrent dans l'espace qui les séparait.

« J'aimerais bien avoir des boules de gomme.

— C'est facile ! » Il fit signe à un serveur et l'envoya au comptoir des cigares.

« Ça ne vous ennuie pas ? J'adore les boules de gomme. Tout le monde se moque de moi parce que je passe mon temps à en mâchonner — quand papa n'est pas dans les parages.

— Pas du tout. Qui sont tous ces enfants ? demanda-t-il brusquement. Vous les connaissez tous ?

— Pas vraiment, non, mais ils viennent de... oh, d'un peu partout, j'imagine. Vous ne venez jamais ici ?

— Très rarement. Je ne raffole pas des jeunes filles de bonne famille. »

Son attention fut aussitôt en éveil. Elle tourna résolument le dos aux danseurs, prit une pose confortable et demanda :

« À quoi passez-vous votre temps ? »

Grâce à un cocktail, Anthony accueillit la question de bon cœur. Il était d'humeur à causer, et de plus, il voulait faire une forte impression sur cette fille dont il était si difficile de capter l'intérêt : elle s'arrêtait pour brouter dans des pâturages inattendus et parcourait à la hâte des évidences qui n'avaient rien d'évident. Il voulait prendre la pose. Il voulait soudain se montrer à elle sous un jour héroïque et original. Il voulait l'arracher à cette indifférence distraite qu'elle manifestait vis-à-vis de tout ce qui n'était pas elle.

« Je ne fais rien », commença-t-il, réalisant aussitôt que ses paroles n'allaient pas avoir la grâce désinvolte qu'il aurait tant voulu leur donner. « Je ne fais rien, parce que rien de ce que je pourrais faire n'en vaut la peine.

— Et alors ? » Il n'avait pas réussi à la surprendre, ni même à l'intéresser, et pourtant elle l'avait certainement compris, s'il avait dit quelque chose qui valait la peine d'être compris.

« Vous n'approuvez pas les hommes paresseux ? »

Elle opina.

« Si, sans doute, s'ils sont paresseux avec grâce. Est-ce qu'un Américain est capable de ça ?

— Pourquoi pas ? » demanda-t-il, décontenancé.

Mais l'attention de Gloria était partie ailleurs, et avait grimpé dix étages plus haut.

« Papa est furieux contre moi, observa-t-elle avec détachement.

— Pourquoi ? Mais je veux savoir pourquoi un Américain ne serait pas capable d'être paresseux avec grâce. (Il s'enflammait en parlant.) Je trouve ça inouï. Je... je... je ne comprends pas pourquoi les gens pensent qu'un jeune homme doit forcément se rendre au bureau et travailler dix heures par jour pendant les vingt plus belles années de sa vie pour faire un travail assommant, automatique, qui n'a en tout cas pas le moindre degré d'altruisme. »

Il s'interrompit. Elle posait sur lui un regard impénétrable. Il attendit qu'elle exprimât son accord ou son désaccord, mais elle ne fit ni l'un ni l'autre.

« Vous ne portez jamais de jugements sur les choses ? » lui demanda-t-il sur un ton passablement énervé.

Elle secoua la tête, et tout en répondant, elle avait les yeux qui erraient à nouveau sur les couples de danseurs.

« Je ne sais pas. Je n'ai pas la moindre idée de ce

que vous devez faire, vous ou n'importe qui d'autre. »

Elle le déconcertait, freinait le flux de ses idées. S'exprimer librement ne lui avait jamais paru à la fois aussi désirable et aussi impossible.

« Oh, dit-il, sur un ton d'excuse, évidemment moi non plus, mais…

— Je pense simplement aux gens, poursuivit-elle, en me demandant s'ils sont bien à leur place, s'ils ne déparent pas le tableau. Qu'ils ne fassent rien, ça ne me dérange pas. Je ne vois pas ce qui les obligerait ; en fait, ça m'étonne toujours, quand je vois quelqu'un faire quelque chose.

— Vous, vous ne voulez rien faire ?

— Je veux dormir. »

L'espace d'un instant, il fut interloqué, presque comme si elle avait voulu dire cela littéralement.

« Dormir ?

— Plus ou moins. Je veux juste être paresseuse, et je veux qu'il y ait des gens autour de moi qui fassent des choses, parce que cela me donne un sentiment de confort et de sécurité, et je veux qu'il y en ait qui ne fassent rien du tout, parce qu'ils peuvent se montrer gracieux et de compagnie agréable. Mais je ne veux sûrement pas changer les gens ni me monter la tête à leur propos.

— Vous êtes une curieuse petite déterministe, dit Anthony en riant. C'est ça, votre monde, non ?

— Eh bien, dit-elle, en levant brièvement les yeux au ciel, oui — tant que je suis… jeune. »

Elle avait hésité une seconde avant le dernier mot, et Anthony soupçonnait qu'elle avait voulu dire « belle ». C'était sans nul doute cela qu'elle avait voulu dire.

Ses yeux brillèrent et il attendit qu'elle développât

ce thème. Au moins, il était arrivé à susciter son intérêt, il se pencha un peu pour capter ce qu'elle allait dire.

Mais elle ne dit rien d'autre que « Dansons ».

ADMIRATION

Cet après-midi d'hiver au Plaza fut le premier d'une suite de rendez-vous qu'Anthony eut avec elle pendant les journées animées et confuses qui précédèrent Noël. Elle était toujours prise. Ce que pouvaient être les obligations sociales qui la réclamaient, il mit longtemps à le découvrir. Cela ne semblait pas avoir beaucoup d'importance. Elle allait à des bals de charité semi-publics dans les grands hôtels. Il la vit plusieurs fois à des dîners au Sherry's, et une fois, alors qu'il l'attendait pendant qu'elle s'habillait, Mrs. Gilbert, à propos des sorties de sa fille, déroula tout un programme de vacances qui comprenait une demi-douzaine de bals pour lesquels Anthony avait reçu des invitations.

Il l'invita plusieurs fois à déjeuner ou à prendre le thé, mais les déjeuners étaient pris à la hâte et, à lui en tout cas, n'apportaient guère de satisfaction, car elle était endormie et distraite, incapable de se concentrer ou d'accorder une attention suivie aux remarques qu'il faisait. Quand, après deux de ces repas fastidieux, il l'accusa de ne lui donner que la carcasse de ses journées, elle se mit à rire et lui proposa un rendez-vous pour prendre le thé à trois jours de là. C'était beaucoup plus satisfaisant.

Un dimanche après-midi, juste avant Noël, il passa la voir, et la trouva à ce moment d'accalmie qui suit une querelle importante mais mystérieuse. Sur un ton de colère et d'amusement mêlés, elle lui raconta qu'elle venait de chasser un homme de son appartement — là, Anthony se jeta furieusement dans toutes sortes de conjectures —, que cet homme donnait le soir même un dîner en son honneur, et que naturellement elle n'irait pas. Anthony l'emmena donc dîner.

« Allons quelque part ! » proposa-t-elle pendant qu'ils descendaient en ascenseur. « J'ai envie de voir un spectacle, pas vous ? »

Au bureau de location de l'hôtel, on ne pouvait leur proposer que deux concerts du dimanche.

« Oh, c'est toujours la même chose, se plaignit-elle d'un air malheureux, toujours les mêmes vieux comédiens yiddish. Oh, allons quelque part ! »

Pour masquer un sentiment de culpabilité à l'idée qu'elle pouvait lui reprocher de ne pas avoir organisé un projet de sortie qui aurait pu lui plaire, il affecta un ton de compétence plein d'entrain :

« On va aller dans un bon cabaret.

— Je les connais tous.

— Allez, on va en trouver un nouveau. »

Elle était d'humeur massacrante, c'était évident. Ses yeux gris étaient à présent couleur de granit. Quand elle ne parlait pas, elle regardait droit devant elle comme si elle contemplait une vague forme déplaisante au milieu du hall.

« Bon, alors, allons-y. »

Il la suivit, gracieuse même enveloppée dans ses fourrures, trouva un taxi et, de l'air de celui qui sait à quel endroit précis il veut aller, donna l'ordre au chauffeur d'aller jusqu'à Broadway, et de descendre l'Avenue. Il fit mollement quelques efforts pour engager la conversation, mais comme elle restait murée dans un silence impénétrable et qu'elle lui répondait en phrases aussi maussades que la froide obscurité du taxi, il renonça et, gagné par la même humeur, il se retrouva triste et morose.

Une douzaine de pâtés de maisons plus loin dans Broadway, le regard d'Anthony fut attiré par une grande enseigne lumineuse inconnue de lui où se trouvait inscrit MARATHON en splendides lettres jaunes, ornée d'une guirlande électrique de feuilles et de fleurs qui s'allumaient et s'éteignaient, éclairant par intermittence la rue luisante de pluie. Il se pencha pour frapper à la vitre du chauffeur, et un instant plus tard, il recevait le renseignement fourni par un portier noir. Oui, c'était bien un cabaret, un excellent cabaret. Le meilleur spectacle de New York !

« On essaye ? »

Avec un soupir, Gloria jeta sa cigarette par la portière ouverte et se prépara à prendre le même chemin. Ils passèrent sous l'enseigne criarde, sous le vaste portail, prirent un ascenseur qui sentait le renfermé, et pénétrèrent dans ce palais des délices ignoré des poètes.

Les lieux de plaisir fréquentés par les très riches et les très pauvres, les dandys et la pègre, sans compter, plus récemment, les lieux fréquentés par « la bohème », sont connus des collégiennes fascinées d'Augusta, en Géorgie et de Redwing, dans le Minnesota, non seulement à travers les suppléments richement illustrés du journal du dimanche consacrés aux spectacles, mais à travers le regard choqué et inquiet de Mr. Rupert Hughes et des autres chroniqueurs qui observent l'allure fébrile de l'Amérique. Mais Harlem venant se produire à Broadway, les fredaines des tristes bourgeois et les frasques des gens respectables, tout cela fait partie des secrets bien gardés de ceux qui y participent.

Un tuyau circule et, dans l'endroit cité en connaissance de cause, se rassemblent, le samedi et le dimanche soir, les classes moralement inférieures de la société, les petits hommes un peu inquiets que les journaux caricaturent sous l'appellation « le consommateur » ou « le public ». Ils ont tenu à vérifier que le lieu remplissait trois conditions : il n'est pas cher ; il imite avec une sorte d'application mécanique, miteuse, les attractions scintillantes des grands cafés du quartier des théâtres ; et, le plus important, c'est un établissement où ils peuvent emmener une « jeune fille convenable », ce qui veut dire, bien sûr, que tout le monde est devenu pareillement inoffensif, timide et inintéressant par manque d'argent et d'imagination.

C'est là, le dimanche soir, que se rassemblent les gens crédules, sentimentaux, sous-payés, surmenés, avec des emplois à rallonges : experts-comptables, vendeurs de billets, chefs de service, représentants de commerce, et, surtout, les employés — employés des télégrammes, de la poste, commis d'épicerie, agents de change, employés de banque. Ils sont accompagnés par leurs femmes qui gloussent pour un rien, font de grands gestes, des femmes pathétiquement prétentieuses, des femmes qui prennent de l'embonpoint en même temps qu'eux, leur donnent trop d'enfants et flottent, désemparées, insatisfaites, dans une mer incolore de corvées domestiques et d'espoirs brisés.

On donne à ces cabarets de pacotille des noms de voitures Pullman. Le Marathon ! Oh non, pas ces images salaces empruntées aux grands cafés de Paris ! C'est là que leurs clients dociles amènent les

« dames bien », dont les imaginations sevrées ne demandent qu'à croire que le lieu est relativement gai et joyeux, et même un tantinet immoral. C'est la vie ! Au diable les lendemains !

Pauvres gens !

Anthony et Gloria, une fois placés, regardèrent autour d'eux. À la table d'à côté, un groupe de quatre était en passe d'être rejoint par un groupe de trois — deux hommes et une femme, qui étaient manifestement en retard. Le comportement de la fille était en soi un cas pour étude sociologique. Elle rencontrait des hommes inconnus d'elle, et elle s'efforçait désespérément de poser pour la galerie. Elle essayait de faire croire par ses gestes, par ses paroles et par des mouvements presque imperceptibles de ses paupières, qu'elle appartenait à une classe légèrement supérieure aux personnes à qui elle avait actuellement affaire ; que, il y avait peu, elle avait respiré une atmosphère plus raffinée et que ce serait bientôt à nouveau le cas. Elle était vêtue avec un soin presque affligeant : elle portait un chapeau à la mode de la saison précédente, garni de violettes qui n'étaient pas moins ostensiblement prétentieuses et artificielles que sa propre personne.

Fascinés, Anthony et Gloria regardèrent la fille s'asseoir et chercher à donner l'impression que c'était par pure condescendance qu'elle se trouvait là. Pour moi, disaient ses yeux, c'est en quelque sorte une expédition dans les bas quartiers, que j'enveloppe, comme il se doit, de rires railleurs et de semi-excuses pour ma présence.

Les autres femmes, elles aussi, cherchaient de toutes leurs forces à produire l'impression que même si elles étaient dans l'assistance, elles n'en faisaient pas partie. Ce n'était pas le genre d'endroit qu'elles fréquentaient d'ordinaire ; elles étaient entrées en passant, parce que, par chance, il se trouvait dans le voisinage. Tous les groupes présents cherchaient à produire cette impression et... qui sait ? Ils passaient sans cesse d'une classe à l'autre, tous ces gens — les femmes se mariant souvent au-dessus de leurs espérances, les hommes parvenant soudain à une magnifique opulence : un projet publicitaire suffisamment absurde, un cornet de glace devenant objet culte. Entre-temps, ils se retrouvaient là pour souper, fermant les yeux sur les économies qui se traduisaient par les changements de nappe peu fréquents, par le peu d'enthousiasme des artistes engagés par le cabaret, et surtout par la familiarité des serveurs, les plaisanteries qu'ils échangeaient. On voyait à coup sûr qu'ils n'étaient guère impressionnés par leurs clients. On s'attendait à les voir aller s'asseoir à leur table...

« Ça ne vous déplaît pas trop ? » demanda Anthony.

Le visage de Gloria prit soudain des couleurs, et, pour la première fois de la soirée, elle sourit.

« J'adore ! » dit-elle avec un accent de sincérité. Impossible de mettre son affirmation en doute. Ses yeux gris se promenaient de-ci de-là, somnolents, distraits ou en alerte, sur chacun des groupes, passant de l'un à l'autre avec un plaisir non dissimulé, et cela permettait à Anthony d'observer ses différents profils, les expressions merveilleusement vivantes de sa bouche et la véritable distinction de son visage, de son allure et de ses manières, qui faisaient d'elle une fleur unique au milieu d'une collection de bric-à-brac. En voyant le contentement de Gloria, un sentiment de joie ineffable lui monta aux paupières, le suffoqua, fit vibrer ses nerfs et emplit sa gorge d'une émotion rauque et vibrante.

Un silence était tombé sur la salle. Le jeu approximatif des violons et des saxophones, les criaillements plaintifs d'un enfant dans les parages, la voix de la fille au chapeau garni de violettes à la table d'à côté, tout cela s'éloigna doucement, se fit de plus en plus lointain, jusqu'à disparaître comme des reflets d'ombre sur le parquet luisant — et ils se retrouvèrent tous les deux, lui semblait-il, seuls, silencieux et à une distance infinie. La fraîcheur de ses joues ne pouvait être qu'une projection de fils de la Vierge en provenance d'une terre aux nuances délicates et inconnues ; sa main brillant doucement sur la nappe tachée était un coquillage abandonné par une mer lointaine, houleuse et virginale…

Puis l'illusion se rompit comme un écheveau ; la salle se regroupa autour de lui, les voix, les visages, le mouvement ; les éclairages violents venus d'en haut redevinrent réels et menaçants ; le souffle reprit, la lente respiration qu'ils accordaient, elle et lui, au rythme de cette centaine de gens dociles, les poitrines qui se soulevaient, le va-et-vient sempiternel des répliques absurdes qu'on échange, des mots et des phrases qu'on se lance et se relance — tout cela rouvrit brutalement ses sens aux pressions suffocantes de la vie. Puis la voix de Gloria lui parvint, aussi fraîche que le rêve qu'il venait de quitter.

« Ce monde, c'est moi, murmura-t-elle. Je suis comme ces gens. »

L'espace d'un instant, cela lui parut un paradoxe sardonique et superflu, paradoxe qu'elle lui lançait depuis les distances infranchissables dont elle s'était entourée. Gloria semblait de plus en plus fascinée, elle avait les yeux posés sur un violoniste israélite qui balançait les épaules au rythme du fox-trot le plus langoureux de l'année :

Quelque chose...
Ding-ding-ding...
Glissé au creux de ton oreille...

À nouveau elle prit la parole, depuis le centre de cette illusion qui la possédait tout entière. Il n'en revenait pas. C'était comme un blasphème sortant de la bouche d'un enfant.

« Je suis comme eux — comme les lanternes japonaises et le papier crépon, et la musique de cet orchestre.

— Vous n'êtes qu'une petite sotte », lança-t-il avec véhémence.

Elle secoua sa tête blonde.

« Pas du tout. Je suis vraiment comme eux. Si vous voyiez... Vous ne me connaissez pas. » Elle hésita et ses yeux revinrent vers lui, se posèrent brusquement sur les siens, comme surprise, en fin de compte, de le voir là. « J'ai en moi une veine de ce que vous appelez vulgarité. Je ne sais pas d'où ça me vient, mais c'est des choses comme ça, les couleurs voyantes, tout ce qui est criard, tapageur. Je me sens à ma place ici. Ces gens pourraient m'apprécier et m'accueillir à bras ouverts, et ces hommes tomberaient amoureux de moi, ils m'admireraient, alors que les hommes intelligents que je fréquente ne font que m'analyser et me dire que je suis comme ceci à cause de ceci et comme cela à cause de cela. »

Anthony, à ce moment, aurait furieusement voulu la peindre, fixer ses traits sur-le-champ, là, telle qu'elle était, et comme, à mesure que passait chaque seconde inexorable, elle ne serait jamais plus.

« À quoi pensiez-vous ? demanda-t-elle.

— Juste que je ne suis pas un réaliste », dit-il,

puis : « Non, seul un romantique préserve les choses qui méritent d'être préservées. »

Du fond de l'âme profondément raffinée d'Anthony, une compréhension se formait, rien d'atavique ni d'obscur, en fait c'était à peine physique, une compréhension qui renouait avec les rêveries romanesques des générations d'esprits qui l'avaient précédé et lui révélait que, tandis qu'elle parlait, croisait son regard et tournait sa tête charmante, elle l'émouvait comme il n'avait encore jamais été ému. Le fourreau dans lequel était prise l'âme de Gloria avait acquis une signification, voilà tout. Elle était un soleil, radieux, qui grandissait, recueillait la lumière et l'emmagasinait — puis, au bout d'une éternité, la faisait rejaillir dans un regard, un fragment de phrase, et cette lumière se répandait sur ce qui, en lui, chérissait tout ce qui est beauté, tout ce qui est illusion.

Chapitre III

LE CONNAISSEUR EN BAISERS

Depuis l'époque où, étudiant, il avait été rédacteur en chef du *Harvard Crimson*, Richard Caramel avait le désir d'écrire. Mais lors de sa dernière année d'université, il avait contracté la superbe illusion qui veut que certains hommes soient destinés à « servir » et doivent, dans le vaste monde, accomplir quelque action méritante qui leur vaudra soit une récompense éternelle, soit, au pis, la satisfaction personnelle d'avoir œuvré pour le plus grand bien du plus grand nombre.

Cet état d'esprit a longtemps bercé les campus américains. En règle générale, cela commence à se manifester pendant les incertitudes et la malléabilité de la première année à l'université, parfois même au cours de classes préparatoires. Des apôtres prospères, connus pour leur action sur les âmes sensibles, font le tour des campus et, en faisant peur aux gentils conformistes et en endormant l'intérêt et la curiosité intellectuelle qui sont l'objectif de toute éducation, ils infusent un mystérieux sentiment de culpabilité, qui remonte aux péchés de l'enfance et à la menace omniprésente que représentent « les femmes ». À leurs sermons se rendent les esprits malveillants, pour rire un bon coup, et les âmes timides, pour avaler cette savoureuse pilule, qui serait inoffensive si ce discours s'adressait à des femmes de fermiers et à de petits employés dévots, mais qui est une potion dangereuse auprès de ces futurs « meneurs d'hommes ».

Cette pieuvre avait été assez puissante pour enrouler un de ses tentacules sinueux autour de Richard Caramel. Quand il eut terminé ses études, elle l'entraîna dans les bas-fonds de New York où il s'affaira, en tant que secrétaire d'une « Association de secours pour les jeunes gens étrangers », à sauver des Italiens égarés. Il travailla là pendant plus d'un an, jusqu'au jour où la monotonie de cette tâche commença à le lasser. Les étrangers ne cessaient d'affluer — des Italiens, des Polonais, des Scandinaves, des Tchèques, des Arméniens —, avec toujours les mêmes griefs, les mêmes figures d'une prodigieuse laideur et à peu près les mêmes odeurs, même s'il lui semblait, au fur et à mesure que les mois passaient, que ces odeurs se faisaient plus abondantes et plus variées. Ses conclusions quant à l'opportunité d'une telle activité demeurèrent incertaines, mais concernant son propre rôle, elles furent brutales et décisives. N'importe quel jeune homme de bonne composition, la tête bourdonnant des échos de la croisade précédente, pouvait se rendre aussi utile que lui auprès de ces épaves de l'Europe. L'heure était venue pour lui de se mettre à écrire.

Il avait vécu dans une Y.M.C.A., mais lorsqu'il renonça à la tâche de séparer le bon grain de l'ivraie, il déménagea vers des quartiers moins populaires et fut aussitôt engagé comme reporter par le journal *The Sun*. Il garda cet emploi pendant un an, tout en s'essayant à écrire par intermittence, sans grand succès. Et puis un jour, un malencontreux incident sonna le glas de sa carrière de journaliste. Un après-midi de février, il avait été chargé de rendre compte d'une revue de l'escadron de cavalerie A. La neige menaçant, au lieu de s'y rendre, il s'endormit devant un bon feu, et à son réveil, il rédigea un article bien tourné sur le martèlement des sabots des chevaux assourdi par la neige... et il le remit au journal. Le lendemain matin, son papier fut envoyé au rédacteur en chef avec une note griffonnée : « Virez-moi le type qui a écrit ça. » Apparemment, l'escadron avait également vu que la neige menaçait et reporté sa revue à une date ultérieure.

Une semaine plus tard, il commençait *L'Amant-démon*...

En janvier, équivalent pour l'année du lundi, le nez de Richard Caramel fut constamment bleu, un bleu sardonique, évoquant vaguement les flammes qui viennent lécher la carcasse d'un pécheur. Son livre n'était pas loin d'être achevé, et plus il approchait de son terme, plus il semblait aussi multiplier ses exigences, démoralisant Richard, l'écrasant, au point que celui-ci marchait dans son ombre, hagard, vaincu. Ce n'était pas seulement à Anthony et à Maury qu'il faisait part de ses espoirs, de ses fiertés, de ses hésitations, mais à quiconque voulait bien l'écouter. Il rendait visite à des éditeurs polis mais déconcertés, il discutait de son livre avec le premier interlocuteur venu au Harvard Club. Anthony racontait même qu'on l'avait surpris, un dimanche soir, en train de peser le pour et le contre de la transposition du deuxième chapitre, dans une station de métro sinistre et glacée de Harlem, avec un contrôleur qui s'intéressait à la littérature. Et tout récemment, il avait pris pour confidente Mrs. Gilbert qui, pendant des heures, échangeait avec lui des propos enflammés, soit sur le bilphisme, soit sur la littérature.

« Shakespeare était un bilphiste », affirmait-elle avec un sourire immuable. « Eh oui, c'était un bilphiste. C'est prouvé. »

Dick, en entendant cela, ne savait trop quoi répondre.

« Si vous avez lu *Hamlet*, ça saute aux yeux.

— Euh, il vivait à une époque plus crédule... une époque plus religieuse. »

Mais elle ne se contentait pas de cette réponse.

« Oui, sauf que, voyez-vous, le bilphisme n'est pas une religion. C'est la science de toutes les religions. » Elle lui souriait d'un air de défi. C'était là le *bon mot* qui résumait sa foi. Il y avait quelque chose dans l'arrangement des mots qui s'emparait de son esprit de manière si définitive que cet énoncé dépassait de loin toute obligation de définition. Il est vraisemblable qu'elle eût accepté n'importe quelle idée qui eût pu être contenue dans cette formule lumineuse — laquelle n'était peut-être pas une formule. C'était la *reductio ad absurdum* de toutes les formules.

Et puis finalement, mais glorieusement, venait le tour de Dick.

« Vous avez entendu parler du mouvement de la nouvelle poésie. Non ? Eh bien, c'est un groupe de jeunes poètes qui rompent avec les formes traditionnelles et qui font un excellent travail. Eh bien, ce que j'allais dire, c'est que mon livre va être le point de départ d'un mouvement équivalent pour la prose, d'une sorte de renaissance.

— J'en suis certaine, dit Mrs. Gilbert, rayonnante. J'en suis bien certaine. Mardi dernier, je suis allée voir Jenny Martin, la chiromancienne, tu sais, celle dont tout le monde raffole. Je lui ai dit que mon neveu était engagé dans un projet, et elle m'a dit que cela me ferait plaisir d'apprendre qu'il aurait un succès *extraordinaire*. Or elle ne t'avait jamais vu, elle ne savait rien de toi, même pas ton *nom*. »

Ayant émis les quelques onomatopées qui exprimaient son étonnement devant un phénomène aussi stupéfiant, Dick reprit la conversation à son compte comme s'il était un agent de police réglant la circulation à sa guise, et qu'il décidait que c'était à son tour de passer.

« Je suis absorbé, tante Catherine, déclara-t-il, totalement absorbé. Tous mes amis se moquent de moi. Oh, je vois bien ce qui les amuse, et je m'en fiche. Je pense qu'il faut savoir accepter les railleries. Mais j'ai une sorte de conviction, conclut-il d'un air sombre.

— Tu es une âme d'une autre époque, c'est ce que je dis toujours.

— C'est possible. » Dick avait atteint le stade où il ne luttait plus, il se soumettait. Bon, il était sûrement une âme d'une autre époque, se raconta-t-il en le prenant à la plaisanterie, tellement vieille qu'elle est complètement pourrie. Malgré tout, la répétition de la formule l'embarrassait un peu, lui donnait des frissons désagréables dans le dos. Il changea de sujet.

« Où est ma très charmante cousine Gloria ?

— Elle est en balade quelque part, avec quelqu'un. »

Dick prit un temps, réfléchit, puis, plissant son visage en une expression qui avait de toute évidence démarré comme un sourire mais s'achevait en un féroce froncement de sourcil, lança une remarque :

« Je crois que mon ami Anthony Patch est amoureux d'elle. »

Mrs. Gilbert sursauta, fit un large sourire une demi-seconde trop tard, et exhala son « Vraiment ? » sur le ton de chuchotement d'une pièce policière.

« C'est ce que je crois, précisa Dick gravement. C'est la première fois que je le vois sortir aussi souvent avec une fille.

— Évidemment », dit Mrs. Gilbert avec une insouciance étudiée, « Gloria ne me prend jamais pour confidente. Elle est très secrète. Entre toi et moi... (elle se pencha avec précaution, bien décidée à ce que seuls le Ciel et son neveu soient mis au courant de sa confession)... entre toi et moi, j'aimerais bien qu'elle se range. »

Dick se leva et arpenta le plancher d'un air grave — jeune homme de petite taille, actif, déjà enveloppé, les mains plongées avec affectation dans ses poches gonflées.

« Attention, je n'affirme pas que j'ai raison », déclara-t-il aux gravures sur acier bien dans le style chambre d'hôtel, qui lui répondirent d'une grimace compassée. « Ce que je dis, je ne voudrais pas que ce soit répété à Gloria. Mais je pense qu'Anthony le Fou s'intéresse à elle — très fort. Il n'arrête pas de parler d'elle. Si c'était quelqu'un d'autre, ce serait mauvais signe.

— Gloria est encore très jeune... », commença Mrs. Gilbert avec animation, mais son neveu l'interrompit d'une phrase lancée à la hâte.

« Jeune ou pas, Gloria serait bien bête de ne pas l'épouser. » Il s'arrêta et fit face à Mrs. Gilbert, avec une expression où se déployaient des plissements et des fossettes, une vraie carte d'état-major exhibant les marques de la plus vigoureuse intensité, comme s'il s'agissait de compenser par la sincérité ce que ses paroles pouvaient avoir d'indiscret. « Gloria est une tête brûlée, tante Catherine. Elle est incontrôlable. Je ne sais pas comment elle a fait son compte, mais ces derniers temps, elle s'est mise à fréquenter des individus bizarres. On dirait qu'elle s'en moque. Alors que les hommes qu'elle fréquentait auparavant à New York étaient...

— Oui-oui-oui », intervint Mrs. Gilbert, avec un effort anémique pour dissimuler l'intense intérêt qu'elle prenait à l'écouter.

« Eh bien, voilà, poursuivit Richard Caramel avec gravité. Ce que je veux dire, c'est que les hommes qu'elle fréquentait et le cercle d'amis qu'elle fréquentait étaient de tout premier plan. Maintenant, ce n'est plus le cas. »

Mrs. Gilbert eut un rapide battement de paupières. Sa gorge trembla, s'enfla, elle retint son souffle un moment, puis quand elle expira l'air, ses paroles se déversèrent en un torrent.

Elle savait tout ça, cria-t-elle en chuchotant. Oh oui, les mères voient ces choses-là. Mais qu'y pouvait-elle ? Il connaissait Gloria. Il l'avait assez vue pour savoir qu'il n'y avait pas moyen d'essayer de la raisonner. Gloria avait été tellement gâtée — à un point exceptionnel. Ainsi, par exemple, elle n'avait pas été sevrée avant l'âge de trois ans, alors qu'elle aurait sans doute été capable de mastiquer des bâtons. C'était peut-être cela — sait-on jamais — qui lui avait donné cette santé, cette hardiesse qui marquaient sa personnalité. Par ailleurs, depuis qu'elle avait douze ans, elle avait été entourée de garçons, des flopées de garçons en rangs si compacts qu'on pouvait à peine bouger. À seize ans, elle avait commencé à aller aux fêtes des classes préparatoires. Puis ce fut l'université. Et partout où elle allait, des garçons, toujours des garçons. Au début, oh, jusqu'à ses dix-huit ans, il y en avait tellement qu'on n'avait pas l'impression qu'aucun comptait plus qu'un autre, mais ensuite elle s'était mise à en distinguer certains.

Mrs. Gilbert savait qu'il y avait eu un certain nombre de liaisons étalées sur une période de trois ans, peut-être une douzaine en tout. Parfois les garçons étaient encore étudiants, parfois ils venaient de terminer leurs études. Cela durait en moyenne quelques mois chacun, avec entre-temps quelques intermèdes. Une ou deux fois cela avait duré plus longtemps, et sa mère avait espéré qu'elle se fiancerait, mais il en venait toujours un nouveau... un nouveau...

Les hommes ? Oh, elle les réduisait au désespoir, littéralement. Il n'y en avait qu'un qui avait préservé une once de dignité, et c'était un gosse, le jeune Carter Kirby, de Kansas City, qui était de toute manière si vaniteux qu'un après-midi il prit le large, drapé dans sa vanité, et le lendemain il s'embarquait pour l'Europe avec son père. Les autres avaient été malheureux comme les pierres. Ils n'avaient jamais l'air de comprendre quand elle s'était lassée d'eux, et le plus souvent ce n'était pas délibérément qu'elle leur faisait de la peine. Ils continuaient à lui téléphoner, à lui envoyer des lettres, à demander à la voir, à lui courir après dans tout le pays. Certains avaient avoué à Mrs. Gilbert, les larmes aux yeux, qu'ils ne se remettraient jamais d'avoir perdu Gloria... malgré tout, il y en avait au moins deux qui s'étaient mariés depuis... Mais Gloria frappait droit au cœur, semblait-il. Jusqu'à aujourd'hui, un certain Mr. Carstairs téléphonait une fois par semaine et envoyait à Gloria des fleurs qu'elle ne prenait plus la peine de refuser.

Plusieurs fois, au moins deux, en tout cas, Mrs. Gilbert savait que les choses étaient allées jusqu'à des fiançailles officieuses — avec Tudor Baird et le jeune Holcome, de Pasadena. Elle en était sûre parce que — ceci devait rester entre eux —, un jour, elle était rentrée à l'improviste et avait trouvé Gloria en train de se conduire comme si... eh bien, comme si elle était fiancée pour de bon. Bien sûr, elle n'avait rien dit à sa fille. Elle avait trop de tact pour cela, et en outre, chaque fois, elle s'attendait à une annonce officielle dans les semaines suivantes. Mais l'annonce n'était jamais venue ; non, au lieu de ça, il y avait toujours un nouvel homme.

Et les scènes ! Des jeunes gens qui arpentent la bibliothèque comme des tigres en cage ! Des jeunes gens qui se lancent des regards assassins en se croisant dans le hall, l'un qui arrive, l'autre qui repart ! Des jeunes gens qui appellent au téléphone et qui se font raccrocher au nez avec exaspération ! Des jeunes gens qui menacent de s'exiler en Amérique du Sud... Des jeunes gens qui écrivent des lettres d'un pathétique ! (Sans qu'elle en soufflât mot, Dick soupçonnait que Mrs. Gilbert avait jeté les yeux sur certaines de ces lettres.)

... Quant à Gloria, entre le rire et les larmes, désolée, joyeuse, amoureuse, cessant de l'être, malheureuse, nerveuse, sereine, au milieu de la multitude de cadeaux à renvoyer, des portraits qui changeaient dans les cadres qui ne changeaient pas, prenant bain chaud sur bain chaud, et tout qui recommençait... avec le suivant.

Cet état de choses se poursuivit, prit un air de permanence. Rien ne blessait Gloria ni ne la transformait ni ne l'émouvait. Et puis un jour, coup de tonnerre dans un ciel bleu, elle annonça à sa mère que les étudiants, elle en avait assez. Les bals des fraternités, c'était absolument terminé pour elle.

C'est ce qui avait marqué le début du changement — pas forcément dans ses habitudes, car elle continuait à danser et il y avait toujours autant de garçons qui voulaient sortir avec elle, mais c'était dans un esprit différent. Auparavant, elle y mettait plus ou moins de l'orgueil, elle en tirait vanité. Elle avait probablement été la jeune beauté la plus fêtée, la plus courtisée d'Amérique. Gloria Gilbert, de Kansas City ! Elle avait joui sans scrupule de cette réputation ; elle aimait être entourée d'une foule de galants, elle aimait être l'élue des garçons les plus recherchés. Elle aimait susciter la jalousie féroce des autres filles. Elle aimait que des rumeurs fabuleuses, pour ne pas dire scandaleuses et, sa mère tenait à le dire, dénuées de tout fondement, circulent à son propos — par exemple qu'un jour elle s'était baignée dans la piscine de Yale en robe de mousseline de soie.

Et puis, après avoir adoré tout cela avec une vanité qui était presque masculine — c'était comme embrasser une carrière brillante et triomphale —, voilà qu'elle y était devenue insensible. Elle avait décroché. Elle qui avait été la reine de tant de soirées, qui avait traversé telle une fleur parfumée tant de salles de bal sous les yeux pleins de tendresse de tant d'admirateurs — tout cela semblait ne plus l'intéresser. Quiconque tombait amoureux d'elle aujourd'hui était éconduit sans appel, presque avec colère. Elle sortait distraitement avec les hommes les plus quelconques. Elle passait son temps à rompre des fiançailles, non pas, comme par le passé, avec la tranquille assurance de n'avoir rien à se reprocher, en sachant que l'homme insulté reviendrait comme un animal domestique, mais avec indifférence, sans mépris comme sans orgueil. Les hommes ne suscitaient plus ses élans de colère, ils la faisaient bâiller. Sa mère avait l'impression — une impression fort étrange — qu'elle devenait froide.

Richard Caramel écoutait. Au début, il était resté debout mais, à mesure que le discours de sa tante se développait — on n'en donne ici que la moitié, en émondant toutes les digressions concernant la jeunesse de l'âme de Gloria et les angoisses morales de sa mère —, il tira une chaise et écouta posément, cependant que Mrs. Gilbert se laissait flotter, entre larmes et désarroi douloureux, au fil de la longue histoire de la vie de Gloria. Quand elle en arriva au récit de cette dernière année, une histoire de mégots de cigarette laissés un peu partout dans New York dans des petits cendriers marqués « Folie de minuit » et « Le Petit Club de Justine Johnson », Dick se mit à hocher la tête, lentement, puis de plus en plus vite, jusqu'à ce que, tandis qu'elle achevait sur le mode staccato, il branlât du chef avec vivacité, comme une marionnette à fils, ce qui pouvait exprimer… à peu près n'importe quoi.

En un sens, le passé de Gloria n'avait rien d'inédit pour lui. Il l'avait suivi avec un regard de journaliste, car un de ces jours il allait écrire un livre sur elle. Mais pour l'instant, l'intérêt qu'il lui portait était un intérêt familial. Il voulait, en particulier, savoir qui était ce Joseph Bloeckman qu'il avait vu plusieurs fois avec elle. Et ces deux filles avec qui elle passait son temps, cette Rachel Jerryl et cette Miss Kane… Miss Kane n'était assurément pas le genre de personne qu'on aurait pensé à associer avec Gloria.

Mais le moment était passé. Mrs. Gilbert, ayant escaladé les hauteurs de l'exposé des faits, était sur le point de se laisser glisser le long du tremplin de saut de l'effondrement. Ses yeux étaient comme un ciel bleu vu à travers deux fenêtres rondes et encadrées de rouge. Les commissures de ses lèvres tremblaient.

À ce moment la porte s'ouvrit, introduisant dans la pièce Gloria et les deux jeunes personnes ci-dessus mentionnées.

DEUX JEUNES FEMMES

« Eh bien !

— Comment allez-vous, Mrs. Gilbert ? »

Miss Kane et Miss Jerryl sont présentées à Mr. Richard Caramel. « Et voici Dick » (rires).

« J'ai tellement entendu parler de vous », dit Miss Kane, entre gloussement et braillement.

« Enchantée », dit Miss Jerryl timidement.

Richard essaie d'évoluer dans la pièce comme s'il avait une silhouette plus élégante. Il est partagé entre sa cordialité innée et le fait qu'il considère ces deux filles comme assez vulgaires — pas du tout l'air sorties d'un pensionnat chic.

Gloria a disparu dans la chambre.

« Asseyez-vous, je vous en prie », dit Mrs. Gilbert, de son air ravi. Elle s'est tout à fait ressaisie. « Débarrassez-vous. » Dick a peur qu'elle ne fasse une remarque sur son âme d'une autre époque, mais il oublie ses inquiétudes en complétant l'examen consciencieux, de son point de vue de romancier, des deux jeunes femmes.

Muriel Kane était née dans une famille d'East Orange en voie d'ascension sociale. Elle était ramassée plutôt que petite, et hésitait audacieusement entre rondeur et robustesse. Ses cheveux étaient noirs et coiffés de façon compliquée. Cela, à quoi s'ajoutaient ses yeux assez jolis, dans le genre bovin, et ses lèvres trop rouges, la faisait ressembler à la fameuse actrice de cinéma Theda Bara. Les gens n'arrêtaient pas de lui dire qu'elle était un « vampire » et elle les croyait. Elle aurait bien voulu croire qu'elle leur faisait peur et, en toutes circonstances, elle s'appliquait à donner une impression de danger. Un homme d'imagination pouvait voir le drapeau rouge qui ne la quittait pas, qu'elle agitait fébrilement d'un air suppliant — hélas, sans résultats spectaculaires. Elle était aussi incroyablement à la page. Elle connaissait les dernières chansons en vogue, toutes les dernières chansons. Quand on en jouait une sur le phonographe, elle se levait et balançait les épaules d'avant en arrière en claquant dans ses doigts, et s'il n'y avait pas de musique, elle s'accompagnait en fredonnant.

Sa conversation était également à la page. « Je m'en fiche, disait-elle, faut pas s'en faire, c'est mauvais pour la ligne. » Ou encore : « Quand j'entends cet air-là, mes pieds ne tiennent plus en place. Ouaouh ! »

Elle avait les ongles trop longs, trop soignés, polis et peints d'un rose artificiel, malsain. Ses vêtements étaient trop serrés, trop à la mode, de couleurs trop vives, ses yeux étaient trop provocants, son sourire trop sainte-nitouche. Tout chez elle était « trop », c'en était presque pathétique.

L'autre fille avait, de toute évidence, une personnalité plus subtile. C'était une Juive habillée avec beaucoup d'élégance, avec des cheveux brun foncé et un joli teint laiteux. Elle avait un air timide et incertain, et ces deux qualités accentuaient le charme délicat qui émanait d'elle. Sa famille était « de religion épiscopalienne », possédait trois boutiques chic de vêtements féminins dans la Cinquième Avenue, et habitait un superbe appartement dans Riverside Drive. Dick eut l'impression, au bout d'un moment, qu'elle cherchait à imiter Gloria. Il se demanda pourquoi les gens cherchaient toujours à imiter les gens inimitables.

« On a eu une journée incroyable ! s'écria Muriel avec enthousiasme. Il y avait une espèce de folle derrière nous dans le bus. Elle était complètement dingue, folle à lier. Elle n'arrêtait pas de se parler toute seule, en se racontant ce qu'elle allait faire à Dieu sait qui. J'étais terrorisée, mais pas moyen de faire descendre Gloria du bus. »

Mrs. Gilbert prit l'air ébahi qui convenait, bouche ouverte.

« Vraiment ?

— Une vraie toquée. Mais faut pas s'en faire, elle ne nous a pas fait de mal. Moche ! Miséricorde ! Le type en face de nous a dit qu'elle avait une tête à être infirmière de nuit dans un institut pour aveugles. On était toutes mortes de rire, naturellement, alors le type nous a fait du rentre-dedans. »

Au bout d'un moment, Gloria émergea de sa chambre et tous les yeux à l'unisson se tournèrent vers elle. Les deux filles furent rejetées dans l'ombre, à l'arrière-plan, effacées, sans regrets.

« On a parlé de toi, lança vivement Dick, ta mère et moi.

— Ah bon », dit Gloria.

Un silence. Muriel se tourna vers Dick.

« Vous êtes un grand écrivain, n'est-ce pas ?

— Je suis écrivain, reconnut-il sans protester.

— Moi je dis toujours, dit Muriel sur un ton sérieux, que si j'avais le temps de noter par écrit toutes mes expériences, ça ferait un livre formidable. »

Rachel eut un petit rire de sympathie. Richard fit un salut quasi solennel. Muriel poursuivit :

« Mais je ne vois pas comment on peut s'asseoir à une table pour faire ça. Et la poésie ! Juste Ciel, je n'arrive pas à trouver les rimes pour deux vers. Bon, faut pas s'en faire ! »

Richard eut du mal à se retenir d'éclater de rire. Gloria mâchonnait une impressionnante boule de gomme et regardait par la fenêtre d'un air boudeur. Mrs. Gilbert s'éclaircit la voix et prit son air ravi.

« Mais voyez-vous, dit-elle, comme pour faire une déclaration d'ordre général, vous n'avez pas une âme d'une autre époque, comme Richard. »

L'âme d'une autre époque exhala un soupir de soulagement. Bon, ça y est, elle l'avait dit.

Puis, comme si elle y réfléchissait depuis cinq minutes, Gloria fit soudain une annonce :

« Je vais organiser une petite soirée.

— Oh, je pourrai venir ? » s'écria Muriel sur un ton audacieusement badin.

« Un dîner. Sept convives. Muriel, Rachel et moi, et toi, Dick, et Anthony, et ce type qui s'appelle Noble — il m'a plu — et Bloeckman. »

Muriel et Rachel se lancèrent dans des démonstrations doucement ronronnantes d'enthousiasme. Mrs. Gilbert battit des paupières et prit son air ravi. Affectant l'indifférence, Dick intervint par une question.

« Gloria, qui est-ce, ce Bloeckman ? »

Flairant une vague hostilité, Gloria se tourna vers lui.

« Joseph Bloeckman ? C'est un type qui est dans le cinéma. Il est vice-président de *Films par excellence**. Mon père et lui travaillent beaucoup ensemble.

— Ah ?

— Bon, alors, vous viendrez tous ? »

Ils viendraient tous. Un jour de la semaine fut fixé. Dick se leva, mit son chapeau, son manteau et son cache-col, et distribua un sourire à l'ensemble de la compagnie.

« Au revoir », lança Muriel, en agitant gaiement la main. « Téléphonez-moi un de ces jours. »

Richard Caramel en rougit pour elle.

LA FIN LAMENTABLE DU CHEVALIER O'KEEFE

C'était lundi, et Anthony emmena Geraldine Burke déjeuner au café des Beaux-Arts. Ensuite, ils se rendirent dans son appartement et Anthony approcha une petite table roulante qui faisait office de bar, choisissant vermouth, gin et absinthe comme stimulants appropriés.

Geraldine Burke, ouvreuse au théâtre Keith's, était un passe-temps depuis plusieurs mois. Elle était si peu exigeante qu'Anthony l'aimait bien, car, après une liaison lamentable avec une *débutante** l'été précédent, lors de laquelle il avait découvert qu'après une demi-douzaine de baisers il était censé faire sa demande en mariage, il se méfiait des jeunes filles de son propre milieu. Il était trop facile de porter un regard critique sur leurs imperfections, une certaine dureté naturelle ou un manque de délicatesse dans les manières, mais, vis-à-vis d'une fille qui était ouvreuse au théâtre Keith's, Anthony avait une attitude différente. On pouvait pardonner à son valet de chambre des traits qui eussent été impardonnables chez une simple connaissance du même niveau social que vous.

Geraldine, lovée au pied du canapé, l'examinait, les yeux plissés.

« Tu bois tout le temps, pas vrai ? lança-t-elle soudain.

— Oui, peut-être, répondit Anthony, déconcerté. Pas toi ?

— Non. Quelquefois quand je sors, disons une fois par semaine, mais je ne prends que deux ou trois verres. Tes amis et toi, vous passez votre temps à boire. Vous devez vous esquinter la santé, à mon avis. »

Anthony fut quelque peu touché.

« Dis-moi, c'est trop gentil de t'inquiéter de ma santé.

— C'est vrai, je m'inquiète.

— Tu sais, je ne bois pas tant que ça, déclara-t-il. Le mois dernier, je n'ai pas touché une goutte pendant trois semaines. Et je ne me soûle pour de bon qu'environ une fois par semaine.

— Mais tu bois régulièrement tous les jours, et tu n'as que vingt-cinq ans. Tu n'as pas d'ambition ? Pense à ce que tu seras à quarante ans.

— Je suis intimement persuadé que je ne vivrai pas jusque-là. »

Elle fit claquer sa langue contre ses dents.

« Tu débloques », dit-elle, tandis qu'il préparait un

autre cocktail. Puis : « Tu as un lien de parenté quelconque avec Adam Patch ?

— Oui, c'est mon grand-père.

— Sans blague ? » Elle était visiblement impressionnée.

« Absolument.

— Ça par exemple. Papa a travaillé pour lui.

— C'est un drôle de vieux bonhomme.

— Il est gentil ? demanda-t-elle.

— Eh bien, dans la vie privée, il est rarement désagréable sans motif.

— Parle-moi un peu de lui.

— Eh bien... » Anthony réfléchit. « ... il est tout ratatiné et il lui reste quelques mèches de cheveux gris qui ont toujours l'air d'être ébouriffées par le vent. C'est un homme très moral.

— Il a fait beaucoup de bien, dit Geraldine sur un ton pénétré.

— Tu parles ! railla Anthony. C'est un vieux bigot. Pas une once de cervelle. »

Geraldine laissa tomber le sujet et glissa sur autre chose.

« Pourquoi est-ce que tu ne vis pas avec lui ?

— Pourquoi est-ce que je ne m'installe pas dans un monastère méthodiste ?

— T'es dingue ! »

Elle fit à nouveau un petit claquement de langue pour exprimer sa désapprobation. Anthony se disait que cette jeune créature avait un réel fond de moralité, et cela lui resterait même lorsque viendrait l'inévitable vague qui l'emporterait loin des sables de la respectabilité.

« Tu le détestes ?

— Je me demande. Je ne l'ai jamais aimé. On

n'aime jamais les gens envers qui on a des obligations.

— Et lui, il te déteste ?

— Ma chère Geraldine », protesta Anthony en fronçant ironiquement les sourcils, « prends donc un autre cocktail. Je l'irrite. Si je fume une cigarette, il renifle en entrant dans la pièce. Il est prétentieux, rasoir, et passablement hypocrite. Je ne te dirais sans doute pas tout ça si je n'avais pas quelques verres dans le nez, mais au fond ça n'a guère d'importance. »

L'intérêt de Geraldine ne faiblissait pas. Elle tenait son verre, sans y toucher, entre le pouce et l'index et regardait Anthony d'un regard un tout petit peu intimidé.

« Qu'est-ce que tu veux dire par "hypocrite" ?

— Bon, lâcha Anthony, impatienté, peut-être qu'il ne l'est pas. Mais il n'aime pas les choses que moi j'aime, alors, de mon point de vue, ce n'est pas quelqu'un d'intéressant.

— Hum. » Sa curiosité semblait enfin satisfaite. Elle se renfonça dans les coussins et sirota son cocktail.

« Tu es un drôle de type, fit-elle observer pensivement. Est-ce que tout le monde veut t'épouser parce que ton grand-père est riche ?

— Non, mais si c'était le cas, je les comprendrais. De toute manière, je n'ai pas la moindre intention de me marier. »

Elle prit cette déclaration avec scepticisme.

« Un jour tu tomberas amoureux. Oh oui, je le sais bien. » Elle hocha la tête d'un air entendu.

« Ce serait idiot de se montrer présomptueux. C'est ce qui a mené le chevalier O'Keefe à sa perte.

— Qui est-ce ?

— Un personnage né de ma splendide imagination. De mon invention, ce chevalier.

— T'es dingue ! » murmura-t-elle sur un ton amical, utilisant l'échelle de corde rudimentaire qui lui permettait de jeter un pont sur tous les espaces à franchir et de monter rejoindre ceux qui lui étaient intellectuellement supérieurs. Dans son subconscient, elle avait le sentiment que cela abolissait les distances et ramenait à sa portée la personne dont l'imagination la dépassait.

« Non, non, objecta Anthony, non, Geraldine. Tu ne dois pas jouer les sceptiques avec mon chevalier. Si tu ne te sens pas capable de le comprendre, je n'en parlerai plus. De toute façon, cela me gêne un peu, étant donné sa fâcheuse réputation.

— Tu sais, je peux comprendre les choses si elles ont un sens », répondit Geraldine sur un ton légèrement offensé.

« En ce cas, il y a plusieurs épisodes de la vie du chevalier qui peuvent être amusants.

— Par exemple ?

— C'est sa fin prématurée qui m'a fait penser à lui et m'a paru avoir un rapport avec notre conversation. Je n'aime pas l'idée de te le présenter en commençant par la fin, mais il paraît inévitable qu'il entre dans ta vie à reculons.

— Bon, de quoi s'agit-il ? Il est mort ?

— Oui, et voici comment. C'était un Irlandais, vois-tu, un Irlandais semi-fictif — le genre ardent, avec un accent distingué et des cheveux roux. Dans les derniers temps de la chevalerie, il fut exilé d'Erin et, bien entendu, se rendit en France. Le chevalier O'Keefe, vois-tu, avait comme moi une faiblesse. Il était extrêmement sensible aux femmes de toute sorte et de toute condition. Non seulement il était sentimental, mais c'était un romantique, vain de sa personne, habité par de folles passions, voyant mal d'un œil et presque complètement aveugle de l'autre. Or un mâle errant de par le monde dans cet état est aussi désarmé qu'un lion édenté, et par conséquent le chevalier fut terriblement malheureux pendant vingt ans par la faute de toute une série de femmes qui le haïrent, l'exploitèrent, le remplirent d'ennui, l'exaspérèrent, le dégoûtèrent, dépensèrent son argent, le ridiculisèrent, bref, selon l'expression courante, eurent de l'amour pour lui.

« La situation était désastreuse, et comme le chevalier, à part cette unique faiblesse, cette sensibilité excessive, avait un jugement sûr, il décida qu'il allait se débarrasser une fois pour toutes de ce qui lui gâchait l'existence. À cette fin, il se rendit en Champagne dans un monastère très connu, qui s'appelait — bon, d'un nom anachronique — Saint-Voltaire. À Saint-Voltaire, une règle interdisait aux moines, toute leur vie durant, de descendre au rez-de-chaussée du monastère, et leur enjoignait de se consacrer à la prière et à la contemplation dans l'une des quatre tours, qui portaient respectivement le nom des quatre commandements de la règle monastique : Pauvreté, Chasteté, Obéissance et Silence.

« Quand vint le jour qui devait voir les adieux du chevalier au monde, celui-ci fut au comble du bonheur. Il donna tous ses livres grecs à sa logeuse, il envoya son épée, dans un fourreau d'or, au roi de France, et il remit tous ses souvenirs d'Irlande au jeune huguenot qui vendait du poisson dans la rue où il habitait.

« Puis il se rendit à cheval à Saint-Voltaire, tua

son cheval devant la porte et en offrit la carcasse au cuisinier du monastère.

« À 5 heures du soir ce jour-là, il se sentit, pour la première fois de sa vie, libre — libre des exigences du sexe. Aucune femme ne pouvait pénétrer dans le monastère ; aucun moine ne pouvait descendre au-dessous du premier étage. Aussi, en montant l'escalier en colimaçon qui menait à sa cellule, tout en haut de la tour de la Chasteté, s'arrêta-t-il un instant devant une fenêtre ouverte qui donnait sur une route, une vingtaine de mètres plus bas. Qu'il était beau, ce monde qu'il quittait, se disait-il — l'averse d'or du soleil qui frappait les longues prairies, les rideaux d'arbres au loin, la tranquillité des vignobles dont la verdure apaisait le regard à des kilomètres à la ronde. Il s'accouda sur le rebord de la fenêtre et contempla la route sinueuse.

« Or il se trouve que Thérèse, une jeune paysanne d'un village voisin, âgée de seize ans, cheminait justement, à ce moment précis, sur cette route qui passait devant le monastère. Cinq minutes plus tôt, le petit ruban qui retenait son bas sur sa jolie jambe gauche s'était défait. Étant d'une extrême pudeur, elle avait pensé qu'elle attendrait d'être arrivée chez elle pour le remettre, mais cela la dérangeait au point qu'elle se dit qu'elle ne pouvait pas attendre jusque-là. Et donc, en passant devant la tour de la Chasteté, elle s'arrêta et, avec un joli geste, souleva sa jupe — le moins possible, il faut lui rendre cette justice — pour ajuster sa jarretière.

« Là-haut dans la tour, le tout dernier arrivé dans l'antique monastère de Saint-Voltaire, comme attiré par une main immense et irrésistible, se pencha par la fenêtre. Il se penchait, se penchait de plus en plus, jusqu'à ce que soudain une des pierres cédât sous son poids et se descellât du mortier en faisant un doux bruit poudreux. Et d'abord la tête la première, puis cul par-dessus tête, et finalement dans une immense culbute spectaculaire, dégringola le chevalier O'Keefe, prenant la direction de la terre dure et de la damnation éternelle.

« Thérèse fut tellement bouleversée par cette circonstance qu'elle courut d'une traite jusque chez elle et pendant les dix années qui suivirent, elle passa une heure par jour à prier en secret pour l'âme du moine qui avait simultanément rompu son cou et ses vœux en ce malheureux dimanche après-midi.

« Soupçonné de suicide, le chevalier O'Keefe ne fut pas enterré en terre consacrée, mais jeté dans un champ voisin, où l'on peut penser qu'il améliora la qualité du sol pendant de nombreuses années. Telle fut la fin prématurée d'un gentilhomme très brave et très vaillant. Que dis-tu de ça, Geraldine ? »

Mais Geraldine, qui avait perdu le fil depuis longtemps, ne put que sourire de son sourire coquin, agiter son index pointé vers Anthony et répéter sa formule à tout faire :

« T'es dingue ! dit-elle. T'es complètement dingue. »

Le visage mince d'Anthony était gentil, se disait-elle, et il avait des yeux doux. Elle l'aimait bien parce qu'il était insolent sans être vaniteux, et parce que, à la différence des hommes qu'elle rencontrait au théâtre, il avait horreur de se faire remarquer. Quelle histoire bizarre, qui ne rimait à rien ! Mais elle avait bien aimé la partie concernant la jarretière !

Au bout du cinquième cocktail, il l'embrassa, et entre les rires et les échanges de caresses, et un bref élan passionné à demi réprimé, une heure passa. À

4 heures et demie, elle annonça qu'elle avait un rendez-vous et elle alla se recoiffer dans la salle de bains. Refusant qu'il lui appelle un taxi, elle s'arrêta un moment sur le seuil.

« Tu te marieras, insista-t-elle. Tu verras, tu verras. »

Anthony jouait avec une vieille balle de tennis ; il la fit rebondir plusieurs fois par terre avant de répondre, avec une ombre de contrariété :

« Tu es une petite sotte, Geraldine. »

Elle répondit par un sourire de défi.

« Ah, c'est ce que tu penses ? Tu veux qu'on parie ?

— Non, ce serait idiot aussi.

— Ah, c'est ce que tu penses ? Eh bien je te parie que tu épouseras quelqu'un dans le courant de l'année. »

Anthony fit rebondir la balle avec force. C'était un de ces jours où il était en beauté, se disait-elle ; dans ses yeux sombres, une certaine intensité avait remplacé la mélancolie.

« Geraldine, finit-il par dire, en premier lieu, il n'y a personne que j'aie envie d'épouser. En deuxième lieu, je n'ai pas assez d'argent pour entretenir deux personnes. En troisième lieu, je suis totalement opposé à l'idée du mariage pour les gens de mon espèce. En quatrième lieu, le seul fait d'envisager cette éventualité me fait horreur. »

Mais Geraldine se contenta de plisser les yeux d'un air entendu, elle fit son claquement de langue et annonça qu'il fallait qu'elle parte. Il se faisait tard.

« Appelle-moi bientôt », lui rappela-t-elle pendant qu'il l'embrassait pour lui dire au revoir. « Tu as passé trois semaines sans m'appeler, je te signale.

— Je t'appelle sans faute », promit-il avec conviction.

Il referma la porte et, en rentrant dans la pièce, il resta un moment perdu dans ses pensées, tenant toujours la balle de tennis serrée dans sa main. Il voyait venir un de ces moments où la solitude s'emparait de lui, un de ces moments où il marchait dans les rues ou restait prostré chez lui, déprimé, à mâchonner un crayon devant son bureau. C'était un repli égocentrique sans plaisir, un besoin de s'exprimer sans possibilité de le faire, le sentiment que le temps file à toute allure et en pure perte, sentiment atténué seulement par la conviction qu'il n'y avait rien à perdre, étant donné que tous les efforts et leur aboutissement étaient également vains.

Il y avait de l'émotion dans ses pensées, et le besoin de parler tout haut, car il était blessé et démoralisé.

« Pas question que je me marie, pour l'amour du Ciel. »

D'un seul coup, il lança la balle à l'autre bout de la pièce ; elle manqua de peu la lampe et après avoir rebondi çà et là un moment, elle finit par s'immobiliser au sol.

ENSEIGNES LUMINEUSES
ET CLAIR DE LUNE

Pour son dîner, Gloria avait réservé une table aux Cascades de l'hôtel Biltmore, et quand les hommes se retrouvèrent dans le hall peu après 8 heures, « ce Bloeckman » fut le point de mire de trois paires d'yeux masculins. C'était un Juif d'environ trente-cinq ans, au teint coloré, avec un début d'embonpoint, un visage expressif sous des cheveux lisses couleur sable, et dans des réunions d'affaires il aurait passé pour avoir des manières insinuantes. Il s'avança d'un pas vif vers le groupe des trois jeunes hommes qui fumaient en attendant leur hôtesse, il se présenta avec un petit peu trop d'assurance, mais il n'est pas sûr qu'il perçut la froideur légèrement ironique avec laquelle on l'accueillait ; rien dans son attitude ne put le laisser supposer.

« Vous êtes parent d'Adam J. Patch ? » demanda-t-il à Anthony, laissant échapper de ses narines un peu trop larges deux minces volutes de fumée.

Anthony admit le fait en esquissant un sourire.

« C'est un homme bien, déclara Bloeckman avec solennité. Un bel exemple d'Américain.

— Oui, confirma Anthony, c'est vrai. »

J'ai horreur de ces types à qui il manque un temps de cuisson, pensa-t-il avec froideur. Il a l'air à moitié bouilli. Il faudrait le remettre au four ; une minute de plus, ça suffirait.

Bloeckman jeta un œil sur sa montre.

« Il serait temps qu'elles arrivent, ces jeunes filles… »

Anthony attendit, retenant son souffle ; et la suite arriva…

« … mais on sait bien, ajouta Bloeckman avec un large sourire, comment sont les femmes. »

Les trois jeunes gens opinèrent du bonnet. Bloeckman jeta un coup d'œil autour de lui, son regard critique s'attarda un instant sur le plafond, puis redescendit. Son expression combinait celle d'un fermier du Middle West jaugeant sa récolte de blé et celle d'un acteur se demandant si on l'observe — attitude qu'ont en public tous les bons Américains. Ayant fini son examen, il se tourna vivement vers le trio inamical, décidé à les frapper en plein cœur.

« Vous sortez de l'université ? Harvard, c'est ça ? J'ai vu que Princeton vous avait battus, au dernier match de hockey. »

Le malheureux. Chou blanc, encore une fois. Il y avait trois ans qu'ils avaient quitté Harvard, et la seule chose qui les intéressait, c'étaient les grands matchs de football. Difficile de savoir si, après que cette flèche avait manqué son but, Mr. Bloeckman allait se rendre compte que l'ambiance était au cynisme, car…

Gloria arriva. Muriel arriva. Rachel arriva. Après un rapide « Salut, vous tous » lancé par Gloria et auquel les deux autres firent écho, elles s'engouffrèrent toutes les trois dans le vestiaire pour dames.

Un moment plus tard, Muriel apparut dans une tenue savamment déshabillée et se glissa jusqu'à eux. Elle était dans son élément : ses cheveux d'ébène étaient tirés en arrière sur sa nuque ; ses yeux étaient artificiellement noircis ; elle empestait un lourd parfum. Elle avait mis tous ses efforts à se donner des airs de sirène ou, comme on dit plus communément, de « vamp », qui lève les hommes et les rejette, jouant froidement et sans scrupules avec les sentiments d'autrui. Quelque chose dans l'absolutisme de sa tentative fascina Maury au premier coup d'œil : une femme aux hanches larges qui affectait une souplesse de panthère ! Pendant les trois minutes supplémentaires où ils attendirent Gloria — ainsi que, par politesse, Rachel —, il fut incapable de détacher son regard d'elle. Elle détournait la tête, baissait les cils et se mordait la lèvre inférieure avec tous les signes extérieurs d'une timidité coquette. Elle posait les mains sur ses hanches et se balançait de droite à gauche au rythme de la musique, en disant :

« Y a-t-il plus divin que ce ragtime ? Quand j'entends ça, mes épaules ne tiennent pas en place ! »

Mr. Bloeckman applaudit galamment.

« Vous devriez faire du théâtre.

— J'adorerais ça ! Vous voudriez bien m'aider ?

— Très volontiers. »

Avec une modestie bienséante, Muriel arrêta de se trémousser et se tourna vers Maury pour lui demander ce qu'il avait « vu » cette année. Il interpréta la question comme faisant référence au monde du théâtre, et il y eut entre eux un échange fort animé sur le modèle suivant :

MURIEL : Vous avez vu *Peg o'My Heart* ?

MAURY : Non, je ne l'ai pas vu.

MURIEL, *avec flamme* : C'est magnifique ! Il faut que vous voyiez ça.

MAURY : Vous avez vu *Omar the Tentmaker* ?

MURIEL : Non, mais on m'a dit que c'était magnifique. J'ai très envie de le voir. Vous avez vu *Fair and Warmer* ?

MAURY, *plein de bonne volonté* : Oui.

MURIEL : Je ne trouve pas ça très bon. C'est vulgaire.

MAURY, *du bout des lèvres* : Oui, c'est vrai.

MURIEL : Mais hier soir, j'ai été voir *Within the Law* et j'ai trouvé ça très bien. Vous avez vu *The Little Café* ?...

Et ainsi de suite, jusqu'à ce qu'ils se retrouvent à court de pièces. Dick, pendant ce temps, se tourna vers Mr. Bloeckman, décidé à extraire l'or qu'il pourrait de ce filon peu prometteur.

« J'ai entendu dire que tous les nouveaux romans sont vendus au cinéma dès qu'ils sortent.

— C'est exact. Bien sûr, dans un film, l'important, c'est une histoire solidement construite.

— Sûrement.

— Il y a tant de romans qui sont pleins de bavardage et de psychologie. Évidemment, ceux-là sont moins intéressants pour nous. On ne peut pas en faire grand-chose à l'écran.

— Ce qui compte avant tout, c'est le scénario, dit Richard, très inspiré.

— Bien sûr. Avant tout, le scénario. » Mr. Bloeckman s'arrêta, porta son regard ailleurs. Son silence se communiqua aux autres, qu'il engloba avec l'autorité d'un geste impératif. Gloria, suivie de Rachel, sortait du vestiaire.

Il apparut, entre autres, au cours du dîner, que Joseph Bloeckman ne dansait pas, mais qu'il passait le temps où l'orchestre jouait à regarder la compagnie avec la tolérance ennuyée d'un adulte parmi des enfants. C'était un homme digne, un homme fier. Né à Munich, il avait commencé sa carrière en Amérique comme vendeur de cacahuètes associé à un cirque ambulant. À dix-huit ans, il était aboyeur dans une fête foraine ; puis il fut directeur du spectacle et, peu de temps après, propriétaire d'un petit théâtre de variétés. Juste au moment où le cinéma cessait d'être une curiosité pour devenir une industrie pleine d'avenir, c'était un jeune homme ambitieux de vingt-six ans avec des économies à investir, de fortes ambitions financières et une connaissance des rouages des spectacles populaires. L'industrie cinématographique l'avait entraîné à sa suite dans son ascension, alors qu'elle rejetait des douzaines d'individus qui avaient plus de compétences financières, plus d'imagination et plus d'idées pratiques… Et voilà qu'il était là à contempler l'immortelle Gloria pour qui le jeune Stuart Holcome avait fait le voyage de New York à Pasadena, qu'il la regardait et qu'il savait que, dans un instant, elle allait arrêter de danser et revenir s'asseoir à sa gauche.

Il espérait qu'elle n'allait pas tarder. Les huîtres attendaient déjà depuis quelques minutes.

Pendant ce temps-là, Anthony, qui avait été placé à la gauche de Gloria, dansait avec elle, toujours dans le même coin de la piste de danse. Ce qui, s'il y avait eu des danseurs sans cavalière, aurait été un hommage délicat, signifiant : « Chasse gardée ! » C'était une situation d'intimité calculée.

« Eh bien, dites-moi, déclara-t-il en baissant les yeux pour la regarder, vous êtes bien jolie ce soir. »

Elle croisa son regard, ses yeux franchissant les quelques centimètres qui les séparaient.

« Merci, mon cher Anthony.

— En fait, vous êtes belle à donner le vertige », ajouta-t-il. Cette fois, il n'y eut pas de sourire.

« Et vous, vous êtes tout à fait charmant.

— Eh bien, voilà, c'est délicieux, dit-il en riant. Chacun de nous deux a une bonne opinion de l'autre.

— Et ce n'est pas le cas, pour vous, d'habitude ? » Elle avait réagi du tac au tac, comme toujours lorsqu'on faisait allusion à elle, même de façon indirecte et énigmatique.

Il baissa le ton, ne laissant filtrer qu'une ombre de badinage.

« Un prêtre approuve-t-il le pape ?

— Je n'en sais rien, mais c'est probablement le compliment le plus obscur qu'on m'ait jamais fait.

— Je peux, si vous préférez, vous prodiguer quelques banalités.

— Oh, je ne voudrais pas que vous vous fatiguiez. Regardez Muriel ! Là, juste à côté de nous. »

Il tourna la tête. Muriel avait posé sa joue lustrée contre le revers du smoking de Maury Noble et passé son bras gauche poudré derrière la tête du jeune homme. On se demandait bien pourquoi elle n'avait pas saisi sa nuque avec sa main. Ses yeux, qui regardaient au plafond, roulaient dans leurs orbites ; ses hanches ondulaient, et, tout en dansant, elle ne cessait de fredonner entre ses dents. Au début, on aurait pu croire qu'il s'agissait de la traduction des paroles de la chanson dans une langue étrangère, mais on finissait par comprendre qu'elle essayait d'en combler les trous avec les seules paroles qu'elle connaissait — celles du titre :

C'est un chiffonnier,
Un ramasseur de chiffons
De bouts de chiffons, de bouts de chansons,
Il ramasse tout ce qui traîne,
Chiffons, chansons, chansons, chiffons.

Et ainsi de suite, avec des formules encore plus étranges et barbares. Quand elle surprit les regards amusés d'Anthony et de Gloria, elle n'y répondit que par une ombre de sourire et en fermant à demi les yeux, comme pour indiquer que la musique qui pénétrait son âme l'avait jetée dans une transe enchanteresse.

La musique prit fin ; ils retournèrent à leur table, dont l'occupant solitaire mais digne se leva pour les gratifier chacun d'un sourire si affable que c'était comme s'il leur serrait la main pour les féliciter de leur brillante performance.

« Blockhead ne veut jamais danser ! Je crois qu'il

a une jambe de bois », lança Gloria à la cantonade. Les trois jeunes gens sursautèrent et l'homme dont il était question accusa le coup.

C'était là que le bât blessait dans la relation entre Bloeckman et Gloria. Elle n'arrêtait pas de faire des jeux de mots sur son nom. Elle avait commencé par « Blockhaus » et c'était maintenant le sobriquet plus désobligeant de « Blockhead ». Il lui avait demandé, en le prenant sur un ton ironique, de bien vouloir l'appeler par son prénom, et elle lui avait docilement obéi à plusieurs reprises ; puis cela lui avait échappé, malgré elle, et désolée mais pouffant de rire, elle était revenue à « Blockhead ».

C'était navrant, une attitude si désinvolte de sa part.

« Mr. Bloeckman, j'en ai peur, doit nous trouver bien frivoles », soupira Muriel en agitant une huître en équilibre instable dans sa direction.

« Oui, on dirait », murmura Rachel. Anthony essayait de se rappeler si elle avait déjà pris la parole, il pensait plutôt que non. C'était sa toute première remarque.

Mr. Bloeckman s'éclaircit soudain la gorge et dit à haute et intelligible voix :

« Au contraire. Quand un homme parle, il n'exprime que la tradition. Il a au mieux quelques millénaires derrière lui. Alors que les femmes, elles, sont le miraculeux porte-parole de la postérité. »

Dans le silence abasourdi qui suivit cette stupéfiante remarque, Anthony s'étrangla soudain sur une huître et porta vivement sa serviette à son visage. Rachel et Muriel émirent un petit rire étonné mais discret, auquel se joignirent Dick et Maury, tout rouges et faisant des efforts ostentatoires pour ne pas pouffer.

« Seigneur, pensa Anthony. C'est le sous-titre d'un de ses films. Ce type l'a appris par cœur. »

Seule Gloria n'avait pas réagi. Elle fixait Mr. Bloeckman avec un regard de reproche muet.

« Pour l'amour du Ciel, où êtes-vous allé chercher ça ? »

Bloeckman la regarda d'un air incertain, ne sachant pas trop comment le prendre. Mais, en un instant, il retrouva son sang-froid et arbora le sourire tolérant d'un intellectuel égaré au milieu d'enfants gâtés qui ont encore tout à apprendre.

Le potage arriva de la cuisine, mais au même moment le chef d'orchestre revenait du bar où sa figure avait pris la couleur du bock de bière qu'il venait d'avaler. On laissa donc la soupe refroidir pendant que l'orchestre jouait une ballade intitulée *Everything's at Home Except Your Wife*.

Puis vint le champagne — et la soirée prit un tour plus gai. À l'exception de Richard Caramel, les hommes burent libéralement. Gloria et Muriel burent à petites gorgées une coupe chacune. Rachel Jerryl n'en prit pas. Ils restèrent assis pendant les valses, mais dansèrent sur tout le reste, à l'exception de Gloria qui, au bout d'un moment, sembla se fatiguer et préféra rester à la table à fumer, son regard tantôt distrait, tantôt vif, selon qu'elle écoutait Bloeckman ou qu'elle suivait du regard une jolie fille au milieu des danseurs. Anthony se demanda à plusieurs reprises ce que Bloeckman lui racontait. Il mâchonnait un cigare et se laissait aller, après le dîner, à des gesticulations.

Quand sonnèrent 10 heures, Gloria et Anthony venaient de retourner sur la piste de danse. Dès qu'ils se furent éloignés de la table pour qu'on ne pût les entendre, Gloria dit à voix basse :

« Dansons en nous rapprochant de la porte. Je veux aller au drugstore. »

Anthony la guida docilement, à travers la foule, dans la direction indiquée. Dans le hall, elle le quitta un instant pour revenir avec une cape sur le bras.

« Je veux des boules de gomme » dit-elle en s'excusant ironiquement. Vous n'allez pas savoir pourquoi, cette fois-ci. C'est juste que je ne veux pas me ronger les ongles, et c'est ce que je vais faire si je n'ai pas de boules de gomme. » Elle poussa un soupir, et lorsqu'ils entrèrent dans l'ascenseur vide, elle ajouta : « C'est ce que j'ai fait toute la journée. J'ai les nerfs en boule. Pardon pour le jeu de mots. Je ne l'ai pas fait exprès, c'est venu tout seul, Gloria Gilbert, l'amuseuse publique. »

Arrivés en bas, ils évitèrent d'un air candide le comptoir de confiserie de l'hôtel, descendirent par le grand escalier qui menait à la rue, et après avoir franchi de nombreux corridors, ils finirent par trouver un drugstore à Grand Central Station. Après avoir minutieusement examiné le comptoir des parfums, Gloria fit son achat. Puis, par une impulsion commune tacite, ils marchèrent, en se tenant par le bras, non pas dans la direction d'où ils venaient, mais vers la 43e Rue.

Le dégel faisait remuer doucement la nuit ; celle-ci était si tiède qu'un petit vent soufflant au ras du trottoir suscita chez Anthony la vision d'un printemps inattendu aux effluves de jacinthes. Avec l'ovale de ciel bleu, là-haut, et la caresse de la brise qui les enveloppait, l'illusion d'une saison nouvelle les libérait de l'atmosphère confinée qu'ils venaient de quitter. Pendant un moment de paix et de tranquillité, les bruits de la circulation et le murmure de l'eau qui coulait dans le caniveau semblèrent un prolongement lointain, presque imperceptible, de la musique au rythme de laquelle ils venaient de danser. Quand Anthony parla, c'est avec assurance que ses paroles jaillirent d'un je-ne-sais-quoi haletant, plein de désir, que la nuit avait fait naître dans leurs deux cœurs.

« Prenons un taxi pour nous promener un peu », suggéra-t-il sans la regarder.

« Oh, Gloria, Gloria ! »

Un taxi bâillait, la portière ouverte, sur le bord du trottoir. Tandis qu'il s'ébranlait tel un navire sur un océan labyrinthique et allait se perdre au milieu de la masse nocturne, estompée, des grands buildings, au milieu d'un tintamarre d'exclamations et de klaxons, tantôt strident, tantôt amorti, Anthony passa son bras autour des épaules de la jeune fille, l'attira vers lui et embrassa sa bouche humide, enfantine.

Elle demeura silencieuse. Elle tourna son visage vers lui, pâle sous les mouchetures et les taches de lumière qui filtraient comme un clair de lune à travers des feuillages. Ses yeux étaient un miroitement dans le lac blanc de son visage ; les ombres de sa chevelure bordaient son front d'une demi-obscurité éloquente et impersonnelle. Il n'y avait là nul amour, ni la trace d'aucun amour. Sa beauté était froide comme cette brise humide, comme la douceur moite de ses lèvres.

« Dans cette lumière, vous ressemblez à un cygne », chuchota-t-il au bout d'un moment. Il y eut des silences qui étaient comme des murmures. Il y eut des pauses qui semblaient sur le point de se briser et qui ne pouvaient être rejetées dans l'oubli que parce qu'il resserrait son étreinte autour d'elle, avec le sentiment de la voir posée là comme une très délicate plume captive ballottée entre l'ombre et la lumière. Anthony eut un rire silencieux, un rire d'allégresse, et il releva et détourna la tête, à moitié parce qu'il était submergé par un élan de triomphe, à moitié pour qu'elle ne risque pas à sa vue de mettre en péril la splendide immobilité de son visage. Ah, ce baiser... c'était une fleur offerte, qui ne saurait être écrite, qui échapperait au souvenir, comme si de la beauté de Gloria irradiaient des émanations qui se déposaient un instant sur son cœur avant de se dissoudre presque aussitôt.

... Les buildings se brouillèrent en ombres confuses. On arrivait à Central Park, et, après un long moment, le grand fantôme blanc du Metropolitan Museum défila majestueusement devant eux, répondant par un écho sonore à l'élan du taxi.

« Oh, Gloria ! Oh, Gloria ! »

Elle avait un regard lointain qui semblait le contempler du fond des millénaires. Toute émotion qu'elle eût pu ressentir, toute parole qu'elle eût pu prononcer auraient paru imparfaites par rapport à la perfection de son silence, auraient paru sans éloquence par rapport à l'éloquence de sa beauté et de son corps, tout proche de lui, mince et plein de fraîcheur.

« Dites-lui de faire demi-tour, murmura-t-elle, et de se dépêcher de nous ramener. »

Là-haut, dans la salle de restaurant, il faisait chaud. La table, jonchée de serviettes et de cendriers, avait un air fatigué. Ils entrèrent entre deux danses, et Muriel Kane leva les yeux d'un air incroyablement effronté.

« Eh bien, où étiez-vous donc ?

— J'ai appelé ma mère, répondit Gloria avec

aplomb. Je lui avais promis de le faire. On a raté une danse ? »

Survint alors un incident, sans importance en soi, mais auquel Anthony eut des raisons de repenser à de nombreuses années de là. Joseph Bloeckman, s'enfonçant dans son siège, fixa sur lui un drôle de regard, où se mêlaient inextricablement, bizarrement, des émotions diverses. Il ne salua Gloria qu'en se levant, et reprit aussitôt sa conversation avec Richard Caramel au sujet de l'influence de la littérature sur le cinéma.

MAGIE

Le miracle étonnant de la nuit s'efface avec la mort lente des dernières étoiles et l'apparition prématurée des premiers vendeurs de journaux. La flamme se retire vers quelque feu lointain et platonique ; la chaleur blanche a quitté les chenets, et la braise le charbon.

Sur les rayons de la bibliothèque d'Anthony, qui occupait tout un mur, se glissa un insolent trait de lumière froide effleurant avec une désapprobation glacée Thérèse de France, Anne la *Superwoman*, la Jenny du Ballet oriental, Zuleika la Spirite, Cora de l'Indiana. Puis, un rayon plus bas et plus éloigné dans le temps, cette lumière frôla avec compassion les ombres trop souvent invoquées de Hélène, Thaïs, Salomé et Cléopâtre.

Anthony, rasé, ayant pris son bain, se cala dans son fauteuil le plus confortable et observa ce trait de lumière jusqu'au moment où, le soleil ayant poursuivi son ascension régulière, il éclaira un moment les franges soyeuses du tapis, puis disparut.

Il était 10 heures. Le *New York Times* du dimanche, éparpillé par terre autour de lui, proclamait par ses rotogravures et ses éditoriaux, par ses chroniques mondaines et sa section sportive, que le monde, au cours de la semaine précédente, avait fait des efforts prodigieux pour se rapprocher d'un but magnifique encore qu'assez flou. Pour sa part, Anthony était allé une fois chez son grand-père, deux fois chez son agent de change et trois fois chez son tailleur. Et puis, à la dernière heure du dernier jour de la semaine, il avait embrassé une fille très belle et très charmante.

Quand il était rentré chez lui, son imagination bouillonnait de rêves aussi exaltés qu'inhabituels. Soudain, son esprit ne se posait plus de questions, plus de problèmes éternels à résoudre et re-résoudre. Il venait de goûter une émotion qui n'était ni mentale ni physique, ni un simple mélange des deux, et, pour l'heure, l'amour de la vie l'absorbait à l'exclusion de tout le reste. Il lui suffisait que cette expérience demeurât quelque chose d'isolé, d'unique.

Avec un détachement presque impersonnel, il était arrivé à la conclusion qu'aucune des femmes qu'il avait rencontrées dans sa vie ne pouvait, à aucun point de vue, soutenir la comparaison avec Gloria. Elle était profondément elle-même, elle était d'une sincérité absolue, de cela il était certain. À côté d'elle, les deux douzaines d'écolières et de *débutantes*, de jeunes femmes mariées, de créatures plus ou moins errantes qu'il avait connues, n'étaient que des bonnes femmes, au sens le plus péjoratif du terme, des génitrices et des reproductrices, exsudant encore de vagues relents de l'époque des cavernes et des chambres d'enfants.

À sa connaissance, elle ne s'était à aucun moment soumise à sa volonté et n'avait pas non plus caressé sa vanité — sauf dans la mesure où le plaisir qu'elle prenait à sa compagnie était une caresse. En fait, il n'avait pas de raison de penser qu'elle lui avait donné autre chose que ce qu'elle donnait aux autres. Mais c'était bien ainsi. L'idée que de la soirée aurait pu naître un engagement quelconque ne l'effleurait pas, et lui aurait même répugné. De son côté, elle avait renié et enterré l'incident par une contrevérité flagrante. On avait affaire à deux jeunes gens qui avaient assez d'imagination pour savoir distinguer un jeu de la réalité — et qui, par le détachement qu'ils avaient montré en se rencontrant, puis en reprenant chacun son chemin, pouvaient s'affirmer intacts.

Étant arrivé à cette conclusion, il alla au téléphone et appela l'hôtel Plaza.

Gloria était sortie. Sa mère ne savait ni où elle était allée ni quand elle rentrerait.

C'est plus ou moins à ce moment-là qu'Anthony put constater une première erreur d'appréciation de sa part. Il y avait dans le fait que Gloria n'était pas chez elle quelque chose de l'ordre de l'insensibilité, voire de l'indécence. Il soupçonnait qu'en sortant, elle l'avait délibérément mis en position d'infériorité. À son retour, elle verrait qu'il l'avait appelée, et cela la ferait sourire. Discrètement ! Il aurait dû attendre quelques heures pour bien marquer à quel point l'incident avait peu d'importance pour lui. Quelle gaffe stupide de sa part ! Elle allait se dire qu'il pensait avoir reçu d'elle une faveur particulière. Elle allait se dire qu'il réagissait à un épisode des plus banals en affichant une intimité tout à fait inappropriée.

Il se rappela qu'au cours du mois précédent son concierge, à qui il avait tenu un petit discours assez confus sur la fraternité humaine, était monté chez lui le lendemain et que, fort de ce qui s'était passé la veille, il s'était installé sur le siège près de la fenêtre pour bavarder amicalement avec lui pendant une demi-heure. Anthony se demanda avec horreur si Gloria allait penser de lui ce qu'il avait pensé de cet homme. Lui, Anthony Patch ! Quelle horreur !

Il ne lui vint pas à l'esprit qu'il était un objet passif, sur qui s'exerçait une influence qui allait bien au-delà de Gloria, qu'il n'était rien d'autre que la plaque sensible sur laquelle se fixe la photographie. Un photographe géant avait braqué l'appareil sur Gloria, et *tchoc !* la plaque n'avait pas d'autre choix que de se développer, enfermée comme toute chose dans les limites de sa propre nature.

Mais Anthony, allongé sur son canapé et regardant la lampe orange, passant sans arrêt ses doigts fins dans ses cheveux bruns, inventait des vignettes pour chaque heure. Elle était pour le moment dans une boutique, évoluant avec souplesse au milieu des velours et des fourrures, cependant que sa robe, au gré de ses mouvements, bruissait doucement dans cet univers de bruissements de soie et de rires aigus et modulés, et des parfums de tant de fleurs massacrées mais vivantes. Les Minnie, les Pearl, les Jewel, les Jenny s'affairaient autour d'elle comme une nuée de courtisans, lui apportant d'impalpables fragilités en crêpe Georgette, de la mousseline de soie délicate aux nuances pastel pour faire écho à son teint, de la dentelle laiteuse chiffonnée pour entourer son cou d'un pâle désordre. Le damas, à l'époque, ne servait qu'à revêtir les prêtres, et le drap de Samarcande ne survivait que dans le souvenir des poètes romantiques.

Ensuite, elle allait se rendre ailleurs, inclinant la tête de mille façons sous mille chapeaux, recherchant en vain des cerises artificielles qui soient assorties à ses lèvres ou des plumes aussi gracieuses que son jeune corps souple.

Viendrait midi. Elle allait descendre à vive allure la Cinquième Avenue, Ganymède des régions boréales, son manteau de fourrure se balançant avec élégance à chacun de ses pas, ses joues animées par le fouettement du vent, son haleine formant une buée exquise dans l'air vivifiant — et les portes tambour du Ritz tourneraient, la foule s'écarterait, vingt-cinq paires d'yeux masculins, soudain éveillées, se braqueraient sur elle, rappelant des rêves oubliés aux époux flanqués de leurs femmes obèses et ridicules.

1 heure. Elle tourmenterait de sa fourchette le cœur d'un artichaut soumis, tandis que son cavalier se gorgerait de ses phrases épaisses, dégoulinantes, de soupirant transi.

4 heures : ses petits pieds dansant au rythme de la musique, son visage se détachant de la foule, son partenaire heureux comme un toutou et fou comme le chapelier du conte. Puis… puis la nuit tomberait, amenant peut-être encore de l'humidité. Les panneaux lumineux déverseraient leurs lumières dans la rue. Qui sait ? Aussi vainement que lui, ils cherchaient peut-être à retrouver le tableau peint en noir et crème qu'ils avaient vu la veille dans l'avenue silencieuse. Et peut-être, ah, peut-être que… ! Mille taxis aux portières ouvertes attendraient à mille coins de rue, et pour lui seul était ce baiser perdu à jamais. Sous mille déguisements, Thaïs hélerait un taxi et lèverait son visage pour accueillir l'amour. Sa

pâleur serait virginale, charmante, son baiser aussi chaste que la lune…

Il se leva d'un bond, avec fougue. Quelle contrariété qu'elle fût sortie ! Il avait enfin compris ce qu'il voulait : l'embrasser une nouvelle fois, trouver le repos dans sa grande immobilité. Elle était la fin de toute agitation, de toute insatisfaction.

Anthony s'habilla et sortit, ce qu'il aurait dû faire bien plus tôt, et se rendit chez Richard Caramel pour écouter la dernière révision du dernier chapitre de *L'Amant-démon*. Il attendit 6 heures avant de rappeler Gloria. Il ne la trouva qu'à 8 heures et oh, comble du comble des déconvenues, elle ne pouvait pas lui donner rendez-vous avant mardi après-midi. Un vieux morceau de chatterton se détacha et tomba à terre tandis qu'il raccrochait, furieux.

MAGIE NOIRE

Mardi, il faisait un froid glacial. Il arriva chez elle à 2 heures, par ce triste temps, et lorsqu'ils se serrèrent la main, il se demanda confusément s'il l'avait jamais embrassée ; c'était presque incroyable. S'en souvenait-elle seulement, rien n'était moins sûr.

« Dimanche, je vous ai appelée quatre fois, lui dit-il.

— Ah bon ? »

Sa voix marquait de la surprise, et son expression de l'intérêt. Il se maudit en silence de lui avoir dit cela. Il aurait dû savoir que l'orgueil de Gloria ne se satisfaisait pas de ce genre de triomphe mesquin. Même là, il ne devinait pas la vérité, qui était que n'ayant jamais eu à s'inquiéter des sentiments des hommes, elle avait rarement recours aux simagrées, aux comédies et aux agaceries qui étaient la règle chez les autres filles. Quand un homme lui plaisait, pas besoin d'y aller par quatre chemins. Si elle croyait qu'elle en tombait amoureuse, la rupture était immédiate et radicale. Son charme se préservait de tout accident.

« J'avais envie de vous voir, dit-il avec simplicité. Je veux vous parler... je veux dire vraiment vous parler, quelque part où nous pourrions être seuls. C'est possible ?

— Qu'est-ce que vous voulez dire ? »

Il sentit sa gorge se nouer dans un brusque sursaut de panique. Il eut le sentiment qu'elle savait ce qu'il voulait.

« Je veux dire, pas à une table de salon de thé.

— Bon, d'accord, mais pas aujourd'hui. J'ai besoin d'un peu d'exercice. Allons nous promener. »

Le froid était vif et cinglant. Toute la haine mauvaise que février accumule dans son cœur déréglé pénétrait le vent sinistre et glacial qui traversait avec cruauté Central Park et descendait la Cinquième Avenue. Il était presque impossible de parler, et l'inconfort de la situation absorbait Anthony, si bien que lorsqu'il tourna au coin de la 61e Rue, il s'aperçut qu'elle n'était plus à ses côtés. Il se retourna. Elle était à dix mètres derrière lui, arrêtée, le visage à demi enfoui dans son col de fourrure, pour cacher sa colère ou son rire — il n'arrivait pas à décider lequel des deux. Il commença à revenir sur ses pas.

« Je ne voudrais pas interrompre votre promenade ! lança-t-elle.

— Je suis absolument désolé, répondit-il, piteusement. Est-ce que j'allais trop vite ?

— J'ai froid, annonça-t-elle. Je veux rentrer. Et vous marchez trop vite.

— Je suis désolé. »

Côte à côte, ils se dirigèrent vers le Plaza. Il aurait voulu voir son visage.

« Généralement, les hommes ne sont pas tellement absorbés par leurs propres pensées lorsqu'ils sont avec moi.

— Je suis désolé.

— Voilà qui est très intéressant.

— C'est vrai qu'il fait un peu trop froid pour se promener », dit-il sur un ton enjoué pour masquer son irritation.

Elle ne répondit pas et il se demanda si elle allait lui signifier son congé à la porte de l'hôtel. Elle entra sans parler, et, en arrivant à l'ascenseur, au moment d'y monter, elle lui lança simplement :

« Vous feriez mieux de monter. »

Il hésita pendant une fraction de seconde.

« Peut-être qu'il vaudrait mieux que je revienne une autre fois.

— Comme vous voulez. » Ces mots furent murmurés presque en aparté. L'unique souci de Gloria était d'arranger quelques mèches de ses cheveux dans la glace de l'ascenseur. Ses joues brillaient, ses yeux étincelaient ; elle n'avait jamais paru si charmante, si exquise et désirable.

Furieux contre lui-même, il s'aperçut qu'il la suivait d'un pas docile dans le couloir du dixième étage, qu'il était dans le salon pendant qu'elle disparaissait pour se défaire de ses fourrures. Il avait raté son affaire, perdu la face à ses propres yeux ; au cours d'une confrontation imprévue mais significative, il s'était fait battre à plate couture.

Mais le temps qu'elle réapparaisse dans le salon,

il avait réussi, par un raisonnement spécieux, à voir les choses sous un jour favorable. Après tout, il ne s'était pas laissé faire. Il voulait monter, il était monté. Pourtant, ce qui se passa ce jour-là, plus tard dans l'après-midi, trouvait sa source dans la façon humiliante dont il avait été traité dans l'ascenseur. Décidément, cette fille le tourmentait, à tel point que lorsqu'elle revint, il tomba involontairement dans une attitude critique.

« Qui est ce Bloeckman, Gloria ?

— Une relation d'affaires de mon père.

— Drôle de type.

— Vous ne lui revenez pas non plus », dit-elle avec un brusque sourire.

Anthony se mit à rire.

« Je suis flatté d'avoir attiré son attention. Il me considère sans nul doute comme un... » Il s'interrompit avec un « Est-ce qu'il est amoureux de vous ?

— Je n'en sais rien.

— Quelle blague ! insista-t-il. Bien sûr que oui. Je revois la façon dont il m'a regardé quand nous sommes revenus à la table. Si vous n'aviez pas inventé ce coup de téléphone, il aurait sans doute confié à des figurants d'un de ses films la tâche de me rosser sans crier gare.

— Ça lui était égal. Je lui ai raconté ensuite ce qui s'était vraiment passé.

— Vous lui avez raconté !

— Il m'a demandé.

— Ça ne me plaît pas trop », dit-il d'un air de reproche.

Elle se remit à rire.

« Ah bon ?

— En quoi est-ce que ça le regarde ?

— En rien du tout. C'est pour ça que je lui ai dit. »

Ulcéré, Anthony se mordit férocement la lèvre.

« Pourquoi est-ce que je mentirais ? demanda-t-elle carrément. Les choses que je fais, je n'en ai pas honte. Il se trouve que ça l'intéressait de savoir que je vous avais embrassé, et il se trouve que j'étais de bonne humeur, alors j'ai satisfait sa curiosité par un "oui" clair et précis. Étant un homme plutôt sensé, dans son genre, il a laissé tomber le sujet.

— Sauf pour dire qu'il me détestait.

— Ah, ça vous tracasse ? Bon, si vous tenez à explorer jusqu'au fond cette question passionnante, il n'a pas dit qu'il vous détestait. Mais moi, je le sais.

— Ça ne me tra...

— Allez, n'en parlons plus, s'écria-t-elle avec entrain. C'est une question dont je me désintéresse totalement. »

Avec un énorme effort, Anthony accepta de changer de sujet, et ils se replongèrent dans le jeu traditionnel des questions et réponses concernant leurs passés respectifs, en venant peu à peu à des rapports plus chaleureux à mesure qu'ils découvraient, comme tant d'autres avant eux, les goûts et les idées qu'ils avaient en commun. Ils se dirent des choses qui étaient plus révélatrices qu'ils ne l'auraient voulu, mais chacun des deux accepta de prendre ce que l'autre disait pour argent comptant, ou plutôt de le croire sur parole.

C'est comme cela que se développe une intimité. On commence par dresser de soi-même un portrait favorable, en retouchant le produit fini, bien léché, par de la vantardise, des mensonges et de l'humour. Puis il faut ajouter des détails, et l'on brosse un nouveau portrait, puis un troisième, et le secret finit par éclater au grand jour. Les plans du tableau se sont entremêlés et nous trahissent, et nous avons beau peindre et repeindre, notre tableau ne trouve plus acquéreur. Il faut nous contenter d'espérer que ces descriptions avantageuses de nous-mêmes que nous servons à nos épouses, à nos enfants et à nos partenaires en affaires, seront considérées comme véridiques.

« Il me semble, disait Anthony avec conviction, que le fait pour un homme de n'être poussé ni par le besoin ni par l'ambition n'est pas une position enviable. Dieu sait que j'aurais mauvaise grâce à m'apitoyer sur mon compte, mais il m'arrive d'envier Dick. »

Le silence de Gloria l'encourageait à poursuivre. Elle n'avait jamais été aussi proche d'une attitude de coquetterie intentionnelle.

« Et puis il y avait dans le temps des occupations honorables pour un gentleman disposant de loisirs, des choses un peu plus constructives que d'envahir le paysage de fumée ou de jouer avec l'argent d'autrui. Bien sûr, il y a la science. Quelquefois, je regrette de ne pas avoir acquis de bonnes bases à l'Institut de technologie de Boston, par exemple. Mais maintenant, il faudrait que je sacrifie deux ans de mon temps à étudier les rudiments de la physique et de la chimie. »

Elle bâilla.

« Je vous ai déjà dit que je ne savais pas ce que les gens doivent faire », dit-elle sur un ton maussade et, devant son indifférence, la rancœur d'Anthony ressurgit.

« Il n'y a rien qui vous intéresse à part vous-même ?

— Pas grand-chose. »

Il lança un regard noir. Le plaisir qu'il avait commencé à prendre à la conversation était réduit en miettes. Toute la journée, elle s'était montrée irritable, agressive, et il avait l'impression, en cet instant, de la détester pour son égoïsme et sa dureté. Il contempla le feu d'un regard morose.

Et alors il se passa une chose étrange. Elle se tourna vers lui et sourit, et, devant son sourire, toute ombre de colère et de vanité blessée s'effaça en lui, comme si ses humeurs n'étaient que les prolongements extérieurs de ceux de Gloria, comme si ses émotions ne pouvaient surgir dans sa poitrine que si elle décidait d'une main toute-puissante de tirer le fil qui les contrôlait.

Il se rapprocha d'elle et, lui prenant la main, il l'attira vers lui avec une extrême douceur, jusqu'à ce qu'elle reposât à demi contre son épaule. Elle leva les yeux vers lui en souriant tandis qu'il l'embrassait.

« Gloria », murmura-t-il tout bas. Une fois encore elle avait créé une magie, subtile et pénétrante comme un parfum répandu, suave, irrésistible.

Par la suite, ni le lendemain ni après de nombreuses années, il ne put se rappeler les éléments importants de cet après-midi. Avait-elle été émue ? Dans ses bras, avait-elle un peu parlé, ou pas du tout ? Dans quelle mesure avait-elle pris plaisir à ses baisers ? S'était-elle jamais abandonnée, si peu que ce fût ?

Quant à lui, oh, il n'y avait aucun doute possible. Il s'était levé et avait arpenté le salon au comble de la jubilation. Qu'il existât quelqu'un comme elle ; qu'elle fût là, blottie dans un coin du divan comme une hirondelle qui vient de se poser après un vol net et rapide, à le regarder avec des yeux impénétrables. Il s'arrêtait de marcher et, non sans timidité chaque fois au début, il l'entourait de son bras et trouvait son baiser.

Elle était fascinante, lui dit-il. Il n'avait jamais rencontré quelqu'un comme elle. Il la supplia sur un ton léger, mais sérieux, de le chasser ; il ne voulait pas tomber amoureux. Il ne viendrait plus la voir, elle avait déjà pris trop de place dans sa vie.

Quelle situation délicieusement romanesque ! La réaction d'Anthony n'était en vérité ni de la crainte ni du chagrin, rien d'autre que cette joie profonde d'être près d'elle, joie qui colorait la banalité des mots qu'il disait, et donnait une apparence de tristesse à ce qui était du sentimentalisme et de sagesse à ce qui était de l'affectation. Oui, il reviendrait — éternellement. Il aurait dû le prévoir.

« Ça s'arrête là. Ça a été un privilège de vous connaître, étrange, merveilleux. Mais cela ne peut pas continuer, et cela ne durerait pas. » Tandis qu'il parlait, il y avait dans son cœur ce frémissement que nous prenons pour de la sincérité de notre part.

Par la suite, il devait se rappeler une réponse qu'elle avait donnée à une question qu'il lui avait posée. Voici la forme sous laquelle il se la rappelait ; peut-être l'avait-il inconsciemment arrangée un peu.

« Une femme doit pouvoir embrasser un homme de façon qui soit belle et romantique sans avoir le moindre désir de devenir ou sa femme ou sa maîtresse. »

Comme toujours quand il était avec elle, elle lui semblait mûrir petit à petit, jusqu'au moment où des méditations trop profondes pour se formuler en paroles semblaient hiberner au fond de ses yeux.

Une heure passa et le feu faisait des petits bonds joyeux, comme s'il prenait plaisir à profiter de ces derniers instants de vie. Il était maintenant 5 heures, et la pendule sur la cheminée annonça la nouvelle. Alors, comme si un instinct animal en lui se rappelait, en entendant ces bruits métalliques, que les pétales étaient en train de tomber de cet après-midi en fleur, Anthony attira Gloria, la mit debout et l'étreignit, sans défense et le souffle coupé, dans un baiser qui n'était ni un jeu ni un hommage.

Les bras de Gloria retombèrent à ses côtés. En un instant, elle se libéra.

« Non, dit-elle calmement. Je ne veux pas de ça. »

Elle s'assit à l'autre bout du canapé, les yeux fixés droit devant elle. Un pli s'était creusé entre ses sourcils. Anthony s'affala près d'elle et posa sa main sur la sienne. Elle était inerte, sans réaction.

« Voyons, Gloria ! » Il esquissa le geste de l'entourer de son bras, mais elle s'écarta. « Je ne veux pas de ça, répéta-t-elle.

— Je suis désolé, dit-il, un peu agacé. J'ignorais que vous faisiez des distinctions aussi subtiles. »

Elle ne répondit pas.

« Vous ne voulez pas m'embrasser, Gloria ?

— Je n'en ai pas envie. » Il avait l'impression qu'elle n'avait pas bougé depuis des heures.

« Un peu rapide, comme changement, non ? » La contrariété perçait dans le ton de sa voix.

« Ah bon ? » Ça n'avait pas l'air de l'intéresser. On aurait presque dit qu'elle regardait quelqu'un d'autre.

« Il vaut peut-être mieux que je parte. »

Pas de réponse. Il se leva et la considéra avec colère, perplexité. Il se rassit.

« Gloria, Gloria, vous ne voulez vraiment pas m'embrasser ?

— Non. » Ses lèvres avaient à peine bougé pour prononcer le mot.

Il se leva à nouveau, cette fois avec moins de détermination, de confiance.

« Bon, alors je m'en vais. »

Silence.

« D'accord, je m'en vais. »

Il était conscient d'un irrémédiable manque d'originalité dans ses remarques. Il avait le sentiment que l'atmosphère était, de manière générale, devenue étouffante. Il aurait voulu qu'elle parle, qu'elle se moque de lui, qu'elle se mette en colère contre lui, n'importe quoi plutôt que ce silence obstiné, glacial. Il se maudissait de sa faiblesse et de sa stupidité. Son désir le plus clair était de l'émouvoir, de la blesser, de la voir réagir. En plein désarroi, sans le vouloir, il fit à nouveau un faux pas.

« Si vous en avez assez de m'embrasser, il vaut mieux que je parte. »

Il vit ses lèvres se froncer un peu, et ce qui lui restait de dignité l'abandonna. Elle finit par prendre la parole.

« Je crois que vous avez déjà fait plusieurs fois cette remarque. »

Il jeta les yeux autour de lui, vit son chapeau et son manteau sur un fauteuil ; il commença à les mettre avec des gestes maladroits, pendant un temps intolérablement long. Jetant à nouveau un coup d'œil vers le divan, il vit qu'elle ne s'était pas retournée, qu'elle n'avait même pas bougé. Avec un « Au revoir » tremblant et qu'il regretta aussitôt, il sortit en hâte mais piteusement de la pièce.

Pendant un long moment, Gloria resta silencieuse. Ses lèvres étaient toujours froncées, le regard direct, fier, lointain. Puis ses yeux s'embuèrent un peu, et elle murmura quelques mots à mi-voix vers le feu expirant :

« Au revoir, espèce d'idiot ! » dit-elle.

PANIQUE

Il avait reçu le coup le plus dur de sa vie. Il savait enfin ce qu'il voulait, mais en faisant cette découverte, il semblait qu'il l'avait mise à jamais hors de sa portée. Il arriva chez lui complètement démoralisé, s'affaissa dans un fauteuil sans même enlever son pardessus et resta prostré pendant plus d'une heure, tandis que sa pensée se morfondait dans une rumination stérile et sans joie. Elle l'avait renvoyé ! Tel était le fardeau qui le faisait se lamenter. Au lieu de s'emparer de cette fille et de la retenir de force jusqu'à ce qu'elle cède, passive, à son désir, au lieu de vaincre sa volonté par la puissance de la sienne propre, il était sorti de chez elle vaincu, désarmé, la lippe pendante, et toute la violence qu'il aurait pu y avoir dans sa douleur et sa rage, masquée par une attitude d'écolier fouetté. Une minute plus tôt, il lui plaisait infiniment — oui, elle s'était presque montrée amoureuse — et la minute suivante, il n'était plus que l'objet de son indifférence, un homme insolent qu'elle avait réussi à humilier.

Il ne trouvait pas de grands reproches à se faire ; si, quelques-uns tout de même, mais c'étaient d'autres sentiments, plus importants et plus urgents, qui occupaient son esprit. Ce n'était pas tant qu'il fût amoureux de Gloria, c'était qu'il brûlait de désir pour elle. Qu'il puisse l'avoir à nouveau près de lui, l'embrasser, la serrer dans ses bras, consentante, il n'avait rien d'autre à demander à la vie. Par ses trois minutes d'indifférence inébranlable, Gloria avait quitté son statut élevé, mais relativement secondaire dans son esprit, pour devenir son unique et entière préoccupation. Ses pensées incontrôlables avaient beau osciller entre un désir passionné de recevoir ses baisers et une volonté tout aussi passionnée de la blesser, de la meurtrir, un pan de son esprit, plus raffiné, aspirait à posséder l'âme triomphante qui s'était fait jour pendant ces trois minutes. Elle était belle, oui, mais surtout, elle était sans pitié. Il devait à tout prix se rendre maître de cette force qui avait le pouvoir de le repousser.

Pour le moment, Anthony était incapable de ce genre d'analyse. Sa lucidité, les ressources infiniment variées qu'il croyait avoir acquises grâce à son ironie, le désertaient. Pas seulement ce soir-là, mais pendant les jours et les semaines qui suivirent, ses livres ne furent plus qu'une partie de son mobilier, et ses amis, des gens qui vivaient et circulaient dans un monde nébuleux auquel il essayait d'échapper — un monde glacial, exposé aux rafales de vent, alors qu'il avait, un temps, connu la chaleur d'un foyer où brûlait un bon feu.

Vers minuit, il se rendit compte qu'il avait faim. Il descendit dans la 52ᵉ Rue, où il faisait si froid qu'il y voyait à peine. L'humidité formait du givre sur ses cils et les commissures de ses lèvres. Une atmosphère désolée, venue du nord, recouvrait tout, pesant sur la rue étroite et lugubre où des silhouettes noires emmitouflées, que la nuit rendait plus noires encore, se déplaçaient en titubant le long du trottoir, affrontant le vent hurlant, et glissaient sur la chaussée avec précaution comme si elles étaient sur des skis. Anthony tourna en direction de la Sixième Avenue, si absorbé dans ses pensées qu'il ne remarqua pas que plusieurs passants le dévisageaient. Son pardessus était grand ouvert, et le vent s'y engouffrait, cinglant, mortel, implacable.

... Après un moment, une serveuse s'adressa à lui, grosse, avec des lunettes cerclées de noir d'où s'échappait un long cordon noir.

« Qu'est-ce que vous désirez ? »

Il eut le sentiment qu'elle criait trop fort, sans raison. Il leva les yeux vers elle avec contrariété.

« Vous vous décidez, oui ou non ?

— Oui, bien sûr, se défendit-il.

— Je vous ai demandé trois fois. Vous êtes pas aux toilettes. »

Il jeta un regard sur la grande horloge et découvrit en sursautant qu'il était plus de 2 heures. Il était aux environs de la 30e Rue, et peu après il aperçut et déchiffra le

CHILDS,

à l'envers inscrit en demi-cercle blanc sur la vitrine. L'endroit n'était occupé que par quelques noctambules lugubres et à moitié gelés.

« Donnez-moi des œufs au bacon et du café, s'il vous plaît. »

La serveuse lui lança de haut un dernier regard dégoûté et fila, l'air comiquement intellectuel avec ses lunettes à cordon.

Seigneur ! Les baisers de Gloria, quelles fleurs ! Il se rappelait, comme si c'étaient des années plus tôt, le frais murmure de sa voix, les formes si charmantes de son corps brillant à travers ses vêtements, son visage au teint de lys dans la lumière des réverbères, des lampes.

La détresse s'empara à nouveau de lui, ajoutant une sorte de terreur à la douleur et au désir poignants. Il l'avait perdue. C'était la réalité, on ne pouvait ni la nier ni l'adoucir. Mais une nouvelle idée était venue assombrir son ciel : et Bloeckman ?

Qu'est-ce qui allait se passer maintenant ? Il y avait là un homme riche, assez avancé en âge pour se montrer tolérant vis-à-vis d'une belle épouse, pour céder à ses caprices et encourager ses fantaisies, pour l'exhiber comme elle souhaitait peut-être l'être — à la boutonnière comme une fleur éclatante, à l'abri des choses qui lui faisaient peur. Il se disait qu'elle jouait depuis un moment avec l'idée d'épouser Bloeckman, et il était bien possible que la déception qu'elle avait connue avec Anthony la jette d'un brusque élan dans les bras de Bloeckman.

Cette idée le rendit fou à la manière d'un enfant. Il voulait tuer Bloeckman, le punir de ses prétentions intolérables. Il se répétait cela sans arrêt, les dents serrées, les yeux débordant de haine et de terreur.

Mais derrière cette jalousie inavouable, Anthony était enfin amoureux, amoureux pour de bon, de cet amour sincère et profond qui peut unir un homme à une femme.

Il vit apparaître près de son coude son café, d'où se dégagea une mince volute de vapeur qui allait en diminuant. Le gérant de nuit, assis à son comptoir, regarda la silhouette immobile, solitaire, qui occupait la dernière table, et, avec un soupir, se dirigea vers lui au moment précis où la grande aiguille de l'horloge parvenait sur le chiffre 3.

SAGESSE

Le surlendemain, le tourbillon se calma et Anthony fut en mesure de faire quelque peu appel à sa raison. Il était amoureux — il ne cessait de se le redire passionnément. Les choses qui, une semaine plus tôt, lui seraient apparues comme des obstacles insurmontables, ses revenus limités, son désir de rester indépendant et dégagé de toute responsabilité, avaient été, au cours des quarante-huit heures écoulées, balayées comme fétus de paille par la bourrasque de son sentiment amoureux. S'il ne l'épousait pas, sa vie ne serait qu'une pâle parodie de son adolescence. Pour être capable de faire face aux gens et de supporter le constant rappel de Gloria que l'existence était devenue pour lui, il lui fallait se nourrir d'espoir. À partir de l'étoffe de son rêve, il édifia donc, avec ténacité et acharnement, de l'espoir, un espoir assez ténu, il faut le reconnaître, un espoir fêlé, qui se dissipait dix fois par jour, que seul entretenait l'illusion, mais malgré tout un espoir qui servirait d'armature au maintien de sa dignité.

De cela naquit une étincelle de sagesse, une perception juste de lui-même, surgie de son passé insouciant.

« La mémoire est courte », se dit-il.

Vraiment courte. Au moment crucial, le président de la compagnie est sur la sellette, criminel en puissance, il ne manque qu'une simple poussée pour le jeter en prison, méprisé par les gens de bien à des lieues à la ronde. Qu'il soit acquitté, et en moins d'un an tout est oublié. « Oui, il a eu des ennuis dans le temps, mais ce n'étaient que des chicaneries, je crois. » Oh, la mémoire est très courte !

En tout, Anthony avait vu Gloria une douzaine de fois, disons deux douzaines d'heures. À supposer qu'il ne lui fît pas signe pendant un mois, sans essayer de la voir ou de lui parler, et qu'il évitât tous les endroits où elle risquait de se trouver. N'était-il pas possible, d'autant plus qu'elle ne l'avait jamais aimé, qu'au bout de ce temps le tourbillon des événements efface de sa conscience le souvenir de sa personne, et du même coup le fait qu'il l'avait offensée et qu'elle l'avait humilié ? Elle oublierait, car il y aurait d'autres hommes. Il frémit. Tout d'un coup, il saisit ce que cela voulait dire : d'autres hommes. Deux mois... Ciel ! Plutôt attendre... trois semaines, deux semaines...

Cette pensée lui vint le deuxième soir après la catastrophe, tandis qu'il se déshabillait, et à ce moment-là, il se jeta sur le lit, pris d'un léger tremblement et fixant des yeux le haut du baldaquin.

Deux semaines : c'était pire que de ne pas attendre du tout. Dans deux semaines, il irait la retrouver à peu près comme il le ferait maintenant, sans autorité et sans confiance, étant toujours l'homme qui était allé trop loin, puis qui, l'espace de ce qui n'était qu'un instant mais qui représentait une éternité, avait pleurniché. Non, deux semaines, c'était trop court. Il fallait laisser à ce qui avait pu la heurter cet après-midi-là le temps de s'apaiser. Il fallait lui accorder un délai pour que l'incident s'efface, puis encore un délai où elle commencerait, petit à petit, à penser à lui, même si cela restait flou, d'un point de vue qui remettrait dans une juste perspective le charme d'Anthony aussi bien que son humiliation.

Il conclut finalement que six semaines seraient approximativement le laps de temps qui convenait à ses intentions et, sur un calendrier de bureau, il cocha les jours et vit que la fin de la période tomberait le 9 avril. Bon, ce jour-là, il lui téléphonerait en lui demandant s'il pouvait passer la voir. Jusque-là : silence.

Une fois cette décision prise, une amélioration progressive s'esquissa. Au moins avait-il fait un pas dans la direction que lui désignait l'espoir, et il se rendit compte que moins il ruminerait ses rapports avec Gloria, plus il serait à même de produire sur elle l'impression désirée quand ils se reverraient.

Une heure plus tard, il sombrait dans un profond sommeil.

LA PAUSE

Toutefois, même si, au fur et à mesure que les jours passaient, la splendeur de la chevelure de Gloria s'estompait, au point qu'elle aurait peut-être totalement disparu de son esprit au bout d'un an de séparation, il y eut dans ces six semaines des journées très éprouvantes. Il redoutait d'apercevoir Dick et Maury, imaginant follement qu'ils savaient tout, mais quand ils se retrouvèrent tous les trois, ce fut Richard Caramel et pas Anthony qui fut le centre d'attraction. *L'Amant-démon* avait été accepté en vue d'une publication immédiate. À partir de ce moment-là, Anthony eut le sentiment qu'il s'éloignait de ses amis. Il n'aspirait plus à la chaleur et à la sécurité de la compagnie de Maury qui, pas plus tard qu'en novembre, l'avait si bien réconforté. Seule Gloria pouvait maintenant lui apporter cela, et plus jamais personne d'autre. Le succès de Dick ne le réjouit donc qu'à moitié et le tracassa beaucoup. Il signifiait que le monde poursuivait sa route : on continuait à écrire, à lire, à publier — à vivre. Alors qu'il aurait voulu que, pendant six semaines, le monde s'immobilisât et retînt son souffle — le temps que Gloria oublie.

DEUX RENCONTRES

C'est la compagnie de Geraldine qui lui faisait le plus de bien. Il l'emmena une fois dîner au restaurant et au théâtre, et la reçut plusieurs fois chez lui. Quand il était avec elle, elle l'occupait tout entier, non comme Gloria, mais en apaisant cette sensibilité érotique que tourmentait la pensée de Gloria. La façon dont il embrassait Geraldine n'avait pas d'importance. Un baiser était un baiser, dont on pouvait tirer tout le plaisir qu'on voulait, pendant sa brève durée. Pour Geraldine, chaque chose était rangée dans son compartiment : un baiser, c'était une chose, aller plus loin, c'était une autre histoire. Un baiser, ça allait ; le reste, c'était mal.

Au milieu des six semaines de pause, deux incidents se produisirent, coup sur coup, qui vinrent troubler les progrès que faisait Anthony pour recouvrer son calme, et qui provoquèrent une rechute passagère.

Le premier fut... qu'il revit Gloria. Ce fut une brève rencontre. Ils se saluèrent, ils se parlèrent, mais aucun des deux n'entendit ce que disait l'autre. Et lorsque ce fut terminé, Anthony relut trois fois une colonne du *Sun* sans comprendre un mot de ce qu'il lisait.

On aurait pu croire que la Sixième Avenue était sans risque ! Ne voulant plus de son coiffeur du Plaza, il alla un matin au coin de la rue se faire raser. En attendant son tour, il enleva son manteau et son gilet et, son col mou une fois déboutonné, il resta debout près de la vitrine. La journée était une oasis dans le froid désert de mars, et le trottoir était animé gaiement par des promeneurs en mal de soleil. Une grosse dame capitonnée de velours, avec des joues flasques qui avaient subi trop de massages, passa en tourbillon avec un caniche qui tirait sur sa laisse ; on aurait dit un remorqueur pilotant un transatlantique. Juste derrière, un homme en complet rayé bleu, les pieds en dedans chaussés de guêtres blanches, sourit d'un air moqueur du spectacle et, rencontrant le regard d'Anthony, il lui adressa un petit clin d'œil à travers la vitre. Anthony rit, aussitôt envahi de cette humeur fantasque qui le portait à considérer les hommes et les femmes comme des fantômes absurdes et sans grâce, tout en courbes et en cercles grotesques dans le monde rectangulaire qu'ils s'étaient construit. Ils éveillaient en lui la même sensation que les poissons étranges et monstrueux qui habitent le monde glauque, ésotérique, des aquariums.

Deux autres promeneurs retinrent par hasard son attention, un homme et une jeune femme ; et dans un instant d'horreur, ses traits se révélèrent être ceux de Gloria. Il resta cloué sur place. Ils s'approchèrent de lui et Gloria, jetant un coup d'œil à l'intérieur, l'aperçut. Ses yeux s'agrandirent et elle sourit poliment. Ses lèvres remuèrent. Elle était à moins de deux mètres.

« Comment allez-vous ? » murmura-t-il stupidement.

Gloria, heureuse, belle, jeune — avec un homme qu'il n'avait jamais vu !

C'est à ce moment que le fauteuil du coiffeur se

libéra et qu'Anthony lut trois fois de suite la colonne du journal.

Le second incident se produisit le lendemain. Se rendant au bar du Manhattan vers 7 heures, il se retrouva nez à nez avec Bloeckman. La salle était presque vide, et avant que les deux hommes ne se reconnaissent, Anthony s'était posté à quelques centimètres de Bloeckman pour commander son verre ; il était donc inévitable que les deux hommes se parlent.

« Bonjour, Mr. Patch », dit Bloeckman sur un ton aimable.

Anthony prit la main que l'autre lui tendait et échangea quelques aphorismes sur les fluctuations du baromètre.

« Vous venez souvent ici ? demanda Bloeckman.

— Non, très rarement. » Il omit de mentionner que jusqu'à récemment, son endroit préféré avait été le bar du Plaza.

« Très agréable. Un des meilleurs bars de New York. »

Anthony opina. Bloeckman vida son verre et ramassa sa canne. Il était en smoking.

« Il faut que je file. Je dîne avec Miss Gilbert. »

C'était la Mort qui avait soudain plongé deux yeux bleus dans ceux d'Anthony. Si Bloeckman s'était annoncé comme le futur assassin de son *vis-à-vis*, le coup n'aurait pas pu être plus mortel. Anthony dut rougir de façon perceptible, car ses nerfs furent aussitôt à vif. Au prix d'un effort considérable, il réussit à esquisser un sourire contraint, terriblement contraint, et à articuler un « Au revoir » conventionnel. Mais cette nuit-là, il ne put s'endormir avant 4 heures, à moitié fou de douleur, de crainte, et en proie à des visions abominables.

FAIBLESSES

Et puis un jour de la cinquième semaine, il appela chez elle. Il était dans son appartement, à essayer de lire *L'Éducation sentimentale*, et quelque chose dans le livre avait orienté ses pensées dans le sens qu'elles prenaient toujours lorsqu'on leur lâchait la bride, comme des chevaux qui galopent vers l'écurie. Respirant soudain plus vite, il se dirigea vers le téléphone. Quand il donna le numéro, il lui sembla que sa voix tremblotait comme celle d'un écolier. La standardiste avait dû entendre les battements sourds de son cœur. Le bruit du combiné qu'on soulevait sonna le glas et la voix de Mrs. Gilbert, mielleuse comme du sirop d'érable coulant dans un bocal, le fit frémir d'horreur, par son simple : « Allô, allô ? »

« Miss Gloria est fatiguée. Elle est couchée, elle dort. Puis-je lui annoncer qui l'a appelée ?

— Personne ! » cria-t-il.

Pris de panique, il raccrocha avec fracas, s'affala dans son fauteuil, le souffle court, sentant perler les sueurs froides du soulagement.

SÉRÉNADE

Les premiers mots qu'il lui dit furent : « Tiens, vous vous êtes fait faire une coupe au carré ! » et elle répondit : « Oui, c'est sublime, vous ne trouvez pas ? »

Ce n'était pas la mode, à l'époque. Cela allait le devenir cinq ou six ans plus tard. À cette époque, c'était considéré comme un geste audacieux.

« Il fait un temps splendide, déclara-t-il gravement. Vous ne voulez pas qu'on aille se promener ? »

Elle mit un manteau léger et une sorte de bicorne bleu azur d'un chic excentrique et ils marchèrent dans la Cinquième Avenue jusqu'au Zoo, où ils admirèrent, comme il se doit, la taille de l'éléphant et la hauteur du cou de la girafe, mais ils n'allèrent pas voir la cage aux singes, parce que Gloria déclara que les singes, ça sentait trop mauvais.

Puis ils s'en retournèrent vers le Plaza, échangeant des banalités mais heureux du fredonnement de l'air printanier et de la tiédeur qui couvrait de son baume la ville soudain dorée. À leur droite s'étendait Central Park, tandis qu'à leur gauche des édifices impressionnants de granit et de marbre faisaient entendre d'une voix sourde le message confus que lancent les millionnaires à qui veut bien les écouter : « J'ai travaillé dur, j'ai économisé, j'ai été plus malin que tout le monde, et maintenant je suis là, hourra ! »

Tous les plus beaux et les plus récents modèles d'automobiles paradaient dans la Cinquième Avenue, et devant eux se dressait le Plaza, plus blanc et élégant que jamais. Gloria, souple, indolente, marchait à trois pas devant lui, laissant paresseusement tomber des commentaires qui flottaient un instant dans l'air scintillant avant d'atteindre son oreille.

« Oh, s'écriait-elle, j'ai envie d'aller dans le Sud, à Hot Springs ! J'ai envie d'être en plein air et de me rouler dans l'herbe toute neuve et d'oublier qu'il y a eu un hiver.

— Oh non, ne faites pas ça !

— Je veux entendre des milliers de rouges-gorges faire un tintamarre effrayant. J'aime assez les oiseaux.

— Toutes les femmes sont des oiseaux, risqua-t-il.

— Et moi, quelle sorte d'oiseau suis-je ? lança-t-elle, aussitôt intéressée.

— Je dirais une hirondelle, et parfois un oiseau de paradis. La plupart des filles sont des moineaux, bien sûr. Vous voyez cette rangée de bonnes d'enfants, là-bas ? Des moineaux, à moins que ce ne soient des pies... Et bien sûr vous avez connu des filles canaris, et des filles rouges-gorges.

— Et des filles cygnes, et des filles perroquets. Toutes les femmes adultes sont des faucons, je dirais, ou des chouettes.

— Moi, qu'est-ce que je suis ? un vautour ? »

Elle rit en secouant la tête.

« Oh non, vous n'y êtes pas, vous n'êtes pas un oiseau du tout. Vous êtes un lévrier russe. »

Anthony se rappela qu'ils étaient blancs et qu'ils étaient perpétuellement affamés. Mais on les photographiait généralement aux côtés de ducs et de princesses, alors il s'estima flatté.

« Dick est un fox-terrier, un fox-terrier dressé à faire des tours, poursuivit-elle.

— Et Maury est un chat. » En même temps, l'idée lui vint que Bloeckman ressemblait terriblement à un porc, un gros porc agressif. Mais il garda un silence réservé.

Plus tard, lorsqu'ils se quittèrent, Anthony lui demanda quand il pourrait la revoir.

« Est-ce que vous ne projetez jamais des visites

un peu moins courtes ? implora-t-il. Même si c'est dans une semaine, ce serait bien qu'on puisse passer toute une journée ensemble, le matin *et* l'après-midi.

— Ce serait bien ? » Elle réfléchit un moment. « Faisons ça dimanche prochain.

— D'accord. Je vais concocter un programme qui nous occupera à chaque seconde. »

Ce qu'il fit. Il traça même le plan détaillé de ce qui se passerait pendant les deux heures où elle viendrait prendre le thé dans son appartement : il demanderait à ce cher Bounds d'ouvrir grand les fenêtres pour laisser entrer l'air frais, mais aussi de préparer un feu pour le cas où il se mettrait à faire froid, et il y aurait des fleurs à profusion dans de grandes coupes élégantes qu'il achèterait pour l'occasion. Ils s'assiéraient sur le divan.

Et au jour dit, ils s'assirent effectivement sur le divan. Au bout d'un moment, Anthony l'embrassa, parce que cela se fit tout naturellement ; il trouva la même douceur assoupie sur ses lèvres, et il eut l'impression de ne l'avoir jamais quittée. Le feu était vif et la brise soupirant à travers les rideaux apportait une tiède humidité qui annonçait mai et le monde de l'été. L'âme d'Anthony vibrait à l'unisson d'harmonies lointaines ; il entendait le son des guitares au loin et les eaux qui venaient lécher un chaud rivage méditerranéen — car il était jeune aujourd'hui comme il ne le serait jamais plus, et plus triomphant que la mort.

6 heures arrivèrent trop tôt, faisant sonner la mélodie plaintive du carillon de l'église St. Anne au coin de la rue. Dans le crépuscule qui tombait, ils regagnèrent la Cinquième Avenue où les nombreux passants, comme des prisonniers qu'on vient de relâ-

cher, marchaient d'un pas élastique, enfin, après le long hiver. Sur l'impériale des autobus trônaient d'aimables monarques, les boutiques regorgeaient d'articles délicats pour l'été, l'été précieux, gai, prometteur, l'été qui semblait être réservé à l'amour comme l'hiver était réservé à l'argent. La vie se mettait en frais, au coin de la rue. Dans la rue, la vie distribuait des cocktails à la ronde ! De vieilles femmes dans la foule avaient le sentiment qu'elles auraient pu faire la course et gagner un cent mètres.

Une fois couché ce soir-là, toutes lumières éteintes, dans sa chambre fraîche baignée par le clair de lune, Anthony resta éveillé à jouer avec chaque minute de la journée comme un enfant joue avec chacun des cadeaux de Noël dont il avait envie depuis si longtemps. Il lui avait dit doucement, presque au milieu d'un baiser, qu'il l'aimait, et elle avait souri, l'avait serré plus fort contre elle et avait murmuré : « J'en suis heureuse », en le regardant dans les yeux. Il y avait dans son attitude une qualité nouvelle, la naissance d'une attirance physique pour lui et une étrange tension émotionnelle, dont le souvenir suffisait à lui faire serrer les poings et retenir son souffle. Il s'était senti plus proche d'elle qu'il ne l'avait jamais été. Dans un moment de ravissement extrême, il cria tout haut à la cantonade qu'il l'aimait.

Il lui téléphona le lendemain matin ; plus d'hésitation, plus d'incertitudes, mais une exaltation qui redoubla et tripla lorsqu'il entendit sa voix :

« Bonjour, Gloria.

— Bonjour.

— C'est pour vous dire ça que je vous appelais, ma chérie.

— Vous avez bien fait.

— J'aimerais vous voir.
— Oui, on va se voir, demain soir.
— C'est long, d'ici là…
— Oui. » Sa voix était réticente. La main d'Anthony se crispa sur le combiné.

« Je ne peux pas venir ce soir ? » Il était prêt à toutes les audaces, grisé par la splendeur et la révélation de ce « oui » presque murmuré.

« Je suis prise.
— Oh…
— Mais je pourrais… je pourrais peut-être me libérer.
— Oh ! » Un pur cri, une rhapsodie. « Gloria !
— Quoi ?
— Je vous aime. »

À nouveau un silence, puis :

« Je… j'en suis heureuse. »

Le bonheur, avait un jour fait remarquer Maury Noble, n'est rien d'autre que l'heure qui suit l'allégement d'une douleur particulièrement intense. Mais oh…, le visage d'Anthony tandis qu'il parcourait le couloir du dixième étage du Plaza ce soir-là ! Ses yeux sombres brillaient — il y avait autour de sa bouche des plis qui lui allaient bien. Il était plus beau qu'il n'avait jamais été, prêt pour l'un de ces instants immortels qui possèdent un tel éclat que le souvenir de leur lumière vous illumine pendant des années.

Il frappa, et, sur un mot, entra. Gloria, habillée d'une robe rose toute simple, amidonnée et fraîche comme une fleur, était à l'autre bout de la pièce, droite et immobile, le regardant de ses grands yeux.

Quand il referma la porte derrière lui, elle lança un petit cri et traversa vivement l'espace qui les séparait, levant les bras dans une ébauche de caresse pendant qu'elle s'approchait. Ensemble, ils écrasèrent les plis amidonnés de sa robe en une longue étreinte triomphale.

LIVRE II

Chapitre I

L'HEURE RADIEUSE

Au bout d'une quinzaine de jours, Anthony et Gloria cédèrent au plaisir d'avoir des « discussions pratiques », comme ils appelaient les séances où, sous couleur de strict réalisme, ils avançaient à la lueur d'un éternel clair de lune.

« ... Pas autant que moi je t'aime, insistait le critique des *belles-lettres**. Si tu m'aimais vraiment, tu voudrais que tout le monde le sache.

— Mais c'est le cas, protestait-elle. Je voudrais me mettre au coin de la rue comme un homme-sandwich et informer tous les passants.

— Alors dis-moi toutes les raisons pour lesquelles tu vas m'épouser en juin.

— Eh bien, d'abord, parce que tu es si propre. Tu as, comme moi, une propreté dans le genre aéré. Il y en a de deux sortes, tu sais. D'un côté, il y a Dick : propre comme les casseroles bien récurées. Toi et moi, on est propres comme les torrents et comme les vents. Quand je vois quelqu'un, je sais tout de suite s'il est propre, et si c'est le cas, de quelle sorte il est.

— Nous sommes jumeaux. »

Pensée exaltante !

« Maman dit — elle hésita, incertaine —, maman dit que quelquefois deux âmes sont créées ensemble et qu'elles sont amoureuses avant même d'être nées. »

Le bilphisme venait de faire un adepte sans coup férir... Après un moment, il leva la tête et rit silencieusement, les yeux au plafond. Quand il les baissa vers elle, il vit qu'elle était furieuse.

« Pourquoi as-tu ri ? s'écria-t-elle. C'est la deuxième fois que tu fais ça. Notre relation n'est pas un sujet de plaisanterie. Je veux bien jouer les idiotes, et je veux bien que tu joues les idiots toi aussi, mais pas quand nous sommes ensemble.

— Je m'excuse.

— Allez, ne dis pas que tu t'excuses. Si tu ne trouves rien d'autre à dire, eh bien, tais-toi.

— Je t'aime.

— Je m'en fiche. »

Il y eut un silence. Anthony se sentait déprimé... Finalement, Gloria murmura :

« Je m'excuse d'avoir été méchante.

— Ce n'est pas toi, c'est moi. »

La paix fut rétablie. Les moments qui suivirent en furent d'autant plus exquis, déchirants, émouvants. Sur cette scène ils étaient des stars, jouant chacun devant un public de deux spectateurs. La passion qu'ils mettaient dans cette fiction en faisait une réalité. Ils trouvaient là la quintessence de l'expression de leur moi. Mais il est probable que dans cet amour, c'était Gloria qui s'exprimait plus qu'Anthony. Il avait souvent l'impression d'être un invité tout juste toléré à une fête qu'elle donnait.

Mettre Mrs. Gilbert au courant avait été un peu compliqué. Elle était assise toute raide dans un petit fauteuil et les écouta avec une concentration intense et force clins d'œil. Elle devait le savoir — depuis trois semaines, Gloria n'avait vu personne d'autre — et avait dû remarquer qu'il y avait cette fois une différence incontestable dans l'attitude de sa fille. On lui avait confié des lettres exprès à mettre à la poste. Elle avait surpris — comme c'est le cas, semble-t-il, pour toutes les mères — des moitiés de conversations téléphoniques, à mots couverts mais suffisamment éloquentes…

Elle avait pourtant, avec tact, feint la surprise, et s'était déclarée absolument ravie ; elle l'était sans doute ; comme l'étaient les géraniums dans les jardinières des fenêtres, comme l'étaient les conducteurs quand les amoureux cherchaient l'intimité romantique d'une calèche — étrange stratagème — et les solennels menus de restaurant sur lesquels ils griffonnaient « tu sais que oui », se faisant à tour de rôle passer le petit mot.

Mais dans les intervalles entre les baisers, Anthony et sa Boucles d'or se disputaient sans cesse.

« Enfin, Gloria, s'écriait-il, laisse-moi t'expliquer.

— Ne m'explique pas. Embrasse-moi.

— Je ne suis pas d'accord. Si je t'ai blessée, il faut qu'on en discute. Ça ne me plaît pas, cet "embrassons-nous n'en parlons plus".

— Mais je ne veux pas discuter. Je trouve ça formidable qu'on puisse s'embrasser et dire "c'est fini". Quand on ne pourra plus le faire, il sera bien temps de discuter. »

Une certaine fois, un désaccord infime prit une telle ampleur qu'Anthony se leva et enfila rudement son pardessus. L'espace d'un instant, on aurait pu croire que la scène du mois de février allait se reproduire. Mais sachant que Gloria était, de son côté, dans tous ses états, Anthony conserva sa dignité et sa fierté, et, l'instant d'après, Gloria sanglotait dans ses bras, son joli visage bouleversé comme celui d'une petite fille apeurée.

Entre-temps, ils continuaient à se révéler l'un à l'autre, sans le vouloir, par des réactions et des dérobades inattendues, des aversions et des préjugés, et des allusions involontaires au passé. Gloria était, et elle s'en vantait, incapable de jalousie, et comme il était, lui, extrêmement jaloux, ce trait de caractère l'offensait. Il lui raconta des anecdotes secrètes de sa vie dans le dessein de faire jaillir une étincelle en elle, mais sans succès. Il était maintenant son bien, elle n'avait que faire de ses années révolues.

« Oh, Anthony, disait-elle, chaque fois que je suis méchante avec toi, je le regrette ensuite. Je donnerais ma main droite pour t'éviter une minute de souffrance. »

Et en cet instant, les larmes lui montaient aux yeux, et elle ne se rendait pas compte qu'elle exprimait là une illusion. Pourtant Anthony savait qu'il y avait des jours où ils se faisaient du mal exprès, prenant presque du plaisir à se porter des coups. Elle ne cessait de le déconcerter : d'abord tendre et charmante, aspirant de toutes ses forces à une union transcendante qu'il leur fallait découvrir ; l'heure d'après, froide et silencieuse, apparemment insensible à leur amour et à tout ce qu'il pouvait dire. Souvent, il attribuait ces bouderies spectaculaires à quelque cause physique — de ses indispositions, elle ne parlait jamais que lorsqu'elles étaient terminées — ou à une négligence ou présomption de sa part à lui, ou à un plat qui ne lui avait pas réussi. Mais même en ce cas, les moyens qu'elle employait pour créer entre eux une distance infinie demeuraient un mystère, enfoui quelque part dans ses vingt-deux années d'orgueil inébranlable.

« Pourquoi Muriel te plaît-elle ? lui demanda-t-il un jour.

— Elle ne me plaît pas tellement.

— Alors, pourquoi sors-tu avec elle ?

— Pour avoir quelqu'un avec qui sortir. Elles ne me compliquent pas la vie, ces filles. Elles gobent tout ce que je leur dis ; mais Rachel, elle, je l'aime bien. Elle est astucieuse, je trouve, et toujours si soignée de sa personne. J'avais d'autres amies, à Kansas City et quand j'étais étudiante — des camarades, plutôt, qui entraient dans mon cercle de relations puis en ressortaient, et que je ne voyais que parce qu'on sortait ensemble avec des garçons. Une fois qu'on ne faisait plus partie du même groupe, je cessais de m'intéresser à elles. Elles sont maintenant mariées, pour la plupart. Quelle importance. Dans le fond, elles m'étaient assez indifférentes.

— Tu préfères les hommes, non ?

— Oh, et de loin. J'ai un cerveau d'homme.

— Tu as un cerveau comme le mien. Pas très marqué comme féminin ou masculin. »

Plus tard, elle lui parla des débuts de son amitié avec Bloeckman. Un jour, au Delmonico's, Gloria et Rachel étaient tombées sur Bloeckman qui déjeunait avec Mr. Gilbert, et la curiosité l'avait poussée à se joindre à eux. Il lui avait plu, oui, assez. Ça la changeait des garçons plus jeunes, il se contentait de si peu. Il flattait ses caprices et il riait, qu'il l'eût comprise ou non. Elle sortit plusieurs fois avec lui, malgré la désapprobation déclarée de ses parents. Au bout d'un mois à peine, il l'avait demandée en mariage, lui promettant tout ce qui pouvait lui plaire, depuis une villa en Italie jusqu'à une brillante carrière au cinéma. Elle lui avait ri au nez, et il avait ri lui aussi.

Mais il n'avait pas renoncé. Jusqu'au moment de l'entrée d'Anthony dans l'arène, il avait avancé sa cour. Elle le traitait plutôt bien — si l'on excepte qu'elle l'avait depuis toujours affublé d'un sobriquet désobligeant. Et elle constatait qu'il était toujours à ses côtés, au figuré, quand elle s'engageait imprudemment, prêt à la rattraper si elle tombait.

La veille de l'annonce officielle des fiançailles, elle avait mis Bloeckman au courant. Ç'avait été un coup très dur. Elle ne raconta pas les détails à Anthony, mais elle laissa entendre qu'il n'avait pas hésité à discuter avec elle. Anthony crut comprendre que l'entretien s'était terminé de façon houleuse, avec Gloria imperturbable dans son coin du sofa, et Joseph Bloeckman, des *Films par excellence**, arpentant le tapis les yeux plissés et la tête baissée. Gloria avait de la peine pour lui, mais elle avait jugé préférable de ne pas le montrer. Par un dernier geste de bonté, elle s'était efforcée de se faire détester de lui. Mais Anthony, sachant bien que l'indifférence de Gloria était son principal atout de séduction, doutait que cela ait eu le moindre résultat. Au début, il repensait souvent à Bloeckman, sans s'attarder, puis il finit par l'oublier complètement.

LES BEAUX JOURS

Un après-midi, ils trouvèrent des places à l'avant de l'impériale ensoleillée d'un bus, et se promenèrent pendant des heures, depuis Times Square qui s'estompait derrière eux, le long du fleuve aux eaux troubles, puis, tandis que les rayons indirects désertaient les rues orientées à l'ouest, ils descendirent l'avenue pompeuse, obscurcie par des essaims inquiétants d'employés des grands magasins. Il y avait des embouteillages avec des véhicules dans tous les sens ; les bus sur quatre files étaient comme des plates-formes qui surplombaient la foule en attendant le coup de sifflet qui leur permettrait de repartir.

« C'est trop beau ! s'écria Gloria. Regarde ça ! »

Une charrette de meunier, blanche de farine, conduite par un paysan poudré de blanc, passa devant eux, tirée par un attelage de deux chevaux, l'un blanc et l'autre noir.

« Quel dommage, s'exclama-t-elle. Ils seraient magnifiques, dans la nuit qui tombe, si seulement les deux chevaux étaient blancs. Je suis heureuse comme tout, là, maintenant, en pleine ville. »

Anthony secoua la tête pour marquer son désaccord.

« La ville n'est qu'un saltimbanque. Qui s'efforce en vain d'atteindre les qualités de raffinement et de solennité qu'on attend d'elle. Qui essaye d'être une métropole romantique.

— Je ne suis pas d'accord. Ça a beaucoup d'allure, je trouve.

— Par instants. Mais en fait, c'est un spectacle illusoire, artificiel. Il a ses vedettes avec leurs agents, ses décors éphémères, et je reconnais qu'il a la plus grande armée de figurants jamais rassemblée. » Il marqua une pause, eut un rire bref, et ajouta : « Techniquement, rien à redire, sans doute, mais ce n'est pas convaincant.

— Je suis sûre que les agents de police pensent

que les gens sont des idiots », dit Gloria pensivement en regardant une dame corpulente mais craintive qui se faisait aider pour traverser la rue. « Ils les voient toujours timorés, hésitants, vieux ; d'ailleurs, ils le sont. » Puis : « On ferait mieux de descendre. J'ai dit à maman que je dînerais et que je me coucherais de bonne heure. Elle dit que j'ai l'air fatigué, elle m'embête.

— Vivement que nous soyons mariés, murmura-t-il d'un air sérieux. Il n'y aura pas à se dire bonsoir, et on pourra faire ce qu'on veut.

— Ce sera formidable. Il faudra qu'on fasse des tas de voyages. Je veux voir la Méditerranée et l'Italie. Et puis un jour, je voudrais faire du théâtre, pendant un an, disons.

— Et comment ! J'écrirai une pièce pour toi.

— Ce sera formidable ! Et moi je jouerai dedans. Et puis un jour, quand on aura plus d'argent — c'était toujours ainsi que la mort du vieil Adam était évoquée avec tact —, on se fera construire une magnifique propriété.

— Absolument, avec des piscines privées.

— Des douzaines. Et des rivières privées. Oh, je voudrais déjà y être. »

Curieuse coïncidence, il venait de souhaiter exactement la même chose. Ils se jetèrent comme des plongeurs dans la foule noire qui ondoyait, et, émergeant dans le quartier plus frais des rues autour de la 50e, ils rentrèrent d'un pas nonchalant, chacun avec sa vision romantique de l'autre..., chacun des deux marchant seul dans un jardin calme, avec un fantôme rencontré en rêve.

Des journées enchantées semblables à des barques portées par un courant paresseux ; des soirées printanières emplies d'une mélancolie plaintive qui faisait paraître le passé beau et amer, leur enjoignait de jeter un regard en arrière et de constater que les amours des étés disparus depuis longtemps étaient mortes avec les valses oubliées de l'époque. Les moments les plus poignants étaient toujours ceux où ils étaient séparés par une barrière artificielle : au théâtre, leurs mains se glissaient furtivement l'une vers l'autre, se rejoignaient, échangeant pendant la longue obscurité de douces pressions. Dans les salons bondés, ils formaient avec leurs lèvres des mots pour le seul regard de l'autre — ignorant qu'ils ne faisaient en cela que mettre leurs pas dans ceux de générations parties en poussière, mais comprenant confusément que si la vérité est le but de la vie, le bonheur en est une des modalités qu'il faut chérir dans sa brièveté frémissante. Et puis, par une nuit féerique, le mois de mai devint le mois de juin. Plus que seize jours… quinze… quatorze.

TROIS DIGRESSIONS

Juste avant l'annonce des fiançailles, Anthony était allé à Tarrytown voir son grand-père qui, un peu plus parcheminé et chenu à mesure que le temps lui jouait ses derniers tours narquois, accueillit la nouvelle avec un profond cynisme.

« Alors, comme ça, tu vas te marier ? » Il dit cela avec une douceur si dubitative et secoua la tête tant de fois qu'Anthony ne laissa pas d'être un peu déprimé. Même s'il ne savait rien des intentions de son grand-père, il présumait qu'une grande partie de sa fortune lui reviendrait. Bien sûr, son grand-père en laisserait une fraction importante à des œuvres de bienfaisance, afin de poursuivre ses projets de redressement moral.

« Est-ce que tu vas travailler ?

— Mais, temporisa Anthony, un peu déconcerté, vous savez, je travaille...

— Je veux dire vraiment travailler, dit Adam Patch avec calme.

— Je ne sais pas exactement ce que je vais faire. Bon, je vous rappelle que je ne suis pas absolument sans ressources, grand-père », dit-il sur un ton enjoué.

Le vieil homme écouta cela les yeux mi-clos. Puis, presque sur un air d'excuse, il demanda :

« Combien mets-tu de côté par an ?

— Rien, jusqu'ici.

— Et donc, alors que tu arrives tout juste à joindre les deux bouts avec ton argent, tu te figures que, par une espèce de miracle, vous pourrez vivre à deux là-dessus.

— Gloria a un peu d'argent de son côté. Assez pour s'habiller.

— Combien ? »

Sans s'arrêter à ce que cette question pouvait avoir d'indiscret, Anthony répondit :

« Une centaine de dollars par mois.

— Cela fait en tout environ sept mille cinq cents dollars par an. » Puis il ajouta doucement : « Cela devrait largement suffire. Si tu es raisonnable, cela devrait largement suffire. La question est : es-tu raisonnable ?

— Oui, c'est la question. » Il était humiliant d'avoir à se soumettre à ce sermon bien-pensant du vieil homme, et les paroles qu'il prononça ensuite avaient le ton de la vanité offensée : « Je peux très bien me débrouiller. Vous avez l'air de penser que je ne suis qu'un bon à rien. De toute manière, je suis simplement venu vous dire que je me marie en juin. Mes respects. » Là-dessus, il tourna les talons et se dirigea vers la porte, sans se douter qu'à cet instant, pour la première fois, son grand-père éprouvait une certaine sympathie pour lui.

« Attends ! lança Adam Patch. J'ai à te parler. »

Anthony se retourna.

« Oui ?

— Assieds-toi. Passe la nuit ici. »

Quelque peu radouci, Anthony se rassit.

« Je suis désolé, mais je dois voir Gloria ce soir.

— Comment s'appelle-t-elle ?

— Gloria Gilbert.

— Une New-Yorkaise ? Quelqu'un que tu connais ?

— Elle est du Middle West.

— Que fait son père ?

— Il travaille pour une compagnie de celluloïd, quelque chose dans ce genre. Ils sont de Kansas City.

— Tu vas te marier là-bas ?

— En fait, non. Nous avons le projet de nous marier à New York. Plus ou moins dans l'intimité.

— Ça te plairait qu'on célèbre le mariage ici ? »

Anthony hésita. La proposition ne le tentait guère, mais la sagesse recommandait sans doute de permettre au vieil homme de s'investir dans ce mariage. En outre, Anthony était assez touché.

« C'est très gentil de votre part, grand-père. Mais est-ce que ça ne créerait pas bien du dérangement ?

— Tout crée du dérangement. Ton père s'est marié ici… mais dans l'ancienne maison.

— Ah, je croyais qu'il s'était marié à Boston. »

Adam Patch réfléchit.

« C'est vrai. C'est à Boston qu'il s'est marié. »

Anthony fut embarrassé d'avoir corrigé son grand-père, et il masqua son embarras par des paroles.

« Écoutez, je vais en parler à Gloria. Personnellement ça me ferait plaisir, mais évidemment, ça dépend des Gilbert. »

Son grand-père poussa un profond soupir, ferma à demi les yeux et se renfonça dans son fauteuil.

« Tu es pressé ? demanda-t-il en adoptant un autre ton.

— Pas particulièrement.

— Je me demande », commença Adam Patch, en jetant un regard attendri sur les massifs de lilas qui bruissaient contre la fenêtre, « je me demande s'il t'arrive de penser à l'au-delà.

— Eh bien… quelquefois.

— Moi, j'y pense beaucoup. » Ses yeux étaient dans le vague, mais sa voix était claire et assurée. « Aujourd'hui, j'étais assis là à méditer sur ce qui nous attend dans l'autre monde, et je me suis mis à repenser à un après-midi d'il y a près de soixante-cinq ans, où je jouais avec ma petite sœur Annie, là où se trouve maintenant le pavillon d'été. » Il montrait du doigt le jardin d'agrément, les yeux embués de larmes, la voix tremblante.

« Je me suis mis à réfléchir, et je me suis dit que tu devrais penser un peu plus à l'au-delà. Tu devrais être plus… stable — il s'arrêta et parut chercher le mot juste —, plus industrieux, enfin… »

Puis il changea d'expression, toute sa personnalité sembla se refermer comme une souricière et, quand il reprit la parole, la douceur avait déserté sa voix.

« … Enfin, quand j'avais juste deux ans de plus que toi (sa voix se fit rauque pour lâcher un rire matois), j'ai envoyé trois membres de la firme de Wrenn et Hunt à l'hospice. »

Anthony sursauta, mal à l'aise.

« Allons, au revoir, ajouta soudain son grand-père. Tu vas manquer ton train. »

Anthony quitta la maison dans un état de bonne humeur inhabituel, et ressentant, étrangement, de la pitié pour le vieil homme. Pas parce que sa fortune ne pouvait lui rendre « ni la jeunesse ni la santé », mais parce qu'il avait demandé à Anthony de célébrer son mariage chez lui, et parce qu'il avait oublié, à propos des noces de son fils, quelque chose dont il aurait dû se souvenir.

Richard Caramel, qui était l'un des garçons d'honneur, avait causé à Anthony et à Gloria bien du désagrément au cours des dernières semaines en leur volant perpétuellement la vedette. *L'Amant-démon* avait été publié en avril, et cette publication venait interrompre la romance, comme on peut dire qu'elle interrompait tout ce dont s'approchait l'auteur. C'était une description très originale, un peu trop écrite, d'un don Juan des bas quartiers de New York. Comme l'avaient dit dès le début Maury et Anthony, comme les critiques les plus favorables le disaient maintenant, il n'y avait en Amérique aucun autre écrivain qui ait su dépeindre aussi puissamment les comportements frustes et ataviques de ces couches de la société.

Le livre eut un début hésitant, puis il démarra tout d'un coup. Les réimpressions, à petit tirage, puis à tirage plus important, se succédaient semaine après semaine. Un porte-parole de l'Armée du Salut le dénonça comme étant une falsification cynique du mouvement de renouveau moral qui touchait peu à peu les quartiers populaires. Des attachés de presse astucieux répandirent la rumeur non fondée selon laquelle l'évangéliste Smith, dit « le Gitan », allait intenter un procès en diffamation parce que l'un des personnages principaux était sa caricature. Le livre fut interdit à la bibliothèque municipale de Burlington, dans l'Iowa, et un chroniqueur du Middle West laissa entendre que Richard Caramel était soigné dans une clinique pour *delirium tremens*.

L'auteur, il est vrai, passait ses jours dans une sorte de plaisante folie. Le livre occupait ses conversations les trois quarts du temps. Il voulait savoir si l'on avait entendu « la dernière ». Il entrait dans une librairie et demandait à voix haute qu'on mette les livres sur son compte, pour que, peut-être, le vendeur ou un client reconnaissent son nom au passage. Il savait, à la ville près, dans quelles régions d'Amérique il se vendait le mieux ; il savait exactement ce qu'il touchait sur chaque tirage, et quand il rencontrait quelqu'un qui ne l'avait pas lu ou, ce qui n'arrivait que trop souvent, n'en avait pas entendu parler, il sombrait dans une humeur dépressive.

Il était donc naturel pour Anthony et Gloria de considérer, avec un fond de dépit, qu'un homme aussi imbu de sa personne ne pouvait être qu'un raseur. À la grande contrariété de Dick, Gloria se vanta publiquement de ne pas avoir lu *L'Amant-démon* et déclara qu'elle ne le lirait que quand tout le monde aurait fini d'en parler. En fait, elle n'avait pas le temps de lire pour le moment, car les cadeaux affluaient de toutes parts, d'abord en petit nombre, puis ce fut une avalanche, allant du *bric-à-brac* d'amis de la famille oubliés jusqu'aux photographies de parents pauvres oubliés.

Maury leur donna un service pour bar qui comprenait des gobelets en argent, un shaker et des ouvre-bouteilles. Ce que Dick consentit à leur offrir était plus conventionnel : un service à thé de chez Tiffany's. De Joseph Bloeckman ils reçurent une pendulette de voyage simple et raffinée, accompagnée de sa carte. Il y eut même un fume-cigarette offert par Bounds. Cela toucha Anthony au point de lui donner envie de pleurer. Il faut dire que parmi la demi-douzaine de personnes qui se voyaient dans l'obligation de sacrifier de façon si spectaculaire aux conventions, les émotions étaient à fleur de peau. La salle du Plaza réservée aux cadeaux de mariage regorgeait de présents envoyés par les amis de Harvard et par les associés du grand-père d'Anthony, avec des souvenirs de l'époque où Gloria était élève à Farmover, ainsi que des trophées assez pathétiques provenant de ses anciens amoureux, qui arrivèrent en dernier, accompagnés de messages ésotériques et mélancoliques, écrits sur des cartes soigneusement glissées à l'intérieur, et qui commençaient par : « Je ne me doutais guère, lorsque... » ou « Je ne peux que vous souhaiter tout le bonheur... » ou même : « Quand vous lirez ceci, je serai en route pour... »

Le cadeau le plus somptueux fut en même temps le plus décevant. Il était octroyé par Adam Patch : un chèque de cinq mille dollars.

La plupart des cadeaux laissaient Anthony froid. Ils lui donnaient le sentiment qu'il lui faudrait, pendant le demi-siècle suivant, tenir le registre du statut marital de leurs amis et connaissances. Mais Gloria exultait chaque fois, elle déchirait le papier de soie et les fibres d'emballage avec l'avidité d'un chien qui déterre un os, saisissant, tout haletante, un ruban ou une tige de métal, pour finir par extirper l'article entier, le brandissant d'un œil critique, sans sourire et sans montrer d'autre émotion qu'un intérêt intense.

« Regarde, Anthony !

— Drôlement joli, non ? »

Pas de réponse jusqu'à une heure plus tard, où elle lui faisait un compte rendu détaillé de ses réactions précises vis-à-vis du cadeau, lui expliquant qu'il aurait dû être plus grand ou plus petit, pourquoi et dans quelle mesure elle avait été surprise de le recevoir.

Mrs. Gilbert arrangeait et réarrangeait une maison hypothétique, distribuant les cadeaux dans les différentes pièces, étiquetant les articles comme « pendule de second choix », « argenterie pour tous les jours », et embarrassant Anthony et Gloria par des références semi-facétieuses à une pièce qu'elle appelait la chambre d'enfant. Elle se montra très contente du cadeau d'Adam Patch, et déclara par la suite qu'il avait une âme d'une autre époque, « entre autres ». Comme Adam Patch ne sut jamais si elle faisait référence à la sénilité croissante de son esprit ou à quelque schéma psychique connu d'elle seule, on ne peut pas dire que ce commentaire lui ait fait plaisir. Et quand il parlait d'elle à Anthony, c'était toujours en disant « cette vieille femme, la mère », comme s'il s'agissait d'un personnage d'une comédie à laquelle il aurait souvent assisté. En ce qui concernait Gloria, il n'arrivait pas à se faire une opinion. Elle lui plaisait mais, comme elle le dit elle-même à Anthony, il jugeait qu'elle était frivole et hésitait à lui accorder son approbation.

Cinq jours ! On dressa une estrade pour les danseurs sur la pelouse de Tarrytown. Quatre jours !

Un train spécial fut loué pour amener les invités de New York et les ramener. Trois jours !...

LE JOURNAL INTIME

Elle était vêtue d'un pyjama de soie bleue, debout près de son lit, la main sur l'interrupteur, prête à plonger la chambre dans le noir lorsqu'elle changea d'avis et, ouvrant un tiroir de sa table, sortit un petit carnet noir où elle écrivait une ligne par jour. Elle tenait ce Journal depuis sept ans. De nombreuses annotations au crayon étaient presque illisibles, il y avait des références à des soirées et des après-midi oubliés depuis longtemps, même si cela commençait par le traditionnel « Je vais tenir un Journal pour mes enfants ». Pourtant, en feuilletant les pages, elle avait le sentiment que les yeux de nombreux hommes la dévisageaient du fond de leurs noms à demi effacés. Avec l'un d'eux, elle était allée à New Haven pour la première fois — en 1908, quand elle avait seize ans et que les épaules rembourrées étaient à la mode à Yale. Elle avait été flattée parce que Michaud, dit « le Champion », lui avait fait la cour toute la soirée. Elle soupira en repensant à la robe en satin, une vraie robe de dame dont elle était si fière, et à l'orchestre qui jouait *Yama-yama, My Yama Man*, et *Jungle Town*. Il y avait si longtemps de cela ! Les noms : Eltynge Reardon, Jim Parsons, McGregor, dit « le Bouclé », Kenneth Cowan, Fry, dit « Œil-de-poisson » (il était si laid qu'elle l'aimait bien), Carter Kirby — il lui avait envoyé un cadeau ; Tudor Baird aussi. Marty Reffer, le premier garçon dont elle ait été amoureuse pendant plus d'une journée, et Stuart Holcome, qui l'avait enlevée dans son automobile et avait voulu l'épouser de force. Et Larry Fenwick, qu'elle avait toujours admiré parce qu'il lui avait dit un soir que si elle refusait de l'embrasser, elle pouvait descendre de sa voiture et rentrer chez elle à pied. Quelle liste !

... Et, au bout du compte, une liste périmée. Aujourd'hui elle était amoureuse, partie pour la romance éternelle qui devait être la synthèse de toutes les romances. Pourtant, elle était triste en repensant à ces garçons, à ces clairs de lune et aux moments excitants qu'elle avait connus — et aux baisers. Le passé, son passé : quelle joie ! Elle avait été heureuse avec exubérance.

En feuilletant les pages, ses yeux se posèrent en passant sur les annotations irrégulières des quatre derniers mois. Elle lut soigneusement les plus récentes.

« *1er avril* : Je sais que Bill Carstairs me déteste parce que j'ai été vraiment trop désagréable avec lui, mais quelquefois je ne supporte pas qu'on soit trop sentimental avec moi. On est allés jusqu'au Rockyear Country Club et il y avait une lune magnifique qui brillait à travers les arbres. Ma robe en lamé d'argent commence à se ternir. C'est fou comme on peut oublier les autres soirées à Rockyear — avec Kenneth Cowan que j'aimais tant à l'époque !

« *3 avril* : Après deux heures de Schroeder dont je me suis laissé dire qu'il possède des millions, j'ai décidé que c'est fatigant de s'attacher longtemps aux choses, surtout quand ces choses sont des garçons. Il n'y a rien de plus surfait, et dorénavant je fais le serment de m'amuser. Nous avons parlé de "l'amour" — quoi de plus banal ! Avec combien de garçons n'ai-je pas parlé de l'amour ?

« *11 avril* : Patch a bel et bien appelé aujourd'hui ! Quand il a décidé de ne plus me voir il y a un mois, il est sorti en claquant la porte. Je commence à ne plus croire qu'un homme soit susceptible de ressentir des offenses irréparables.

« *20 avril* : Passé la journée avec Anthony. Peut-être qu'un jour je l'épouserai. J'aime assez ses idées, il sait faire ressortir ce qu'il y a d'originalité en moi. Bloeckman est venu vers 10 heures dans sa nouvelle voiture et il m'a emmenée à Riverside Drive. Ce soir, je l'ai trouvé gentil : il est plein d'égards. Il savait que je n'avais pas envie de parler, alors il s'est tu pendant toute la promenade.

« *21 avril* : Me suis réveillée en pensant à Anthony, et voilà justement qu'il m'a appelée et il était adorable au téléphone, alors j'ai décommandé un rendez-vous pour lui. Aujourd'hui je me sentirais prête à tout braver pour lui, et même à désobéir aux Dix Commandements et à me rompre le cou. Il vient à 8 heures, je m'habillerai en rose, et je serai toute fraîche et amidonnée. »

Là elle s'arrêta et se rappela que lorsqu'il était parti ce soir-là, elle s'était déshabillée et avait senti l'air frisquet d'avril qui pénétrait par les fenêtres. Mais elle n'avait pas eu l'impression d'avoir froid, réchauffée qu'elle était par les profondes banalités qui brûlaient dans son cœur.

La notation suivante datait de quelques jours plus tard :

« *24 avril* : Je veux épouser Anthony, parce que les maris sont si souvent des "maris" et je veux épouser un amant.

« Il y a quatre grands types de maris.

« (1) Le mari qui ne veut jamais sortir le soir, qui

n'a pas de vices et qui travaille pour un salaire. Totalement indésirable !

« (2) Le maître ancestral qui veut une maîtresse soumise à son bon plaisir. Ce genre-là considère que toute jolie femme est superficielle, une sorte de paonne dont la croissance a été entravée.

« (3) Ensuite vient l'idolâtre, qui adore sa femme et tout ce qui lui appartient, en oubliant totalement tout le reste. Ce type-là a besoin d'avoir pour femme une actrice qui joue les sentiments. Ciel ! Ce doit être épuisant de passer pour vertueuse.

« (4) Et puis il y a Anthony — amant passionné pour le moment, qui a la sagesse de reconnaître quand la passion s'éteint et de savoir qu'elle doit s'éteindre. Et moi je veux être la femme d'Anthony.

« Quelles larves, les femmes, d'accepter un mariage insipide en rampant à plat ventre. Le mariage a été créé non pas pour servir de toile de fond, mais pour avoir besoin d'en avoir une. Le mien sera remarquable. Non, ce ne sera pas le décor, en aucun cas, ce sera la représentation : vivante, charmante, pleine d'éclat, avec le monde pour arrière-plan. Je refuse de consacrer ma vie à la postérité. Je prétends qu'on a autant de devoirs vis-à-vis de sa propre génération que vis-à-vis des enfants qu'on n'a pas désirés. Quel destin — s'arrondir et enlaidir, ne plus s'aimer, ne plus avoir en tête que lait, flocons d'avoine, nourrice, couches… Chers enfants de rêve, vous êtes tellement plus beaux, petits êtres étincelants qui voletez (tous les enfants de rêve doivent voleter) avec des ailes dorées, dorées. »

Mais ces enfants, les pauvres amours, n'ont pas grand-chose de commun avec l'état matrimonial.

« *7 juin* : Question morale : Était-ce mal de rendre Bloeckman amoureux de moi ? Car j'ai fait le nécessaire pour ça. Il était presque touchant dans sa tristesse, ce soir. Heureusement que j'avais mal à la gorge, les larmes me venaient facilement. Mais il représente le passé maintenant, déjà enterré dans mes sachets de lavande.

« *8 juin* : Et aujourd'hui j'ai promis de ne pas me mordre les lèvres. Je ne le ferai plus, j'imagine. Si seulement il m'avait demandé de ne plus manger !

« Nous faisons des bulles de savon — c'est cela que nous faisons, Anthony et moi. Et aujourd'hui nous en avons fait de magnifiques, elles éclateront et nous en ferons d'autres et encore d'autres, j'imagine, tout aussi grosses et aussi belles, jusqu'à ce qu'il n'y ait plus de savon ni d'eau. »

C'est sur cette remarque que le Journal s'arrêtait. Les yeux de Gloria remontèrent en haut de la page, au 8 juin de l'année 1912, puis 1910, 1907. La première note était griffonnée de l'écriture aux boucles enjolivées d'une fille de seize ans — c'était le nom, Bob Lamar, suivi d'un mot qu'elle ne pouvait pas déchiffrer. Puis elle sut de quoi il s'agissait, et, comme cela lui revenait, elle sentit ses yeux s'embuer de larmes. Là, dans une brume virant au gris, apparaissait le souvenir de son premier baiser, d'une couleur passée comme l'intimité de cet après-midi, sur une galerie noyée de pluie, sept ans plus tôt. Elle avait l'impression de se rappeler quelque chose que l'un des deux avait dit ce jour-là, et pourtant le souvenir lui échappait. Ses larmes redoublèrent, au point de brouiller la page. Elle pleurait, se disait-elle, parce qu'elle ne se souvenait que de la pluie, des fleurs mouillées dans le jardin, et de l'odeur de l'herbe humide.

... Au bout d'un moment, elle trouva un crayon et, le tenant d'une main mal assurée, elle traça trois lignes parallèles sous la dernière notation. Puis elle inscrivit THE END en grandes majuscules, remit le carnet dans le tiroir et se glissa dans son lit.

SOUFFLE DE LA CAVERNE

De retour dans son appartement, après le dîner donné la veille du mariage, Anthony éteignit les lumières et, se sentant fragile et anonyme comme une tasse en porcelaine laissée sur une desserte, il se mit au lit. La nuit était tiède — il suffisait d'un drap pour se sentir bien — et à travers les fenêtres grandes ouvertes parvenait une rumeur, évanescente, estivale, frémissant d'une vague impatience. Il se disait que ses années de jeunesse étaient derrière lui, futiles, pittoresques, vécues par lui dans un cynisme facile et vacillant, alimenté par le souvenir des émotions d'hommes, qui, depuis longtemps, n'étaient plus que poussière. Et au-delà de cela, il y avait autre chose, il le savait maintenant. Il y avait l'union de son âme avec celle de Gloria, dont la flamme rayonnante et la fraîcheur étaient le matériau vivant qui fait la beauté morte des livres.

De la nuit lui parvenait, pénétrant dans sa chambre au plafond haut, cette rumeur évanescente, vaporeuse, que la ville lançait et rappelait à elle, comme un enfant qui joue avec une balle. À Harlem, dans le Bronx, à Gramercy Park, sur les quais, dans les petits salons ou sur les toits semés de galets et inondés de rayons de lune, un millier d'amants contribuaient à cette rumeur, projetant dans l'air les petits cris qui en étaient les fragments. Toute la ville jouait avec cette rumeur, là, dans la nuit bleutée de l'été, la lançant et la rappelant à elle, avec la promesse que, bientôt, la vie serait aussi belle qu'un conte, promettant le bonheur, et par cette promesse, l'offrant. Elle offrait à l'amour l'espérance de sa survie. Elle ne pouvait faire davantage.

C'est alors qu'une note discordante fit irruption dans le doux murmure de la nuit. C'était un bruit venant de la courette à trente mètres en contrebas de sa fenêtre, le bruit d'un rire de femme. Cela commença comme un rire grave, continu, plaintif — une petite bonne avec son gars, se dit-il —, puis le bruit augmenta de volume et devint hystérique, et lui rappela une spectatrice qu'il avait vue, incapable de surmonter un fou rire nerveux lors d'une représentation de cabaret. Puis le rire se fit plus étouffé, pour reprendre de plus belle, cette fois accompagné de paroles — quelque blague grossière, le garçon bousculant la fille un peu brutalement, sans qu'il pût distinguer vraiment de quoi il s'agissait. Il s'interrompit un moment, et Anthony n'entendit plus que le timbre grave d'une voix d'homme, puis recommença, interminablement ; il en fut d'abord agacé, puis il trouva cela étrangement inquiétant. Il frissonna et, se levant de son lit, alla à la fenêtre. Le rire avait atteint un paroxysme, c'était un son à la fois intense et étouffé, presque un cri. Puis cela cessa, faisant place à un silence aussi vide et aussi menaçant que le silence du ciel. Anthony resta encore un moment près de la fenêtre avant de retourner se coucher. Il était remué, bouleversé. Il avait beau essayer de se dominer, il avait perçu dans ce rire incontrôlé une qualité animale qui s'était emparée de son imagination et qui, pour la première fois depuis quatre mois, réveillait sa vieille aversion, sa vieille horreur de tout ce qu'on appelait la vie. La chambre lui parut étouffante. Il aurait voulu être dehors dans un vent froid et piquant, à des lieues au-dessus des villes, et se retrouver, serein et détaché, sans lien avec le monde extérieur. La vie, c'était ce bruit là-bas, la répétition sans fin de ce rire de femme qui le hantait.

« Seigneur ! » s'écria-t-il, en aspirant une grande bouffée d'air.

Enfonçant son visage dans les oreillers, il essaya en vain de se concentrer sur les activités prévues pour le lendemain.

LE MATIN

Dans la lumière grise, Anthony s'aperçut qu'il était seulement 5 heures du matin. Il fut mécontent de s'être réveillé si tôt, il aurait l'air vanné, au mariage. Il envia Gloria qui pouvait dissimuler sa fatigue grâce à des soins cosmétiques.

Dans sa salle de bains, il se contempla dans la glace et vit qu'il était plus pâle que d'habitude. Sur la blancheur matinale de son teint, une demi-douzaine de petites imperfections se détachaient, et pendant la nuit un soupçon de barbe avait poussé — ce qui, au total, se disait-il, lui donnait l'air d'un homme mal rasé, mal réveillé, couvant quelque chose.

Sur sa table de toilette se trouvaient un certain nombre d'objets dont il vérifia la présence avec des doigts soudain tâtonnants : leurs billets pour la Californie, le carnet de *traveller's ckecks*, sa montre, mise à l'heure à la demi-minute près, la clef de son appartement, qu'il ne devait pas oublier de remettre à Maury et surtout, le plus important, l'alliance. Elle était en platine, ornée de petites émeraudes ; Gloria y tenait, elle avait toujours voulu une alliance en émeraude, avait-elle dit.

C'était le troisième cadeau qu'il lui faisait. Il y avait d'abord eu la bague de fiançailles, puis un petit étui à cigarettes en or. Il aurait maintenant l'occasion de lui donner beaucoup de choses — des robes, des bijoux, des amis, une vie amusante. Il lui paraissait bizarre de se dire que, dorénavant, c'était lui qui lui paierait tous ses repas. Cela allait représenter beaucoup d'argent. Il se demanda s'il n'avait pas sous-estimé le coût du voyage de noces, et s'il ne devrait pas tirer un peu plus d'argent sur son compte. Cette question le tracassait.

Puis l'imminence extrême de l'événement balaya de son esprit les détails. C'était le grand jour, dont il n'avait pas la moindre idée six mois plus tôt, mais qui, à présent, par la fenêtre orientée à l'est, pénétrait la chambre de ses rayons jaunes dansant sur le tapis, comme si le soleil souriait de refaire une fois encore quelque tour très ancien de sa façon.

Anthony eut un rire bref, nerveux, bouche fermée.

« Seigneur, murmura-t-il. Me voilà presque marié ! »

LES GARÇONS D'HONNEUR

Six jeunes gens, dans la bibliothèque de Patch, dit « le Grincheux », deviennent de plus en plus gais sous l'influence du champagne Mumm Extra Dry dissimulé dans des seaux glacés à côté des rayons de livres.

LE PREMIER JEUNE HOMME : Ma parole, croyez-moi, dans mon prochain livre, je vais leur faire une scène de mariage à tomber raide !

LE DEUXIÈME JEUNE HOMME : L'autre jour j'ai rencontré une *débutante** qui m'a dit qu'elle avait trouvé ton livre puissant. De manière générale, les filles jeunes adorent ce genre de rituel primitif.

LE TROISIÈME JEUNE HOMME : Où est Anthony ?

LE QUATRIÈME JEUNE HOMME : Il marche de long en large en se parlant tout seul.

DEUXIÈME JEUNE HOMME : Seigneur ! Vous avez vu le pasteur ? Quelles dents bizarres.

CINQUIÈME JEUNE HOMME : Je crois qu'elles sont naturelles. C'est drôle, tous ces gens qui ont des dents en or.

SIXIÈME JEUNE HOMME : On dit qu'ils adorent ça. Mon dentiste m'a raconté un jour qu'une femme était venue le voir en insistant pour avoir deux de ses dents recouvertes d'or. Sans aucune raison. Elles étaient parfaitement normales.

QUATRIÈME JEUNE HOMME : Il paraît que tu viens de sortir un livre, Dicky. Félicitations !

DICK, *sèchement* : Merci.

QUATRIÈME JEUNE HOMME, *innocemment* : De quoi s'agit-il ? Des histoires d'étudiants ?

DICK, *encore plus sèchement* : Non, pas des histoires d'étudiants.

QUATRIÈME JEUNE HOMME : Dommage. Il y a longtemps qu'il n'y a pas eu un bon bouquin sur Harvard.

DICK, *avec irritation* : Eh bien, tu pourrais t'en charger ?

TROISIÈME JEUNE HOMME : Je crois que je viens de

voir un groupe d'invités remonter l'allée dans une Packard.

SIXIÈME JEUNE HOMME : Raison de plus pour déboucher encore une ou deux bouteilles.

TROISIÈME JEUNE HOMME : Ça a été le choc de ma vie quand j'ai appris que le grand-père allait accepter que ce soit un mariage avec alcool. C'est pourtant un prohibitionniste à tous crins.

QUATRIÈME JEUNE HOMME, *faisant claquer ses doigts avec énergie* : Bon sang ! Je savais bien que j'avais oublié quelque chose. Je croyais que c'était mon gilet.

DICK : Et qu'est-ce que c'était ?

QUATRIÈME JEUNE HOMME : Bon sang de bonsoir !

SIXIÈME JEUNE HOMME : Alors, qu'est-ce qu'il y a de tragique ?

DEUXIÈME JEUNE HOMME : Qu'est-ce que tu as oublié ? Le chemin pour rentrer chez toi ?

DICK, *ironique* : Il a oublié l'intrigue pour son livre sur Harvard.

QUATRIÈME JEUNE HOMME : Ce n'est pas ça. J'ai oublié le cadeau, nom d'une pipe ! J'ai oublié d'acheter un cadeau à ce vieil Anthony. J'ai remis à plus tard, et encore remis, et finalement j'ai oublié ! Qu'est-ce qu'ils vont penser ?

SIXIÈME JEUNE HOMME, *pour se moquer* : C'est probablement ça qui a retardé la cérémonie.

Le Quatrième Jeune Homme regarde nerveusement sa montre. Rires.

QUATRIÈME JEUNE HOMME : Bon sang, quel idiot je fais !

DEUXIÈME JEUNE HOMME : Qu'est-ce que vous pensez de la demoiselle d'honneur qui se prend pour Nora Bayes ? Elle n'a pas cessé de me répéter qu'elle aurait voulu un mariage où on joue du ragtime. Une fille qui s'appelle Haines ou Hampton.

DICK, *faisant vivement appel à son imagination* : Kane, elle s'appelle Kane, Muriel Kane. Elle est là comme dette d'honneur, je crois. Elle a un jour empêché Gloria de se noyer, ou quelque chose de ce genre.

DEUXIÈME JEUNE HOMME : Je ne l'aurais pas crue capable de cesser de se trémousser pour se mettre à l'eau et nager. Remplis-moi mon verre, tu veux ? Le vieux et moi, on vient d'avoir une grande conversation sur le temps.

MAURY : Qui ça ? Le vieil Adam ?

DEUXIÈME JEUNE HOMME : Non, le père de la mariée. Il doit travailler dans la météo.

DICK : C'est mon oncle, Otis.

OTIS : Mais c'est un métier honorable. *(Rires.)*

SIXIÈME JEUNE HOMME : Alors, la mariée est ta cousine ?

DICK : Exact, mon cher Cable.

CABLE : Elle est rudement belle. Pas comme toi, Dicky. Je parie qu'elle va mater ce vieil Anthony.

MAURY : Pourquoi est-ce qu'on dit toujours « vieux » quand on parle des mariés ? Moi, j'estime que le mariage est une erreur de jeunesse.

DICK : Maury, le cynique professionnel.

MAURY : Ça va, toi, le charlatan intellectuel.

CINQUIÈME JEUNE HOMME : Bataille au sommet de l'intelligentsia, Otis. Tu peux ramasser les miettes.

DICK : Charlatan toi-même. Qu'est-ce que tu as, comme bagage ?

MAURY : Et toi ?

DICK : Pose-moi une question. Dans n'importe quel domaine.

MAURY : D'accord. Quel est le principe fondamental de la biologie ?

DICK : Tu n'en sais rien toi-même.

MAURY : Pas d'esquive !

DICK : Disons, la sélection naturelle ?

MAURY : Faux !

DICK : Je donne ma langue au chat.

MAURY : L'ontogenèse est la répétition apparente de la phylogenèse.

CINQUIÈME JEUNE HOMME : Au temps pour toi !

MAURY : Je t'en pose une autre. Quelle est l'influence des souris sur la récolte du trèfle ? *(Rires.)*

QUATRIÈME JEUNE HOMME : Quelle est l'influence des rats sur les Dix Commandements ?

MAURY : Tais-toi, blanc-bec. Il y a vraiment un lien.

DICK : Et alors, c'est quoi ?

MAURY, *il semble ne plus très bien savoir où il veut en venir* : Attends, laisse-moi retrouver. J'oublie le lien exact. Ça a rapport au fait que les abeilles mangent le trèfle.

QUATRIÈME JEUNE HOMME : Et que le trèfle mange les souris ! Ha ha !

MAURY, *sourcils froncés* : Laisse-moi réfléchir une minute.

DICK, *se redressant soudain* : Écoutez !

On entend des éclats de conversation dans la pièce attenante. Les six jeunes gens se lèvent, ajustent leur nœud de cravate.

DICK, *l'air important* : Il faut rejoindre le peloton d'exécution. Ils vont prendre la photo, j'imagine. Non, ça, c'est après.

OTIS : Cable, tu te charges de la demoiselle d'honneur ragtime.

QUATRIÈME JEUNE HOMME : Oh ! là ! là ! quelle barbe de ne pas avoir envoyé ce cadeau.

MAURY : Donnez-moi une minute et je retrouverai, pour les souris.

OTIS : Le mois dernier, j'étais garçon d'honneur pour ce vieux Charlie McIntyre et…

Ils se dirigent lentement vers la porte, cependant que le brouhaha des conversations devient un vrai charivari et sert de prélude à l'ouverture de la marche nuptiale qu'entonne en longues plaintes grincheuses l'orgue d'Adam Patch.

ANTHONY

Il y avait deux cent cinquante paires d'yeux vrillés sur le dos de sa jaquette et le soleil qui faisait miroiter les dents trop « bourgeoises » du pasteur. Anthony eut du mal à réprimer un rire. Gloria débitait quelque chose d'une voix fière et claire, et il essayait de se dire que la chose était irrévocable, que chaque seconde comptait, que sa vie venait d'être brutalement séparée en deux époques distinctes et que la face du monde changeait sous ses yeux. Il essayait de retrouver l'extase qu'il avait connue dix semaines plus tôt. Il ne ressentait pas la moindre émotion, il n'éprouvait même plus l'énervement du début de la matinée ; c'était comme un immense contrecoup. Et ces dents en or ! Il se demanda si le pasteur était marié ; ironiquement, il se demanda si un pasteur pouvait célébrer son propre mariage…

Mais lorsqu'il prit Gloria dans ses bras, cela eut

sur lui un effet puissant. Le sang circulait à présent dans ses veines. Un sentiment de contentement serein se posa sur lui de tout son poids, le rendant conscient de ce qui était maintenant en sa possession, des responsabilités qui lui incombaient. Il était marié.

GLORIA

Tant d'émotions mêlées, impossible d'en distinguer une au milieu des autres. Elle aurait pu pleurer à cause de sa mère, qui versait des larmes silencieuses derrière elle à trois mètres, et à cause de la beauté du soleil de juin qui entrait à grands flots par les fenêtres. Elle était au-delà des perceptions conscientes. Elle avait seulement le sentiment, teinté d'une joie débordante, que la chose la plus importante au monde était en train de se produire, et une confiance passionnée, inébranlable, qui brûlait en elle comme une prière, dans le fait que, un instant plus tard, elle serait à jamais protégée et en sécurité.

À une heure tardive de la soirée, ils arrivèrent à Santa Barbara, où le gardien de nuit de l'hôtel Lafcadio refusa de les admettre sous prétexte qu'ils n'étaient pas mariés.

Le gardien avait été ébloui par Gloria. Il ne pensait pas qu'une fille aussi belle pût être là pour des raisons autres qu'immorales.

« CON AMORE »

Les six premiers mois — le voyage vers la côte Ouest, les longs mois de flânerie sur la côte californienne, et la maison grise près de Greenwich où ils habitèrent jusqu'à ce que la fin de l'automne rendît la campagne inhospitalière — ces journées, ces lieux leur offrirent des heures enchantées. À la fiévreuse idylle de leurs fiançailles succéda, d'abord, l'intensité romanesque de leur relation plus passionnée. La fiévreuse idylle les quitta, pour s'envoler vers d'autres amants. Un jour, ils levèrent les yeux et elle n'était plus là, sans qu'ils sachent trop comment elle avait disparu. Si l'un des deux avait perdu l'autre pendant les jours de l'idylle, l'amour perdu eût été à jamais, pour la victime de cette perte, le vague désir inaccompli qui est la toile de fond de toute vie. Mais la magie n'a qu'un temps et les amants demeurent...

L'idylle passa, ayant pris pour rançon une partie de leur jeunesse. Vint un jour où Gloria s'aperçut qu'elle ne s'ennuyait plus en compagnie d'autres hommes ; vint un jour où Anthony découvrit qu'il pouvait à nouveau rester jusqu'à une heure tardive à bavarder avec Dick de ces notions abstraites si importantes qui avaient naguère occupé son univers. Mais, sachant que le meilleur de l'amour était derrière eux, ils se raccrochaient à ce qu'il en restait... L'amour s'attardait, sous forme de longues conversations, la nuit, jusqu'à ces heures arides où l'esprit s'affine et s'aiguise, et où les éléments empruntés aux rêves deviennent la substance même de la vie — s'attardait, sous forme d'attentions délicates, subtiles, qu'ils avaient l'un pour l'autre, dans leur manière de rire des mêmes absurdités, de trouver de la noblesse ou de la tristesse aux mêmes choses. Ce fut, avant tout, le temps des découvertes. Les traits de caractère que chacun voyait apparaître chez l'autre étaient si divers, si étroitement mêlés, si adoucis par le miel de l'amour, qu'ils semblaient, sur le moment, n'être pas tant des découvertes que des phénomènes isolés — à accepter avec indulgence, puis à oublier. Anthony découvrit qu'il vivait avec une femme d'une nervosité à fleur de peau et d'un égoïsme tyrannique. En moins d'un mois, Gloria sut que son mari était d'une lâcheté absolue par rapport aux milliers de fantasmes nés de son imagination. Elle n'en avait qu'une perception intermittente, car cette lâcheté jaillissait soudain, avec une évidence presque choquante, pour s'évanouir ensuite en lui donnant le sentiment que c'était peut-être elle qui avait tout inventé. Les réactions de Gloria à ce comportement n'avaient rien à voir avec le fait d'être une femme ; il ne suscitait chez elle ni dégoût ni sentiment maternel par anticipation. Étant elle-même quelqu'un qui ignorait presque complètement la peur physique, elle n'arrivait pas à comprendre, et elle mettait donc en avant ce qui, à son sens, rachetait cette lâcheté : Anthony était lâche quand il était sous le coup d'un choc émotif, ou d'un état de tension, chaque fois que son imagination se donnait libre cours, mais en quelques rares occasions, il pouvait se montrer d'une intrépidité téméraire que Gloria n'était pas sans admirer, et d'un orgueil qui l'aidait à prendre le dessus quand il se croyait observé.

Ce trait de caractère d'Anthony se manifesta d'abord dans une douzaine d'incidents qui le montraient nerveux, sans plus — par exemple lorsqu'il demandait à un chauffeur de taxi de conduire moins vite, ou qu'il refusait d'emmener Gloria dans un café malfamé où elle avait toujours eu envie d'aller. Cela pouvait naturellement relever de l'interprétation classique : c'est à elle qu'il avait pensé. Malgré tout, l'accumulation de ces incidents la troublait. Et quelque chose se passa dans un hôtel de San Francisco, une semaine après leur mariage, qui vint confirmer ses appréhensions.

C'était après minuit et la chambre était plongée dans un noir profond. Gloria s'assoupissait, et la respiration régulière d'Anthony à ses côtés lui laissait supposer qu'il dormait, quand soudain elle le vit se dresser sur un coude et, les yeux ouverts, fixer la fenêtre.

« Chéri, qu'est-ce qui se passe ? murmura-t-elle.

— Rien ». Il avait reposé sa tête sur son oreiller et, se tournant vers elle : « Rien du tout, ma petite femme chérie.

— Ne dis pas “ma femme”. Je suis ta maîtresse. Je déteste ce mot, “ma femme”. Ta “maîtresse permanente”, c'est bien plus parlant et plus excitant... Viens dans mes bras, ajouta-t-elle dans un élan de tendresse. Je dors tellement, tellement bien, quand tu es dans mes bras. »

Venir dans les bras de Gloria, cela avait un sens bien défini. Cela demandait qu'il glisse un bras sous son épaule, qu'il resserre ses deux bras autour d'elle, et qu'il trouve une position qui fasse une sorte de berceau à trois côtés où elle pourrait prendre voluptueusement ses aises. Anthony, qui n'arrivait pas à trouver la bonne position et qui attrapait des crampes au bout d'une demi-heure, attendait qu'elle soit endormie et la retournait alors doucement vers son côté du lit, puis, libre de se mettre comme il voulait, il se roulait en boule à sa façon.

Gloria, ayant assuré son bien-être sentimental, s'assoupissait à nouveau. Cinq minutes s'écoulèrent, ponctuées par le tic-tac de la pendulette de voyage de Bloeckman. Le silence régnait dans la chambre, avec son mobilier impersonnel et insolite, et son plafond un peu oppressant qui se fondait imperceptiblement dans les murs invisibles, de chaque côté. Puis il y eut tout d'un coup un battement contre la fenêtre, un tapotement réitéré qui vint troubler le silence moite de la pièce.

D'un bond Anthony fut debout, tendu, à côté du lit.

« Qui est là ? » s'écria-t-il d'une voix altérée.

Gloria resta sans bouger, bien réveillée maintenant et fascinée, pas tant par le bruit que par la vue de cette silhouette rigide, retenant son souffle, dont la voix avait porté, depuis le bord du lit, jusqu'à ces ténèbres inquiétantes.

Le bruit s'arrêta. La chambre retrouva son silence, puis elle entendit Anthony qui parlait au téléphone avec précipitation :

« Quelqu'un vient d'essayer d'entrer dans la chambre !...

« Il y a quelqu'un à la fenêtre ! » Sa voix se faisait pressante, avec un fond de panique.

« D'accord ! Dépêchez-vous ! » Il raccrocha, et resta debout, immobile.

Il y eut toute une agitation à la porte, on frappa, Anthony alla ouvrir pour trouver le gardien de nuit tout ému, suivi de trois chasseurs agglutinés qui écarquillaient les yeux. Entre le pouce et l'index, le gardien brandissait une plume pleine d'encre comme une arme ; l'un des chasseurs s'était emparé d'un annuaire de téléphone et le regardait pour se donner une contenance. Le détective de l'hôtel, alerté en toute hâte, vint se joindre au groupe, et comme un seul homme ils foncèrent dans la chambre.

La lumière jaillit avec un déclic. S'enveloppant dans un bout de son drap, Gloria plongea hors de vue, fermant les yeux pour échapper à l'horreur de cette intrusion inopinée. Bouleversée jusqu'au fond d'elle-même, elle n'avait qu'une pensée, c'était que son Anthony s'était mis gravement dans son tort.

À la fenêtre, le gardien parla, à demi sur le ton d'un valet, et à demi sur celui d'un maître qui sermonne un écolier.

« Il n'y a personne, finit-il par déclarer. De toute manière, pas possible qu'il y ait quelqu'un. Le mur tombe tout droit sur la rue, au moins dix mètres plus bas. Ce que vous avez entendu, c'est le vent, qui cognait contre la persienne.

— Oh. »

Alors, elle souffrit pour lui. Elle voulait une seule chose, le réconforter et le serrer tendrement dans ses bras, leur dire à tous de s'en aller parce que leur présence sous-entendait quelque chose d'insupportable. Et pourtant, de honte, elle n'arrivait pas à relever la tête. Elle entendit une phrase bredouillée, des excuses, les propos de convention du gardien et un ricanement non dissimulé de la part d'un des chasseurs.

« J'ai été terriblement nerveux toute la soirée, disait Anthony, et je ne sais pas, le bruit m'a donné un choc, je dormais à moitié.

— Je comprends, dit le gardien de nuit, le rassurant avec tact, ça m'est arrivé à moi aussi. »

La porte se referma ; la lumière fut éteinte brusquement. Anthony traversa la chambre en silence et se glissa dans le lit. Gloria, faisant semblant d'être engourdie par le sommeil, poussa un petit soupir et se blottit dans ses bras.

« Qu'est-ce qui s'est passé, chéri ?

— Rien du tout, répondit-il, la voix encore tremblante. J'ai cru qu'il y avait quelqu'un à la fenêtre, alors j'ai été regarder, mais je ne voyais personne et le bruit continuait, alors j'ai appelé la réception. Désolé de t'avoir dérangée, mais je suis comme une pile électrique ce soir. »

Constatant le mensonge, elle eut un sursaut intérieur : il n'était pas allé à la fenêtre, ni même près de la fenêtre. Il était resté près du lit, et c'est là qu'il avait envoyé son signal de détresse.

« Oh », dit-elle, puis : « Je meurs de sommeil. »

Pendant une heure, ils restèrent éveillés, côte à côte, Gloria fermant si fort les yeux que des lunes bleues se formaient et tournaient en cercle sur un fond mauve foncé, cependant qu'Anthony fixait d'un regard aveugle la nuit au plafond.

Au bout de quelques semaines, l'incident peu à peu apparut en pleine lumière, fut prétexte à divertissement. Cela devint un rituel entre eux : chaque fois qu'un accès de frayeur nocturne s'emparait d'Anthony, Gloria l'entourait de ses bras et chantonnait, comme une berceuse :

« Oh, mon Anthony, je le protégerai ! Personne ne fera jamais de mal à mon Anthony ! »

Il riait comme si c'était une plaisanterie inventée pour les amuser tous les deux, mais pour Gloria, ce n'était jamais tout à fait une plaisanterie. Ce fut, au début, une sévère déception et, plus tard, l'une des occasions où elle faisait l'effort de prendre sur elle.

Composer avec la mauvaise humeur de Gloria,

qu'elle fût provoquée par un manque d'eau chaude pour son bain ou par une chamaillerie avec son mari, devint une question prioritaire dans la vie quotidienne d'Anthony. Il fallait que ce fût fait à la bonne dose — en combinant tour à tour le silence et la douce pression, parfois en cédant, parfois en ne cédant pas. C'est dans les accès de colère de Gloria et les cruautés qui les accompagnaient, que son égoïsme forcené se déployait. Parce qu'elle était courageuse, parce qu'elle était « gâtée », parce qu'elle avait une indépendance de jugement à la fois présomptueuse et louable, et finalement à cause de la conscience insolente qu'elle avait de n'avoir jamais connu de fille aussi belle qu'elle, Gloria était devenue la plus constante, la plus assidue des nietzschéennes. Tout cela, bien sûr, sur fond de réel sentiment.

Il y avait, par exemple, la nourriture. Elle était habituée à certains plats, et elle était intimement persuadée qu'elle ne pouvait rien manger d'autre. Il fallait qu'elle ait sa limonade et son sandwich à la tomate en fin de matinée, puis un déjeuner léger avec une tomate farcie. Non seulement la nourriture devait être choisie parmi une douzaine de possibilités, mais encore fallait-il que ce fût préparé de telle façon et pas de telle autre. Une des demi-heures les plus éprouvantes de leur première quinzaine eut lieu à Los Angeles, lorsqu'un malheureux serveur apporta une tomate farcie avec de la salade de poulet au lieu de céleri.

« C'est comme cela que nous la servons toujours, Madame », bredouilla le serveur, sous le feu de ses yeux gris courroucés.

Gloria ne répondit pas, mais quand le serveur eut discrètement tourné les talons, elle tapa sur la table de ses deux poings, faisant tinter les assiettes et les couverts.

« Ma pauvre Gloria », plaisanta Anthony, sans penser à mal, « tu n'arrives pas à avoir ce que tu veux !

— Je ne peux pas manger *n'importe quoi* ! s'emporta-t-elle.

— Je vais rappeler le garçon.

— Non, je ne veux pas. Il n'y connaît rien, ce crétin !

— Écoute, ce n'est pas la faute de l'hôtel. Ou tu renvoies le plat, et tu n'y penses plus, ou tu joues le jeu et tu le manges.

— Tais-toi, lança-t-elle sèchement.

— Pourquoi t'en prendre à moi ?

— Je ne m'en prends pas à toi, dit-elle plaintivement, mais je ne *peux* pas manger ça. » Anthony renonça, résigné.

« Allons déjeuner ailleurs, suggéra-t-il.

— Mais je ne *veux* pas aller déjeuner ailleurs. J'en ai assez d'être baladée dans une douzaine de cafés sans jamais trouver quelque chose de mangeable.

— Quand est-ce que je t'ai baladée dans une douzaine de cafés ?

— Dans une ville pareille, on ne peut pas faire autrement », répliqua-t-elle avec une mauvaise foi pleine d'aplomb.

Anthony, vaincu, essaya de prendre les choses par un autre bout.

« Tu pourrais peut-être au moins y goûter. Ce n'est sans doute pas aussi mauvais que tu crois.

— Mais c'est que *je n'aime pas le poulet* ! »

Elle prit sa fourchette et se mit à la piquer dans la tomate d'un air écœuré, et Anthony n'aurait pas été surpris de la voir lancer des bouts de farce ici ou là.

Il ne l'avait jamais vue dans une telle colère — il avait, l'espace d'un instant, perçu une étincelle de haine qui était autant dirigée contre lui que contre tout le reste — et Gloria en colère était, pour le moment, inabordable.

Puis, à sa surprise, il vit qu'elle avait, à titre d'essai, porté la fourchette à ses lèvres et goûté à la salade de poulet. Elle avait toujours les sourcils froncés, et il l'observa non sans inquiétude, sans faire le moindre commentaire, osant à peine respirer. Elle goûta encore une bouchée ; un moment plus tard, elle mangeait. Anthony eut du mal à ne pas rire sous cape ; quand il finit par ouvrir la bouche, ce fut pour dire quelque chose qui n'avait pas le moindre rapport avec la salade de poulet.

Cet incident, avec des variations, émailla tristement leur première année de mariage ; Anthony en sortait toujours stupéfait, irrité, déprimé. Mais un autre heurt de leurs caractères, pour une question de linge sale, lui fut encore plus désagréable, d'autant que cela se termina, inévitablement, par sa déroute.

Un après-midi, à Coronado, où ils firent le séjour le plus long de leur voyage — plus de trois semaines —, Gloria était en train de se faire une beauté pour le thé. Anthony, qui écoutait en bas, à la radio, les dernières nouvelles concernant les rumeurs de guerre en Europe, entra dans la chambre, embrassa la nuque poudrée de sa femme et se dirigea vers le meuble où il rangeait ses affaires. Après tout un remue-ménage de tiroirs ouverts et refermés, de toute évidence non couronné de succès, il se tourna vers le Chef-d'œuvre inachevé.

« Tu as des mouchoirs, Gloria ? » demanda-t-il.

Gloria secoua sa tête dorée.

« Aucun. Je me sers d'un des tiens.

— Le dernier sans doute. » Il eut un rire bref.

« Tu crois ? » Elle était en train de tracer le contour de ses lèvres d'un trait aussi décidé que délicat.

« Le linge n'est pas rentré ?

— Je n'en sais rien. »

Anthony hésita, puis, avec un flair soudain, il ouvrit la porte de la penderie. Ses soupçons se trouvèrent vérifiés. Le sac bleu fourni par l'hôtel était suspendu à son crochet. Il était plein de ses vêtements à lui — il les y avait mis lui-même. À terre gisait une masse incroyable de lingerie de femme — des jupons, des bas, des robes, des chemises de nuit et des pyjamas —, à peine portés pour la plupart mais relevant, sans l'ombre d'un doute, de la catégorie linge-de-Gloria.

Il tenait la porte de la penderie ouverte.

« Enfin, Gloria !

— Quoi ? »

Elle venait d'effacer le contour des lèvres et de le corriger selon un plan mystérieux. Pas un doigt ne tremblait tandis qu'elle maniait le rouge à lèvres, pas un regard ne s'égarait vers Anthony. C'était un chef-d'œuvre de concentration.

« Tu n'as pas donné le linge au blanchissage ?

— Il est là ?

— Il est on ne peut plus là.

— Alors, ça doit être que je ne l'ai pas donné.

— Gloria », commença Anthony en s'asseyant sur le lit et en essayant de capter son regard dans la glace, « tu exagères, tu sais. Depuis qu'on a quitté New York, c'est toujours moi qui m'en suis chargé, et il y a une dizaine de jours, tu as promis que ce serait toi, pour une fois. Tout ce que tu avais à faire, c'était de fourrer ton linge dans le sac et de sonner la femme de chambre.

— Quelle histoire pour une question de linge ! s'exclama Gloria avec mauvaise humeur. Je m'en occuperai.

— Je n'ai pas fait une histoire. Ce n'est pas que je ne veux pas m'en occuper, mais quand on n'a plus un seul mouchoir, il est grand temps de faire quelque chose. »

Anthony avait le sentiment que son raisonnement était parfaitement logique. Mais Gloria, sans se laisser émouvoir, rangea son maquillage et présenta son dos à Anthony.

« Agrafe-moi, demanda-t-elle. Anthony, mon chou, j'ai complètement oublié. J'avais bien l'intention de le faire, je te jure, et je m'en occuperai dès aujourd'hui. Ne sois pas fâché contre ta chérie. »

Que pouvait faire Anthony sinon l'attirer sur ses genoux et enlever par un baiser un peu du rouge de ses lèvres ?

« Ça ne m'ennuie pas », tu sais, murmura-t-elle avec un sourire, radieuse et magnanime. « Tu peux enlever tout mon rouge à lèvres en m'embrassant quand tu voudras. »

Ils descendirent prendre le thé. Ils achetèrent des mouchoirs dans une mercerie des environs. Tout fut oublié.

Mais deux jours plus tard, Anthony regarda dans la penderie et vit que le sac de linge était toujours accroché là, et que la pile de vêtements de toutes les couleurs qui jonchaient le sol avait singulièrement augmenté de volume.

« Gloria ! cria-t-il.

— Oh... » Elle avait une voix confuse et désolée.

Abdiquant, Anthony alla au téléphone et appela la femme de chambre.

« Au fond, ce que tu attends de moi, dit-il avec agacement, c'est que je sois pour toi une sorte de valet à la française. »

Gloria se mit à rire, d'un rire si contagieux qu'Anthony eut la faiblesse de sourire. Le malheureux ! D'une manière impondérable, son sourire la rendit maîtresse de la situation. Avec un air de dignité offensée, elle se dirigea solennellement vers la penderie et se mit à fourrer frénétiquement ses vêtements dans le sac. Anthony la regarda faire — il avait honte de lui.

« Voilà ! » lança-t-elle, laissant entendre qu'elle s'était usé les doigts pour obéir à un maître impitoyable.

Il estima malgré tout qu'il lui avait donné une leçon et que l'incident était clos, mais au contraire, les choses ne faisaient que commencer. Les piles de linge succédèrent aux piles de linge, à de longs intervalles ; la pénurie de mouchoirs succéda à la pénurie de mouchoirs, à de brefs intervalles ; sans parler de la pénurie de chaussettes, de chemises, etc. Anthony découvrit pour finir qu'il n'avait le choix qu'entre se charger lui-même du linge, ou s'imposer l'épreuve de plus en plus pénible d'une joute verbale avec Gloria.

GLORIA ET LE GÉNÉRAL LEE

En rentrant vers la côte Est, ils s'arrêtèrent deux jours à Washington, se promenant sans plaisir dans cette ambiance de lumière crue, aride, de grands espaces qui ne donnent pas de liberté, de pompe dépourvue de splendeur. La ville leur parut guindée, d'une pâleur de papier mâché. Le second jour, ils firent une visite mal inspirée à l'ancienne demeure du général Lee, à Arlington.

L'autocar qui les emmenait était bourré de touristes vulgaires et en sueur, et Anthony, qui connaissait bien sa Gloria, sentit venir l'orage. Il éclata au zoo, où le groupe s'arrêta dix minutes. Le zoo, déclara Gloria, sentait le singe. Cela fit rire Anthony. Gloria appela la malédiction du Ciel sur les singes, incluant dans sa malveillance tous les voyageurs de l'autocar et leur progéniture transpirante qui s'était précipitée pour aller voir les singes.

Le car finit par repartir pour Arlington. Là, il retrouva d'autres autocars, et aussitôt une foule de femmes et d'enfants se mirent à semer sur leur passage des coques de cacahuètes en parcourant la demeure, pour venir s'entasser en fin de parcours dans la salle où avait été célébré le mariage du général. Sur le mur de cette salle, une pancarte annonçait avec prévenance, en grandes lettres rouges, TOILETTES POUR DAMES. Pour Gloria, ce fut le coup de grâce.

« Je trouve ça intolérable, éclata-t-elle. Laisser tous ces gens venir ici ! Et les encourager en faisant de ces demeures des lieux touristiques.

— Écoute, objecta Anthony, si on ne les entretenait pas, elles tomberaient en ruine.

— Et alors ! » s'exclama-t-elle tandis qu'ils se dirigeaient vers le vaste portique à colonnes. « Tu crois qu'il reste la moindre trace de 1860 ? Ils en ont fait une maison de 1914.

— Tu ne veux pas qu'on préserve les choses anciennes ?

— Mais on ne peut pas, Anthony. Les choses qui sont belles atteignent un jour leur apogée, puis elles se dégradent, se flétrissent, en exhalant des souvenirs tout au long de leur déclin. Et de même qu'une période révolue se dégrade dans notre esprit, il faut laisser les objets de cette période se dégrader eux aussi ; c'est seulement de cette façon qu'ils survivent un temps dans quelques cœurs comme le mien qui ont su les apprécier. Ce cimetière de Tarrytown, par exemple. Les imbéciles qui donnent de l'argent pour la préservation du passé ont gâché cela aussi. Sleepy Hollow, c'est fini ; Washington Irving est mort, et ses livres pourrissent, année après année, dans l'opinion que nous en avons. Alors, laissons le cimetière pourrir lui aussi, et c'est vrai de tout. S'efforcer de préserver un siècle en en conservant les reliques intactes, c'est comme de garder en vie un mourant à grand renfort de stimulants.

— Alors tu estimes que, de même qu'une époque disparaît, ses maisons doivent également disparaître ?

— Absolument. La lettre de Keats que tu as, est-ce que tu lui accorderais plus de valeur si on avait repassé à l'encre la signature pour qu'elle dure plus longtemps ? C'est justement parce que j'aime le passé que je veux que cette maison regarde en arrière pour contempler son magnifique passé de jeunesse et de beauté. Je veux que les marches de l'escalier craquent comme sous les pas des femmes en robes à cerceau et des hommes en bottes avec éperons. Mais on en fait une vieille bonne femme de soixante ans enduite de maquillage, avec des cheveux teints en blond. Cet air florissant, c'est inconvenant. Ce serait un hommage à Lee que de perdre une brique de temps en temps. Combien parmi ces... ces *animaux* (elle faisait un grand geste circulaire) retirent quoi que ce soit de leur visite, malgré tous les manuels d'histoire, les guides et les travaux de restauration ? Combien d'entre eux, parmi ceux qui, au mieux, comprennent qu'ils devraient manifester leur appréciation en parlant tout bas et en marchant sur la pointe des pieds, se donneraient la peine de venir si cela leur coûtait un effort quelconque ? Je veux que cet endroit sente le magnolia et pas les cacahuètes, je veux que mes chaussures fassent crisser le même gravier que celui qui a crissé sous les bottes de Lee. Il n'y a pas de beauté sans émotion qui serre le cœur, et il n'y a pas d'émotion qui serre le cœur sans la conviction que tout cela s'en va, les hommes, les noms, les livres, les maisons... que cela va retourner en poussière, que c'est mortel... »

Un petit garçon surgit à leurs côtés et, balançant des peaux de banane, il les lança vaillamment en direction du Potomac.

SENTIMENT

L'arrivée à New York d'Anthony et de Gloria coïncida avec la chute de Liège. Rétrospectivement, les six semaines apparurent comme une période de bonheur idyllique. Dans une large mesure, ils avaient découvert ce que découvrent la plupart des jeunes couples, à savoir qu'ils partageaient beaucoup d'opinions, de centres d'intérêt et de particularités psychologiques ; ils étaient, pour l'essentiel, faits pour s'entendre.

Mais il avait fallu bien des efforts pour que leurs

conversations ne dépassent pas le ton de la discussion. Les disputes avaient un effet désastreux sur l'humeur de Gloria. Toute sa vie, elle avait fréquenté des gens qui lui étaient intellectuellement inférieurs, ou des hommes qui, intimidés par sa beauté presque hostile, n'osaient jamais la contredire. Il était donc inévitable qu'elle s'irrite chaque fois qu'Anthony s'affranchissait des situations où ses déclarations avaient valeur de verdict infaillible et sans appel.

Au début, il n'avait pas compris que cela tenait en partie à l'éducation féminine que Gloria avait reçue, et en partie à sa beauté, et il avait tendance à considérer que, comme l'ensemble de son sexe, elle avait des capacités étrangement mais indéniablement limitées. Cela le faisait bouillir de s'apercevoir qu'elle n'avait pas le sens de la justice. Mais il découvrait aussi que, lorsqu'un sujet l'intéressait, son cerveau à elle se fatiguait moins vite que le sien. Ce qu'il regrettait surtout de ne pas trouver chez elle, c'était la téléologie pédante, le sens de l'ordre et de la précision, le sens de la vie comme un patchwork aux parties mystérieusement agencées entre elles, mais il avait fini par comprendre au bout d'un certain temps qu'une telle qualité aurait été incongrue.

Des choses qu'ils possédaient en commun, la plus importante était le pouvoir d'attraction presque anormal que le cœur de chacun exerçait sur l'autre. Le jour où ils quittèrent leur hôtel de Coronado, elle s'assit sur l'un des lits pendant qu'ils faisaient leurs bagages, et elle se mit à pleurer amèrement.

« Ma chérie… » Il avait passé ses bras autour d'elle et attira sa tête contre son épaule. « Qu'est-ce qu'il y a, mon amour ? Dis-moi.

— On s'en va, sanglota-t-elle. Oh, Anthony, c'est pour ainsi dire le premier endroit où nous avons vécu ensemble. Nos deux petits lits, l'un à côté de l'autre, ils continueront à nous attendre, et nous, nous ne reviendrons jamais les retrouver. »

Comme toujours, elle lui allait droit au cœur. Il fut envahi par une émotion qui embua ses yeux.

« Mais, ma Gloria, nous allons dans une nouvelle chambre. Où il y aura deux petits lits. Nous allons rester toute la vie ensemble. »

Ce fut un flot de paroles qu'elle déversa d'une voix enrouée.

« Mais ce ne seront plus ces deux petits lits-là, plus jamais. Partout où nous irons, chaque fois que nous changerons d'endroit, nous ne pourrons pas tout garder, nous perdrons quelque chose en route. On ne peut jamais rien recommencer à l'identique, et ici, j'ai été tellement à toi… »

Il la serrait passionnément, et au-delà de toute critique qu'aurait pu susciter son accès d'émotion, il discernait la sagesse qu'elle avait de saisir l'instant fugitif, même si c'était aussi donner libre cours à une envie de pleurer qui lui était venue. Gloria l'oisive, qui caressait ses propres rêves, qui savait tirer de l'émotion des instants mémorables de la vie et de la jeunesse.

Plus tard dans l'après-midi, quand il revint de la gare avec les billets, il la trouva endormie sur l'un des lits, le bras enroulé autour d'un objet noir qu'il ne put, au début, identifier. S'approchant, il s'aperçut que c'était une de ses chaussures à lui, pas particulièrement neuve ni propre, mais elle pressait son visage, sali par les larmes, contre le soulier, et il comprit ce qu'était son message, venu du fond des âges et digne du plus grand respect. Ce fut tout à fait délicieux de la réveiller et de la voir lui sourire, timide, mais consciente des subtilités de son imagination.

Sans jauger la valeur ou l'insignifiance de ces deux incidents, Anthony eut l'impression qu'ils s'étaient produits au plus près du cœur de l'amour.

LA MAISON GRISE

C'est après la vingtième année que l'élan vital commence à perdre de sa force, et il faudrait être une âme bien simple pour que les choses vous paraissent aussi pleines de sens à trente ans que dix ans plus tôt. À trente ans, un joueur d'orgue de Barbarie est un homme plus ou moins mangé aux mites qui joue de l'orgue, lui qui naguère était un joueur d'orgue ! Les stigmates indubitables de l'âge se manifestent dans toutes ces choses impersonnelles et magnifiques que seule la jeunesse est à même de saisir dans leur splendeur impersonnelle. Un bal brillant, égayé par des rires légers et romantiques, voit ses soieries et ses satins s'user pour révéler l'armature nue d'un objet né de la main de l'homme — oh, toujours cette main ! Une pièce de théâtre, tragique, divine, se réduit à une suite de dialogues, que l'éternel plagiaire produit à la sueur de son front dans les heures moites de la nuit et qui est jouée par des hommes sujets aux crampes, à la lâcheté, aux sentiments virils.

Et pour Gloria et Anthony, leur première année de mariage, et la maison grise, les saisirent à ce stade où le joueur d'orgue subissait lentement son inévitable métamorphose. Elle avait vingt-trois ans ; il en avait vingt-six.

La maison grise fut, au début, le simple projet d'une vie bucolique. Pendant la première quinzaine qui suivit leur retour de Californie, ils vécurent, en attendant mieux, dans l'appartement d'Anthony, dans une atmosphère oppressante de malles ouvertes, de visiteurs trop nombreux, avec les éternels sacs de linge sale. Avec leurs amis, ils discutèrent du problème capital de leur avenir. Dick et Maury leur tenaient compagnie, opinant solennellement, presque pensivement, en écoutant Anthony réciter la liste de ce qu'il fallait qu'ils fassent, et de l'endroit où il fallait qu'ils habitent.

« J'aimerais emmener Gloria à l'étranger, se plaignait-il, s'il n'y avait pas cette maudite guerre et, à défaut, j'aimerais bien avoir un endroit à la campagne, pas loin de New York, où je pourrais écrire, faire ce que j'aurai décidé de faire. »

Gloria se mit à rire.

« Est-ce que ce n'est pas gentil ? demanda-t-elle à Maury. Ce qu'il aura décidé de faire ! Mais moi, qu'est-ce que je vais faire, s'il travaille ? Maury, tu me sortiras si Anthony travaille ?

— De toute manière, je ne vais pas travailler tout de suite », répliqua vivement Anthony.

Il était vaguement entendu entre eux qu'un jour lointain à l'horizon il entreprendrait une sorte de carrière diplomatique pleine de prestige où il ferait l'envie des princes et des ministres à cause de la beauté de sa femme.

« Vous savez, dit Gloria, irrésolue, je ne sais vraiment pas quoi penser. On parle, on parle, et ça ne nous mène nulle part. Nous demandons conseil à tous nos amis, et ils nous répondent ce que nous avons envie d'entendre. J'aimerais que quelqu'un nous prenne en main.

— Pourquoi est-ce que vous n'allez pas... je ne sais pas, à Greenwich, par exemple ? suggéra Richard Caramel.

— Ça, ça me plairait, dit Gloria, s'animant soudain. Vous croyez qu'on pourrait trouver une maison là-bas ? »

Dick haussa les épaules et Maury éclata de rire.

« Vous m'amusez, tous les deux, dit-il. Vous et l'esprit pratique ! Dès qu'on mentionne un endroit, vous vous attendez qu'on sorte de nos poches des paquets de photos montrant les différents styles de bungalows qu'on peut trouver.

— Ça, c'est exactement ce que je ne veux pas, gémit Gloria, un bungalow étouffant avec plein de bébés chez les voisins et leur père qui tond la pelouse en bras de chemise...

— Pour l'amour du Ciel, Gloria, interrompit Maury, personne ne parle de vous enfermer dans un bungalow. Qui a bien pu amener les bungalows dans la conversation ? Mais vous ne trouverez jamais un endroit qui vous plaise si vous n'allez pas prospecter un peu.

— Aller où ? Vous dites aller prospecter, mais où ça ? »

Dignement, Maury fit un grand moulinet d'un geste pataud.

« N'importe où. Parcourez la campagne. Il y a des tas d'endroits.

— Merci beaucoup.

— Écoutez-moi. » Richard Caramel jouait éloquemment de sa prunelle jaune. « Le problème, avec vous deux, c'est que vous n'êtes pas organisés. Est-ce que vous connaissez tant soit peu l'État de New York ? Tais-toi, Anthony, c'est à Gloria que je parle.

— Eh bien, finit-elle par admettre, j'ai été à deux

ou trois soirées à Port Chester, et je me suis un peu promenée dans le Connecticut, mais évidemment, ce n'est pas l'État de New York. Et Morristown non plus », termina-t-elle avec une inconséquence à moitié endormie.

Tout le monde éclata de rire.

« Seigneur ! s'écria Dick. Et Morristown non plus ! Non, et Santa Barbara non plus, ma chère Gloria. Maintenant, écoutez-moi. Pour commencer, à moins que vous n'ayez de la fortune, pas la peine de penser à des endroits comme Newport ou Southampton ou Tuxedo. C'est hors de question. »

Tout le monde en tomba d'accord, avec solennité.

« Et personnellement, je déteste le New Jersey. Bon, évidemment, il y a le nord de l'État de New York, au-dessus de Tuxedo.

— Trop froid, déclara Gloria d'un ton sans réplique. J'y suis ailée une fois, en auto.

— Bon, il me semble qu'il y a des tas de villes comme Rye entre New York et Greenwich, où vous pourriez acheter une petite maison grise de quelque… »

Gloria sauta sur cette formule avec enthousiasme. Pour la première fois depuis leur retour sur la côte Est, elle savait ce qu'elle voulait.

« Oh, *oui* ! s'écria-t-elle. Oui, c'est ça ! Une petite maison grise avec un peu de blanc autour et des tas de sycomores aussi bruns et dorés qu'un paysage d'octobre dans une galerie d'art. Où est-ce que nous pouvons en trouver une ?

— Malheureusement, j'ai égaré ma liste des petites maisons grises entourées de sycomores, mais je vais essayer de la retrouver. En attendant, prenez un morceau de papier et notez-y les noms de sept villes possibles. Et chaque jour de cette semaine, vous faites le voyage jusqu'à l'une de ces villes.

— Oh ! là ! là ! protesta Gloria, s'effondrant mentalement. Pourquoi ne le faites-vous pas pour nous ? J'ai horreur des trains.

— Eh bien, louez une voiture, et... »

Gloria bâilla.

« J'en ai assez de discuter. J'ai l'impression qu'on ne fait rien d'autre que de parler de l'endroit où habiter.

— Ma délicieuse épouse est fatiguée de réfléchir, remarqua ironiquement Anthony. Il faut qu'elle mange un sandwich à la tomate pour stimuler ses nerfs blasés. Sortons prendre le thé. »

Le résultat malheureux de cette conversation fut qu'ils suivirent l'avis de Dick à la lettre et que, deux jours plus tard, ils se rendirent à Rye, où ils furent baladés comme Hansel et Gretel perdus dans la forêt par un agent immobilier malgracieux. On leur montra des maisons à cent dollars par mois qui jouxtaient d'autres maisons à cent dollars par mois ; on leur montra des maisons isolées qu'ils prirent invariablement en aversion, tout en se soumettant par faiblesse à l'agent qui tenait à leur faire admirer « le poêle, regardez, ça c'est un poêle ! » et qui secouait les chambranles de portes, tapait sur les murs, dans l'intention évidente de leur montrer que la maison n'était pas près de s'effondrer, même si elle en donnait fortement l'impression. Ils examinèrent par la fenêtre des intérieurs meublés « commercialement » avec des chaises dures comme des dalles et des canapés fermes, ou alors « pleins d'intimité » avec le *bric-à-brac* mélancolique d'autres étés — des raquettes de tennis dans leur cadre, des canapés épousant les formes et des gravures de mode déprimantes. Avec un sentiment de culpabilité, ils visitèrent des maisons qui leur plaisaient beaucoup, nobles et fraîches, à trois cents dollars par mois. Ils repartirent de Rye en remerciant chaleureusement l'agent immobilier de ses bons offices.

Dans le train bondé qui les ramenait à New York, le siège derrière eux était occupé par un Latin à l'haleine forte dont les derniers repas s'étaient de toute évidence exclusivement composés d'ail. C'est avec soulagement, et une impatience fébrile, qu'ils retrouvèrent leur appartement, et Gloria se précipita dans la salle de bains immaculée pour prendre un bain chaud. En ce qui concernait leur futur lieu de résidence, ils furent tous deux hors d'état de s'en occuper pendant une semaine.

La question se trouva finalement résolue de façon romanesque et inespérée. Anthony entra dans le salon en courant un après-midi, tout rayonnant de son « idée ».

« Et voilà ! » s'exclama-t-il comme s'il venait d'attraper une souris. « Nous allons acheter une voiture.

— Tu es fou ! Comme si on n'avait pas assez d'ennuis rien qu'à s'occuper de nous.

— Donne-moi une seconde pour m'expliquer, tu veux bien ? On laissera nos affaires chez Dick et on prendra juste deux valises dans la voiture, celle que nous allons acheter — il faudra bien qu'on en ait une à la campagne, de toute façon —, et on prendra juste la direction de New Haven. Bon, plus on s'éloigne de la banlieue de New York, moins les loyers sont chers ; dès qu'on trouvera une maison qui nous plaît, on aura juste à s'installer. »

Par cette interpolation rassurante et répétée du mot « juste », il sut rallumer son enthousiasme léthargique. Arpentant la pièce d'un pas décidé, il voulut manifester un dynamisme irrésistible. « Dès demain, nous irons acheter une voiture. »

La vie, s'efforçant de suivre en boitant les bottes de sept lieues de l'imagination, les vit sortir de New York une semaine plus tard dans un petit roadster bon marché mais flambant neuf, traverser l'inextricable labyrinthe du Bronx, puis une zone indistincte où alternaient de tristes étendues bleu-vert et des banlieues d'une activité misérable et frénétique. Ils avaient quitté New York à 11 heures, et c'est bien après la bienheureuse chaleur de midi qu'ils traversèrent cavalièrement Pelham.

« Ce ne sont pas vraiment des villes, dit Gloria avec mépris. Ce sont des blocs d'immeubles froidement plantés là au milieu d'espaces vides. Je suis sûre que tous les hommes ont les moustaches salies par un café trop vite avalé le matin.

— Et ils jouent à la belote dans leurs trains de banlieue.

— Qu'est-ce que c'est, la belote ?

— Ne prends pas ce que je dis à la lettre. Qu'est-ce que j'en sais ? Mais je suis sûr que c'est à cela qu'ils jouent.

— Ça me plaît. Ça a l'air d'un jeu où l'on doit démêler un écheveau de laine, quelque chose comme ça. Passe-moi le volant. »

Anthony la regarda d'un air soupçonneux.

« Tu jures que tu sais bien conduire ?

— Je conduis depuis que j'ai quatorze ans. »

Il arrêta précautionneusement la voiture sur le bas-côté de la route et ils échangèrent leurs places. Avec un grincement épouvantable, la voiture passa en première, Gloria accompagnant la manœuvre d'un rire qui inquiéta Anthony et lui parut du plus mauvais goût.

« On y va ! hurla-t-elle. Youpi ! »

D'une secousse, leurs têtes furent projetées en arrière comme des marionnettes sur un fil, et la voiture avança par bonds, évitant de justesse un camion de lait en stationnement dont le chauffeur se dressa sur son siège en hurlant des injures. Suivant la tradition immémoriale de la route, Anthony répliqua par quelques brèves épigrammes concernant la grossièreté de la profession de laitier. Il s'interrompit assez vite et se retourna vers Gloria, convaincu qu'il avait fait une grave erreur en abandonnant le contrôle, et que Gloria était une conductrice toute de caprices et d'une insondable distraction.

« Rappelle-toi, lui recommanda-t-il nerveusement, le type a dit qu'il ne fallait pas dépasser les quarante kilomètres à l'heure pendant les huit mille premiers kilomètres. »

Elle fit un bref signe de tête, mais visiblement pour montrer qu'elle avait bien l'intention de couvrir la distance à vitesse limitée le plus rapidement possible, elle accéléra légèrement. Un instant plus tard, il fit une autre tentative.

« Tu vois la pancarte ? Tu veux qu'on se fasse arrêter ?

— Pour l'amour du Ciel, lança Gloria avec exaspération, il faut toujours que tu exagères !

— C'est que je ne veux pas qu'on se fasse arrêter.

— Qui parle de t'arrêter ? Tu insistes toujours, comme avec mes médicaments pour la toux hier soir.

— C'était pour ton bien.

— Ha ! C'est comme si j'habitais avec ma mère !

— Ce n'est vraiment pas gentil de me dire ça. »

Un agent de police en faction apparut dans leur champ de vision et fut promptement dépassé.

« Tu l'as vu ? demanda Anthony.

— Oh, tu me rends folle. Tu vois bien qu'il ne nous a pas arrêtés.

— Quand il le fera, il sera trop tard », riposta Anthony d'une formule bien envoyée.

Gloria répondit d'une voix dédaigneuse, presque offensée.

« Cette vieille guimbarde ne dépasse même pas le soixante à l'heure.

— Elle n'est pas vieille.

— De mentalité, si. »

Cet après-midi-là, la voiture rejoignit les sacs de linge sale et l'appétit de Gloria parmi les trois grands sujets de dispute. Anthony prévenait quand il y avait des voies de chemin de fer ; il signalait les autos qu'on croisait ; finalement, il insista pour reprendre le volant, et c'est une Gloria furieuse, ulcérée, qui resta à ses côtés sans ouvrir la bouche entre Larchmont et Rye.

Mais c'est grâce à ce silence furibond que la maison grise se matérialisa, car peu après Rye, Anthony capitula de mauvaise grâce et redonna le volant à Gloria. En silence il l'exhorta, et Gloria, toute réjouie, promit de faire plus attention. Mais à cause d'un tramway qui, sans le moindre égard, s'obstinait à ne pas quitter ses rails, Gloria bifurqua dans une rue latérale et, à partir de là, ne fut plus jamais en mesure, tout l'après-midi, de retrouver la route principale. La rue dont ils crurent par erreur que c'était elle, perdit son aspect de grand-route lorsqu'ils furent à huit kilomètres de Cos Cob. Le macadam se mua en gravier, puis en terre, et pour finir la rue se rétrécit et se trouva bordée d'érables laissant filtrer le soleil déclinant, qui s'exerçait à faire mille dessins d'ombre et de lumière sur les hautes herbes.

« Bon, cette fois, on est perdus, se lamenta Anthony.

— Lis ce poteau indicateur.

— Marietta, huit kilomètres. Qu'est-ce que c'est que Marietta ?

— Jamais entendu parler, mais continuons. On ne peut pas faire demi-tour ici, et il y a sans doute une déviation qui permet de rejoindre la grand-route. »

La voie se balafra d'ornières de plus en plus profondes et d'insidieux bas-côtés rocailleux. Ils rencontrèrent trois fermes qu'ils laissèrent derrière eux. Une ville surgit sous forme d'un groupe de toits de couleur terne qui entouraient un clocher blanc et pointu.

Puis Gloria, hésitant à l'embranchement de deux voies, et faisant son choix trop tard, percuta une bouche d'incendie et arracha violemment l'arbre de transmission de la voiture.

Il faisait nuit lorsque l'agent immobilier de Marietta leur montra la maison grise. Ils tombèrent sur elle, à l'ouest du village, se profilant sur un ciel qui était une chaude pèlerine bleue boutonnée de petites étoiles. La maison grise était déjà là à l'époque où les femmes qui s'occupaient des chats étaient probablement des sorcières, où Paul Revere fabriquait de fausses dents à Boston en attendant de soulever les masses industrieuses, où nos ancêtres en troupe désertaient glorieusement George Washington. Depuis ce temps, un des coins branlants avait été étayé, l'intérieur avait été entièrement recloisonné et recrépi, agrandi d'une cuisine et augmenté d'une galerie latérale. Mais à part le fait qu'un plaisantin avait affublé la nouvelle cuisine d'un toit de tôle étamée rouge, la maison conservait avec panache son cachet colonial.

« Comment avez-vous eu l'idée de venir à Marietta ? » demanda l'agent immobilier sur un ton qui frisait le soupçon. Il était en train de leur montrer quatre chambres spacieuses et aérées.

« Nous sommes tombés en panne, expliqua Gloria. J'ai percuté une bouche d'incendie, nous nous sommes fait remorquer jusqu'au garage et puis on a vu votre écriteau. »

L'homme hocha la tête, incapable de comprendre une sortie aussi spontanée. Il y avait quelque chose de vaguement immoral à entreprendre quoi que ce soit sans y avoir réfléchi pendant plusieurs mois.

Le soir même ils signèrent le bail et, dans la voiture de l'agent, regagnèrent en exultant la vieille auberge de Marietta, somnolente et trop délabrée pour jamais abriter les rencontres illicites et les joyeusetés subséquentes qu'on attribue aux auberges en bord de route. Ils passèrent la moitié de la nuit sans dormir, à projeter toutes les choses qu'ils allaient faire. Anthony allait avancer à une vitesse inouïe son ouvrage historique, s'attirant ainsi les bonnes grâces de son cynique grand-père... Quand la voiture serait réparée, ils exploreraient les environs et s'inscriraient au club chic le plus proche, et Gloria y ferait du golf ou « quelque chose » pendant qu'Anthony écrirait. Bien entendu, c'était là l'idée d'Anthony. Gloria, quant à elle, voulait seulement lire et rêver et se faire servir des sandwichs à la tomate et des limonades par quelque valet angélique qui était encore dans les limbes. Entre deux paragraphes, Anthony viendrait l'embrasser tandis qu'elle se prélasserait dans le hamac... Ah, le hamac ! Une foule de nouveaux rêves venaient s'accorder à son rythme imaginé, tandis que le vent le faisait remuer doucement et que les vagues du soleil ondulaient sur les ombres du blé mûr, ou qu'une paisible pluie estivale venait moucheter et assombrir la route poudreuse...

Et les invités... À ce sujet, ils se lancèrent dans une grande discussion, chacun des deux s'efforçant de faire preuve d'une extraordinaire maturité et clairvoyance. Anthony affirmait qu'ils auraient besoin de compagnie au moins un week-end sur deux, « histoire de changer un peu ». Cette proposition provoqua une conversation extrêmement sentimentale pour savoir si Anthony ne considérait pas que Gloria constituait à elle toute seule un changement suffisant. Il avait beau l'assurer que si, bien sûr, elle persistait à en douter... Au bout du compte, la conversation en revint à l'éternelle question : « Et ensuite ? Qu'est-ce que nous ferons ensuite ?

— Eh bien, nous aurons un chien, suggéra Anthony.

— Je ne veux pas de chien. Je veux un petit chat. » Elle se lança avec enthousiasme dans le récit complet de l'histoire, des habitudes et des goûts d'un chat qu'elle avait eu jadis. Anthony en retira l'impression que ç'avait dû être un horrible personnage sans magnétisme personnel ni la moindre loyauté de cœur.

Plus tard ils s'endormirent, pour se réveiller une heure avant l'aube avec la maison grise dansant, dans une splendeur fantomatique, sous leurs yeux éblouis.

L'ÂME DE GLORIA

Cet automne-là, la maison grise les accueillit avec un élan chaleureux qui masquait sa vieillesse cynique. Certes, il y avait les sacs de linge sale, il y avait l'appétit de Gloria, il y avait la tendance d'Anthony à ruminer et à faire preuve d'une « nervosité » liée à ses fantasmes, mais il y avait également des intervalles d'une sérénité inespérée. Serrés l'un contre l'autre sur la galerie, ils attendaient que la lune traverse les arpents argentés des cultures, saute un bois touffu et fasse déferler à leurs pieds des vagues lumineuses. Dans ce clair de lune, le visage de Gloria était d'une blancheur diffuse, évocatrice, et avec un minimum d'effort, ils se dépouillaient des œillères de l'habitude, et chacun retrouvait presque dans l'autre l'idéal romanesque qu'ils avaient connu au mois de juin.

Une nuit, tandis que la tête de Gloria reposait sur le cœur d'Anthony et que leurs cigarettes brillaient doucement comme des boutons lumineux dans le dôme de ténèbres qui surplombait leur lit, elle parla pour la première fois et par bribes des hommes qui avaient été brièvement retenus par sa beauté.

« Tu penses parfois à eux ? demanda Anthony.

— Seulement à l'occasion, quand il se passe quelque chose qui me rappelle un amoureux en particulier.

— À quoi penses-tu ? À leurs baisers ?

— À toutes sortes de choses… Les hommes sont différents, avec les femmes.

— En quoi, différents ?

— Oh, radicalement, mais c'est difficile à exprimer. Des hommes ayant la réputation bien établie d'être comme ci ou comme ça pouvaient se montrer exactement à contre-emploi avec moi. Des hommes brutaux se montraient tendres, des hommes quelconques étaient incroyablement loyaux et affectueux, et souvent des hommes honorables avaient des attitudes qui étaient tout sauf honorables.

— Par exemple ?

— Eh bien, il y avait un garçon de Cornell qui s'appelait Percy Wolcott. À l'université, c'était un héros, un athlète formidable ; il avait sauvé des tas de gens dans un incendie, quelque chose comme ça. Mais j'ai très vite découvert qu'il était stupide, et d'une façon assez dangereuse.

— Comment ça ?

— Apparemment, il avait une conception assez naïve de ce que devait être une femme "digne d'être sa femme", une conception que j'ai souvent rencontrée et qui me rendait toujours folle. Il voulait une fille qui n'ait jamais été embrassée, qui aimerait coudre, rester à la maison et chanter ses louanges. Je suis prête à parier que s'il a trouvé une idiote prête à rester à la maison et à bêtifier sur lui, il s'envoie en douce une pépée plus dégourdie.

— Je plains sa femme.

— Moi pas. A-t-il fallu qu'elle soit sotte pour ne pas s'en rendre compte avant de l'épouser ! C'est le genre de type pour qui honorer et respecter une femme n'inclut sûrement pas de lui fournir la moindre distraction. Avec les meilleures intentions du monde, il était encore au fin fond du Moyen Âge.

— Et avec toi, comment était-il ?

— J'y arrive. Comme je t'ai dit — est-ce que je te l'ai dit ? —, il était très beau garçon : de grands yeux honnêtes et un de ces sourires qui semblent garantir un cœur d'or de vingt carats. Comme j'étais jeune et crédule, j'ai pensé que je pouvais compter sur sa discrétion, alors je l'ai embrassé avec effusion un soir où on se promenait en voiture après un bal à Hot Springs. Ç'a été une semaine merveilleuse, je me rappelle, avec des arbres splendides qui faisaient comme une écume verte recouvrant toute la vallée, et puis de la brume qui en émergeait en ces matins d'octobre, comme des feux de joie allumés pour les faire virer au brun…

— Bon, et ton ami qui avait des idéaux ? interrompit Anthony.

— Il semblerait que quand je l'ai embrassé, il s'est dit qu'il pourrait peut-être aller un peu plus loin, qu'il n'avait pas besoin de me "respecter" comme la Pollyanna de ses rêves.

— Qu'est-ce qu'il a fait ?

— Pas grand-chose. Je l'ai poussé dans le fossé avant qu'il ait pu être très entreprenant.

— Il s'est fait mal ? demanda Anthony en riant.

— Il s'est cassé le bras et foulé la cheville. Il a raconté l'histoire dans tout Hot Springs, et quand son bras a été guéri, un garçon nommé Barley qui m'aimait bien s'est battu avec lui et lui a recassé le bras. Oh, ça a fait toute une histoire. Il a menacé de faire un procès à Barley et on a vu Barley — qui était de Géorgie — aller en ville s'acheter un fusil. Mais avant ça, maman m'avait ramenée dans le Nord, plus ou moins contre mon gré, et je n'ai jamais su comment tout ça s'était terminé — sauf que j'ai revu Barley, un jour, dans le hall du Vanderbilt. »

Anthony eut un accès d'hilarité.

« Eh bien, quelle carrière ! Je devrais être furieux,

j'imagine, d'apprendre que tu as embrassé tellement de garçons. En fait, je ne le suis pas. »

Sur quoi elle se dressa sur son séant.

« C'est drôle, mais je suis persuadée que ces baisers n'ont pas laissé d'empreinte sur moi — ne m'ont pas marquée comme "fille facile", je veux dire —, même si un type m'a une fois déclaré, avec le plus grand sérieux, qu'il avait horreur de penser que j'avais été un verre où boit qui veut.

— Il ne manquait pas d'audace.

— J'ai ri, et je lui ai dit qu'il ferait mieux de me voir comme une de ces coupes qu'on se passe de main en main dans les banquets et qui n'est pas moins précieuse pour autant.

— En un sens, ça ne me dérange pas. Ce serait différent, bien sûr, si tu avais été plus loin. Quant à toi, je crois que tu es foncièrement incapable de jalousie, sauf si l'on blesse ta vanité. Comment se fait-il que ça te soit égal, ce que j'ai pu faire ? Tu ne préférerais pas savoir que je n'ai jamais rien fait de mal ?

— Tout ce qui compte, c'est l'impression que ça a pu te laisser. Les baisers que j'ai donnés, c'était parce que le garçon était beau, ou qu'il y avait un clair de lune, ou même parce que je me sentais vaguement sentimentale et légèrement troublée. Mais ça s'arrête là, il n'y a pas eu le moindre effet durable. Mais toi, tu te souviendrais, et tu laisserais les souvenirs te hanter, te tourmenter.

— Tu n'as jamais embrassé personne comme tu m'as embrassé moi ?

— Non, répondit-elle avec simplicité. Comme je te l'ai dit, des types ont essayé… oh, des tas de choses. Une jolie fille a forcément cette expérience… Tu vois, reprit-elle, ça ne compte pas pour moi, les femmes avec qui tu as pu être dans le passé, du moment que c'était seulement une relation physique. Ce que je ne supporterais pas, c'est l'idée que tu aies vécu avec une femme pendant une longue période, ou même que tu aies envisagé d'épouser telle ou telle fille. Ce serait différent. Il y aurait tous ces moments d'intimité partagée dont on se souvient, et cela viendrait gâcher cette spontanéité qui est, après tout, ce qu'il y a de plus précieux dans l'amour. »

Dans un grand élan, il l'attira auprès de lui sur l'oreiller.

« Oh, mon amour, murmura-t-il, comme si je pouvais me souvenir d'autre chose que de tes chers baisers. »

Alors Gloria, d'une voix très douce :

« Anthony, est-ce que je ne viens pas d'entendre quelqu'un dire qu'il avait soif ? »

Anthony fut pris d'un rire bref, et la mine confuse et amusée, il sortit du lit.

« Avec juste un *petit* cube de glace dans l'eau, ajouta-t-elle. Tu crois que ce serait possible ? »

Chaque fois qu'elle demandait quelque chose, Gloria se servait de l'adjectif « petit » pour atténuer la demande. Mais cela fit encore rire Anthony : qu'elle veuille un pain de glace ou un simple glaçon, il fallait de toute façon descendre le chercher à la cuisine... Sa voix le suivit dans le hall : « Et juste un *petit* cracker avec juste un *petit* peu de marmelade... »

« Ha », laissa échapper Anthony, dans un argot trahissant son enthousiasme, « elle est vraiment épatante, cette fille ! La classe ! »

« Quand nous aurons un bébé », commença-t-elle un jour — ce qui, avait-il déjà été décidé, aurait lieu au bout de trois ans —, « je veux qu'il te ressemble.

— À part les jambes ! précisa-t-il, pince-sans-rire.

— Oh, oui, à part les jambes. Il faut qu'il ait mes jambes. Mais le reste, ça peut être toi.

— Mon nez ? »

Gloria hésita.

« Bon, peut-être mon nez. Mais en tout cas tes yeux, et ma bouche et sans doute la forme de mon visage. Je me demande… Oui, ce serait assez mignon qu'il ait mes cheveux.

— Ma chère Gloria, tu t'appropries tout le bébé.

— Je ne l'ai pas fait exprès, s'excusa-t-elle gaiement.

— Bon, au moins qu'il ait mon cou. Tu as souvent dit que tu aimais mon cou parce qu'on ne voit pas la pomme d'Adam, et en plus, le tien est trop court.

— Mais c'est faux ! s'écria-t-elle avec indignation en se tournant vers le miroir. Il est parfait. Je ne crois pas avoir jamais vu un plus joli cou.

— Trop court, répéta-t-il pour la taquiner.

— Court ? » Son ton exprimait une exaspération incrédule. « Court ? Mais tu divagues ! » Elle allongea le cou et le contracta pour se convaincre de sa sinuosité serpentine. « Tu l'appelles court, mon cou ?

— L'un des plus courts que j'aie jamais vus. »

Pour la première fois depuis des semaines, des larmes jaillirent des yeux de Gloria, et il y avait dans le regard qu'elle lui lança une expression de réelle souffrance.

« Anthony !

— Mais mon Dieu, Gloria. » Il s'approcha d'elle, stupéfait, et prit ses coudes entre ses mains. « Je t'en supplie, ne pleure pas ! Tu n'as pas vu que je plaisantais ? Gloria, regarde-moi. Mais mon ange, tu as le cou le plus long que j'aie jamais vu. Pour de vrai. »

Ses larmes se dissipèrent en une ébauche de sourire.

« Eh bien, tu n'aurais pas dû dire ça, alors. P-parlons du b-bébé. »

Anthony arpenta la pièce et parla comme s'il répétait un discours.

« Pour résumer la question, il y a deux bébés que nous pourrions avoir, logiquement, deux sortes différentes de bébés. Il y a le bébé qui serait la combinaison de ce que chacun de nous deux a de mieux. Ton corps, mes yeux, mon esprit, ton intelligence ; et puis il y a le bébé qui prendrait le pire : mon corps, ton caractère, et mon irrésolution.

— J'aime bien ce second bébé, dit-elle.

— Ce qui me plairait vraiment, poursuivit Anthony, ce serait d'avoir deux fois des triplés à un an d'intervalle, et d'expérimenter sur les six garçons…

— Pauvre de moi, interrompit-elle.

— Je les élèverais chacun dans un pays différent avec une instruction différente, et quand ils auraient vingt-trois ans, je les réunirais, et je verrais à quoi ils ressemblent.

— Mais ils auraient tous mon cou », affirma Gloria.

LA FIN D'UN CHAPITRE

La voiture finit par être réparée et, avec une détermination plus grande que jamais, reprit son rôle de fauteur de conflits infinis. Qui allait conduire ? À quelle allure Gloria devait-elle conduire ? Ces deux questions, et les éternelles récriminations attenantes, se renouvelaient chaque jour. Ils se rendirent dans les villes qui se succédaient sur l'ancienne voie postale, Rye, Port Chester et Greenwich, et s'arrêtèrent chez une douzaine d'amies, amies de Gloria pour la plupart, qui semblaient toutes en être à différents stades de la production d'enfants. Pour cette raison entre autres, elles l'assommaient au point de la mettre au bord de la crise de nerfs. Après chaque visite, elle se rongeait férocement les ongles pendant une heure et avait tendance à s'en prendre à Anthony.

« Je déteste les femmes, lançait-elle en élevant le ton. De quoi est-ce qu'on peut bien parler avec elles, à part les éternelles papoteries entre dames ? Je me suis extasiée devant une douzaine de bébés que j'aurais volontiers étranglés. Et chacune de ces créatures est virtuellement jalouse de son mari s'il est charmant, ou s'embête avec lui s'il ne l'est pas.

— Tu as l'intention de ne plus fréquenter de femmes ?

— Je ne sais pas. Je les trouve toujours négligées. Toujours, toujours. À quelques exceptions près. Constance Shaw — tu sais, la Mrs. Merriam qui est venue nous voir mardi dernier —, c'est à peu près la seule. Elle est grande, et elle a de l'allure, et elle est soignée.

— Je n'aime pas les femmes trop grandes. »

Bien qu'ils se fussent rendus à plusieurs dîners dansants dans les différents country clubs, ils décidèrent que l'automne touchant à sa fin, ils ne voulaient pas consacrer trop de leur temps à sortir, même s'ils en avaient parfois la tentation. Anthony avait horreur du golf; Gloria n'aimait que modérément cette activité. Elle fut heureuse de voir, au cours d'une soirée, quelques jeunes étudiants s'empresser autour d'elle, et cela lui avait fait plaisir qu'Anthony pût être fier de la beauté de sa femme. Mais elle remarqua que leur hôtesse ce soir-là, une certaine Mrs. Granby, avait été contrariée de voir que son fils, Alec Granby, ancien condisciple d'Anthony, avait fait partie de la cour d'admirateurs. Ils ne furent plus jamais invités par les Granby, et même si cela fit rire Gloria, elle en fut un peu froissée.

« Tu vois, expliqua-t-elle à Anthony, si je n'étais pas mariée, ça lui serait égal, mais elle est allée au cinéma dans sa jeunesse, et elle croit que je suis peut-être un vampire. Ce que je veux dire, c'est que je ne me sens pas la force de me mettre bien avec des gens comme ça… Et ces petits étudiants mignons comme tout qui me faisaient les yeux doux et me lançaient des compliments idiots ! Ça n'est plus de mon âge, Anthony. »

Marietta en soi n'offrait guère d'occasions de mondanités. Une demi-douzaine de domaines l'entouraient, formant un hexagone, mais ils appartenaient à des hommes âgés dont on ne voyait que les silhouettes inertes et informes, grisonnantes, à l'arrière de limousines quand ils se rendaient à la gare, parfois accompagnés d'une épouse tout aussi âgée et deux fois plus corpulente. Les habitants de la ville étaient particulièrement inintéressants. C'étaient en majorité des vieilles filles ayant pour seul horizon la kermesse de fin d'année, dont l'âme était aussi décolorée que l'architecture austère des trois églises blanches. La seule personne du cru avec qui ils furent en étroit contact était la jeune Suédoise large de hanches et d'épaules qui venait tous les jours travailler chez eux. Elle était silencieuse et efficace, et Gloria, après l'avoir trouvée un jour en train de pleurer à chaudes larmes dans ses bras croisés sur la table de la cuisine, se mit à la craindre sans raison, et cessa de se plaindre de la nourriture. À cause de son chagrin mystérieux et inexprimé, la jeune fille resta chez eux.

Le penchant de Gloria pour les prémonitions et ses accès de vague croyance dans le surnaturel furent une surprise pour Anthony. Soit par un complexe qui avait été contrarié dans ses jeunes années auprès de sa mère bilphiste, soit par une hypersensibilité congénitale, elle était sensible à tout ce qui relevait de la voyance. Alors qu'elle n'était guère crédule en ce qui concernait les motivations des gens, elle avait tendance à attribuer tout événement insolite aux pérégrinations capricieuses des morts. Les craquements sinistres que faisait entendre la vieille maison par les nuits où soufflait le vent, et qui, pour Anthony, ne pouvaient être causés que par des cambrioleurs l'arme à la main, représentaient pour Gloria l'aura, mal intentionnée et incontrôlable, des générations disparues qui expiaient l'inexpiable dans l'âtre ancien et romantique. Une nuit, à cause de deux coups brefs frappés au rez-de-chaussée, qui firent l'objet d'une enquête craintive et inutile d'Anthony, ils restèrent éveillés presque jusqu'à l'aube à se poser mutuellement des questions d'examen sur l'histoire de l'univers.

En octobre, Muriel vint leur faire une visite de quinze jours. Gloria l'avait appelée au téléphone, et Miss Kane avait terminé la conversation par un caractéristique : « Okay, okay, j'arrive en fanfare, mes amis ! » Elle débarqua avec une douzaine de chansons en vogue sous le bras.

« Vous devriez avoir un phonographe, vous qui êtes à la campagne, dit-elle, un petit Victrola, ce n'est pas cher. Comme ça, quand vous avez du vague à l'âme, vous pouvez avoir chez vous Caruso ou Al Jolson. »

Elle mit Anthony au comble de l'exaspération en lui déclarant qu'il était « le premier homme vraiment intelligent qu'elle ait rencontré », elle qui « ne supportait plus les gens superficiels ». Anthony se demandait comment on pouvait tomber amoureux de ce genre de femme. Pourtant, il supposait que sous un certain type de regard passionné, même une femme comme elle pourrait se parer de douceur et susciter des espérances.

Mais Gloria, qui affichait avec frénésie son amour pour Anthony, dérivait vers un état de contentement ronronnant.

Enfin, Richard Caramel arriva pour un week-end volubile et, pour Gloria, péniblement littéraire, au cours duquel il passa des heures à s'analyser avec Anthony, alors qu'elle était montée se coucher et dormait d'un sommeil d'enfant.

« Ça a été une chose très bizarre, toute cette histoire de succès, disait Dick. Avant la sortie du roman, j'avais essayé, sans y parvenir, de placer quelques nouvelles. Ensuite, quand il a été publié, j'en ai un peu retravaillé trois, et elles ont été acceptées par l'un des magazines qui les avait refusées auparavant. Depuis, j'en ai écrit beaucoup d'autres. L'éditeur ne me payera pour mon livre que cet hiver.

— Prends garde qu'au butin ne revienne le vainqueur.

— Tu veux dire écrire des sottises ? » Il réfléchit. « Si tu veux dire par là injecter délibérément dans chacune d'entre elles du sentimentalisme à l'eau de rose, non, je ne fais pas ça. Mais je fais moins attention. Ce qui est sûr, c'est que j'écris plus vite et que je ne réfléchis pas autant qu'auparavant. Peut-être que c'est parce que je n'ai personne à qui parler depuis que tu es marié et que Maury est parti à Philadelphie. Je n'ai plus le même désir, la même ambition. Le succès quand on est jeune, tout ça.

— Ça ne t'inquiète pas ?

— Si, terriblement. J'ai ce que j'appelle le trac de l'écriture, qu'on pourrait comparer au trac du chasseur, une sorte d'hypersensibilité littéraire qui survient quand j'essaye de me forcer. Mais les jours vraiment affreux ne sont pas ceux où je crois que je ne vais pas arriver à écrire. Ce sont ceux où je me demande tout simplement si ça vaut vraiment la peine d'écrire, où je me demande si je ne suis pas une sorte de bouffon auréolé de gloire.

— J'aime t'entendre parler comme ça », dit Anthony, retrouvant un peu de sa vieille supériorité condescendante. « J'avais peur que tu sois devenu un peu idiot à propos de ton travail. J'ai lu de toi l'interview la plus affligeante de toutes celles que tu as données… »

Dick l'interrompit en jouant les martyrs.

« Ciel ! Ne m'en parle pas ! C'est une petite jeune qui l'a écrite, une jeune admiratrice. Elle passait son temps à me répéter que mon œuvre était "puissante", alors j'ai un peu perdu la tête et j'ai fait des déclarations imprudentes. Mais tout n'était pas faux, qu'est-ce que tu en penses ?

— C'est vrai. J'ai bien aimé le passage où tu dis que l'écrivain sérieux écrit pour les jeunes de sa génération, le critique pour ceux de la génération suivante, et le maître d'école pour la postérité.

— Oh, je suis convaincu que c'est en partie vrai »,

confirma Richard Caramel avec une ombre de satisfaction. « L'erreur, c'était de le laisser publier. »

En novembre, ils s'installèrent dans l'appartement d'Anthony, d'où ils sortaient en grande pompe pour se rendre aux matchs de football Yale-Harvard et Harvard-Princeton, à la patinoire de St. Nicholas, honorer de leur présence la saison théâtrale, et participer à toutes sortes de réjouissances, depuis les petites soirées dansantes bien tranquilles jusqu'aux grandes fêtes que Gloria adorait, données dans les rares demeures où l'on voyait encore des laquais en perruque poudrée s'activer, pour obéir à une mode de splendide anglomanie, sous la houlette de majordomes imposants. Anthony et Gloria avaient pour projet de se rendre en Europe au début de l'année ou, en tout cas, dès que la guerre serait finie. Anthony avait bel et bien terminé un essai à la manière de Chesterton sur le XIIe siècle, qui devait servir d'introduction à son livre, et Gloria avait fait des recherches poussées sur la question des manteaux de zibeline. Bref, l'hiver s'annonçait des plus confortables, lorsque le démiurge du bilphisme décida soudain, à la mi-décembre, que Mrs. Gilbert avait assez vécu pour arriver au terme de son actuelle incarnation. En conséquence de quoi Anthony dut emmener une Gloria sanglotante et désespérée à Kansas City où, selon les rituels humains, ils rendirent les derniers hommages, terribles et bouleversants, qui sont dus aux morts.

Mr. Gilbert devint, pour la première et la dernière fois de sa vie, un personnage vraiment pathétique. La femme qu'il avait dressée à assurer le bien-être de son corps et un public à son esprit, ironiquement, lui avait faussé compagnie, juste au moment où il aurait eu du mal à continuer à l'entretenir. Plus jamais il ne serait en mesure de remplir d'ennui et de tyranniser une âme humaine de façon aussi satisfaisante.

Chapitre II

LE BANQUET

Gloria avait bercé l'esprit d'Anthony jusqu'à l'endormir. Elle qui semblait la plus sage et la plus raffinée de toutes les femmes fermait tel un rideau multicolore toutes ses portes, empêchant la lumière du soleil de pénétrer. Au cours de ces premières années, ses convictions portaient invariablement la marque de Gloria ; il voyait toujours le soleil filtré par les motifs du rideau.

C'est une sorte de lassitude qui les ramena à Marietta pour un nouvel été. Ils avaient passé un printemps doré, anémiant, à flâner, instables, nonchalants, dépensant sans compter, sur la côte californienne, se joignant de façon intermittente à d'autres groupes, se laissant entraîner de Pasadena à Coronado, de Coronado à Santa Barbara, sans autre but, apparemment, que le désir de Gloria de danser au rythme d'autres musiques ou de capter quelque variation infinitésimale parmi les nuances changeantes de la mer. Du Pacifique émergeaient, pour les accueillir, des étendues rocheuses d'aspect sauvage et des hôtelleries tout aussi barbares, édifiées afin qu'à l'heure du thé ils puissent se prélasser dans un mobilier d'osier de pacotille rehaussé par la présence de costumes de polo de Southampton, de Lake Forest, de Newport et de Palm Beach. Et tout comme les vagues venaient confluer, écumantes et miroitantes, dans la plus placide des baies, eux-mêmes venaient retrouver tel ou tel groupe, et avec eux émigraient de lieu en lieu, toujours à l'affût de ces divertissements impalpables, inconnus, qui les attendaient de l'autre côté de la prochaine vallée verte et fertile.

C'était une classe oisive, simple et pleine de santé, l'élite chez les hommes ayant l'allure, non dépourvue de charme, d'éternels étudiants. On aurait dit qu'ils avaient pour perpétuelle ambition d'être recrutés par une des sociétés secrètes de leur campus, le Porcellian Club ou Skull & Bones, qui se serait propagée sous une forme idéalisée dans le monde entier. Les jeunes femmes, d'une beauté supérieure à la moyenne, athlétiques et délicates, un peu sottes en tant qu'hôtesses, mais charmantes et extrêmement décoratives en tant qu'invitées. Avec grâce et nonchalance, ils dansaient les pas de leur choix pendant les exquises fins d'après-midi où l'on se retrouvait pour le thé, pratiquant avec une certaine dignité ces mêmes mouvements que, dans tout le pays, les employés de bureau et les danseuses de revue faisaient en gesticulant sous une forme burlesque et caricaturale. Ô ironie, dans cette branche artistique mineure et seule de son espèce, on voyait les Américains exceller, incontestablement.

Ayant dansé, écumants et miroitants, pendant tout un printemps prodigue, Anthony et Gloria s'aperçurent qu'ils avaient dépensé trop d'argent et que, par conséquent, ils devaient faire retraite pendant quelque temps. Il fallait qu'Anthony se consacre à son travail, déclarèrent-ils. Sans même s'en être rendu compte, ils se retrouvèrent dans la maison grise, ayant plus vivement conscience, cette fois, que d'autres amants avaient dormi là, d'autres noms avaient été lancés du haut de la rampe d'escalier, d'autres couples étaient restés assis sur les marches de la galerie, à contempler les champs d'un vert argenté et la masse noire des bois qui s'étendait au-delà.

C'était le même Anthony, plus nerveux, ne s'animant qu'une fois stimulé par plusieurs cocktails, et vaguement, imperceptiblement, moins sensible à Gloria. Mais Gloria... elle allait avoir vingt-quatre ans au mois d'août, et cela la jetait dans une gracieuse mais sincère panique. Plus que six ans avant trente ans ! Si elle avait été moins amoureuse d'Anthony, son sens de la fuite du temps se serait exprimé par un réveil de son intérêt pour les autres hommes, dans l'intention délibérée d'extraire une fugitive étincelle romanesque de tout regard un peu appuyé jeté, de l'autre côté de la table, dans un dîner mondain, par un amoureux potentiel. Elle déclara un jour à Anthony :

« Mon sentiment, c'est que si je voulais quelque chose, je le prendrais. C'est ce que j'ai toujours fait toute ma vie. Mais il se trouve que c'est toi que je veux, alors cela ne laisse pas la place pour d'autres désirs. »

Rentrant en voiture vers la côte est, ils traversaient l'Indiana, calciné, endormi, et elle avait levé les yeux de ses chers magazines de cinéma pour s'apercevoir qu'une conversation jusque-là banale s'était empreinte de gravité.

Anthony fronça les sourcils en regardant par la fenêtre de l'auto. À l'endroit où la route rencontrait un chemin de campagne, un fermier apparut un instant, assis sur sa charrette. Il mâchonnait un brin de paille, et c'était apparemment le même fermier qu'ils avaient déjà dépassé une douzaine de fois, silhouette symbolique silencieuse et malveillante. Quand Anthony se tourna vers Gloria, son froncement de sourcils s'accentua.

« Tu m'inquiètes, fit-il remarquer. Je peux m'imaginer, dans certaines circonstances passagères, désirant une autre femme, mais je ne me vois pas passant à l'acte.

— Mais moi, je ne suis pas comme ça, Anthony. Quand je veux quelque chose, je ne supporte pas de résister à mon désir. Alors je préfère ne pas vouloir, je ne veux personne d'autre que toi.

— Pourtant, quand je me dis que si par hasard quelqu'un se mettait à te plaire...

— Oh, ne sois pas idiot ! s'exclama-t-elle. Ce ne serait pas une simple passade. Et je ne peux même pas imaginer cette possibilité. »

Cela mit fin, de façon décisive, à la conversation. Le fait qu'Anthony était toujours si attentif à elle, si admiratif, lui faisait préférer sa compagnie à toute autre. Elle aimait être avec lui, elle l'aimait, c'était clair. Ainsi l'été commença-t-il sensiblement comme le précédent.

Il y eut néanmoins un changement radical dans leur vie domestique. La Scandinave au cœur de glace, dont la cuisine austère et la façon sarcastique de servir à table avaient tant déprimé Gloria, fit place à un Japonais excessivement efficace dont le nom était Tanalahaka, mais qui signala qu'il répondait à tout appel, du moment qu'il comprenait les deux syllabes « Ta-na ».

Tana était particulièrement petit, même pour un Japonais, et il affichait une conception quelque peu naïve de lui-même en homme du monde. Le jour de son arrivée — envoyé par « R. Gugimoniki, agence de placement japonaise de toute confiance » —, il fit venir Anthony dans sa chambre pour lui montrer les trésors de sa malle. Ceux-ci comprenaient toute une collection de cartes postales japonaises, qu'il était désireux d'expliquer aussitôt à son patron, une par une et en détail. Une demi-douzaine d'entre elles étaient de caractère pornographique et manifestement d'origine américaine, même si les fabricants avaient modestement omis leur nom et leur adresse postale. Il sortit ensuite quelques articles de sa façon, un pantalon américain qu'il avait confectionné lui-même, et deux caleçons en soie. Il informa confidentiellement Anthony de l'usage auquel ceux-ci étaient destinés. Il exhiba ensuite une assez bonne copie d'un portrait gravé d'Abraham Lincoln, au visage duquel il avait donné des traits irréfutablement japonais. En dernier vint une flûte ; il l'avait fabriquée de ses mains, mais elle était cassée ; il comptait la réparer bientôt.

Après ces politesses préliminaires, dont Anthony supposa qu'elles étaient des coutumes japonaises, Tana se lança dans une longue harangue en un anglais approximatif concernant la relation entre maître et serviteur, dont Anthony déduisit qu'il avait travaillé dans de grands domaines, mais qu'il s'était toujours disputé avec le reste du personnel parce que c'étaient des loustics. Ils eurent toute une discussion à propos du mot « loustic », et finirent par s'agacer mutuellement, car Anthony persistait à penser que Tana disait « moustique » et alla jusqu'à émettre leur bourdonnement et à battre des bras pour imiter les ailes.

Au bout de trois quarts d'heure, Anthony fut

libéré, Tana lui ayant chaleureusement promis qu'ils auraient d'autres sympathiques discussions où Tana lui raconterait « comment on fait sé nous ».

C'est ainsi que Tana fit son entrée de moulin à paroles dans la maison grise — et il tint sa promesse. Certes, il était consciencieux et intègre, mais il faut bien reconnaître qu'il était affreusement rasoir. Il semblait incapable de se rendre maître de sa langue, poursuivant parfois son discours sans interruption, et l'on pouvait lire comme une touche de souffrance dans ses petits yeux bruns.

Le dimanche et le lundi après-midi, il lisait dans les journaux la section consacrée aux bandes dessinées. Un dessin qui comportait une caricature de maître d'hôtel japonais le fit énormément rire, avec cette réserve que, selon lui, le protagoniste, qu'Anthony voyait comme purement oriental, avait en fait une tête d'Américain. Le problème avec les bandes dessinées, c'est qu'ayant, avec l'aide d'Anthony, déchiffré les trois dernières images et assimilé leur contexte avec une concentration digne de la lecture de *La Critique de la raison pure*, il avait complètement oublié de quoi il s'agissait dans les premières.

Au milieu du mois de juin, Anthony et Gloria célébrèrent leur premier anniversaire de mariage en se donnant rendez-vous. Il frappa à la porte, et elle courut lui ouvrir. Puis ils s'assirent côte à côte sur le canapé, en s'appelant des petits noms qu'ils avaient inventés l'un pour l'autre et qui combinaient de façon inédite des mots existant de toute éternité. La différence, c'est que ce « rendez-vous » ne comprenait pas un « bonsoir » empreint de l'émotion de la séparation forcée.

Plus tard au cours de ce même mois de juin, l'Horreur montra sa face grimaçante à Gloria, la frappa de plein fouet et fit régresser, en l'effarouchant, son âme rayonnante d'une demi-génération. Puis elle s'effaça peu à peu, regagnant ces ténèbres impénétrables dont elle était issue, prenant pour rançon, implacablement, une partie de sa jeunesse.

Avec un sens infaillible de l'effet dramatique, l'Horreur choisit pour cadre une petite gare d'un trou perdu près de Port Chester. Le quai de la gare, nu comme les grands espaces de l'Ouest, restait exposé toute la journée au soleil jaune poussiéreux et aux regards de ces cul-terreux qui vivent près d'une grande ville et en ont adopté l'allure faussement chic sans en acquérir l'urbanité. Une douzaine de ces rustres aux yeux rouges, aussi repoussants que des épouvantails, furent témoins de l'incident. La scène atteignit vaguement leurs esprits obtus, et ils se dirent soit, au mieux, que c'était une plaisanterie grossière, soit, plus subtilement, que c'était « une honte ». En cet instant, sur ce quai de gare, quelque chose de lumineux fut effacé de ce monde.

En compagnie d'Eric Merriam, Anthony avait passé ce chaud après-midi d'été attablé devant un carafon de scotch, tandis que Gloria et Constance Merriam se baignaient et prenaient le soleil au Beach Club, Constance sous un parasol rayé, Gloria voluptueusement allongée sur le sable chaud et doux, hâlant — inévitablement — ses jambes. Plus tard, ils avaient grignoté quelques sandwichs. Puis Gloria s'était levée, avait tapoté le genou d'Anthony avec son ombrelle pour attirer son attention.

« Il faut qu'on y aille, mon chéri.

— Maintenant ? » Il avait levé les yeux de mauvaise grâce. À ce moment, rien ne lui paraissait plus important que de rester tranquillement assis à l'ombre de cette galerie, à boire un scotch velouté pendant que son hôte égrenait sans fin des souvenirs d'intrigues secondaires de quelque campagne politique oubliée.

« Il faut vraiment qu'on y aille, répéta Gloria. On peut prendre un taxi jusqu'à la gare... Allons, viens, Anthony », ordonna-t-elle un peu plus impérativement.

« Écoute, voyons... » Merriam, son discours interrompu, exprima les protestations d'usage et, en manière de provocation, remplit le verre de son invité d'un whisky soda qui demandait dix bonnes minutes pour être bu à petites gorgées. Mais en entendant le « On doit *vraiment* partir » contrarié de Gloria, Anthony avala son verre d'un coup, se leva et salua son hôtesse en s'inclinant profondément.

« Il paraît qu'on doit », maugréa-t-il.

Une minute plus tard, il suivait Gloria dans une allée bordée de massifs de roses, l'ombrelle effleurant au passage les feuilles épanouies de juin. Elle exagère, se disait-il au moment de rejoindre la route. Ulcéré, il pensait naïvement que Gloria n'aurait pas dû interrompre un plaisir aussi innocent. Le whisky avait à la fois apaisé et clarifié les pensées qui s'agitaient dans son esprit. Il se souvint qu'elle avait déjà agi plusieurs fois de cette façon. Allait-il toujours falloir qu'il renonce à des moments agréables au moindre frôlement de son ombrelle ou au moindre battement de ses paupières ? Sa réticence se mua en une mauvaise volonté qui montait en lui comme une bulle à laquelle il était impossible de résister. Il resta silencieux, refrénant non sans hostilité le désir de lui faire des reproches. Ils trouvèrent un taxi devant l'auberge, roulèrent en silence jusqu'à la petite gare...

Et là, Anthony sut ce qu'il voulait : imposer sa volonté à cette fille distante, impassible et, d'un seul geste énergique et plein de superbe, affirmer une autorité qui lui paraissait infiniment désirable.

« Allons rendre visite aux Barnes, dit-il sans la regarder. Je n'ai pas envie de rentrer à la maison. »

Mrs. Barnes, née Rachel Jerryl, avait une maison de campagne à quelques kilomètres de Redgate.

« On est allés chez eux avant-hier, répondit sèchement Gloria.

— Je suis sûr qu'ils seraient contents de nous voir. » Il sentit qu'il n'avait pas assez forcé la note, il se raidit avec entêtement, et ajouta : « Je tiens à voir les Barnes. Je n'ai aucune envie de rentrer à la maison.

— Eh bien, moi, je n'ai aucune envie d'aller voir les Barnes. »

Soudain, ils s'affrontèrent du regard.

« Écoute, Anthony, dit-elle, impatientée, on est dimanche soir et ils ont probablement des invités pour dîner. Pourquoi est-ce qu'on débarquerait chez eux à cette heure-ci ?...

— Alors, pourquoi est-ce qu'on ne pouvait pas rester chez les Merriam ? lâcha-t-il en haussant le ton. Pourquoi rentrer, alors qu'on passait un moment parfaitement agréable ? Ils nous ont demandé de rester dîner.

— Ils ne pouvaient pas faire autrement. Donne-moi l'argent, et je vais aller acheter nos billets.

— Certainement pas ! Je ne suis pas d'humeur à faire le trajet dans cette étuve ! »

Gloria tapa du pied sur le quai.

« Anthony, tu te conduis comme si tu avais bu.

— Pas du tout, je suis parfaitement à jeun. »

Mais sa voix avait pris un ton rauque, et elle sut avec certitude que ce n'était pas vrai.

« Si tu n'as pas bu, donne-moi l'argent pour les billets. »

Mais il était trop tard pour s'adresser à lui sur ce ton. L'esprit d'Anthony était obnubilé par une seule pensée : Gloria se montrait égoïste, elle se montrait toujours égoïste, et elle continuerait s'il ne faisait pas en cet instant preuve d'autorité. C'était l'occasion rêvée puisque, par un caprice, elle l'avait privé d'un plaisir. Sa détermination se renforça, allant, pendant un instant, jusqu'à un sentiment de haine sourde.

« Je ne monterai pas dans ce train, dit-il, d'une voix frémissante de colère. Nous allons chez les Barnes.

— Pas moi ! s'écria-t-elle. Si tu y vas, je rentre à la maison toute seule.

— Eh bien, vas-y. »

Sans un mot, elle se dirigea vers le guichet de la gare ; au même moment, il se rappela qu'elle avait de l'argent sur elle, et que ce n'était pas à une victoire de ce genre qu'il aspirait, ce n'était pas la victoire qu'il voulait obtenir à tout prix.

« Ah non ! grommela-t-il. Pas question que tu rentres toute seule !

— Eh bien si, figure-toi ! » En même temps, elle essayait de se dégager, tandis que, de son côté, il resserrait son étreinte.

Il la regarda avec des yeux rétrécis, méchants.

« Lâche-moi ! » Il y avait de la violence dans son cri. « Si tu avais la moindre dignité, tu me lâcherais !

— Pourquoi ? » Il savait bien pourquoi. Mais il

tirait une fierté confuse et un peu incertaine du fait de la retenir.

« Je rentre à la maison, tu comprends ? Tu vas me lâcher, oui ou non ?

— Non. »

Les yeux de Gloria lançaient des éclairs.

« Tu vas me faire une scène, là, sur ce quai ?

— Je te dis que tu ne rentres pas. J'en ai assez de ton éternel égoïsme !

— Tout ce que je veux, c'est rentrer à la maison. »

Deux larmes de colère jaillirent de ses yeux.

« Pour une fois, tu vas faire ce que je dis. »

Lentement, le corps de Gloria se redressa ; elle rejeta la tête en arrière dans un geste d'infini mépris.

« Je te déteste ! » Les mots s'échappaient comme du venin d'entre ses dents serrées. « Oh, lâche-moi ! Oh, je te déteste ! » Elle essaya de se libérer, mais il l'avait saisie par l'autre bras. « Je te déteste ! Je te déteste ! »

Devant la rage de Gloria, Anthony fut repris par ses incertitudes, mais il était allé trop loin pour pouvoir reculer. Il avait l'impression qu'il lui avait toujours cédé et qu'au fond de son cœur, elle l'avait toujours méprisé pour cette faiblesse. Certes, dans l'immédiat, elle allait peut-être le détester, mais plus tard, elle l'admirerait pour s'être montré le plus fort.

À l'approche, le train s'annonça par une sirène prémonitoire que les rails bleus étincelants répercutèrent jusqu'à eux de façon mélodramatique. Gloria se débattait et tirait de toutes ses forces pour se libérer, et des mots surgis du fond des temps franchirent ses lèvres.

« Brute ! sanglotait-elle. Espèce de brute ! Je te déteste ! Sale brute ! Oh… »

Sur le quai, d'autres voyageurs en attente commençaient à se retourner pour regarder la scène. On entendait le vrombissement du train, qui s'amplifia jusqu'à devenir assourdissant. Gloria redoubla d'efforts, puis s'arrêta soudain, et se tint là, tremblante, les yeux rougis par son humiliation impuissante tandis que la locomotive faisait son entrée fracassante dans la gare.

Très bas, plus bas que le flot de la vapeur et le grincement des freins, se fit entendre sa voix :

« Si seulement il y avait ici un homme, un vrai, tu ne pourrais pas faire ce que tu fais ! Tu ne pourrais pas ! Lâche, espèce de lâche ! »

Anthony, muet, tremblant lui-même, l'agrippait fermement, conscient que des visages, des dizaines de visages, curieux, impassibles, des ombres dans un rêve, le fixaient des yeux. Puis les cloches annonçant le départ résonnèrent de craquements métalliques semblables à une douleur physique, les volutes de fumée s'élancèrent vers le ciel dans une lente accélération, et dans un brouhaha, une turbulence grise et vaporeuse, la rangée des visages passa devant eux, s'éloigna, se brouilla, jusqu'à ce que soudain il n'y ait plus que le soleil traversant à l'oblique les rails, d'ouest en est, et le volume du son décroissant comme un tonnerre de fer-blanc. Il avait gagné.

Maintenant, s'il avait voulu, il aurait pu rire. Il avait réussi l'épreuve et imposé sa volonté par la force. Que la magnanimité fasse suite à la victoire.

« On va louer une voiture ici et rentrer à Marietta », dit-il d'une voix posée.

Pour toute réponse, Gloria saisit sa main dans les siennes et, la portant à sa bouche, elle lui mordit cruellement le pouce. Il remarqua à peine la douleur ; en voyant couler le sang, il sortit distraitement son mouchoir et enveloppa la blessure. Cela aussi faisait partie de son triomphe, se disait-il — il était inévitable que la défaite suscitât du ressentiment — et ne valait pas la peine d'y accorder de l'importance.

Gloria pleurnichait, presque sans larmes, à grands sanglots amers.

« Je n'irai pas ! Je n'irai pas. Tu ne peux pas me forcer ! Tu as... tu as tué tout l'amour que j'ai jamais pu avoir pour toi, et toute l'estime. Le peu qui me reste aimerait mieux mourir que de bouger d'ici. Si jamais j'avais pu *penser* que tu porterais la main sur moi... !

— Tu vas venir avec moi, dit-il brutalement, même s'il faut que je te porte ! »

Il se retourna, fit signe à un taxi, demanda au chauffeur de les emmener à Marietta. L'homme sortit de la voiture, ouvrit la portière. Anthony fit face à sa femme et dit, en serrant les dents :

« Tu vas monter ? Ou tu veux que je t'y mette moi-même ? »

Avec un cri étouffé plein d'une douleur et d'un désespoir infinis, elle se rendit et monta dans la voiture.

Pendant tout le long trajet, dans le crépuscule qui virait à la nuit, elle resta roulée en boule dans son coin de la voiture, dans un silence que brisait seulement, par moments, un bref sanglot sec. Anthony regardait par la fenêtre, prenant petit à petit conscience de la signification de ce qui venait de se passer. Quelque chose ne tournait pas rond. Le dernier cri poussé par Gloria avait fait vibrer une corde qui résonnait comme l'écho de quelque adieu définitif, éveillant dans son cœur un malaise mal défini. Il avait forcément raison, et pourtant elle était maintenant une petite chose tellement pathétique, brisée, accablée, humiliée au-delà de ce qu'une fille comme elle était capable de supporter. Les manches de sa robe étaient déchirées ; son ombrelle n'était plus là — oubliée sur le quai de la gare. C'était une toilette neuve, se souvint-il, et elle en était si fière, ce matin, quand ils avaient quitté la maison... Il commença à se demander si quelqu'un de leur connaissance avait pu assister à la scène. Et sans cesse lui revenait son cri : « Le peu qui me reste aimerait mieux mourir... »

Ces mots mettaient Anthony dans un état d'inquiétude confuse mais grandissante. Ils s'accordaient si bien à Gloria telle qu'elle était, dans son coin de la voiture — plus une Gloria fière, ni aucune des Gloria qu'il avait connues. Il se demandait si c'était possible. S'il ne croyait pas qu'elle cesserait de l'aimer — cela, c'était impensable —, il était malgré tout problématique de se demander si Gloria sans son panache, son indépendance, sa qualité virginale de confiance en elle et de courage, serait la femme qu'il avait idolâtrée, la femme radieuse qui était précieuse et charmante parce qu'elle était, ineffablement, triomphalement elle-même.

Il était encore ivre, au point de ne pas se rendre compte qu'il l'était. Quand ils arrivèrent à la maison grise, il alla dans sa chambre et, l'esprit encore plongé dans le souvenir douloureux, impuissant, de ce qu'il avait fait, il sombra dans un sommeil hébété sur son lit.

Il était plus d'1 heure du matin, et le hall paraissait incroyablement silencieux lorsque Gloria, les yeux grands ouverts, ne parvenant pas à dormir, le traversa et poussa la porte de la chambre d'Anthony.

Il avait été trop abruti par l'alcool pour penser à ouvrir les fenêtres, et l'air sentait le renfermé et le whisky. Elle se tint quelques instants au chevet de son lit, silhouette mince, gamine, infiniment gracieuse dans son pyjama de soie ; puis, avec abandon, elle s'élança sur lui, le réveillant à demi dans l'émotion de sa folle étreinte, inondant son cou de larmes chaudes.

« Oh, Anthony, s'écria-t-elle passionnément, oh, mon amour, tu ne sais pas ce que tu as fait. »

Au matin, venant de bonne heure dans sa chambre à elle, il s'agenouilla au bord de son lit et pleura comme un petit garçon, comme si c'était son cœur à lui qui avait été brisé.

« L'impression que j'ai eue, hier soir », dit-elle avec gravité en passant ses doigts dans les cheveux d'Anthony, « c'est que toute la partie de moi que tu aimais, la partie qui méritait d'être connue, toute la fierté, la fougue avaient disparu. Je savais que ce qui restait de moi t'aimerait toujours, mais que ce ne serait plus jamais tout à fait la même chose. »

Malgré tout, même à ce moment-là elle savait qu'elle oublierait, avec le temps, et que la vie, le plus souvent, choisit d'user plutôt que de frapper un grand coup. Après ce matin-là, l'incident ne fut plus jamais mentionné, et la profonde blessure qui en avait résulté guérit en même temps que la main d'Anthony. S'il y eut un triomphe quelque part, c'est une force plus sombre que leur force à eux qui s'en empara, qui s'empara de la connaissance et de la victoire.

INCIDENT NIETZSCHÉEN

L'indépendance de Gloria, comme toutes les qualités sincères et profondes, était née chez elle sans qu'elle en eût conscience, mais une fois signalée à son attention par la découverte fascinée qu'en avait faite Anthony, elle prit plutôt le caractère d'une convention codée. De ses paroles ce jour-là, on aurait pu conclure qu'elle mettait toute son énergie et sa vitalité dans l'affirmation péremptoire du principe négatif : « Il n'y a qu'à s'en fiche. »

« Je me fiche de tout et de tout le monde, disait-elle, sauf de moi et, par implication, d'Anthony. C'est une règle de vie universelle et, même si ce n'était pas le cas, ce serait la mienne de toute façon. Les gens ne feraient rien pour moi s'ils n'y trouvaient pas leur compte, et c'est vrai pour moi aussi. »

Elle était, lorsqu'elle proféra ces mots, sur la galerie de la dame la plus sympathique de Marietta, et lorsqu'elle eut fini, elle poussa un drôle de petit cri et s'effondra, évanouie, sur le plancher de la galerie.

La dame la ranima et la ramena chez elle dans sa voiture. Il était venu à l'idée de notre estimable Gloria qu'elle était probablement enceinte.

Elle était allongée dans le petit salon au rez-de-chaussée. Elle regardait par la fenêtre s'écouler la fin d'une tiède journée, touchant les roses tardives sur les colonnes de la galerie.

« Je ne pense jamais qu'à une chose, c'est que je t'aime, gémit-elle. Si j'attache de l'importance à mon corps, c'est parce que tu le trouves beau. Et voir mon corps — qui t'appartient — devenir laid et informe ?

C'est tout simplement intolérable. Oh, Anthony, ce n'est pas la douleur qui me fait peur. »

Il s'efforça tant qu'il put de la consoler, mais sans succès. Elle poursuivit :

« Et ensuite, je risque d'avoir des hanches larges et le teint pâle, je n'aurai plus aucune fraîcheur, et j'aurai des cheveux tout ternes. »

Il fit les cent pas dans la pièce, les mains dans les poches, et demanda :

« Tu en es sûre ?

— Je n'y connais rien. J'ai toujours eu horreur de l'obstritique, si c'est comme ça que ça s'appelle. Je pensais bien avoir un enfant un jour, mais pas maintenant.

— Je t'en supplie, ne reste pas couchée là à te torturer. »

Ses sanglots se calmèrent. Le soir qui tombait lui accorda un silence miséricordieux. « Allume, s'il te plaît, implora-t-elle. Les journées sont si courtes. Quand j'étais petite fille, les journées de juin me paraissaient bien plus longues. »

La lumière se fit brusquement et ce fut comme si des draperies bleues de la soie la plus douce étaient tombées derrière les fenêtres et la porte. La pâleur de Gloria, son immobilité, qui n'exprimaient plus ni chagrin ni joie, attendrirent Anthony.

« Est-ce que tu veux que je l'aie ? demanda-t-elle sans flamme.

— Ça m'est indifférent. Je veux dire que je suis neutre. Si tu l'as, je serai probablement content. Si tu ne l'as pas, c'est bien aussi.

— Je voudrais bien que tu te décides dans un sens ou dans l'autre !

— Et si on disait que c'est à toi de te décider ? »

Elle le regarda de haut, dédaignant de répondre.

« On croirait que de toutes les femmes au monde, tu as été désignée pour subir cet outrage suprême.

— Et alors ! s'écria-t-elle avec colère. Pour les autres, ce n'est pas un outrage, c'est la justification de leur existence. C'est la seule chose qu'elles savent faire. C'est pour moi que c'est un outrage.

— Écoute-moi, Gloria, je suis de tout cœur avec toi, quoi que tu fasses. Mais pour l'amour du Ciel, ne sois pas mauvaise joueuse.

— Oh, arrête de me sermonner », gémit-elle.

Ils échangèrent un regard muet qui ne signifiait rien de particulier à part une réelle tension. Puis Anthony prit un livre dans la bibliothèque et se laissa tomber dans un fauteuil.

Une demi-heure plus tard, la voix de Gloria interrompit le profond silence qui régnait dans la pièce et flottait comme de l'encens dans l'atmosphère.

« Demain j'irai faire un tour en voiture pour voir Constance Merriam.

— Très bien. Et moi j'irai à Tarrytown voir grand-père.

— Tu sais, ajouta-t-elle, ce n'est pas que j'aie peur... de ça ou de quoi que ce soit d'autre. Je suis fidèle à ma nature, c'est tout.

— Je sais », confirma-t-il.

LES HOMMES PRATIQUES

Adam Patch, en proie à une colère vertueuse contre les Allemands, se nourrissait des nouvelles de la guerre. Des cartes hérissées d'épingles couvraient ses murs, des atlas s'empilaient sur les tables à portée de main, ainsi que des « Albums de photos de la

Guerre mondiale », des comptes rendus officiels pour grand public, des « Impressions personnelles » de correspondants de guerre ou des soldats X, Y ou Z. Plusieurs fois pendant la visite d'Anthony, le secrétaire de son grand-père, Edward Shuttleworth, qui avait été jadis l'ivrogne notoire de Pat's Place, à Hoboken, maintenant drapé dans une pieuse indignation, venait apporter une édition spéciale. Le vieil homme s'attaquait à chaque journal avec une fureur infatigable, déchirant les articles qui lui paraissaient assez importants pour être conservés, et les fourrant dans ses dossiers déjà bourrés.

« Alors, qu'est-ce que tu as fait pendant tout ce temps ? demanda-t-il, en guise d'entrée en matière. Rien ? Ah, je m'en doutais. J'avais l'intention de faire un saut en voiture pour venir te voir, cet été.

— J'ai écrit. Vous ne vous rappelez pas cet essai que je vous ai envoyé, celui que j'ai vendu à la revue *The Florentine* cet hiver ?

— Un essai ? Tu ne m'as jamais envoyé d'essai.

— Mais si. On en a parlé ensemble. »

Adam Patch secoua un peu la tête.

« Mais non. Tu ne m'as jamais envoyé aucun essai. Tu crois peut-être me l'avoir envoyé, mais je ne l'ai jamais reçu.

— Enfin, grand-père, vous l'avez lu, insista Anthony, qui commençait à s'énerver. Vous l'avez lu, et vous n'étiez pas d'accord. »

Le vieil homme se souvint soudain, mais il ne le laissa voir qu'en entrouvrant légèrement la bouche, exposant deux rangées de gencives grises. Fixant Anthony de ses yeux verts de vieillard, il hésita entre reconnaître son erreur et la masquer.

« Alors, tu écris, enchaîna-t-il vivement. Eh bien, pourquoi est-ce que tu ne vas pas là-bas écrire sur ces Allemands ? Écrire quelque chose de première main sur ce qui se passe, quelque chose que les gens puissent lire.

— Tout le monde ne peut pas être correspondant de guerre, objecta Anthony. Il faut qu'il y ait un journal qui soit prêt à acheter vos reportages. Et je n'ai pas l'argent pour y aller en tant que journaliste indépendant.

— Je te payerai le voyage, annonça de façon inattendue le grand-père d'Anthony. Je t'enverrai là-bas comme correspondant habilité du journal de ton choix. »

Anthony recula devant cette idée et, presque simultanément, sauta dessus.

« Je... je ne sais pas. »

Il faudrait quitter Gloria, dont toute la vie était orientée vers lui et l'enveloppait. Gloria était enceinte. Non, ce n'était pas possible. Et pourtant : il se voyait en kaki, s'appuyant, comme le font tous les correspondants de guerre, sur une grosse canne, la sacoche en bandoulière, cherchant à se donner l'air anglais. « Il faudrait que j'y réfléchisse, avança-t-il. C'est extrêmement gentil de votre part. Je vais y réfléchir et je vous donnerai ma réponse. »

Ses réflexions occupèrent tout le trajet de retour vers New York. Il avait eu une de ces brusques illuminations qui viennent aux hommes dominés par une femme bien-aimée douée d'une forte personnalité, un de ces éclairs qui vous font apercevoir un univers d'hommes plus virils, entraînés à la dure, et aux prises avec les abstractions de la pensée et de la guerre. Dans un tel univers, les bras de Gloria ne seraient plus que la chaude étreinte d'une maîtresse de rencontre, qu'on courtise de sang-froid et qu'on oublie rapidement...

Il était assailli par ces fantasmes insolites quand il monta dans le train pour Marietta à Grand Central Station. Le compartiment était bondé ; il prit la dernière place libre, et ce n'est qu'au bout de plusieurs minutes qu'il jeta un coup d'œil distrait vers l'homme assis à côté de lui. Il vit alors une mâchoire et un nez massifs, un menton arrondi et des petits yeux soulignés de poches. Presque aussitôt, il reconnut Joseph Bloeckman.

D'un même mouvement tous deux se levèrent à demi, montrèrent un demi-embarras et échangèrent ce qui équivalait à une demi-poignée de main. Puis, comme pour compléter la chose, ils partirent tous deux d'un demi-rire.

« Eh bien », lança Anthony, à court d'inspiration, « cela fait longtemps que je ne vous ai pas vu. » Il regretta aussitôt ses paroles et voulut ajouter : « Je ne savais pas que vous habitiez dans les parages. » Mais Bloeckman prit les devants en demandant d'une voix affable :

« Comment va votre femme ?

— Très bien, merci. Et vous, comment allez-vous ?

— Excellemment. » Son ton accentuait le côté ampoulé de la formule.

Anthony eut l'impression qu'au cours de l'année écoulée, Bloeckman avait énormément progressé en dignité. Il n'avait plus l'air à moitié bouilli ; il était enfin « à point ». En outre, il n'était plus « trop habillé ». La fantaisie inappropriée qu'il se permettait, avec humour croyait-il, dans ses cravates, avait fait place à un motif sobre et foncé, et sa main droite, qui arborait naguère deux grosses bagues, était dépourvue de tout ornement et n'affichait même pas l'éclat tape-à-l'œil d'une manucure.

Cette dignité était également perceptible dans sa personnalité. Il s'était dépouillé des derniers vestiges du voyageur de commerce prospère, ce besoin de plaire à tout prix dont la forme la plus grossière est la plaisanterie grivoise dans le fumoir du Pullman. On pouvait se dire que, ayant connu la réussite financière, il pouvait se permettre d'être hautain ; ayant été snobé en société, il avait acquis de la réserve. Quelle que fût la cause qui lui avait donné du poids et non plus de la lourdeur, Anthony ne se sentait plus, en sa présence, en situation de supériorité légitime.

« Vous vous souvenez de Caramel, Richard Caramel ? Je crois que vous l'avez rencontré un soir.

— Je me souviens. Il écrivait un livre.

— Eh bien, le cinéma a acheté les droits. Et puis ils ont fait travailler dessus un scénariste, un dénommé Jordan. Dick est abonné à l'argus, et il est fou de rage, parce qu'une bonne moitié des critiques vantent "la force et la puissance de *L'Amant-démon* de William Jordan". Ils ne parlent jamais de ce malheureux Dick. On croirait que c'est ce Jordan qui a tout fait, de la conception à l'élaboration de l'histoire. »

Bloeckman hocha la tête avec sympathie.

« La plupart des contrats précisent que le nom de l'auteur original doit figurer dans toutes les publicités payantes. Caramel continue-t-il à écrire ?

— Oh oui. Tant qu'il peut. Il écrit des nouvelles.

— Tant mieux, tant mieux… Vous prenez souvent ce train ?

— Environ une fois par semaine. Nous habitons Marietta.

— Çà, par exemple ! Moi, j'habite près de Cos

Cob. J'ai acheté une maison tout récemment. Nous sommes à moins de dix kilomètres de distance.

— Il faudra que vous veniez nous voir. » Anthony s'étonnait de sa propre courtoisie. « Je suis sûr que Gloria sera ravie de revoir un vieil ami. Tout le monde pourra vous indiquer notre maison : c'est le deuxième été que nous passons là.

— Merci. » Puis, comme pour retourner la politesse : « Comment va votre grand-père ?

— Il se porte bien. J'ai déjeuné avec lui aujourd'hui.

— C'est un personnage remarquable, affirma Bloeckman avec gravité. Un bel exemple d'Américain. »

LE TRIOMPHE DE LA LÉTHARGIE

Anthony retrouva sa femme enfoncée dans le hamac de la galerie, savourant voluptueusement un sandwich à la tomate et une limonade, et bavardant avec entrain avec Tana sur l'un des thèmes compliqués que celui-ci affectionnait.

« Sé moi — Anthony reconnut son inévitable entrée en matière —, tout le temps, les zens manzent riz, parce que pas de quoi. Peuvent pas manzer ce qu'ils zont pas. » Si sa nationalité n'avait pas été aussi flagrante, on aurait pu croire qu'il tenait ce qu'il savait de son pays des manuels américains d'école primaire.

Quand on eut fait taire le Nippon en le réexpédiant dans la cuisine, Anthony se tourna vers Gloria d'un air interrogatif.

« Tout va bien, annonça-t-elle dans un grand sourire. Et ça m'a étonnée plus que toi.

— Il n'y a pas de doute ?

— Pas le moindre ! »

Ils se réjouirent en chœur, à nouveau joyeux avec un regain d'insouciance. Puis Anthony raconta à Gloria l'occasion qui s'offrait à lui d'aller en Europe, expliquant qu'il avait presque honte de refuser cette offre.

« Toi, qu'est-ce que tu en penses ? Dis-moi franchement.

— Mais enfin, Anthony ! » Ses yeux exprimaient la stupéfaction. « Tu voudrais y aller ? Sans moi ? »

La mine d'Anthony s'allongea. Pourtant il savait, par la question de sa femme, qu'il n'était plus temps. Il était à la merci de ses doux bras qui l'étreignaient si fort, car il avait fait ses choix un an plus tôt, dans le salon du Plaza. Ce projet était un anachronisme, survivance de l'époque des rêves.

« Gloria, mentit-il, dans un grand élan généreux, bien sûr que non. Je me disais que tu pourrais venir avec moi comme infirmière, par exemple. » Il se demanda confusément si son grand-père pourrait envisager la chose.

Lorsqu'elle sourit, il constata une fois encore à quel point elle était belle ; elle était la séduction même, d'une fraîcheur miraculeuse, avec des yeux candides et incapables de mensonge. Elle se rallia à sa proposition avec une ardeur rayonnante, la brandissant devant elle comme un soleil qu'elle aurait elle-même confectionné, et se dorant à ses rayons. Elle concocta un scénario mirifique où allaient se dérouler d'improbables aventures guerrières.

Après le dîner, ayant fait le tour de la question, elle se mit à bâiller. Elle ne voulait plus parler, mais seulement lire *Penrod*, allongée sur le divan du salon, jusqu'au moment où, à minuit, elle s'endormit sur son livre. Anthony, après l'avoir chevaleresquement portée jusqu'à l'étage, resta éveillé à ressasser les événements de la journée, en voulant vaguement à Gloria, vaguement mécontent.

« Qu'est-ce que je vais faire ? lança-t-il au petit déjeuner. Voici un an que nous sommes mariés, nous n'avons fait que tourner en rond, et nous n'avons même pas su assumer notre condition d'oisifs.

— Oui, il faut que tu fasses quelque chose », approuva-t-elle, étant ce matin-là d'humeur aimable et causante. Ce n'était pas la première fois qu'ils avaient une discussion de ce genre, mais dans la mesure où elles donnaient chaque fois à Anthony le premier rôle, elle en était venue à les éviter.

« Ce n'est pas que je me sente une obligation morale par rapport au travail, poursuivit-il, mais grand-père peut mourir demain comme il peut vivre encore dix ans. Entre-temps, nous vivons au-dessus de nos moyens, et nous nous retrouvons avec en tout et pour tout une voiture pour routes de campagne et quelques vêtements. Nous avons un appartement dans lequel nous n'avons vécu que trois mois et une vieille baraque dans un trou perdu. On s'embête souvent, et pourtant nous ne faisons pas le moindre effort pour nous faire des amis, à part la vieille bande qui se balade tout l'été en Californie en tenue de sport en attendant la mort des parents.

— Comme tu as changé, fit remarquer Gloria. Un jour tu m'as dit que tu ne voyais pas pourquoi un Américain ne pourrait pas vivre en oisif avec grâce.

— Oui, mais bon Dieu, je n'étais pas marié. Et mon esprit fonctionnait au quart de tour, alors que maintenant il tourne en rond comme une roue dentée qui ne s'enclenche à rien. En fait, si je ne t'avais pas rencontrée, j'aurais sûrement fait quelque chose. Mais avec toi, l'oisiveté a de tels accents de séduction…

— Ah, tout est ma faute…

— Ce n'est pas ce que je voulais dire, tu le sais très bien. Mais me voilà, à presque vingt-sept ans, et…

— Oh, interrompit-elle avec irritation, tu me fatigues ! Tu parles comme si je me mettais en travers de ta route…

— Je considérais la question, Gloria. Est-ce que je ne peux pas réfléchir…

— J'aurais cru que tu étais assez fort pour régler…

— … quelque chose qui te concerne sans…

— … tes propres problèmes sans venir me trouver. Trouver du travail, tu en parles beaucoup. Je serais très contente d'avoir un peu plus d'argent, mais moi, je ne me plains pas. Que tu travailles ou pas, je t'aime. » Ses dernières paroles avaient la douceur d'une fine couche de neige sur un sol durci. Mais pour le moment, aucun des deux ne s'occupait de l'autre : ils avaient seulement à cœur de peaufiner leur propre attitude.

« J'ai… un peu travaillé. » Par ces mots, Anthony puisait imprudemment dans ses dernières réserves. Gloria éclata de rire, un rire de pure gaieté mais aussi de moquerie. Elle lui en voulait de sa mauvaise foi et, en même temps, elle admirait sa nonchalance. Elle ne lui reprocherait jamais d'être un désœuvré velléitaire tant que son attitude serait sincère, née de la conviction que rien ne méritait vraiment qu'on se donne du mal.

« Le travail ! railla-t-elle. Parlons-en ! Espèce de crâneur ! Le travail, ça veut dire passer un grand moment à installer le bureau et à régler les éclairages, à tailler des crayons, et ensuite : “Gloria, arrête de chanter !” “Gloria, empêche Tana de venir tout le temps m'embêter”, et “Je voudrais te lire ma phrase d'introduction”, et “J'en ai encore pour un grand bout de temps, alors ne m'attends pas pour aller te coucher”, et ça veut dire avaler des tasses et des tasses de thé ou de café. Et c'est tout. Au bout d'une heure, je n'entends plus gratter le crayon, alors je viens voir. Tu as sorti un livre et tu “cherches une référence”. Ensuite tu lis. Ensuite tu bâilles, tu montes te coucher et tu te tournes et te retournes parce que tu es bourré de caféine et que tu n'arrives pas à dormir. Quinze jours plus tard, la comédie recommence. »

Avec effort, Anthony parvint à préserver un poil de dignité.

« Franchement, tu exagères un peu. Tu sais parfaitement que j'ai placé un essai auprès de *The Florentine*, et qu'il a eu une certaine répercussion, étant donné le tirage limité de *The Florentine*. En plus, Gloria, tu sais très bien que j'ai veillé jusqu'à 5 heures du matin pour finir cet essai. »

Elle se tut, donnant du mou. Ce n'était pas encore la corde pour se pendre, mais Anthony était à peu près au bout du rouleau.

« En tout cas, conclut-il sans conviction, je suis parfaitement disposé à devenir correspondant de guerre. »

Mais Gloria l'était, elle aussi. Disposés, ils l'étaient tous les deux, ils n'avaient envie que de ça. C'est ce qu'ils s'assurèrent l'un à l'autre. La soirée se termina sur une note de grandes déclarations, passant en revue la majesté de l'oisiveté, la mauvaise santé d'Adam Patch et l'amour envers et contre tout.

« Anthony ! » appela Gloria du haut de la rampe de l'escalier un après-midi, une semaine plus tard, « il y a quelqu'un à la porte. »

Anthony, qui se reposait dans le hamac sur la galerie mouchetée de soleil, se dirigea nonchalamment vers l'entrée de la maison. Une voiture de marque étrangère, grande et imposante, était tapie comme un énorme insecte saturnien à l'entrée de l'allée. Un homme en costume de pongé de soie, avec une casquette assortie, le salua de loin.

« Salut, Patch. J'ai fait un saut jusqu'ici pour vous rendre visite. »

C'était Bloeckman ; comme toujours, insensiblement en progrès, avec plus de subtilité dans l'intonation, plus d'aisance dans ses manières.

« Ça me fait rudement plaisir. » Anthony éleva la voix pour s'adresser à une fenêtre couverte de vigne vierge. « Glo-ri-a ! Nous avons une visite !

— Je suis dans mon bain », s'excusa, de loin, Gloria poliment.

Avec un sourire, les deux hommes reconnurent l'excellence irréfutable de son alibi.

« Elle va descendre. Venez vous asseoir sur la galerie. Je peux vous offrir à boire ? Gloria est tout le temps dans son bain — un bon tiers de ses journées.

— C'est malheureux qu'elle n'habite pas sur la côte du Long Island Sound.

— Trop cher pour moi. »

Venant du petit-fils d'Adam Patch, Bloeckman prit cela pour une boutade. Au bout d'un quart d'heure meublé d'échanges pleins d'esprit, Gloria fit son apparition, toute fraîche dans une toilette jaune amidonnée, apportant avec elle une aura et un surcroît de vitalité.

« Je veux faire une entrée fracassante dans le cinéma, annonça-t-elle. J'ai appris que Mary Pickford gagnait un million de dollars par an.

— Vous pourriez, vous savez, dit Bloeckman. Vous seriez sûrement très photogénique.

— Tu me laisserais, Anthony ? Si je ne joue que des rôles d'ingénue ? »

Tandis que la conversation se poursuivait en dialogues de convention, Anthony se demandait comment il était possible que cette femme ait représenté, pour lui comme pour Bloeckman, la personnalité la plus stimulante, la plus tonique qu'ils aient jamais connue — et ils se retrouvaient là tous les trois, machines trop bien huilées, sans conflit, sans crainte, sans joie, des petits personnages en émail, en sécurité au-delà de tout plaisir, dans un monde où la mort et la guerre, des émotions sourdes et une noble sauvagerie submergeaient un continent sous la fumée de la terreur.

Dans un instant, il allait appeler Tana et ils absorberaient un poison euphorique et délicat qui leur rendrait pour un temps l'excitation joyeuse de l'enfance, cette époque où tout visage aperçu dans une foule faisait rêver d'actions splendides, importantes, accomplies quelque part à la poursuite de quelque but grandiose aux horizons illimités... La vie n'était rien d'autre que cet après-midi d'été ; une brise légère qui faisait onduler le col de dentelle de la robe de Gloria ; la torpeur de la galerie qui les chauffait doucement... Ils étaient tous trois intolérablement calmes et indifférents, à mille lieues de toute action romanesque. La beauté de Gloria elle-même demandait des élans de passion, demandait un fond de mélancolie nostalgique, demandait la proximité de la mort…

« … N'importe quel jour de la semaine prochaine, disait Bloeckman à Gloria. Tenez, prenez cette carte. Ce qu'ils font, c'est qu'ils vous font faire un bout d'essai de cent mètres de pellicule, et ça leur permet de se faire une idée.

— Que diriez-vous de mercredi ?

— Mercredi, c'est parfait. Téléphonez-moi, je vous accompagnerai… »

Il s'était levé, il leur serrait la main avec énergie ; puis son automobile ne fut plus qu'une traînée de poussière là-bas sur la route. Anthony se tourna vers sa femme, exprimant sa stupeur.

« Enfin, Gloria !

— Ça ne t'ennuie pas que je fasse un bout d'essai, Anthony ? Rien qu'un bout d'essai ? De toute façon, il fallait que j'aille en ville mercredi.

— Mais c'est ridicule ! Quelle idée de faire du cinéma — pour tourner en rond toute la journée dans un studio avec des danseuses de revue communes et vulgaires.

— Parce que tu t'imagines que Mary Pickford tourne en rond !

— Tout le monde n'est pas une Mary Pickford.

— Je ne vois pas en quoi ça peut te déranger que j'essaye !

— Si, ça me dérange. Je déteste les acteurs.

— Oh, tu me fatigues. Tu crois que je m'amuse à somnoler toute la journée sur cette galerie ?

— Si tu m'aimais, ça ne te déplairait pas.

— Bien sûr que je t'aime », dit-elle avec impatience, trouvant très vite les arguments pour plaider sa cause. « C'est justement pour ça que cela me fait de la peine de te voir te détruire en restant là bras ballants et en répétant qu'il faudrait que tu travailles. Peut-être que si je faisais vraiment ça un bout de temps, ça te stimulerait et ça te donnerait envie de faire quelque chose, toi aussi.

— C'est tout simplement que tu as besoin de distraction, rien d'autre.

— Peut-être. Et c'est un besoin parfaitement naturel, non ?

— Eh bien, je vais te dire quelque chose. Si tu fais du cinéma, moi je pars pour l'Europe.

— Eh bien, vas-y ! Je ne te retiens pas ! »

Pour montrer qu'elle ne le retenait pas, elle fondit en larmes, des larmes désolées. Ils entamèrent alors les grandes manœuvres du sentiment — paroles, baisers, caresses, autocritique. Ils n'aboutirent à rien. Quoi qu'ils fissent, ils n'aboutissaient jamais à rien. Finalement, dans une gargantuesque explosion d'émotion, ils s'assirent chacun pour écrire une lettre. Celle d'Anthony était pour son grand-père ; celle de Gloria pour Joseph Bloeckman. La léthargie avait triomphé.

Un jour, au début du mois de juillet, Anthony rentra d'un après-midi passé à New York, et appela Gloria d'en bas. Ne recevant pas de réponse, il se dit qu'elle dormait et alla à l'office chercher un des petits sandwichs qui étaient toujours préparés à leur intention. Il trouva Tana à la table de la cuisine devant tout un assortiment disparate — boîtes à cigares, couteaux, crayons, couvercles de boîtes de conserve, et bouts de papier couverts de chiffres et de diagrammes compliqués.

« Qu'est-ce que tu fabriques ? » demanda Anthony, curieux.

Tana fit une petite grimace polie.

« Ze vous montre, s'exclama-t-il avec enthousiasme. Ze dis...

— Tu fais une niche à chien ?

— Non. » Tana refit une petite grimace. « Ze fais massinécri.

— Une machine à écrire ?

— Oui. Ze me dis, oh, tout le temps ze me dis, dans mon lit ze pense aux massinécri.

— Alors tu t'es dit que tu allais en fabriquer une, c'est ça ?

— Attends. Ze dis. »

Anthony, mordant dans un sandwich, s'appuya contre l'évier. Tana ouvrit et referma plusieurs fois la bouche, comme pour tester son bon fonctionnement. Puis il se lança à toute allure.

« Ze me dis, massinécri, elle en a beaucoup, beaucoup, beaucoup... Oh, beaucoup, beaucoup.

— Beaucoup de touches, c'est ça ?

— Non ? Oui : tousse ! Beaucoup, beaucoup des lettres. Comme a-b-c. »

— Oui, c'est vrai.

— Attends. Ze dis. » Il fronça son visage dans un immense effort pour s'exprimer : « Ze me dis, beaucoup des mots ils finissent pareil. Comme a-n-t.

— Ça, c'est vrai. Il y en a des paquets.

— Alors moi ze fais — massinécri — plus vite. Pas autant des lettres.

— C'est une idée formidable, Tana. Ça fera gagner un temps fou. Tu vas gagner des fortunes. On appuie sur une touche et on a "ant". J'espère que ça va marcher. »

Tana eut un rire condescendant.

« Attends. Ze dis...

— Où est Mrs. Patch ?

— Elle sortie. Attends, ze dis… » À nouveau, il fronça le visage afin de s'élancer. « Ma massinécri…

— Où est-elle ?

— Là… Ze fais. » Il montrait du doigt tout le fatras répandu sur la table.

« Je veux dire Mrs. Patch.

— Elle sortie. » Tana rassura Anthony. « Elle rentrer 5 heures, elle dit.

— Elle est allée au village ?

— Non, elle partie avant dézeuner. Elle allée Mr. Bloeckman. »

Anthony sursauta.

« Elle est sortie avec Mr. Bloeckman ?

— Elle rentrer 5 heures. »

Sans un mot Anthony sortit de la cuisine avec le « Ze dis » désolé de Tana qui le poursuivait. Ça par exemple, c'était donc ça, pour Gloria, se distraire ! Il serrait les poings ; il ne lui fallut qu'un instant pour parvenir au comble de l'indignation. Il alla jusqu'à la porte regarder au-dehors. Pas la moindre voiture en vue, et sa montre indiquait 5 heures moins quatre. Dans un élan furieux, il se précipita jusqu'au bout de l'allée, et là — pas une voiture sur la route jusqu'au tournant qui était à plus d'un kilomètre, sauf… mais non, ce n'était qu'une voiture du coin. Alors, dans un effort sans dignité pour recouvrer sa dignité, il se précipita vers l'abri de la maison aussi vite qu'il l'avait quitté.

Faisant les cent pas dans le salon, il prépara dans sa tête le discours furibond qu'il allait lui tenir à son retour.

« Alors, c'est ça, l'amour ! » commencerait-il… ou peut-être pas, cela ressemblait trop à la formule populaire : « Alors, c'est ça, Paris ! » Il devait se montrer digne, blessé, chagriné. Bon, voyons : « Alors, voilà ce que tu fais quand moi, je dois courir toute la journée pour régler mes affaires dans la chaleur étouffante de New York ! Pas étonnant que je ne puisse pas écrire ! Pas étonnant que je n'ose pas te lâcher une minute ! » Il était lancé, il s'échauffait peu à peu : « Laisse-moi te dire, continua-t-il, laisse-moi te dire… » Il s'arrêta, la formule lui paraissait soudain familière, puis il réalisa : c'était le « Ze dis » de Tana.

Pourtant, cela ne fit pas rire Anthony, il n'eut pas non plus conscience d'être ridicule. Dans son imagination délirante, il était déjà 6 heures… 7 heures… 8 heures… et elle n'arrivait jamais ! Bloeckman, voyant qu'elle s'ennuyait et qu'elle était malheureuse, l'avait convaincue de partir avec lui pour la Californie…

Il y eut un grand remue-ménage devant la maison, un joyeux « Hou-hou, Anthony ! » et il se leva tremblant, heureux malgré lui de la voir s'avancer dans l'allée de son allure papillonnante. Bloeckman suivait, la casquette à la main.

« Mon amour chéri ! s'écria-t-elle. On a fait une balade formidable… dans tout l'État de New York.

— Il va falloir que je rentre, déclara Bloeckman presque immédiatement. Je regrette que vous n'ayez pas été là tous les deux quand je suis arrivé.

— Je le regrette aussi », répondit froidement Anthony.

Après son départ, Anthony hésita. La crainte s'était enfuie de son cœur, pourtant il estimait que, moralement, une protestation s'imposait. Gloria mit vite fin à ses incertitudes.

« Je savais que ça ne t'ennuierait pas. Il est venu avant le déjeuner, et il a dit qu'il fallait qu'il aille à Garrison pour ses affaires, il m'a demandé si je ne voulais pas l'accompagner. Il avait l'air si malheureux, tout seul. Et c'est moi qui ai conduit sa voiture pendant tout le trajet ! »

Avec lassitude, Anthony se laissa tomber dans un fauteuil. Il avait l'esprit fatigué — fatigué de rien, fatigué de tout, du poids du monde qu'il n'avait pas choisi de porter. Il se sentait incapable d'agir, vaguement impuissant, comme il l'avait toujours été, une de ces personnalités qui, malgré tous leurs discours, ne parviennent pas à s'exprimer. Il semblait n'avoir hérité de rien d'autre que de l'immense tradition de la faillite humaine — cela, et le sentiment de la mort.

« Disons que je m'en fiche », répondit-il.

Il faut se montrer tolérant dans ce genre d'affaire. Gloria était jeune et belle, elle avait droit à certains privilèges, dans les limites du raisonnable. Mais cela agaçait terriblement Anthony de ne pas réussir à comprendre.

L'HIVER

Gloria se retourna sur le dos et resta immobile un moment dans le grand lit, regardant le soleil de février soumis à un dernier filtrage atténué à travers les fenêtres à petits carreaux avant d'entrer dans la chambre. Pendant un moment, elle n'eut pas clairement conscience de l'endroit où elle se trouvait ni de ce qui s'était passé la veille, ou l'avant-veille. Puis, comme un pendule en suspens, sa mémoire se remit à battre, à libérer à chaque oscillation un fragment de récit, de temps emprisonné, lui restituant peu à peu sa vie.

Et maintenant elle entendait le souffle entrecoupé d'Anthony à ses côtés. Elle respirait l'odeur du whisky et de la fumée de cigarettes. Elle remarqua qu'elle n'avait pas le contrôle complet de ses muscles ; quand elle bougeait, ce n'était pas un mouvement sinueux qui répartissait la tension sur l'ensemble de son corps, c'était un effort énorme demandé à son système nerveux, comme si, chaque fois, elle devait se mettre en transe pour réaliser une action impossible…

Dans la salle de bains, elle se brossa les dents pour se débarrasser de cet arrière-goût insupportable ; puis elle revint près du lit pour entendre la clef de Bounds grincer dans la serrure de la porte d'entrée.

« Réveille-toi, Anthony ! » dit-elle sans aménité.

Elle remonta dans le lit à côté de lui et ferma les yeux.

À peu près la dernière chose dont elle se souvînt était une conversation avec Mr. et Mrs. Lacy. Mrs. Lacy avait dit : « Vous êtes sûrs que vous ne voulez pas qu'on aille vous chercher un taxi ? » Et Anthony avait répondu que non, ils pouvaient parfaitement rejoindre à pied la Cinquième Avenue. Puis ils avaient tous deux, imprudemment, tenté de s'incliner pour saluer leurs hôtes, et étaient tombés, de façon ridicule, au milieu d'un bataillon de bouteilles de lait vides posées juste devant la porte. Il y avait peut-être deux douzaines de bouteilles, goulot ouvert, dans le noir. Elle ne voyait aucune explication plausible à la présence de ces bouteilles. Peut-être qu'elles avaient été attirées par les chants qui parvenaient de la maison des Lacy, et qu'elles s'étaient précipitées, gueule béante de curiosité, pour voir ce qui se passait. C'était bien leur chance, et ces créatures malignes roulaient tant et si bien que Gloria et Anthony eurent l'impression qu'ils ne pourraient jamais se relever.

Ils avaient tout de même trouvé un taxi. « Mon compteur est cassé, et ça vous coûtera un dollar et demi jusqu'à chez vous », avait dit le chauffeur. « Bon, avait dit Anthony, je suis le jeune Packey McFarland et si vous vous approchez un peu, je vous boxerai jusqu'à ce que vous ne puissiez plus vous relever. » Là-dessus le chauffeur avait démarré et était reparti sans eux. Ils avaient sans doute trouvé un autre taxi, puisqu'ils étaient ici, dans leur appartement…

« Quelle heure est-il ? » Anthony était sur son séant, la fixant avec des yeux de chouette.

C'était de toute évidence une question rhétorique. Gloria ne voyait pas pour quelle raison on pouvait s'attendre qu'elle sache l'heure.

« Ma parole, j'ai une de ces gueules de bois ! » marmonna Anthony avec détachement. Se détendant, il retomba sur son oreiller. « Amène la Faucheuse !

— Anthony, comment sommes-nous rentrés, finalement, hier soir ?

— Taxi !

— Ah ! » Puis, après un silence : « C'est toi qui m'as mise au lit ?

— Je ne sais pas. Dans mon souvenir, c'est *toi* qui m'as mis au lit. Quel jour sommes-nous ?

— Mardi.

— Mardi ? J'espère. Si on est mercredi, il faut que je commence à travailler à ce fichu endroit. Je suis censé être là-bas à 9 heures, ou une heure aussi indue.

— Demande à Bounds, suggéra Gloria sans conviction.

— Bounds ! » appela Anthony.

Fringant, alerte — la voix venue d'un monde qu'ils avaient cru quitter pour toujours au cours des deux jours précédents, Bounds traversa le hall à pas rapides et apparut dans la pénombre de la porte.

« Quel jour sommes-nous, Bounds ?

— Le 22 février, Monsieur, je crois.

— Je veux dire quel jour de la semaine ?

— Mardi, Monsieur.

— Merci. »

Après un silence : « Vous voulez votre petit déjeuner, Monsieur ?

— Oui, et Bounds, avant ça, pouvez-vous m'apporter un pichet d'eau fraîche et le poser près du lit ? J'ai un peu soif.

— Bien, Monsieur. »

Bounds se retira, d'un air compassé.

« C'est l'anniversaire de Lincoln, affirma Anthony sans enthousiasme, ou la Saint-Valentin, ou autre chose. Quand nous sommes-nous embarqués dans cette noce à tout casser ?

— Dimanche soir.

— Après les vêpres ? demanda Anthony, sarcastique.

— On a fait la course en fiacre dans toute la ville et Maury était assis à côté du cocher, tu ne te rappelles pas ? Puis on est rentrés à la maison, et il a essayé de faire griller du bacon, il est sorti de la cuisine avec des restes calcinés en expliquant que c'était "rissolé à la perfection". »

Ils se mirent à rire tous les deux, spontanément mais non sans un certain effort, et, allongés côte à côte, ils passèrent en revue la chaîne des événements qui avait conduit à ce petit matin brutal, chaotique.

Ils étaient à New York depuis environ quatre mois, depuis qu'à la fin d'octobre il s'était mis à faire trop froid à la campagne. Ils avaient renoncé à la Californie pour cette année, en partie par manque de fonds, en partie avec l'idée que si cette guerre interminable, qui en était maintenant à sa seconde année, prenait fin pendant l'hiver, ils iraient en Europe. Ces derniers temps, leurs revenus avaient perdu de leur élasticité ; ils ne s'étiraient plus suffisamment pour couvrir leurs joyeux caprices et leurs agréables prodigalités, et Anthony avait passé bien des heures de perplexité et de contrariété à faire des calculs sans fin sur un bloc-notes, concoctant des budgets remarquables qui laissaient amplement de la marge pour les « distractions, voyages, etc. », essayant de répartir au mieux, même approximativement, leurs dépenses passées.

Il se rappelait une époque où, quand il sortait avec ses deux meilleurs amis, c'était Maury et lui qui payaient toujours plus que leur part. Ils achetaient les billets de théâtre et se disputaient pour savoir lequel des deux se chargerait de la note de restaurant. Cela leur paraissait aller de soi. Dick, avec sa naïveté et son inépuisable trésor de nouvelles le concernant, était un personnage amusant, un peu puéril — le bouffon de cour de Leurs Majestés. Mais ce n'était plus le cas. C'était Dick qui avait toujours de l'argent ; c'était Anthony qui régalait, dans des limites raisonnables, à l'exception de certaines folles soirées, fort imbibées, où il fallait sans cesse sortir son carnet de chèques ; et c'était Anthony qui, le lendemain matin, annonçait solennellement à une Gloria méprisante et ulcérée qu'il faudrait « faire plus attention la prochaine fois ».

Dans les deux années qui avaient suivi la publication de *L'Amant-démon*, Dick avait gagné plus de vingt-cinq mille dollars, pour une grande partie récemment, lorsque les bénéfices du romancier avaient augmenté de façon prodigieuse du fait de l'appétit vorace du cinéma pour les scénarios. Pour chaque nouvelle, il touchait sept cents dollars, ce qui représentait à l'époque des émoluments considérables pour un homme aussi jeune — il n'avait pas tout à fait trente ans —, et pour chacune de celles qui comportaient suffisamment d'« action » (baisers, coups de feu et sacrifices) pour un film, il recevait mille dollars supplémentaires. Ses nouvelles avaient de la variété ; dans toutes, il y avait de la vitalité et une sorte de qualité technique instinctive, mais aucune ne rivalisait en originalité avec *L'Amant-démon*, et il y en avait plusieurs qu'Anthony considérait comme carrément commerciales. Celles-là, expliquait gravement Dick, étaient destinées à élargir son public. N'était-il pas vrai que les auteurs qui avaient atteint au rang de classiques, de Shakespeare à Mark Twain, avaient su plaire aux masses aussi bien qu'à une élite ?

Même si Anthony et Maury n'étaient pas d'accord, Gloria lui disait d'aller de l'avant et de gagner autant d'argent qu'il le pouvait : de toute manière, c'était la seule chose qui comptait…

Maury, ayant pris un peu d'embonpoint, ayant gagné en douceur, imperceptiblement, et en affabilité, était parti travailler à Philadelphie. Il venait à New York une ou deux fois par mois, et en ces occasions, ils refaisaient tous les quatre les tournées habituelles, du restaurant au théâtre, et de là au Frolic, ou peut-être, à la demande de Gloria toujours curieuse, dans l'une des caves de Greenwich Village qui avaient été très fréquentées pendant la vogue effrénée mais éphémère du « mouvement de la nouvelle poésie ».

En janvier, après de nombreux monologues adressés à sa femme qui « demandait à voir », Anthony décida de « trouver quelque chose à faire », en tout cas pour l'hiver. Il voulait faire plaisir à son grand-père et même, dans une certaine mesure, montrer que la chose lui plaisait à lui aussi. Au cours de plusieurs entretiens destinés à tâter le terrain, grâce à leurs relations, il s'aperçut que les employeurs ne tenaient guère à engager un jeune homme qui allait seulement « essayer pendant quelques mois ». En tant que petit-fils d'Adam Patch, il était reçu partout avec une courtoisie appuyée, mais le vieil homme appartenait au passé. Il avait connu l'apogée de sa renommée, d'abord en tant qu'« exploiteur », puis en tant que réformateur, au cours des vingt années qui avaient précédé sa retraite. Anthony rencontra même, parmi les hommes de la jeune génération, des interlocuteurs qui pensaient qu'il était mort depuis un certain nombre d'années.

Anthony finit par aller trouver son grand-père pour lui demander son avis, et celui-ci lui conseilla de trouver un emploi comme placier en obligations. Cette suggestion n'attirait guère Anthony, mais il décida finalement de la suivre. En effet, la manipulation habile de l'argent était en soi, en toutes circonstances, un objet de fascination, alors qu'il aurait trouvé insupportables tous les autres aspects du monde des affaires. Il envisagea de trouver un emploi dans le journalisme, mais conclut que les horaires n'étaient pas compatibles avec une vie d'homme marié. Et il prit plaisir à s'imaginer en rédacteur en chef d'un hebdomadaire d'opinion prestigieux, une sorte de *Mercure de France* américain, ou en producteur de comédies satiriques et de revues musicales à la parisienne. Toutefois, ces corporations professionnelles semblaient être gardées contre toute manœuvre d'approche par le secret professionnel. On y accédait par les voies détournées de la fiction et du théâtre. Il était quasi impossible de se faire engager par un magazine si l'on ne venait pas déjà d'un autre magazine.

Ainsi donc à la fin, grâce à une lettre de son grand-père, il entra dans le saint des saints de l'Amérique, où le président de Wilson, Hiemer & Hardy trônait derrière son bureau vierge de tout papier, et il en sortit pourvu d'un emploi. Il devait commencer son travail le 23 février.

Pour célébrer cet événement important, une fête de deux jours avait été organisée parce que, disait-il, une fois qu'il travaillerait, il faudrait qu'il se couche de bonne heure pendant la semaine. Maury Noble était arrivé de Philadelphie, son voyage ayant pour objet supposé une rencontre avec un type de Wall Street (que d'ailleurs il ne réussit pas à voir), et Richard Caramel avait accepté de se joindre à eux, en se laissant pour moitié convaincre et pour moitié piéger. Le lundi après-midi, ils avaient daigné assister à un mariage chic et bien arrosé, et le soir, ç'avait été le *dénouement*. Gloria ayant dépassé sa dose habituelle, qui était de quatre cocktails soigneusement espacés, les entraîna dans la plus joyeuse bacchanale qu'ils eussent jamais connue. Elle se montra incroyablement experte en pas de danse classique, et chanta des chansons dont elle confessa qu'elles lui avaient été apprises par sa cuisinière quand elle était une ingénue de dix-sept ans. À la demande générale, elle refit son numéro plusieurs fois au cours de la soirée, avec tant de spontanéité et de bonne humeur qu'Anthony, loin d'être agacé, se montra ravi de cette nouvelle source de distraction. L'occasion fut mémorable à d'autres titres : une longue conversation entre Maury et un crabe défunt, qu'il traînait au bout d'une ficelle, au sujet de savoir si le crabe était parfaitement au courant des applications du binôme de Newton, puis la course déjà mentionnée entre deux fiacres, avec pour public les ombres calmes et monumentales de la Cinquième Avenue, course se terminant en pleine obscurité par une échappée dans les dédales de Central Park. Pour finir, Anthony et Gloria avaient débarqué chez des amis récemment mariés et joyeux fêtards — les Lacy — et ils avaient dégringolé dans les bouteilles de lait vides.

Et maintenant, ils avaient la matinée devant eux — pour faire les comptes des chèques signés ici et là dans les clubs, les magasins, les restaurants ; pour aérer le grand salon bleu qui sentait la vinasse et la fumée de cigarettes ; pour ramasser les verres cassés et nettoyer à la brosse le tissu taché des fauteuils et des divans ; pour donner à Bounds les costumes et les robes à porter chez le teinturier ; finalement, pour sortir revigorer leurs corps fiévreux et engourdis et leur moral à zéro au contact de l'air glacé de février, afin que la vie suive son cours et que Wilson, Hiemer & Hardy puisse bénéficier des services d'un employé en pleine forme le lendemain à 9 heures du matin.

« Est-ce que tu te rappelles, lança Anthony de la salle de bains, quand Maury est descendu au coin de la 110e Rue, et qu'il a joué les agents de police, en faisant avancer les voitures et en les faisant reculer ? Ils ont dû croire que c'était un détective privé. »

À chaque souvenir, ils étaient pris d'un rire incoercible, leurs nerfs à vif réagissant de façon aussi immédiate et excessive à la gaieté qu'à l'abattement.

Gloria, devant le miroir, s'émerveillait de l'éclat de son teint et de la fraîcheur de son visage. Elle n'avait jamais eu aussi bonne mine, même si elle avait des crampes d'estomac et un mal de tête carabiné.

La journée passa lentement. Anthony, ayant pris un taxi pour aller chez son agent de change emprunter de l'argent sur un titre de rente, s'aperçut qu'il n'avait que deux dollars dans sa poche. La course allait lui coûter cette somme, mais en cet après-midi particulier, il n'aurait pas pu supporter, se disait-il, de prendre le métro. Quand le taximètre atteindrait deux dollars, il s'arrêterait et poursuivrait son chemin à pied.

Là-dessus, son esprit vagabonda en un de ces rêves éveillés qu'il affectionnait... Dans ce rêve, il s'apercevait que le compteur allait trop vite, le chauffeur avait triché. Avec calme, il atteignait sa destination et tendait nonchalamment au type ce qu'il lui devait, selon lui. Le type était prêt à se battre, mais avant même qu'il eût levé la main sur lui, Anthony lui avait décoché un fameux coup de poing qui l'avait jeté à terre. Et quand il s'était relevé, Anthony avait aussitôt fait un pas de côté et l'avait mis K.O. pour de bon, d'un coup qui lui avait fêlé la tempe.

... Maintenant, il était au tribunal. Le juge lui avait infligé une amende de cinq dollars, et il n'avait pas un sou. La Cour accepterait-elle son chèque ? Mais la Cour ne le connaissait pas. Bon, il pouvait prouver son identité en leur demandant de téléphoner chez lui.

... Ce qui fut fait. Oui, c'était bien Mrs. Anthony Patch à l'appareil, mais comment pouvait-elle savoir si cet homme était son mari ? Comment le savoir ?

Que le policier lui demande s'il se souvenait des bouteilles de lait…

En hâte, il se pencha et frappa à la vitre du chauffeur. Le taxi n'était encore qu'à Brooklyn Bridge, mais le compteur marquait un dollar quatre-vingts, et Anthony n'aurait voulu pour rien au monde ne pas laisser les dix pour cent de pourboire.

Plus tard dans l'après-midi, il regagna l'appartement. Gloria elle aussi était sortie — pour faire des courses — et elle dormait, blottie dans un coin du canapé, avec ses emplettes serrées dans ses bras. Son visage était paisible comme celui d'une petite fille, et ce qu'elle serrait contre son cœur était une poupée, baume infiniment réconfortant pour son cœur d'enfant si troublé.

LA DESTINÉE

C'est cette fête, en particulier le rôle que Gloria y avait joué, qui marqua le début d'un changement dans leur mode de vie. Du jour au lendemain, leur noble attitude d'insouciance de l'avenir fut radicalement modifiée. De simple principe prôné par Gloria, cela devint l'unique consolation, l'unique justification de ce qu'ils choisissaient de faire, et des conséquences que cela pourrait avoir. Ne jamais rien regretter, ne jamais exprimer le moindre mea-culpa, vivre selon un code de l'honneur bien défini entre eux, et rechercher le bonheur du moment avec toute la ferveur et la constance possibles.

« Nous ne comptons pour personne sauf pour nous-mêmes, Anthony, dit-elle un jour. Ce serait ridicule de ma part de prétendre que je me sens des obligations à l'égard du monde. Quant à ce que les gens peuvent bien penser de moi, je m'en fiche complètement, voilà tout. Déjà quand j'étais petite fille, au cours de danse, j'étais critiquée par les mères de toutes les petites filles qui avaient moins de succès que moi, et j'ai toujours considéré la critique comme un hommage rendu par les gens qui m'enviaient. »

Cela à cause d'une soirée au Boul' Mich', où Constance Merriam l'avait vue au milieu d'un groupe de quatre personnes qui avaient l'air bien parties. En tant que « vieille amie de classe », Constance avait pris la peine d'inviter Gloria à déjeuner le lendemain pour lui dire à quel point cela avait fait mauvais effet.

« Je lui ai dit que je ne voyais pas où était le problème, raconta Gloria à Anthony. Eric Merriam est une sorte de Percy Wolcott sublimé — tu te rappelles ce garçon, à Hot Springs, dont je t'ai parlé. Pour lui, respecter Constance consiste à la laisser à la maison avec son ouvrage, son bébé et son bouquin et autres distractions inoffensives, dès qu'il va à des soirées qui risquent d'être un peu amusantes.

— Tu lui as dit ça ?

— Bien sûr. Et je lui ai dit que ce qu'elle me reprochait, en vérité, c'était de m'amuser plus qu'elle. »

Anthony applaudit à ces paroles. Il était excessivement fier de Gloria, fier de ce qu'elle éclipsait toutes les autres femmes, quelles qu'elles fussent, au cours d'une soirée, fier que les hommes, dès qu'ils étaient un peu éméchés, fussent nombreux à tourner autour d'elle, sans aller plus loin que le simple fait d'admirer sa beauté et la chaleur de sa vitalité.

Ces fêtes devinrent peu à peu leur principale source de distraction. Toujours amoureux, toujours fort absorbés l'un par l'autre, avec le printemps qui approchait, ils trouvaient malgré tout pesant de rester tranquillement chez eux le soir. Les livres n'avaient pas de réalité ; la vieille magie du tête-à-tête s'était évanouie depuis longtemps. Ils préféraient s'ennuyer à quelque stupide comédie musicale, ou sortir dîner avec les moins intéressantes de leurs connaissances, pour peu qu'il y eût assez de cocktails pour empêcher la conversation de devenir intolérablement ennuyeuse. Un petit nombre de couples mariés de la jeune génération, parmi ceux qui avaient été leurs amis au lycée ou à l'université, plus tout un assortiment de jeunes célibataires, se mirent à penser à eux, d'instinct, lorsqu'il fallait mettre un peu d'entrain et d'animation. Si bien qu'il ne se passait guère de jours sans un coup de téléphone disant : « On se demandait ce que vous faisiez ce soir. » Les épouses, d'une manière générale, avaient peur de Gloria. Le fait qu'elle occupait facilement le devant de la scène, qu'innocemment — mais ce n'en était pas moins perturbant — elle faisait la conquête des maris, tout cela les incitait instinctivement à une profonde méfiance, d'autant plus que Gloria ne tenait pas le moins du monde à établir des relations d'amitié avec les femmes qui s'approchaient d'elle.

Au jour dit, le mercredi matin, Anthony s'était rendu dans les bureaux imposants de Wilson, Hiemer & Hardy, et avait écouté les instructions vagues et nombreuses débitées par un garçon énergique à peu près de son âge, du nom de Kahler, qui arborait un toupet jaune provocant, et avait donné l'impression, lorsqu'il s'était présenté comme secrétaire général adjoint, que c'était là un hommage dû à ses capacités exceptionnelles.

« Vous allez voir, il y a ici deux profils de carrière, dit-il. Il y a l'homme qui devient secrétaire général adjoint ou trésorier, qui a son nom sur notre dépliant que voici, avant d'avoir trente ans, et il y a celui qui n'y a son nom qu'à quarante-cinq ans. Celui qui y a son nom à quarante-cinq ans reste bloqué là jusqu'à la fin de sa vie.

— Et celui qui y arrive à trente ans ? demanda Anthony poliment.

— Eh bien, il monte en grade et arrive là-haut, voyez-vous. » Il montrait sur le dépliant une liste de vice-présidents adjoints. « Ou il peut aspirer à devenir président, ou secrétaire général, ou trésorier.

— Et l'autre liste, là ?

— Ceux-là ? Oh, ce sont les membres du conseil d'administration, ceux qui ont les capitaux.

— Je vois.

— Certains pensent, poursuivit Kahler, que le fait d'avancer jeune ou pas dépend du fait d'avoir été à l'université. Mais c'est faux.

— Je vois.

— Moi, je suis dans ce cas. Buckleigh, promotion de 1911. Mais quand je suis arrivé à Wall Street, je me suis vite aperçu que les choses qui me serviraient ici, ce n'était pas tout le tralala que j'avais pu apprendre à l'université. En fait, il m'a fallu me débarrasser de tout ce tralala. »

Anthony ne put s'empêcher de se demander ce que pouvait bien être « tout ce tralala » qu'il avait appris à Buckleigh en 1911. Il lui vint une image à l'esprit, irrésistiblement, celle de quelque broderie au tambour, image qui ne le quitta plus pendant tout le reste de l'entretien.

« Vous voyez ce type là-bas ? » Kahler montrait un homme jeune d'allure, avec de beaux cheveux gris, assis à un bureau derrière une balustrade d'acajou. « C'est Mr. Ellinger, le premier vice-président. Il a été partout, il a tout vu. C'est un homme d'une grande culture. »

Anthony avait beau faire, il n'arrivait pas à se rendre réceptif aux charmes du monde de la finance. Il ne se représentait Mr. Ellinger que comme l'un des acquéreurs des belles éditions reliées en cuir de Thackeray, Balzac, Victor Hugo et Gibbon qui ornaient les étagères des grandes librairies.

Pendant tout le mois de mars, pluvieux et peu exaltant, Anthony fut initié aux techniques de vente. Faute d'enthousiasme de sa part, il ne considérait tout le remue-ménage et l'agitation autour de lui que comme la poursuite collective stérile d'un but incompréhensible, dont on ne voyait les preuves tangibles que sous la forme des hôtels particuliers rivaux de Mr. Frick et de Mr. Carnegie sur la Cinquième Avenue. Que ces vice-présidents et administrateurs pompeux fussent les pères des étudiants les plus brillants qu'il avait connus à Harvard lui paraissait incongru.

Il déjeunait en haut, au réfectoire des employés, avec le soupçon désagréable qu'on lui faisait une faveur, se demandant, pendant toute cette première semaine, si les douzaines de jeunes employés, dont certains étaient vifs et fringants, frais émoulus de l'université, vivaient dans l'ardent espoir de figurer un jour sur cette étroite bande de carton avant d'avoir atteint la trentaine fatidique. Les conversations qui étaient tissées à partir des éléments de leur journée de travail étaient à peu près toutes les mêmes. On discutait de savoir comment Mr. Wilson avait fait fortune, quelle méthode Mr. Hiemer avait employée, et les moyens auxquels avait eu recours

Mr. Hardy. On racontait des anecdotes mille fois ressassées, mais toujours aussi passionnantes sur les fortunes réalisées d'un seul coup à Wall Street par « un boucher », « un tenancier de bar » ou « un simple coursier », oui monsieur. Et puis on parlait des spéculations du moment, on se demandait s'il valait mieux investir cent mille dollars par an ou se contenter de vingt mille. Au cours de l'année précédente, l'un des secrétaires généraux adjoints avait investi tous ses biens dans les Aciers de Bethléem. Le récit de sa munificence spectaculaire, de sa démission hautaine en janvier et du palais triomphal qu'il se faisait construire en Californie, était le sujet de conversation préféré des employés. Le seul nom de cet homme s'était chargé d'une signification magique, symbolisant les aspirations de tout bon Américain. On rapportait des histoires sur son compte — comment l'un des vice-présidents lui avait conseillé de vendre, oui monsieur, mais il avait tenu bon, il avait même acheté à découvert, « et maintenant, regardez-moi où il en est ! ».

C'était de cette étoffe qu'était faite la vie, un triomphe étincelant les éblouissait tous, sirène aux charmes de bohémienne qui leur permettait de se contenter de piètres émoluments et de la probabilité arithmétique quasi nulle de leur éventuelle réussite.

Tout cela épouvantait Anthony. Il avait l'impression que, pour réussir dans ce monde, il fallait laisser l'idée de la réussite vous envahir l'esprit et le borner. Il avait le sentiment que ce qui était essentiel pour les hommes au sommet de l'échelle, c'était leur conviction que leurs affaires constituaient le cœur même de la vie. Toutes choses égales d'ailleurs, la confiance en soi et l'opportunisme prévalaient sur les compétences techniques. Il était évident que la véritable expertise s'exerçait aux échelons inférieurs, et voilà pourquoi, avec un sens aigu de l'efficacité, c'était là qu'on maintenait les experts techniques.

Sa résolution de ne pas sortir les soirs de semaine ne dura pas et, une bonne moitié du temps, il arrivait au bureau avec une terrible gueule de bois, et l'horreur du métro bondé du matin lui tintait aux oreilles comme un écho venu de l'enfer.

Puis, brusquement, il démissionna. Il était resté couché tout un lundi, et en fin de soirée, en proie à l'un de ces accès d'humeur noire auxquels il succombait périodiquement, il écrivit et posta une lettre à Mr. Wilson, avouant qu'il se jugeait peu apte à ce travail. Gloria, revenant du théâtre avec Richard Caramel, le trouva sur le canapé, silencieux et les yeux fixés au plafond, plus déprimé et démoralisé qu'il ne l'avait jamais été depuis leur mariage.

Elle aurait voulu qu'il se lamentât tout haut. S'il l'avait fait, elle le lui aurait reproché, car elle était furieuse contre lui, mais il gisait là sans réaction, si complètement désemparé qu'il lui fit pitié. Elle s'agenouilla et lui caressa la tête, lui expliquant que cela n'avait aucune importance, que rien n'avait d'importance du moment qu'ils s'aimaient. C'était comme leur première année de mariage et Anthony, sous l'influence de sa main fraîche, de sa voix douce comme un souffle contre son oreille, retrouva un peu de gaieté et lui parla de ses projets d'avenir. Il regretta même, en silence, avant d'aller se coucher, d'avoir posté sa démission avec tant de hâte.

« Même quand tout vous semble pourri, il ne faut pas se fier à ce jugement, avait dit Gloria. Ce qui compte, c'est la somme de tous vos jugements. »

À la mi-avril arriva une lettre de l'agent immobilier de Marietta, les encourageant à reprendre la maison grise pour un loyer légèrement augmenté, et joignant un bail qui n'avait plus qu'à être signé. Pendant une semaine, le bail et la lettre traînèrent sur le bureau d'Anthony. Ils n'avaient pas la moindre intention de retourner à Marietta. Ils en avaient assez de cet endroit, et s'y étaient ennuyés le plus clair du temps, l'été précédent. En outre, leur voiture n'était plus, hélas, qu'une vieille casserole brinquebalante, et il n'était pas prudent, financièrement parlant, d'en acheter une nouvelle.

Mais à cause d'une autre bamboche extravagante qui avait duré quatre jours et à laquelle avaient participé, à un moment ou à un autre, plus d'une douzaine de personnes, ils signèrent bel et bien le bail. Avec horreur, ils s'aperçurent qu'ils l'avaient signé et envoyé, et ils eurent aussitôt le sentiment que la maison grise, dans sa malveillance enfin étalée au grand jour, se pourléchait les babines et se préparait à les dévorer.

« Anthony, où est ce bail ? » s'écria-t-elle, affolée, un dimanche matin, ayant pleinement recouvré, avec inquiétude, le sens des réalités. « Où l'as-tu laissé ? Il était là ! »

Soudain, elle sut où il était. Elle se rappela la réception qu'ils avaient organisée quand ils étaient en pleine exubérance. Elle se rappela un salon plein d'hommes qui, lorsqu'ils étaient d'humeur plus raisonnable, ne comptaient guère pour eux, elle revit Anthony se vantant des mérites incomparables d'une retraite dans cette maison grise située tellement à l'écart qu'on pouvait y faire tout le bruit qu'on voulait. Alors Dick, qui était venu leur rendre visite, s'écria avec enthousiasme que c'était la plus jolie petite maison qu'on puisse imaginer, et qu'ils seraient bien bêtes de ne pas la reprendre pour un nouvel été. Il leur avait été facile de se mettre en tête que New York devenait torride et se vidait, et que Marietta leur offrait ses charmes exquis et pleins de fraîcheur. Anthony avait saisi le bail et l'avait brandi joyeusement, avec l'approbation sans réserve de Gloria, et dans un dernier élan et des flots de paroles emportant l'adhésion, les hommes avaient fait le serment solennel, accompagné de poignées de main, de venir leur rendre visite...

« Anthony, s'écria-t-elle, nous l'avons signé et envoyé !

— Quoi ?

— Le bail !

— Qu'est-ce que ça peut faire !

— Oh, Anthony ! » Sa voix exprimait un réel désespoir. Pour l'été, pour l'éternité, ils s'étaient bâti une prison. Ce geste semblait attaquer les dernières racines de leur stabilité. Anthony pensa qu'il serait possible de parvenir à un arrangement avec l'agent immobilier. Ils ne pouvaient plus se permettre d'avoir un double loyer, et reprendre Marietta voulait dire renoncer à son appartement, son appartement parfait, avec son exquise salle de bains, et les pièces pour lesquelles il avait acheté les meubles et les rideaux — c'était la première fois de sa vie qu'il avait le sentiment d'avoir un chez-lui, tout habité par les souvenirs de quatre années fertiles en événements.

Mais il n'y eut pas moyen d'arranger les choses avec l'agent immobilier — pas moyen d'arranger les choses du tout. Le moral en berne, sans même se raconter qu'ils allaient faire contre mauvaise fortune bon cœur, sans même le « je m'en fiche » passe-partout de Gloria, ils retournèrent dans la maison dont ils savaient à présent qu'elle n'avait cure ni de la jeunesse ni de l'amour, qu'elle leur offrait seulement ces souvenirs austères et incommunicables qu'ils ne pourraient jamais partager.

L'ÉTÉ SINISTRE

Une atmosphère d'horreur pesa sur la maison, cet été-là. Ils l'avaient apportée avec eux, et elle s'installa comme un suaire funèbre, s'insinuant dans les pièces du bas, puis se propageant et montant par l'escalier étroit, jusqu'à envahir leur sommeil même. Anthony et Gloria supportaient de moins en moins de se retrouver là tout seuls. La chambre de Gloria, qui jadis leur paraissait si rose, si jeune, si délicate, s'accordant à sa lingerie couleur pastel jetée çà et là sur les chaises et le lit, semblait maintenant murmurer dans le froufroutement de ses rideaux :

« Ah, jeune et belle dame, vous n'êtes pas la première à avoir vu votre fragile délicatesse se faner ici sous les soleils de tant d'étés… Des générations de femmes mal aimées se sont parées devant ce miroir pour des amants rustauds qui n'y prêtaient pas attention… La Jeunesse est entrée dans cette chambre vêtue de bleu ciel pour repartir dans le linceul gris du désespoir et, pendant de longues nuits, bien des jeunes filles sont restées éveillées là où se trouve ce lit, à répandre des ondes de détresse dans les ténèbres. »

Gloria finit par sortir de sa chambre, piteusement et dans un grand désordre, tous ses vêtements et ses produits de beauté, déclarant qu'elle était venue vivre avec Anthony et donnant pour excuse le fait qu'une des persiennes était pourrie et laissait entrer les insectes. Sa chambre fut donc abandonnée aux invités peu sensibles, et Anthony et Gloria, désormais, s'habillèrent et dormirent dans la chambre d'Anthony, dont Gloria avait déclaré qu'elle était « bonne », comme si la présence d'Anthony dans cette chambre permettait de chasser toutes les ombres du passé qui auraient pu hanter ses murs.

La distinction entre « bon » et « mauvais », qu'ils avaient éliminée de leur vie depuis longtemps, y reprenait place sous une autre forme. Gloria tenait à ce que toute personne invitée dans la maison grise soit du bon côté, ce qui, dans le cas d'une femme, voulait dire qu'elle devait soit être simple et irréprochable, soit posséder une certaine fermeté et force de caractère. Toujours extrêmement critique à l'égard de son sexe, Gloria avait maintenant pour critère, chez une femme, la tenue. L'absence de tenue pouvait vouloir dire le manque de dignité, le laisser-aller, et surtout l'inconduite notoire.

« Les femmes sont vite corrompues, disait-elle, bien plus que les hommes. À moins d'être très jeune et très courageuse, il est presque impossible à une jeune fille de descendre la pente sans une certaine dose d'animalité hystérique, une animalité rouée, malsaine. Un homme, c'est différent, et c'est pourquoi, je suppose, la plupart des histoires de cœur impliquent que l'homme, lui, va à sa perte avec panache. »

Elle aimait la compagnie des hommes, surtout de ceux qui lui faisaient une cour franche et qui la distrayaient, mais souvent, dans un éclair de lucidité, elle expliquait à Anthony que certains de ses amis se servaient de lui et qu'il valait mieux ne plus les fréquenter. Généralement, Anthony protestait, déclarant que l'accusé était digne de confiance, mais il s'apercevait que son jugement était moins sûr que celui de Gloria, surtout lorsqu'il se retrouvait, comme c'était souvent le cas, avec toute une série d'additions de restaurant qui retombaient sur lui tout seul.

Plus par peur de la solitude que par véritable désir de faire face aux multiples tâches qui vous incombent en tant qu'hôtes, tous les week-ends ils remplissaient la maison d'invités, des invités qui restaient parfois pendant le reste de la semaine. Le programme des réjouissances était presque toujours le même. Quand les trois ou quatre hommes invités étaient arrivés, on se mettait à boire. Suivaient un dîner plein d'éclats de rire et un tour au Cradle Beach Country Club, dont ils étaient tous membres parce que la cotisation était modique, que c'était un lieu animé sinon chic, qui s'imposait dans ce genre d'occasions. En outre, on pouvait s'y conduire avec une grande liberté, et du moment que la bande de Patch évitait tout tapage excessif, peu importait que ceux qui faisaient la loi en matière de mondanités, au Cradle Beach, vissent ou non Gloria éméchée siffler des cocktails dans la salle à manger, à intervalles rapprochés, au cours de la soirée.

Le samedi se terminait, généralement, dans une joyeuse pagaïe — il s'avérait souvent nécessaire d'escorter un invité titubant jusqu'à son lit. Le dimanche apportait les journaux de New York, et la matinée se passait à récupérer tranquillement sur la galerie. Le dimanche après-midi, on disait au revoir à un ou deux ou trois invités qui devaient rentrer à New York, et l'un ou les deux qui restaient jusqu'au lendemain se remettaient à boire avec entrain. Tout s'achevait par une soirée conviviale sinon pleine d'éclats de rire.

Le fidèle Tana, pédagogue par nature et homme à tout faire par profession, était revenu avec eux. Parmi leurs invités les plus fréquents, une légende s'était répandue sur son compte. Maury Noble avait fait remarquer un après-midi que son véritable nom était Tannenbaum, et que c'était un agent secret allemand infiltré en Amérique pour répandre la propagande teutonne dans le comté de Westchester. À la suite de quoi de mystérieuses lettres commencèrent à arriver de Philadelphie, adressées à l'Asiate éberlué sous le nom de Lieutenant Emile Tannenbaum, contenant quelques messages cryptiques signés « Chef d'état-major », et ornés d'une double colonne aérienne en caractères japonais de fantaisie. Anthony les tendait toujours à Tana sans sourire ; des heures plus tard, on trouvait le destinataire dans la cuisine occupé à essayer de les déchiffrer, et déclarant avec le plus grand sérieux que les symboles verticaux n'étaient pas du japonais ni rien qui ressemblât à du japonais.

Gloria s'était prise d'une profonde antipathie pour Tana depuis le jour où, rentrant à l'improviste du village, elle l'avait trouvé allongé sur le lit d'Anthony, occupé à déchiffrer un journal. D'instinct, tous les domestiques adoraient Anthony et détestaient Gloria, et Tana ne faisait pas exception à la règle. Mais elle lui inspirait une grande crainte, et il ne trahissait son aversion que dans ses moments d'humeur, où il s'adressait subtilement à Anthony avec des remarques destinées à être entendues d'elle.

« Miss Pats elle vouloir quoi à dîner », disait-il en regardant son maître. Ou alors il faisait des commentaires sur l'égoïsme forcené des « Méricains », de telle façon qu'on savait sans équivoque à qui il faisait allusion.

Pourtant, ils n'osaient pas le renvoyer. Une telle démarche eût trop coûté à leur inertie. Ils supportaient Tana comme ils supportaient le mauvais temps et les maladies physiques, et la vénérable Volonté de Dieu — comme ils supportaient tout, y compris eux-mêmes.

DANS LES TÉNÈBRES

Un après-midi au temps lourd, à la fin du mois de juillet, Richard Caramel téléphona de New York pour dire qu'il venait avec Maury et qu'ils amenaient un ami avec eux. Ils arrivèrent vers 5 heures, avec un verre dans le nez, accompagnés par un petit type trapu d'environ trente-cinq ans, qu'ils présentèrent comme Mr. Joe Hull, l'un des garçons les plus épatants qu'Anthony et Gloria aient jamais rencontrés.

Joe Hull avait une barbe jaune qui cherchait perpétuellement à percer sous sa peau, et une voix grave qui alternait entre basse profonde et chuchotement rauque. Anthony, qui montait la valise de Maury à l'étage, le suivit dans sa chambre et referma soigneusement la porte.

« Qui est ce type ? » demanda-t-il.

Maury eut un petit gloussement d'enthousiasme.

« Qui ça, Hull ? Oh, ne t'inquiète pas. Un garçon formidable.

— Oui, mais qui est-ce ?

— Hull ? Un gars très sympathique. C'est un prince. » Son rire redoubla, culminant dans une série de petites grimaces de chat.

« Moi, je le trouve bizarre. Il a de drôles de vêtements. » Il marqua une pause. « J'ai comme une idée que vous l'avez embarqué la nuit dernière.

— Ridicule, déclara Maury. Je le connais depuis toujours ! » Mais comme il accompagnait cette déclaration d'une autre série de gloussements, Anthony se sentit obligé de dire : « Tu parles ! »

Plus tard, juste avant le dîner, pendant que Maury et Dick bavardaient en s'esclaffant à grand bruit, et que Joe Hull les écoutait en silence en buvant son verre à petites gorgées, Gloria entraîna Anthony dans la salle à manger :

« Il ne me plaît pas, ce Hull, dit-elle. Je voudrais qu'il se serve de la baignoire de Tana.

— Je ne peux guère lui demander ça.

— En tout cas, je ne veux pas qu'il se serve de la nôtre.

— Ça a l'air d'un brave type.

— Il a des chaussures blanches qui ressemblent à des gants. Je vois ses orteils à travers. Pouah ! D'ailleurs, c'est qui ?

— Pas la moindre idée.

— Je trouve qu'ils ne manquent pas d'air de nous l'amener ici. On n'est pas un foyer pour marins en détresse !

— Ils étaient bourrés quand ils ont appelé. Maury a dit qu'ils faisaient la bringue depuis hier après-midi. »

Gloria secoua la tête avec contrariété et retourna sans un mot de plus à la galerie. Anthony vit qu'elle s'efforçait d'oublier ses doutes et de se consacrer à jouir de la soirée.

La journée avait été tropicale, et même en cette fin de crépuscule, les vagues de chaleur émanant de la route desséchée miroitaient faiblement comme des plaques ondulées de mica. Le ciel était sans nuage, mais au-delà des bois, en direction du détroit de Long Island, un grondement sourd et persistant commençait à se faire entendre. Quand Tana annonça aux hommes que le dîner était servi, sur un mot de Gloria, ils rentrèrent dans la maison sans remettre leur veste.

Maury entonna une chanson, qu'ils reprirent en chœur pendant le premier service. Elle se composait de deux vers, et se chantait sur l'air populaire intitulé *Daisy Dear*. Les vers étaient :

La panique... nous saisit,
Et avec elle... le déclin moral !

Chaque reprise était saluée d'explosions d'enthousiasme et d'applaudissements prolongés.

« Allons, souriez, Gloria, insista Maury. Vous avez l'air un tout petit peu déprimée.

— Mais non, mentit-elle.

— Viens par ici, Tannenbaum, cria-t-il sans se retourner. Je t'ai rempli un verre. Viens donc ! »

Gloria essaya de retenir son bras.

« Non, Maury, je vous en prie !

— Pourquoi pas ? Peut-être qu'il nous jouera de la flûte, après le dîner. Tiens, Tana. »

Tana, avec un grand sourire, emporta le verre à la cuisine. Quelques instants plus tard, Maury lui en donna un autre.

« Souriez, Gloria ! cria-t-il. Pour l'amour du Ciel, vous autres, faites sourire Gloria.

— Ma chérie, prends encore un verre, dit Anthony sur un ton pressant.

— Oui, un verre.

— Souriez, Gloria », lança Joe Hull avec désinvolture.

Gloria tressaillit en entendant cet étranger l'appeler par son prénom, et regarda autour d'elle pour voir si quelqu'un avait remarqué. Entendre son nom sortir si facilement de la bouche d'un homme envers qui elle éprouvait une profonde antipathie lui faisait horreur. Un instant plus tard, elle vit que Joe Hull avait servi à Tana encore un verre, et sa colère monta, quelque peu renforcée par les effets de l'alcool.

« … et un jour, racontait Maury, nous étions au bain turc à Boston, Peter Granby et moi, à environ 2 heures du matin. Il n'y avait personne d'autre que le gérant, on l'a enfermé dans un placard et on a fermé la porte à clef. Et puis un type arrive, il voulait prendre un bain turc. Il croyait qu'on était les masseurs, ma parole. On se l'est attrapé, on l'a jeté tout habillé dans la piscine, puis on l'a ressorti, on l'a allongé sur une dalle, et on lui a donné des claques à lui en faire voir trente-six chandelles. "Doucement, les gars, doucement", disait-il d'une petite voix étranglée, pas si fort, s'il vous plaît… »

C'est Maury qui raconte ça ? se dit Gloria. Venant de n'importe qui d'autre, l'histoire l'aurait amusée, mais venant de Maury, la sensibilité même, le parangon du tact et de la prévenance…

La panique… nous saisit,
Et avec elle…

Un roulement de tonnerre au-dehors noya le reste de la chanson. Gloria frissonna et essaya de vider son verre, mais la première gorgée lui donna la nausée, et elle le reposa. Le dîner était terminé, et ils regagnèrent tous la grande pièce, emportant avec eux plusieurs bouteilles et carafons. Quelqu'un avait fermé la porte de la galerie pour empêcher le vent d'entrer, et en conséquence, des tentacules circulaires de fumée de cigares se tordaient déjà dans l'air lourd.

« On appelle le lieutenant Tannenbaum ! » À nouveau, c'était Maury le méconnaissable. « Amène-nous la flûte ! »

Anthony et Maury se précipitèrent dans la cuisine. Richard Caramel mit en route le phonographe et s'approcha de Gloria.

« Danse avec ton célèbre cousin.

— Je n'ai pas envie de danser.

— Alors, je vais te porter. »

Comme s'il faisait quelque chose d'une extrême importance, il la prit dans ses petits bras replets et se mit à faire le tour de la pièce en trottinant.

« Pose-moi, Dick ! J'ai la tête qui tourne ! » insista-t-elle.

Il la lâcha sur le canapé comme une boule rebondissante, et se précipita dans la cuisine en criant : « Tana ! Tana ! »

Alors, de but en blanc, elle sentit d'autres bras l'entourer, et elle fut soulevée du canapé. Joe Hull s'était emparé d'elle et s'efforçait, en titubant, d'imiter Dick.

« Reposez-moi à terre ! » ordonna-t-elle d'une voix cassante.

Le rire geignard de Joe Hull et la vue de sa mâchoire jaune piquante si près de son visage inspirèrent à Gloria un infini dégoût.

« Tout de suite ! »

« *La... panique...* » entama-t-il, mais il ne put aller plus loin, car la main de Gloria s'était prestement retournée et lui avait frappé la joue. Sur quoi il la lâcha d'un seul coup, et elle tomba à terre, son épaule frappant au passage un coin de table, à l'oblique.

La pièce parut soudain pleine d'hommes et de fumée. Il y avait Tana dans sa veste blanche qui chancelait, soutenu par Maury. Il tirait de sa flûte un mélange de sons bizarres connu au Japon, s'était écrié Anthony, comme le chant du train. Joe Hull avait trouvé des bougies dans une boîte et jonglait avec elles en hurlant : « Et une de tombée », chaque fois qu'il ratait son coup. Dick dansait tout seul en tournoyant, comme en transe, tout autour de la pièce. Gloria avait l'impression que tout bougeait dans la pièce, que tout titubait en circonvolutions grotesques, dans un monde à quatre dimensions, sur fond de plans entrecroisés d'un bleu embrumé.

Au-dehors, un formidable orage avait éclaté. Les accalmies laissaient entendre le frottement des grands buissons contre la maison, et le grondement de la pluie sur le toit de tôle de la cuisine. Les éclairs se succédaient sans fin, déclenchant d'épaisses coulées de tonnerre comme de la fonte se déversant du cœur d'une fournaise chauffée à blanc. Gloria voyait que la pluie entrait dans la pièce en tambourinant par trois des fenêtres, mais elle n'arrivait pas à se lever pour aller les fermer...

... Elle était dans le hall. Elle avait dit bonsoir, mais personne ne l'avait entendue ou n'y avait prêté attention. Il lui avait semblé un instant apercevoir quelque chose qui se penchait au-dessus de la rampe, mais rien n'aurait pu la faire retourner dans le living-room — plutôt devenir folle que d'endurer la folie de ce vacarme... En haut, elle chercha à tâtons l'interrupteur sans réussir à le trouver, dans l'obscurité. Un éclair illuminant la pièce le lui montra sur le mur. Mais quand le noir impénétrable revint, à nouveau il échappa à ses doigts maladroits ; elle enleva alors sa robe et son jupon et se laissa tomber sur le côté sec du lit à moitié trempé.

Elle ferma les yeux. D'en bas lui parvenait le charivari des buveurs, soudain transpercé par un tintement de verre brisé, puis par un autre, et par des bribes de chant qui s'élevaient, incertaines, irrégulières.

Elle resta allongée plus de deux heures ; c'est du moins ce qu'elle calcula après coup, en additionnant des parcelles de temps. Au bout d'un long moment, elle constata, d'abord confusément, puis plus nettement, que le bruit, au rez-de-chaussée, s'était atténué, et que l'orage se déplaçait vers l'ouest, lançant encore quelques rafales attardées qui tombaient, lourdes et inertes comme sa propre âme, dans les champs détrempés. À cela succéda une lente dispersion, comme à regret, de la pluie et du vent, qui fit place, devant ses fenêtres, à l'égouttement de l'eau et au bruissement des grappes de vigne contre le rebord de la fenêtre. Elle était dans un état à mi-chemin entre veille et sommeil, l'un n'arrivant pas à prendre le pas sur l'autre… et elle était poursuivie par le besoin urgent de se débarrasser d'un poids qui oppressait sa poitrine. Elle avait l'impression que si elle parvenait à pleurer, elle ne sentirait plus le poids ; aussi, tout en serrant de force ses paupières, elle s'évertua à faire monter une boule dans sa gorge… sans succès…

Plic, ploc, plic, ploc ! Ce n'était pas un bruit désagréable — comme le printemps, comme la pluie fraîche de son enfance, qui mettait une boue amusante dans la courette et arrosait le jardin minuscule qu'elle avait creusé avec un râteau, une pelle et une pioche en miniature. *Plic, ploc !* C'était comme les jours où la pluie tombait de ciels jaunes qui fondaient juste avant le crépuscule et lançaient d'en haut un éclatant rayon de soleil oblique sur les arbres verts et humides. Si fraîche, si claire, si propre — et sa mère qui était là, au centre du monde, au centre de la pluie, si forte, au sec, à l'abri. Elle voulait sa mère, là, tout de suite, et sa mère était morte, hors d'atteinte de sa vue et de son toucher, à jamais. Et ce poids qui pesait sur elle, qui pesait — si fort, si fort !

Elle se raidit. Quelqu'un était à la porte, qui était là debout à la regarder, sans bouger, à part un léger mouvement de roulis. Elle distinguait sa silhouette sur un fond de lumière indistincte. Il n'y avait plus un bruit nulle part, rien qu'un silence qui régnait sans partage. Même le goutte-à-goutte avait cessé, il n'y avait que cette silhouette, qui tanguait, qui tanguait, dans l'encadrement de la porte, présence floue porteuse d'une menace subtile et terrifiante, personnalité impure sous son vernis, comme des marques de petite vérole sous une couche de poudre. Et pourtant son cœur fatigué, qui battait à en faire trembler ses seins, lui prouvait qu'il y avait encore de la vie en elle, une vie terriblement secouée, menacée…

La minute — ou la succession de minutes — se prolongea interminablement, et il commença à se former une sorte de brouillard flottant devant ses yeux qui tentaient avec une ténacité enfantine de percer l'obscurité en direction de la porte. Il lui semblait qu'il suffirait d'un instant pour qu'une force inimaginable vienne la réduire à néant… puis la silhouette dans l'encadrement de la porte — c'était

Hull, vit-elle, oui, Hull — se retourna posément et, d'une démarche toujours chaloupée, recula et disparut, comme si elle était absorbée par cette lumière incompréhensible qui lui avait donné forme.

Le sang afflua de nouveau dans ses membres, et avec le sang, la vie. Dans un sursaut d'énergie, elle se redressa, pivotant sur le côté jusqu'à ce que ses pieds viennent toucher le sol. Elle savait ce qu'elle devait faire — tout de suite, tour de suite, avant qu'il ne fût trop tard. Elle devait sortir dans l'humidité fraîche du dehors, s'éloigner de la maison, pour sentir l'herbe mouillée fouetter ses pieds et la fraîcheur humecter son front. Elle se glissa machinalement dans ses vêtements, tâtonnant dans le noir de la penderie à la recherche d'un chapeau. Il fallait qu'elle sorte de cette maison ou rôdait cette chose qui venait peser sur sa poitrine, ou qui prenait la forme de silhouettes errant et tanguant dans les ténèbres.

Prise de panique, elle cherchait maladroitement à enfiler son manteau, trouva la manche au moment où les pas d'Anthony se faisaient entendre au bas de l'escalier. Elle ne prit pas le risque d'attendre. Peut-être ne la laisserait-il pas sortir, et puis Anthony lui-même faisait partie du poids, faisait partie de cette maison aux ondes maléfiques et des ténèbres qui s'épaississaient autour d'elle…

Elle traversa le hall… descendit par l'escalier de service, entendant la voix d'Anthony dans la chambre qu'elle venait de quitter :

« Gloria ! Gloria ! »

Mais elle avait atteint la cuisine, à présent, avait passé la porte et était sortie dans la nuit. Une pluie de gouttelettes, déclenchées par une rafale qui secoua soudain un arbre ruisselant, s'éparpilla sur elle, et elle fut heureuse de les presser contre son visage de ses paumes brûlantes.

« Gloria ! Gloria ! »

La voix lui parvint, infiniment lointaine, étouffée, et les murs qu'elle venait de quitter lui donnaient une tonalité plaintive. Elle fit le tour de la maison et descendit l'allée qui menait à la route, exultant presque de l'atteindre enfin, se laissant guider par le tapis d'herbe rase qui la bordait, et avançant avec précaution dans l'obscurité intense.

« Gloria ! »

Elle se mit à courir, trébuchant contre une branche que le vent avait arrachée. La voix venait maintenant du dehors. Anthony, trouvant la chambre vide, était venu sur la galerie. Mais la chose qui poussait Gloria en avant était là, là-bas avec Anthony, et Gloria devait poursuivre sa course sous le ciel indistinct, oppressant, se frayer un chemin à travers le silence qui la précédait, comme si c'était un obstacle tangible.

Elle avait parcouru une certaine distance sur la route qu'elle discernait à peine, pas loin d'un kilomètre, sans doute ; elle était passée devant une grange déserte qui se dressait, noire, menaçante, seul bâtiment entre la maison et Marietta. Puis, à la croisée des chemins, elle s'engagea là où la route s'enfonçait dans les bois et courait entre deux murailles de feuilles et de branches qui se rejoignaient presque au-dessus d'elle. Elle remarqua soudain un mince rayon argenté horizontal sur la route, comme une épée brillante à demi enlisée dans la boue. En s'approchant, elle poussa un petit cri de soulagement : c'était une ornière pleine d'eau ; alors, levant les yeux vers le ciel, elle vit une trouée lumineuse et comprit que la lune s'était levée.

« Gloria ! »

Elle sursauta violemment. Anthony n'était guère à plus d'une cinquantaine de mètres derrière elle.

« Gloria, attends-moi ! »

Elle serra les lèvres très fort pour s'empêcher de hurler, et redoubla de vitesse. À peine avait-elle parcouru une centaine de mètres que les bois disparurent, comme un bas noir déroulé sur la jambe de la route. À trois minutes de marche, suspendu dans l'air qui était maintenant sans limites au-dessus d'elle, elle vit un mince entrelacs de reflets atténués et de scintillements, ondulant avec régularité autour d'un centre invisible. Elle sut d'un seul coup où elle devait aller. C'était la grande cascade de fils électriques qui s'élevaient très haut au-dessus du fleuve, telles les pattes d'une araignée gigantesque dont l'œil était la petite lumière verte du poste d'aiguillage, et qui couraient, avec le pont de chemin de fer, en direction de la gare. La gare ! C'est là qu'elle trouverait le train qui pourrait l'emmener loin de là.

« Gloria, c'est moi ! Anthony ! Gloria, je n'essayerai pas de te retenir ! Pour l'amour du Ciel, où es-tu ? »

Elle ne répondit pas mais se mit à courir, restant sur l'accotement surélevé de la route et sautant par-dessus les flaques luisantes — des lacs sans dimension, d'un or immatériel. Bifurquant brusquement à gauche, elle emprunta un étroit chemin charretier, faisant un écart pour éviter une masse sombre par terre. Elle leva les yeux en entendant une chouette hululer tristement sur un arbre solitaire. À quelques pas devant elle, elle vit le chevalet qui menait au pont de chemin de fer, et les marches qui y conduisaient. La gare était de l'autre côté du fleuve.

Un autre bruit la fit sursauter : la sirène mélancolique d'un train à l'approche, et presque en même temps un appel répété, à présent faible et lointain.

« Gloria ! Gloria ! »

Anthony avait dû suivre la grand-route. Elle se mit à rire avec une sorte de joie mauvaise à l'idée de lui avoir échappé ; cela lui donnait le temps d'attendre que le train ait disparu.

La sirène mugit à nouveau, plus près cette fois et, sans aucun tintamarre annonciateur, un corps sombre et sinueux surgit au tournant, se détachant au loin sur les ombres de la voie ferrée remblayée de hauts talus, puis, avec pour seul bruit le souffle du vent coupé en deux et le tic-tac de pendule des rails, il s'approcha du pont : c'était un train électrique. Au-dessus de la locomotive, entre deux traits de lumière bleue indistincte, se formait sans interruption une barre rayonnante et crépitante qui, comme la flamme grésillante d'une lampe à côté d'un cadavre, éclairait un instant les rangées d'arbres successives, ce qui poussa Gloria, d'instinct, à se ranger sur l'autre côté de la route. La lumière était tiède — à la température du sang... Le cliquetis se fondit soudain en un grondement régulier puis, s'étirant, noire, dans un mouvement élastique, la chose aveugle passa en trombe devant elle en rugissant et se précipita sur le pont dans un bruit de tonnerre, projetant dans la rivière majestueuse qu'elle longeait son trait de feu incandescent. Puis la chose se contracta, son bruit se résorba jusqu'à ne plus laisser qu'un écho, se répercuta et alla enfin mourir sur la rive opposée.

Le silence retomba sur la campagne mouillée. Le goutte-à-goutte reprit, et brusquement une grande averse de gouttelettes dégringola sur Gloria, la secouant de la torpeur quasi hypnotique qu'avait provoquée le passage du train. Elle descendit une pente en courant pour rejoindre le remblai et se mit à gravir l'escalier métallique qui menait au pont, se rappelant que c'était quelque chose qu'elle avait toujours eu envie de faire, et qu'elle aurait en prime le plaisir excitant de passer sur la planche large d'un mètre qui enjambait le fleuve en bordure des rails.

Et voilà ! Ah, c'était mieux. Elle était maintenant au sommet, et elle voyait de là-haut la campagne s'étager autour d'elle en vagues successives, froide sous la lune, quadrillée en carrés grossiers reliés entre eux par de minces rangées ou de lourds bouquets d'arbres. À sa droite, à un kilomètre en aval, là où le fleuve s'étirait dans la zone d'ombre comme la traînée baveuse et luisante d'un escargot, clignotaient les feux disséminés de Marietta. À moins de deux cents mètres, à l'autre bout du pont, la gare était tapie, signalée par une lanterne sourde. Le rideau de tristesse s'était levé, les cimes des arbres au-dessous d'elle berçaient la clarté naissante des étoiles, jusqu'à un demi-sommeil hanté. Gloria étira ses bras en un geste de délivrance. Voilà ce qu'elle avait voulu, se dresser solitaire dans un endroit élevé et frais.

« Gloria ! »

Comme une enfant surprise, elle s'élança sur la planche, bondissant, gambadant, cabriolant, avec le sentiment jubilatoire de sa légèreté physique. Tant pis s'il la rejoignait maintenant, elle ne redoutait plus sa venue, il fallait seulement qu'elle arrive à la gare avant lui, cela faisait partie du jeu. Elle était heureuse. Dans sa main, elle serrait son chapeau qu'elle avait arraché d'un geste brusque, et ses cheveux courts et bouclés dansaient sur ses oreilles. Elle avait cru que plus jamais elle ne se sentirait aussi jeune, mais en cet instant, la nuit, le monde lui appartenaient. En quittant la planche, elle eut un rire de triomphe, et en atteignant le quai de bois, elle s'affala avec bonheur au pied d'un pilier métallique.

« Je suis là ! s'écria-t-elle, joyeuse comme l'aurore. Je suis là, Anthony, mon pauvre cher Anthony, qui se faisait du souci ! »

« Gloria ! » Il atteignit le quai, courut vers elle. « Ça va ? » S'approchant, il s'agenouilla et la prit dans ses bras.

« Oui.

— Qu'est-ce qui s'est passé ? Pourquoi es-tu partie ? demanda-t-il anxieusement.

— Il le fallait... Il y avait quelque chose... » Elle s'interrompit et en un éclair un malaise l'effleura. « Il y avait quelque chose qui pesait sur moi... là. » Elle porta la main à sa poitrine. « Il fallait que je sorte pour lui échapper.

— Qu'est-ce que tu veux dire par "quelque chose" ?

— Je ne sais pas. Ce type, Hull...

— Il t'a embêtée ?

— Il est venu à ma porte, soûl. Je crois que j'avais un peu perdu la tête, à ce moment-là.

— Gloria, mon amour... »

Elle posa avec lassitude sa tête sur son épaule.

« Rentrons », proposa-t-il.

Elle frissonna.

« Oh non, je ne pourrais pas. Ça reviendrait peser sur moi. » Sa voix s'éleva en un cri plaintif qui vint habiter l'obscurité. « Cette chose...

— Allons, ma chérie, allons. » Il l'apaisait, la serrait contre lui. « On ne fera rien que tu n'aies pas envie de faire. Qu'est-ce que tu as envie de faire ? Rester assise ici ?

— Je veux... je veux m'en aller.

— Où ça ?

— Oh... n'importe où.

— Ma parole, Gloria, tu es encore ivre !

— Non, pas du tout. Je n'ai pas été ivre de toute la soirée. Je suis montée... oh, je ne sais pas, environ une demi-heure après le dîner... Aïe ! »

Il l'avait par inadvertance touchée à l'épaule droite.

« Ça me fait mal. Je me suis fait mal, je ne sais pas comment. Je ne sais pas, quelqu'un m'a soulevée et m'a laissé tomber.

— Gloria, rentrons. Il est tard, et il fait humide.

— Je ne peux pas, gémit-elle. Je t'en prie, Anthony, ne me demande pas ça ! Demain, je rentrerai. Rentre, toi, et moi je vais attendre un train. J'irai à l'hôtel.

— Je viens avec toi.

— Non, je ne veux pas que tu m'accompagnes. Je veux être seule. Je veux dormir... oh ça, oui, dormir. Et puis demain, quand tu auras débarrassé la maison de tous les relents de whisky et de cigarette, que tout sera rentré dans l'ordre, que Hull sera parti, alors je rentrerai. Si je revenais maintenant, cette chose... oh... ! » Elle se couvrit les yeux de la main. Anthony comprit qu'il n'aurait pas gain de cause.

« J'étais parfaitement dessoûlé quand tu es partie, dit-il. Dick était endormi dans le petit salon, et Maury et moi on discutait. Ce type, Hull, avait disparu Dieu sait où. Et puis je me suis tout d'un coup rendu compte que je ne t'avais pas vue depuis plusieurs heures, alors je suis monté... »

Il s'interrompit en entendant un « Salut, vous autres ! » retentissant qui trouait soudain l'obscurité. Gloria sauta sur ses pieds, et Anthony en fit autant.

« C'est la voix de Maury, s'écria-t-elle, tout excitée. Si Hull est avec lui, empêche-les surtout de s'approcher !

— Qui est là ? demanda Anthony.

— C'est seulement nous, Dick et Maury, répondirent deux voix rassurantes.

— Où est Hull ?

— Il est couché. Il a tourné de l'œil. »

Leurs silhouettes apparurent de façon floue sur le quai.

« Qu'est-ce que vous fichez là, Gloria et toi ? » demanda d'un air ébahi Richard Caramel à moitié endormi.

« Et vous deux, donc ? »

Maury se mit à rire.

« Du diable si je le sais. On vous a suivis, et ça a été du sport. Je t'ai entendu appeler Gloria à tue-tête sur la galerie, alors j'ai réveillé le Caramel ici présent, et je suis arrivé, non sans peine, à lui faire entrer dans la tête que s'il y avait une patrouille de recherche, on ferait bien d'en faire partie. Il m'a ralenti parce qu'à intervalles réguliers, il s'asseyait au milieu de la route pour me demander à quoi rimait tout ça. On vous a repérés grâce à l'odeur exquise du Canadian Club. »

Sous le hangar à locomotives se fit entendre le bruit de crécelle de petits rires nerveux.

« Comment est-ce que vous nous avez retrouvés, au juste ?

— Eh bien, on vous a suivis sur la route, et puis tout à coup on vous a perdus. Vous aviez dû bifurquer et emprunter un chemin charretier. Au bout d'un moment, quelqu'un nous a appelés et nous a demandé si on cherchait une jeune fille. On s'est approchés de lui, c'était un vieux petit bonhomme tour tremblant, assis sur un arbre abattu comme un personnage de conte de fées. "Elle est passée par là, a-t-il dit. Elle m'a à moitié marché dessus, elle avait l'air drôlement pressée, et puis un type en culotte de golf a débarqué et y s'est mis à lui courir après. Tenez, y m'a jeté ça." » Le vieux bonhomme agitait un billet d'un dollar.

« Oh, le pauvre vieux, lança Gloria, attendrie.

— Je lui en ai jeté un autre, et on a continué, alors que lui, il nous demandait de rester pour lui expliquer de quoi il retournait.

— Pauvre vieux », répéta Gloria, navrée.

Dick s'assit, somnolent, sur une caisse.

« Qu'est-ce qu'on fait maintenant ? » demanda-t-il sur un ton de stoïque résignation.

« Gloria ne se sent pas bien, expliqua Anthony. On va prendre tous les deux le prochain train pour New York. »

Maury, dans le noir, avait tiré de sa poche un indicateur des chemins de fer.

« Fais craquer une allumette. »

Une petite flamme jaillit de l'arrière-plan opaque, illuminant les quatre visages, grotesques et insolites, là, en pleine nuit.

« Voyons : 2 heures, 2 h 30... non, ça c'est le soir. Fichtre, vous n'aurez pas de train avant 5 heures et demie. »

Anthony hésitait.

« C'est-à-dire que... marmonna-t-il d'une voix incertaine, on a décidé de rester ici à l'attendre. Vous deux, vous feriez aussi bien de rentrer dormir.

— Vas-y, toi aussi, insista Gloria. Je voudrais que

tu dormes un peu, mon chéri. Toute la journée, tu as été aussi pâle qu'un fantôme.

— Voyons, petite sotte. »

Dick bâilla.

« Entendu. Vous restez, nous restons. »

Il sortit du hangar et inspecta les cieux.

« Après tout, la nuit est assez belle. On voit les étoiles, tout ça. Il y en a un assortiment particulièrement spectaculaire.

— Voyons ça. » Gloria sortit à son tour, et les deux autres suivirent. « Asseyons-nous ici, suggéra-t-elle. Ça me plaît beaucoup plus, comme endroit. »

Anthony et Dick transformèrent une caisse allongée en dossier, et trouvèrent une planche assez sèche pour que Gloria puisse s'asseoir dessus. Anthony se laissa tomber à côté d'elle et, non sans effort, Dick se hissa près d'eux sur une barrique de pommes.

« Tana s'est endormi dans le hamac de la galerie, annonça Dick. Nous l'avons transporté et l'avons laissé sécher près du fourneau de la cuisine. Il était trempé jusqu'aux os.

— Cet affreux petit bonhomme, soupira Gloria.

— Comment ça va, messieurs dames ? » La voix, sonore et funèbre, venait d'en haut, et ils levèrent les yeux, découvrant avec stupeur que Maury s'était débrouillé pour grimper sur le toit du hangar et qu'il était assis là, les pieds dans le vide, sa silhouette se découpant comme l'ombre d'une gargouille chimérique sur le fond du ciel qui scintillait maintenant.

« Ce doit être pour des circonstances telles que celle-ci », commença-t-il à mi-voix — et ses paroles donnaient l'impression de s'élancer en vol plané de tout là-haut pour venir s'abattre en douceur sur ses auditeurs — « que les justes sur cette terre décorent les voies ferrées d'affiches qui célèbrent en rouge et en jaune "Jésus est Notre Rédempteur", les plaçant non sans à-propos près de réclames qui déclarent : "Divin, le whisky de Gunter !" »

Il y eut quelques rires légers, et les trois qui étaient en bas gardèrent les yeux levés au ciel.

« Je crois, poursuivit Maury, que sous ces constellations sardoniques, je vais vous raconter l'histoire de mes débuts.

— Oui, vas-y !

— Vraiment ? »

Ils attendirent avec curiosité, tandis qu'il adressait un bâillement méditatif à la lune blanche et souriante.

« Eh bien, commença-t-il, quand j'étais petit, je priais. J'amassais des prières en prévision des péchés à venir. Une année, j'ai amassé mille neuf cents "Loué soit le Seigneur..."

— Jette-nous une cigarette », murmura quelqu'un.

Un petit paquet atteignit le quai en même temps que le commandement retentissant :

« Silence ! Je suis sur le point de me délester de remarques mémorables réservées à ces terres enténébrées et à ces cieux éclatants. »

En bas, la flamme d'une allumette passait de cigarette en cigarette. La voix reprit :

« J'étais un as pour tromper la divinité. Je priais tout de suite après chaque délit, ce qui fait que, finalement, la prière et le délit se confondaient pour moi. Je croyais que lorsqu'on s'écriait : "Mon Dieu !" quand un coffre-fort vous tombait dessus, cela prouvait que la foi était enracinée dans le cœur humain. Puis je suis allé en classe. Pendant quatorze ans, une cinquantaine d'hommes sérieux ont pointé du doigt les vieux fusils à pierre en me criant : "Voilà la chose authentique. Les fusils modernes ne sont que des imitations creuses et superficielles." Ils condamnaient les livres que je lisais et les choses que je pensais en les taxant d'immoralité. Plus tard, la mode changea, et ils condamnèrent les choses en les traitant de "vues de l'esprit".

« C'est ainsi que, malin pour mon âge, je me détournai des professeurs pour aller vers les poètes, écoutant la voix de ténor lyrique de Swinburne, et de ténor *robusto* de Shelley, de Shakespeare avec sa première basse et son registre étendu, de Tennyson avec sa deuxième basse et parfois sa voix de contre-ténor, de Milton et de Marlowe, basses profondes. Je prêtai l'oreille aux bavardages de Browning, aux déclamations de Byron et au bourdonnement de Wordsworth. Voilà au moins qui ne pouvait pas me faire de mal. J'appris à connaître un peu la beauté — suffisamment pour savoir qu'elle n'a rien à voir avec la vérité, et je m'aperçus en outre qu'il n'existait pas de grande tradition littéraire. Seule existait la tradition de la mort pleine de fracas de toutes les traditions littéraires...

« Puis je grandis, et la beauté des illusions savoureuses se détacha de moi. Les fibres de mon esprit se durcirent et mon regard devint d'une acuité attristée. La vie vint battre les récifs de mon île comme une mer, et je me retrouvai bientôt en train de nager.

« La transition fut subtile ; il y avait un certain temps déjà que la chose me guettait. Tout le monde se fait prendre à son piège insidieux et inoffensif en apparence. Et moi ? Non, je ne m'efforçai pas de séduire la femme du concierge, je ne courus pas tout nu dans les rues, en proclamant ma virilité. Ce n'est jamais tout à fait la passion qui a gain de cause, c'est le costume que revêt la passion. Je connus l'ennui, rien de plus. L'ennui, qui est l'autre nom et souvent le déguisement de la vitalité, devint le mobile inconscient de tous mes actes. La Beauté était derrière moi, est-ce que vous comprenez ? J'étais devenu adulte. » Il marqua une pause. « Fin de la période scolaire et universitaire. Début de la seconde partie. »

Trois points lumineux à l'activité silencieuse montraient où se trouvaient ses auditeurs. Gloria était maintenant à moitié assise, à moitié couchée sur les genoux d'Anthony. De son bras, il l'enlaçait de si près qu'elle entendait les battements de son cœur. Richard Caramel, perché sur sa barrique, remuait légèrement de temps à autre en poussant un faible grognement.

« J'ai alors découvert le monde du jazz et je suis immédiatement tombé dans un état de confusion presque audible. La vie se tenait au-dessus de moi comme une maîtresse d'école immorale, dirigeant le cours de mes pensées. Mais, ayant une foi mal placée dans l'intelligence, je poursuivais laborieusement ma route. Je lus Smith, qui se moquait des œuvres de bienfaisance et pour qui le ricanement était le mode d'expression le plus élevé — et pourtant Smith lui-même trouva une autre façon de faire de l'ombre à la lumière. Je lus Jones, qui faisait table rase de l'individualisme, et voilà que Jones me barrait encore la route. Je ne pensais pas, j'étais un champ de bataille où s'affrontaient les pensées de tant d'hommes ; ou, plutôt, j'étais l'un de ces pays convoités mais impuissants que se disputent sans fin les grandes puissances.

« J'atteignis la maturité, convaincu que j'amassais de l'expérience afin d'ordonner ma vie en vue du bonheur. En fait, je réussis le tour de force plus fréquent qu'on ne croit de résoudre dans ma tête les problèmes longtemps avant qu'ils ne se posent à moi dans la vie, et de n'en être pas moins battu et désarçonné.

« Mais après avoir tâté de ce dernier plat, j'en eus assez. Allons, me dis-je, l'expérience, ça ne mérite pas l'effort qu'il faut pour l'acquérir. Ce n'est pas une chose qui arrive de façon agréable à votre moi passif, c'est un mur contre lequel votre moi actif vient se heurter. Je me drapai donc dans ce que j'estimais être mon scepticisme invulnérable, et je décidai que mon éducation était achevée. Mais il était trop tard. J'aurais beau me protéger en me gardant d'établir de nouveaux liens avec l'humanité tragique et prédestinée, je n'en étais pas moins aussi perdu que tous les autres. J'avais échangé le combat contre l'amour pour le combat contre la solitude, le combat contre la vie pour le combat contre la mort. »

Il s'interrompit pour donner plus de poids à cette dernière observation, et, après un instant, il bâilla et reprit la parole.

« Je suppose que le début de la deuxième phase de ma formation consista en une affreuse contrariété à la pensée d'être, contre mon gré, l'instrument de quelque objectif insondable dont la finalité dernière m'échappait — si toutefois il existait une telle finalité. C'était un choix difficile. La maîtresse d'école semblait me dire : "Nous allons jouer au football et à rien d'autre. Si tu ne veux pas jouer au football, tu ne pourras pas jouer du tout..."

« Alors, que faire ? Le temps de la récréation était si court ! Voyez-vous, j'avais l'impression qu'on nous refusait la consolation de représenter un homme imaginaire à genoux qui se relèverait. Croyez-vous par hasard que j'aie versé de gaieté de cœur dans un tel pessimisme, m'y rattachant avec un sentiment complaisant de supériorité, comme à quelque chose qui ne serait pas plus déprimant que, disons, une journée grise d'automne devant un bon feu ? Je ne pense pas que ce fut le cas. J'avais en moi bien trop de chaleur et de vitalité.

« Il me semblait seulement qu'il n'y avait pas pour l'homme de finalité dernière à atteindre. L'homme avait entrepris un combat grotesque et incertain contre la nature — la nature qui, grâce à un accident divin et magnifique, nous avait amenés là où nous pouvions la défier. Elle avait inventé des façons de débarrasser la race des êtres inférieurs, donnant ainsi à ceux qui restaient une force suffisante pour remplir ses intentions plus hautes, ou du moins plus amusantes, même si elles étaient encore inconscientes et fortuites. Et, grâce aux dons supérieurs du siècle des Lumières, nous nous efforcions de la circonvenir. Dans cette république je vis les Noirs se mêler aux Blancs. En Europe avait lieu une catastrophe économique destinée à faire échapper trois ou quatre races malades et gouvernées en dépit du bon sens à l'unique forme de domination qui aurait pu les organiser en vue de la prospérité matérielle.

« Nous produisons un Christ capable de ressusciter les lépreux, et bientôt la race des lépreux devient le sel de la terre. Si quelqu'un peut trouver à cela une leçon, qu'il se lève.

— De toute façon, il n'y a qu'une seule leçon à tirer de la vie », interrompit Gloria, non pour porter la contradiction, mais dans une sorte d'approbation mélancolique.

« Et laquelle ? demanda Maury avec vivacité.

— Qu'il n'y a pas de leçon à tirer de la vie. »

Après un bref silence, Maury lança :

« La jeune Gloria, la Belle Dame sans Merci, a d'emblée considéré ce monde avec la sophistication fondamentale que je me suis efforcé d'atteindre, qu'Anthony n'atteindra jamais et que Dick ne comprendra jamais vraiment. »

Il y eut un grognement dégoûté en provenance de la barrique de pommes. Anthony, s'étant accoutumé à l'obscurité, vit clairement l'éclat de l'œil jaune de Richard Caramel et son expression de ressentiment tandis qu'il s'écriait :

« Tu es fou ! D'après ce que tu as dit toi-même, par le seul fait d'avoir essayé, j'aurais dû acquérir quelque expérience.

— D'avoir essayé quoi ? s'écria Maury avec irritation. D'avoir essayé de transpercer l'obscurité de l'idéalisme politique par un élan fou, désespéré, vers la vérité ? En restant assis jour après jour dans un fauteuil bien droit, à une distance infinie de la vie, à contempler à travers les arbres la flèche d'un clocher, à essayer de séparer, une fois pour toutes et pour les siècles des siècles, le connaissable de l'inconnaissable ? D'avoir essayé de prendre un morceau de réalité et de lui donner de l'éclat tiré de ta propre âme, afin qu'il acquière à nouveau cette qualité inexprimable qu'il avait possédée dans la vie et perdue en passant sur le papier ou la toile ? D'avoir lutté pendant des années de morne labeur dans un laboratoire pour tâcher de découvrir un iota de vérité dans un mécanisme d'horlogerie ou dans une éprouvette…

— Toi, tu l'as fait ? »

Maury marqua une pause, et dans sa réponse, quand il la fit enfin, on décelait de la lassitude, une note d'amertume qui s'attarda un moment dans l'esprit des trois auditeurs avant de s'élever dans les airs comme une bulle en direction de la lune.

« Moi non, dit-il à voix basse. Je suis né fatigué. Et malgré cette qualité de bon sens qui est l'apanage de femmes comme Gloria, j'ai eu beau parler et écouter, guetter en vain ces vérités éternelles que chaque discussion, chaque spéculation se croit près d'atteindre, à tout cela je n'ai pas ajouté le moindre atome. »

Au loin, un bruit de basse, perceptible depuis quelques instants, se précisa : c'était comme un meuglement qu'aurait poussé une vache géante ; il était accompagné de la lumière nacrée d'un phare visible à un kilomètre de distance. Cette fois, c'était un train à vapeur qui s'approchait en grognant et grondant, et qui déboula dans un bruit d'enfer, projetant sur le quai une pluie d'étincelles et d'escarbilles.

« Pas le moindre atome. » Une fois encore, la voix de Maury semblait tomber sur eux de très haut. « Que c'est peu de chose, l'intelligence, avec sa démarche craintive, ses hésitations, un pas en avant, un pas en arrière, ses reculs désastreux ! L'intelligence n'est que l'instrument des circonstances. Il y a des gens pour dire que l'univers a dû être bâti par l'intelligence, mais quoi, elle n'a jamais fabriqué une machine à vapeur. Ce sont les circonstances qui ont fabriqué la machine à vapeur. L'intelligence n'est guère plus qu'une courte règle graduée qui permet de mesurer les réalisations infinies qu'on doit aux circonstances.

« Je pourrais vous citer la philosophie à la mode, mais pour ce que nous en savons, d'ici cinquante ans nous assisterons peut-être à un renversement total de ce sentiment d'abnégation dont sont aujourd'hui pénétrés les intellectuels, au triomphe du Christ sur Anatole France. » Il hésita, puis ajouta : « Mais tout ce que je sais — l'importance considérable que j'ai à mes propres yeux, et la nécessité de me reconnaître cette importance —, toutes ces choses, notre adorable Gloria, dans sa sagesse, les connaît de naissance, ces choses et l'inutilité douloureuse de connaître quoi que ce soit d'autre.

« Bon, j'avais commencé à vous parler de mon éducation, n'est-ce pas ? Mais voyez-vous, je n'ai presque rien appris, même concernant ma propre personne. Et dans le cas contraire, je mourrais les lèvres closes et le capuchon vissé sur mon stylo, comme l'ont fait les hommes les plus sages depuis... oh, depuis l'échec d'une certaine affaire... étrange affaire en vérité. Elle concernait certains sceptiques qui se croyaient clairvoyants, tout comme vous et moi. Laissez-moi vous parler d'eux, en guise de prière, avant que vous ne succombiez au sommeil.

« Il fut une époque où tous les hommes d'intelligence et de génie s'étaient mis à partager la même croyance, celle de ne croire en rien. Mais cela les chagrinait de penser que quelques années à peine après leur mort, on leur attribuerait de nombreux cultes, systèmes et prophéties qu'ils n'avaient jamais élaborés ni voulus. Alors ils s'entendirent pour déclarer :

« "Faisons alliance et écrivons un grand livre qui durera éternellement pour se gausser de la crédulité humaine. Convainquons nos poètes érotiques de chanter les délices de la chair, et incitons quelques journalistes d'envergure à livrer des récits d'amours célèbres. Nous inclurons les contes de bonnes femmes les plus absurdes parmi tous ceux qui ont cours actuellement. Nous choisirons l'auteur satirique le plus acerbe pour qu'il concocte une divinité à partir de toutes les divinités qu'adore l'humanité, une divinité plus splendide que toutes les autres, et pourtant si pourvue des faiblesses humaines qu'elle sera en butte aux moqueries du monde entier, et nous lui attribuerons toutes sortes de plaisanteries, de vanités et de colères auxquelles elle sera censée s'abandonner pour se divertir, de sorte que les hommes liront notre livre et le méditeront, et le monde sera débarrassé de son imbécillité. Enfin, faisons en sorte que le livre possède les plus nobles vertus de style, afin qu'il dure éternellement pour témoigner de notre profond scepticisme et de notre ironie universelle."

« Ainsi firent ces hommes, puis ils moururent.

« Mais le livre survécut à jamais, tant son écriture était belle, et si étonnante la qualité d'imagination dont l'avaient pourvu ces hommes d'intelligence et de génie. Ils n'avaient pas pensé à lui donner un titre, mais après leur mort, on l'appela la Bible. »

Lorsqu'il eut achevé, personne ne fit de commentaire. Une humidité langoureuse flottant dans l'air de la nuit semblait les tenir tous sous son charme.

« Comme je l'ai dit, je m'étais lancé dans le récit de mon éducation. Mais voilà, mes cocktails ont cessé de faire de l'effet et la nuit s'achève, et bientôt il y aura tout un branle-bas qui se déclenchera partout, dans les arbres et dans les maisons, et dans les deux petits magasins là-bas derrière la gare, et tout le monde sur terre se mettra à courir dans tous les sens pendant quelques heures. Eh bien, conclut-il en riant, rendons grâces à Dieu de ce que nous pourrons, tous les quatre, entrer dans le repos éternel en sachant que du fait d'y avoir vécu, nous laissons le monde un peu meilleur qu'il n'était. »

Une brise se leva, apportant avec elle quelques bouffées de vie qui venaient s'aplatir contre le ciel.

« Tes réflexions deviennent de plus en plus décousues et de moins en moins convaincantes, dit Anthony d'une voix endormie. Tu t'attendais à l'un de ces miracles d'illumination qui auraient pu te permettre de tenir tes discours les plus brillants et les plus lourds de sens dans le cadre propice au colloque idéal. Pendant ce temps-là, Gloria a montré son détachement et sa clairvoyance en s'endormant, ce que je sais par le fait qu'elle a concentré tout son poids sur mon corps brisé.

— Je vous ai ennuyés ? demanda Maury, abaissant vers eux un regard un peu inquiet.

— Non, tu nous as déçus. Tu as lancé une volée de flèches, mais as-tu tué le moindre oiseau ?

— Je laisse les oiseaux à Dick, répondit Maury avec vivacité. Je parle de façon erratique, par fragments dissociés.

— Tu ne tireras rien de moi, marmonna Dick. J'ai l'esprit tout empli de pensées matérielles. J'ai trop envie d'un bain chaud pour me préoccuper de l'importance de mon travail ou me demander combien d'entre nous sont des figures pathétiques. »

L'aube s'annonçait par une blancheur progressive à l'est au-dessus du fleuve et par quelques gazouillis intermittents dans les arbres proches.

« 5 heures moins le quart, soupira Dick, encore presque une heure à attendre. Regarde ! Et de deux ! » Il montrait du doigt Anthony, dont les paupières tombaient sur ses yeux. « Sommeil chez les Patch ! »

Mais cinq minutes plus tard, malgré les gazouillis et pépiements qui s'amplifiaient, sa propre tête avait basculé en avant, et dodeliné deux fois, trois fois…

Seul Maury Noble restait éveillé, assis sur le toit de la gare, les yeux grands ouverts, fixant avec une intensité fatiguée le matin qui pointait au loin. Il s'interrogeait sur l'irréalité des idées, sur le rayonnement déclinant de l'existence, et sur les petites obsessions qui s'insinuaient avidement dans sa vie, comme des rats dans une maison en ruine. Il ne se faisait, au moment présent, de souci pour personne ; lundi matin, il retrouverait son travail, et plus tard il y aurait cette fille de classe modeste pour qui il comptait plus que tout. Telles étaient les choses qui lui tenaient à cœur. Dans l'étrangeté du jour naissant, il lui paraissait présomptueux d'avoir jamais pu, avec ce pauvre instrument fêlé qu'était son cerveau, s'efforcer de penser.

Le soleil était là, lâchant de grandes masses rougeoyantes de chaleur ; la vie était là, active, bourdonnante, s'affairant autour d'eux comme un essaim de mouches : les sombres crachats de fumée de la locomotive, un « En voiture ! » qui claquait, et la sonnerie d'une cloche. Confusément, Maury vit à l'intérieur du train laitier des yeux qui le dévisageaient avec curiosité, il entendit Gloria et Anthony discuter brièvement pour décider s'ils l'accompagneraient à New York ou pas, puis encore une clameur, et la voilà partie, cependant que les trois hommes, pâles comme des fantômes, restaient debout, seuls, sur le quai, et qu'un charbonnier barbouillé de suie descendait la route, juché sur un camion, poussant la chansonnette d'une voix éraillée en hommage au matin d'été.

Chapitre III

LE LUTH BRISÉ

Il est 7 heures et demie, un soir du mois d'août. Les fenêtres du living-room de la maison grise sont grandes ouvertes, échangeant patiemment l'atmosphère polluée d'alcool et de fumée qui règne à l'intérieur contre l'air frais et alangui de ce début de soirée d'été. Il y a dans l'air des senteurs de fleurs mourantes, si ténues, si fragiles, qu'on pressent que l'été n'a plus longtemps à vivre. Mais le mois d'août est encore célébré avec insistance par un millier de grillons sur la galerie, d'un côté de la maison, plus un grillon solitaire qui s'est introduit à l'intérieur et s'est caché avec confiance derrière une étagère de la bibliothèque, et qui de temps à autre lance un cri proclamant son astuce et son indomptable volonté.

La pièce elle-même est dans le plus grand désordre. Sur la table, une coupe de fruits, qui sont vrais mais qui ont l'air artificiel. Tout autour, un sinistre assortiment de carafons, de verres et de cendriers empilés, d'où s'échappent encore des volutes de fumée dans l'air vicié; il ne manque à l'effet de l'ensemble qu'un crâne pour évoquer ce chromo vénérable qu'on trouvait jadis dans tous les petits salons des garçonnières, exhibant les accessoires d'une vie de plaisir avec une grâce exquise, tout en suscitant l'effroi.

Au bout d'un moment, le solo allègre du super-grillon est interrompu plutôt qu'accompagné par un nouveau bruit, le chant plaintif d'une flûte sur laquelle jouent des doigts tâtonnants. Il est clair que le musicien s'exerce mais n'exécute pas un morceau, car de temps en temps le fil noueux de la mélodie se brise, puis, après un intervalle de marmonnements indistincts, reprend.

Juste avant le septième faux départ, un troisième bruit contribue à la discrète cacophonie. C'est l'arrivée d'un taxi. Une minute de silence, puis à nouveau le taxi, son départ pétaradant couvrant presque le grincement des pas sur les gravillons de l'allée. La sonnette d'entrée carillonne furieusement dans toute la maison.

De la cuisine sort un petit Japonais fatigué, qui reboutonne en toute hâte sa livrée de domestique de coutil blanc. Il ouvre la porte grillagée et laisse entrer un beau garçon de trente ans, portant les habits bien intentionnés de ceux qui ont pour vocation de servir l'humanité. Un air bien intentionné émane de toute sa personne. Le coup d'œil qu'il jette autour de la pièce est un mélange de curiosité et d'optimisme inébranlable. Lorsqu'il regarde Tana, tout le fardeau de l'éducation spirituelle de cet Oriental sans Dieu se lit dans ses yeux. Il s'appelle Frederick E. Paramore. Il était à Harvard avec Anthony, où, à cause des deux premières lettres de leur nom de famille, on les plaçait toujours côte à côte pour les cours. Il s'en est suivi des relations épisodiques, mais depuis cette époque, ils ne se sont jamais revus.

Paramore entre cependant avec l'air de quelqu'un qui vient pour la soirée.

Tana répond à une question.

TANA, *avec un sourire obséquieux* : Sorti auberze pour dîner. Retour dans demi-heure. Parti depuis 6 heures et demie.

PARAMORE, *observant les verres sur la table* : Ils ont des invités ?

TANA : Oui. Des invités. Mr. Caramel, Mr. et Mrs. Barnes, Miss Kane, tous habiter ici.

PARAMORE : Je vois. *(Avec indulgence :)* Ils ont fait la fête, à ce que je vois.

TANA : Moi pas compris.

PARAMORE : Ils ont fait la fête.

TANA : Oui, eux boire. Beaucoup, beaucoup boire.

PARAMORE, *changeant de sujet avec tact* : En arrivant, est-ce que je n'ai pas entendu de la musique ?

TANA, *avec un gloussement de rire* : Oui. Ze zoue.

PARAMORE : Ah, un de ces instruments japonais.

De toute évidence, il est abonné au « National Geographic Magazine ».

TANA : Ze zoue de la flû-û-ûte, de la flû-û-ûte zaponaize.

PARAMORE : Quel air étiez-vous en train de jouer ? Une de vos mélodies japonaises ?

TANA, *ses sourcils se froncent jusqu'à l'absurde* : Ze zoue sant du train. Comment vous dites ? Sant du *semin de fer*. Comme ça qu'on dit dans mon pays. Comme train. Ze zoue comme ça, sifflet. Train démarre. Ze zoue comme ça, train qui s'en va. Très zoli sant dans mon pays. Sanson pour enfants.

PARAMORE : Mais oui, c'était très joli.

Il est manifeste, à ce stade, que ce n'est que par un énorme effort de maîtrise de soi que Tana résiste à l'envie de se précipiter à l'étage pour retrouver ses cartes postales, y compris les six d'origine américaine.

TANA : Moi préparer cocktail à Monsieur ?

PARAMORE : Non, merci. Je ne bois pas.

Tana se retire dans la cuisine, laissant la porte de communication entrebâillée. Par la fente jaillit soudain à nouveau la mélodie japonaise du chant du train, cette fois pas comme une exécution, mais comme un exercice, pleine d'élan et de fougue.

Le téléphone sonne. Tana, absorbé par ses harmoniques, n'y prête pas attention. Aussi, c'est Paramore qui décroche.

PARAMORE : Allô ? Non, il n'est pas là, mais il va revenir d'un instant à l'autre… Butterworth ? Je n'ai pas tout à fait saisi votre nom… Allô, allô, allô ! Allô ! Oh !

Le téléphone refuse obstinément de livrer le moindre son. Paramore raccroche.

À ce moment-là revient le motif du taxi, qui amène dans son sillage un second jeune homme. Il porte une valise et ouvre la porte sans sonner.

MAURY, *dans le hall d'entrée* : Ho, Anthony ? Hou hou. *(Il entre dans le salon et voit Paramore.)* Salut !

PARAMORE, *le dévisageant avec une intensité croissante* : Vous… vous êtes Maury Noble ?

MAURY : Exact. *(Il s'avance en souriant et lui tend la main.)* Comment ça va, mon vieux ? Des années qu'on ne s'est pas vus.

Il a vaguement associé le visage à Harvard, mais il n'en est pas absolument certain. Le nom, même s'il l'a su jadis, lui est depuis longtemps sorti de la tête. Toutefois, avec une grande délicatesse et un sens de la charité tout aussi louable, Paramore, saisissant la situation, vient à son secours.

PARAMORE : Tu ne te souviens pas de Fred Paramore ? On suivait tous les deux le cours d'histoire de ce vieil oncle Robert.

MAURY : Si, je me souviens, oncle... je veux dire Fred. Fred était... je veux dire Robert était un sacré personnage, non ?

PARAMORE, *hochant plusieurs fois la tête avec bonhomie* : Un type formidable, formidable.

MAURY, *après un bref silence* : Ça, c'est vrai. Où est Anthony ?

PARAMORE : Le domestique japonais m'a dit qu'il était dans une auberge. En train de dîner, j'imagine.

MAURY, *regardant sa montre* : Longtemps qu'il est sorti ?

PARAMORE : Je suppose. Le Japonais m'a dit qu'ils allaient rentrer d'un moment à l'autre.

MAURY : Si on prenait un verre ?

PARAMORE : Non, merci. Je ne bois pas. *(Il sourit.)*

MAURY : Tu permets ? *(Avec un bâillement, tout en se servant :)* Qu'est-ce que tu as fait, après l'université ?

PARAMORE : Oh, plein de choses. J'ai eu une vie très active. J'ai roulé ma bosse ici et là. *(Son ton peut vouloir dire ce qu'on veut, de la chasse au lion jusqu'au crime organisé.)*

MAURY : Ah, tu es allé en Europe ?

PARAMORE : Non, malheureusement.

MAURY : Je crois qu'on va tous y aller dans un avenir proche.

PARAMORE : Tu crois vraiment ?

MAURY : Bien sûr ! L'Amérique bouffe du sensationnel depuis deux ans. Les gens commencent à s'agiter. On veut de l'action.

PARAMORE : En somme, tu ne crois pas que ce soit une question d'idéal ?

MAURY : Rien de très important. Les gens veulent que ça bouge, une fois de temps en temps.

PARAMORE, *avec gravité* : C'est très intéressant de t'entendre dire ça. Je parlais l'autre jour avec quelqu'un qui est allé là-bas...

> *Pendant la profession de foi qui suit, que le lecteur pourra compléter lui-même avec des formules telles que « Vu de ses propres yeux », « Le moral d'acier de la France », « Le salut de la civilisation », Maury reste assis, paupières mi-closes, avec un ennui poli.*

MAURY, *saisissant la première occasion qui se présente* : À propos, tu sais qu'il y a un espion allemand ici même, dans cette maison ?

PARAMORE, *souriant mi-figue mi-raisin* : Tu es sérieux ?

MAURY : On ne peut plus sérieux. J'ai cru de mon devoir de t'avertir.

PARAMORE, *se laissant prendre* : Une gouvernante ?

MAURY, *dans un murmure, désignant la cuisine du pouce* : *Tana !* Ce n'est pas son vrai nom. Je crois savoir qu'il reçoit constamment du courrier adressé au lieutenant Emile Tannenbaum.

PARAMORE, *riant d'un bon rire tolérant* : Ah, tu me faisais une blague.

MAURY : Il se peut que je l'accuse à tort. Mais tu ne m'as pas dit ce que tu faisais.

PARAMORE : Entre autres, j'écris.

MAURY : Des romans ?

PARAMORE : Non, pas des romans.

MAURY : Quoi alors ? Un genre de littérature qui est moitié fiction, moitié document ?

PARAMORE : Oh, je m'en tiens aux faits. J'ai pas mal travaillé dans l'assistance sociale.

MAURY : Ah !

Une lueur de soupçon s'allume aussitôt dans ses yeux. C'est comme si Paramore venait d'annoncer qu'il était pickpocket amateur.

PARAMORE : Pour le moment, je suis basé à Stamford. Ce n'est que la semaine dernière qu'on m'a appris qu'Anthony Patch habitait tout près.

Ils sont interrompus par du vacarme devant la maison, incontestablement des conversations et des rires entre personnes des deux sexes. Puis entrent en groupe dans la pièce Anthony, Gloria, Richard Caramel, Muriel Kane, Rachel Barnes, et Rodman Barnes, son mari. Ils s'attroupent autour de Maury, répondant sans aucune logique « Très bien merci ! » à son « Salut » collectif. Anthony, pendant ce temps, s'approche de son nouvel hôte.

ANTHONY : Ça par exemple ! Comment vas-tu ? Ça fait drôlement plaisir de te voir.

PARAMORE : Moi aussi, Anthony, je suis content de te voir. Je suis basé à Stamford, alors je me suis dit que j'allais venir faire un saut jusqu'ici. *(Sur le ton de la plaisanterie :)* On se tue à la tâche la plupart du temps, alors on a bien le droit de prendre quelques heures de récréation.

Dans un effort surhumain de concentration, Anthony essaie de se rappeler son nom. Après un rude combat pour en accoucher, sa mémoire livre le fragment « Fred », autour duquel il bâtit en toute hâte la phrase « Très bonne idée, Fred ». Pendant ce temps, le silence qui prélude aux présentations s'est abattu sur le groupe. Maury, qui pourrait venir à la rescousse, préfère assister au spectacle avec une joie moqueuse.

ANTHONY, *en désespoir de cause* : Mesdames et messieurs, je vous présente… je vous présente Fred.

MURIEL, *d'un air dégagé, pour les tirer d'embarras* : Salut, Fred !

Richard Caramel et Paramore se saluent familièrement par leur prénom, ce dernier se rappelant que Dick était l'un des étudiants de son groupe qui ne s'était jamais donné la peine de lui adresser la parole. Dick s'imagine sans plus réfléchir que Paramore doit être quelqu'un qu'il a déjà rencontré chez Anthony.

Les trois jeunes femmes montent à l'étage.

MAURY, *à mi-voix à Dick* : Je n'ai pas revu Muriel depuis le mariage d'Anthony.

DICK : Elle est à son zénith. Sa dernière trouvaille : « Laissez-moi vous le dire. »

Anthony se débat un moment avec Paramore et tente finalement d'élargir la conversa-

tion en proposant à tout le monde de prendre un verre.

MAURY : Je lui ai fait honneur, à cette bouteille. Je suis allé de Proof à Distillery. *(Il montre les mots sur l'étiquette.)*

ANTHONY, *à Paramore* : Jamais moyen de savoir quand ils vont débarquer, ces deux-là. Un après-midi à 5 heures, je leur dis au revoir, et voilà-t-il pas qu'ils font leur apparition à 2 heures du matin. Une grande voiture de tourisme en location en provenance de New York les amène jusqu'à la porte, et ils en émergent tous les deux, soûls comme des Polonais, évidemment.

Feignant par discrétion d'être totalement absorbé, Paramore examine la couverture d'un livre qu'il tient entre les mains. Maury et Dick échangent un regard.

DICK, *innocemment, à Paramore* : Tu travailles ici, en ville ?

PARAMORE : Non, je suis au Centre d'œuvres sociales de Laird Street, à Stamford. *(À Anthony :)* Tu n'imagines pas la misère qui règne dans ces petites villes du Connecticut. Des Italiens, d'autres immigrants. Principalement des catholiques, alors c'est difficile d'entrer en contact avec eux.

ANTHONY, *poliment* : Beaucoup de délinquance ?

PARAMORE : Moins de délinquance que d'ignorance et de crasse.

MAURY : Voici ma théorie : électrocution immédiate de toutes les personnes ignorantes et sales. Vivent les délinquants : ils donnent de la couleur à la vie. L'ennui, c'est que si on se mettait à réprimer l'ignorance, il faudrait commencer par les grandes familles, ensuite il faudrait s'occuper des gens de cinéma, pour finir par les députés et les prêtres.

PARAMORE, *avec un sourire gêné*: Je parlais d'une ignorance plus fondamentale — jusqu'à l'ignorance de notre langue.

MAURY, *pensif*: Ah oui, ça, c'est dur. Pas même moyen de se tenir au fait de la Nouvelle Poésie.

PARAMORE : C'est seulement quand les œuvres sociales ont fait leur travail pendant plusieurs mois qu'on comprend à quel point la situation est dramatique. Comme me le disait notre secrétaire, c'est quand on se lave les mains qu'on s'aperçoit qu'on avait les ongles sales. Bien sûr, nous faisons déjà pas mal parler de nous.

MAURY, *avec grossièreté*: Comme dirait votre secrétaire, quand on bourre la cheminée avec du papier, ça fait une belle flambée pendant dix secondes.

À ce moment-là Gloria, fraîchement remaquillée, en quête d'admiration et de distraction, rejoint l'assistance, suivie de ses deux amies. Pendant un certain temps, la conversation se poursuit à bâtons rompus. Gloria entraîne Anthony à l'écart.

GLORIA : Ne bois pas trop, s'il te plaît.

ANTHONY : Pourquoi ?

GLORIA : Parce que quand tu as bu, tu es trop candide.

ANTHONY : Seigneur Dieu ! De quoi s'agit-il encore ?

GLORIA, *après un silence où ses yeux restent froidement plantés droit dans ceux d'Anthony*: De plusieurs choses. Premièrement, pourquoi insistes-tu toujours pour tout payer ? Ces types ont tous les deux plus d'argent que toi !

ANTHONY : Enfin, Gloria ! Ce sont mes invités !

GLORIA : Ce n'est pas une raison pour payer une bouteille de champagne que Rachel Barnes a cassée. Dick a essayé de régler la deuxième note de taxi, et tu l'en as empêché.

ANTHONY : Enfin, Gloria…

GLORIA : Quand nous sommes sans cesse obligés de vendre nos actions pour payer ne serait-ce que nos factures, le moment est venu de réduire les gestes de générosité excessifs. En plus, je n'entourerais pas autant Rachel Barnes de mes attentions. Ça ne plaît pas plus à son mari qu'à moi !

ANTHONY : Enfin, Gloria…

GLORIA, *l'imitant par moquerie* : « Enfin, Gloria ! » Mais c'est arrivé un peu trop souvent cet été, avec toutes les jolies femmes que tu rencontres. C'est devenu une sorte d'habitude, et je ne vais sûrement pas supporter ça. Si tu veux faire le joli cœur, moi aussi je peux en faire autant ! *Puis, comme si l'idée lui passait juste par la tête :* À propos, ce Fred, ce n'est pas un deuxième Joe Hull, j'espère ?

ANTHONY : Juste Ciel, non ! Il est probablement venu me demander de soutirer des sous à grand-père pour ses ouailles.

Gloria laisse un Anthony fort déprimé et retourne s'occuper de ses invités.

Quand arrivent 9 heures, ces invités peuvent être répartis en deux catégories : ceux qui n'ont pas arrêté de boire, et ceux qui n'ont rien bu ou presque. Dans le second groupe, on trouve Barnes, Muriel, et Frederick E. Paramore.

MURIEL : J'aimerais savoir écrire. J'ai des idées, mais je n'arrive jamais à les exprimer par des mots.

DICK : Comme disait Goliath, je comprends ce que ressent David, mais je n'arrive pas à l'exprimer. Cette remarque a aussitôt été adoptée comme devise par les Philistins.

MURIEL : Je ne vous suis pas. Je dois être en train de devenir idiote sur mes vieux jours.

GLORIA, *déambulant d'une démarche incertaine au milieu de l'assistance tel un ange joyeux* : Si quelqu'un a faim, il y a des pâtisseries françaises sur la table de la salle à manger.

MAURY : Je ne supporte pas ces motifs victoriens qui les décorent.

MURIEL, *manifestant bruyamment son hilarité* : Ah, laissez-moi vous dire que vous êtes pompette, Maury.

Sa gorge est toujours un pavé qu'elle offre aux sabots de nombreux étalons qui passent, dans l'espoir que leurs bouts ferrés feront jaillir dans le noir ne serait-ce qu'une étincelle de romance...

Mr. Barnes et Mr. Paramore ont entamé une conversation sur un sujet édifiant, tellement édifiant que Mr. Barnes essaie depuis un bon moment de retrouver l'atmosphère plus viciée du milieu du salon. Paramore s'attarde-t-il dans la maison grise par politesse, ou pour faire un compte rendu sociologique de la décadence de la vie américaine, nul ne saurait le dire.

MAURY : Fred, je m'imaginais que tu avais les idées très larges.

PARAMORE : C'est le cas.

MURIEL : Moi aussi. Je crois qu'une religion en vaut une autre, et tout ça.

PARAMORE : Il y a du bon dans toutes les religions.

MURIEL : Je suis catholique, mais, comme je le dis toujours, je ne suis pas pratiquante.

PARAMORE, *dans un énorme élan de tolérance* : La religion catholique est une religion très, très influente.

MAURY : Eh bien, un homme aux idées aussi larges devrait prendre en considération l'intensité accrue des sensations et la stimulation de l'optimisme contenues dans ce cocktail.

PARAMORE, *prenant le verre, comme par bravade* : Merci... je vais en essayer... un.

MAURY : Un seul ! Quel affront ! Nous avons ici une réunion de la promotion de 1910, et tu refuses d'être ne serait-ce qu'un peu éméché ? Allons !

À la santé du roi Charles,
À la santé du roi Charles,
Apportez la coupe dont vous êtes si fier...

Paramore fait chorus à pleine voix.

MAURY : Remplis la coupe, Frederick. Tu sais que tout est subordonné aux desseins que la nature a sur nous, et les desseins qu'elle a sur toi sont que tu deviennes un picoleur de première bourre.

PARAMORE : Si un type peut boire en gentleman...

MAURY : De toute manière, qu'est-ce que c'est qu'un gentleman ?

ANTHONY : Un type qui n'a jamais d'épingles piquées au revers de son veston.

MAURY : Foutaise ! Le rang social d'un homme est déterminé par la quantité de pain qu'il mange dans son sandwich.

DICK : C'est un homme qui préfère la première édition d'un livre à la dernière édition d'un journal.

RACHEL : Un homme qui ne se fait jamais passer pour un drogué.

MAURY : Un Américain qui arrive à faire croire à un maître d'hôtel anglais qu'il en est un.

MURIEL : Un homme qui vient d'une bonne famille, et qui est allé à Yale ou Harvard ou Princeton, qui a de l'argent, qui danse bien, tout ça.

MAURY : Enfin, la définition parfaite ! Le cardinal Newman n'est plus qu'une vieille baderne !

PARAMORE : Je pense que nous devrions traiter cette question avec des idées plus larges. Est-ce que ça n'est pas Abraham Lincoln qui a dit qu'un gentleman est quelqu'un qui ne fait jamais souffrir autrui ?

MAURY : Ce mot est attribué, je crois, au général Ludendorff.

PARAMORE : Tu plaisantes.

MAURY : Reprends un verre.

PARAMORE : Il ne vaut mieux pas. *(Baissant le ton pour que Maury seul l'entende :)* Si je te disais que c'est la troisième fois de ma vie que je bois ?

> *Dick met le phonographe en marche, ce qui incite Muriel à se lever et à se balancer de droite à gauche, les coudes serrés contre les côtes, les avant-bras perpendiculaires au corps et déployés comme des nageoires.*

MURIEL : Oh, roulons les tapis et dansons.

> *Cette suggestion est accueillie par Anthony et Gloria avec une réticence rentrée et un pâle sourire d'acquiescement.*

MURIEL : Allez, bande de fainéants. Bougez-vous et repoussons les meubles.

DICK : Attendez que j'aie fini mon verre.

MAURY, *qui n'a pas renoncé à ses intentions à l'égard de Paramore* : Voilà ce que je propose. On remplit chacun notre verre, on le descend, et ensuite on danse.

Une vague de protestation qui se brise contre le roc de l'insistance de Maury.

MURIEL : J'ai la tête qui tourne complètement.

RACHEL, *en aparté à Anthony* : Est-ce que Gloria vous a dit de ne pas vous approcher de moi ?

ANTHONY, *embarrassé* : Mais non, absolument pas. Bien sûr que non.

Rachel lui décoche un sourire énigmatique. Les deux années qui se sont écoulées lui ont donné une sorte de beauté dure, dont elle prend grand soin.

MAURY, *levant son verre* : Levons nos verres à la défaite de la démocratie et à la chute du christianisme.

MURIEL : Écoutez, franchement !

Elle lance à Maury un regard de désapprobation enjouée, puis elle boit.

Ils boivent tous, avec plus ou moins de difficulté.

MURIEL : Débarrassons le parquet !

Comme il paraît inévitable qu'on en passe par là, Anthony et Gloria se joignent au grand remue-ménage des tables qu'on pousse, des chaises qu'on empile, des tapis qu'on roule et des lampes qu'on casse. Une fois que le mobilier a été entassé en masses disgracieuses sur les côtés de la pièce, un espace d'environ trois mètres carrés se trouve dégagé.

MURIEL : Allez, de la musique !

MAURY : Tana va nous interpréter le chant d'amour d'un ophtalmo-oto-rhino-laryngologiste.

Au milieu d'une certaine confusion due au fait que Tana s'est retiré pour la nuit, on s'affaire aux préparatifs de l'événement annoncé. Le Japonais en pyjama, flûte à la main, est enroulé dans une couverture et installé sur une chaise perchée sur l'une des tables, où il offre un spectacle absurde et grotesque. Paramore est manifestement ivre et tellement enthousiasmé par cette idée qu'il en accentue l'effet en imitant la démarche titubante des ivrognes de bande dessinée, s'aventurant même, à l'occasion, jusqu'à des hoquets.

PARAMORE *à* GLORIA : Vous voulez danser avec moi ?

GLORIA : Non, merci ! Je veux faire la danse du cygne. Vous savez la faire ?

PARAMORE : Je sais les faire toutes.

GLORIA : D'accord. Vous partez de l'autre côté de la pièce, et moi je pars d'ici.

MURIEL : Allons-y !

C'est alors que des bouteilles surgit sournoisement en hurlant le grand ramdam :

Tana plonge dans les labyrinthes obscurs du chant du train, le teuf-teuf aux cadences mélancoliques se mêlant à « La pauvre Butterfly (accord de guitare) attendant parmi les fleurs » du phonographe. Muriel est trop écroulée de rire pour pouvoir faire autre chose que s'accrocher désespérément à Barnes qui, dansant avec la raideur sévère d'un officier, arpente d'un pas lourd et solennel l'espace restreint. Anthony s'efforce d'entendre ce que murmure Rachel, sans attirer l'attention de Gloria.

Mais voici que l'incident grotesque, incroyable, histrionique, va se produire. Un de ces incidents où la vie semble s'attacher à imiter à tout prix les effets les plus éculés de la littérature. Paramore s'est efforcé de rivaliser avec Gloria et au moment où le raffut est à son comble, il se met à tourner sur lui-même comme une toupie, de plus en plus pris de vertige : il titube, se rattrape, titube à nouveau pour finir par tomber du côté de l'entrée... presque dans les bras du vieil Adam Patch, dont l'arrivée a été rendue inaudible par le charivari qui règne dans la pièce.

Adam Patch est très pâle. Il s'appuie sur une canne. L'homme qui l'accompagne est Edward Shuttleworth, et c'est lui qui attrape Paramore par l'épaule et fait dévier sa chute, protégeant ainsi le vénérable philanthrope.

Le temps requis pour que le silence s'abatte sur la pièce comme un monstrueux drap mortuaire peut être estimé à deux minutes, même si après cela, l'espace d'un instant, le phonographe s'étrangle et les notes du chant du train japonais continuent à s'égrener de la flûte de Tana. Sur les neuf personnes présentes, seuls Barnes, Paramore et Tana ignorent l'identité du nouveau venu. Tous les neuf ignorent qu'Adam Patch a, le matin même, fait un chèque de soutien de cinquante mille dollars à la cause de la Prohibition.

C'est à Paramore qu'il revient de briser le silence qui s'épaissit. L'apogée de sa vie de débauche est atteinte lorsqu'il profère la remarque incroyable :

PARAMORE, *rampant à quatre pattes en direction de la cuisine* : Je ne suis pas un des invités, je travaille ici.

Le silence retombe, si profond à présent, si lourd d'une appréhension intolérablement contagieuse que Rachel lâche un petit rire nerveux, et que Dick se met à répéter sans fin un vers de Swinburne grotesquement approprié à la situation :

« Une unique fleur flétrie à l'haleine sans parfum. »

... Surgissant du silence, la voix d'Anthony, posée mais tendue, disant quelque chose à Adam Patch. Puis elle s'éteint à son tour.

SHUTTLEWORTH, *avec véhémence* : Votre grand-père a eu l'idée de prendre la voiture pour venir voir votre maison. J'ai téléphoné de Rye et j'ai laissé un message.

Le silence qui suit est entrecoupé de petits soupirs ne provenant en apparence de nulle part ni de personne. Anthony est blanc comme un linge. Les lèvres de Gloria sont entrouvertes et le regard qu'elle a posé sur le vieillard est intense et plein de frayeur. Pas un sourire dans toute la pièce. Pas un seul ?

La bouche crispée de Patch-le-grincheux ne s'étire-t-elle pas en tremblant un peu, découvrant les rangées régulières de ses dents minces ? Il parle : trois mots simples, dépourvus d'expression :

ADAM PATCH : Nous rentrons, Shuttleworth.

Point final. Il se retourne et, aidé de sa canne, il repart en traversant le hall d'entrée, passant par la grande porte, et, avec une solennité lourde de menace, on entend son pas incertain crisser sur l'allée gravillonnée éclairée par la lune d'août.

COUP D'ŒIL RÉTROSPECTIF

Face à une pareille extrémité, ils étaient comme deux poissons rouges dans un bocal qu'on a vidé de son eau : ils ne pouvaient même pas se rejoindre à la nage.

Gloria allait avoir vingt-six ans au mois de mai. Elle ne désirait rien d'autre, avait-elle dit, que d'être jeune et belle pendant longtemps, d'être heureuse et gaie, et d'avoir argent et amour. Elle désirait ce que désirent la plupart des femmes, mais elle, avec beaucoup plus d'ardeur et de passion. Elle était mariée depuis plus de deux ans. Au début, il y avait eu des jours d'entente sereine, avec des transports d'orgueil et d'instinct de possession. En alternance avec ces périodes, il y avait eu des bouffées sporadiques de haine, qui ne duraient pas plus d'une heure, et d'oubli, qui ne se prolongeaient pas plus d'un après-midi. Cela pendant six mois.

Puis la sérénité, le contentement s'étaient faits moins allègres, avaient tourné au gris. Ce n'était que fort rarement, sous l'effet de la jalousie ou d'une séparation forcée, qu'étaient revenues les anciennes extases, l'apparente communion de deux âmes, le cœur qui s'enflamme. Il lui était maintenant possible de détester Anthony une journée entière, de lui en vouloir, un peu, toute une semaine. Les récriminations avaient remplacé l'affection comme passe-temps, presque comme distraction, et il leur arrivait de s'endormir en essayant de se rappeler lequel des deux était en colère, et lequel devait se montrer réservé le lendemain matin. Vers la fin de la deuxième année, deux nouveaux éléments entrèrent en jeu dans leur relation. Gloria s'était rendu compte qu'il arrivait à Anthony d'être totalement indifférent à son égard — une indifférence passagère, qui était plus qu'à moitié léthargique, mais dont elle ne pouvait plus le tirer par une parole murmurée ou un certain sourire d'intimité. Il y avait des jours où les caresses de Gloria procuraient à Anthony une sorte de suffocation. Elle était consciente de cet état de choses. Mais elle n'arrivait pas tout à fait à se l'avouer complètement.

Ce n'est que récemment qu'elle s'était aperçue que malgré le fait qu'elle l'adorait, qu'il la rendait jalouse, qu'elle était soumise à lui et fière d'être à lui, au fond, elle avait du mépris pour lui, et ce mépris se mêlait de façon indissociable à ses autres sentiments. C'est de tout cela que son amour était fait... cette illusion vitale de la femme qui avait pris Anthony pour cible un soir d'avril, bien des mois auparavant.

Quant à Anthony, Gloria demeurait, malgré ces restrictions, son seul sujet de préoccupation. S'il l'avait perdue, il aurait été un homme brisé sentimentalement, douloureusement obnubilé par son souvenir pour le restant de ses jours. Il lui arrivait rarement de trouver du plaisir à passer une journée entière seul avec elle ; sauf exception, il préférait avoir une tierce personne avec eux. Il y avait des moments où il avait tellement besoin d'avoir la paix, une paix totale, qu'il aurait pu en devenir fou. Et parfois, il en venait à la haïr. Quand il avait bu, il lui arrivait d'être brièvement attiré par d'autres femmes, son tempérament porté sur l'expérimentation refaisant alors surface.

Ce printemps-là, puis l'été, ils avaient échafaudé les plans de leur bonheur à venir : ils voyageraient d'une contrée ensoleillée à une autre, pour revenir à la fin dans leur somptueuse propriété et retrouver, peut-être, des enfants forcément adorables, puis entrer dans la diplomatie ou faire une carrière politique pour y accomplir, un temps, des choses belles et importantes, et finalement, couple aux cheveux blancs — de magnifiques cheveux blancs soyeux —, ils se laisseraient vivre dans leur gloire tranquille, adulés par la bourgeoisie locale...

Ces temps-là devaient commencer « quand nous aurons notre argent » ; c'était sur de tels rêves plutôt que sur une quelconque satisfaction liée à leur vie de plus en plus irrégulière, de plus en plus dissipée, que reposait leur espoir. Par les petits matins gris, quand les jeux de la nuit précédente s'étaient soldés par une débauche sans esprit et sans dignité, ils pouvaient, en un sens, sortir ce lot d'espoirs partagés et les dénombrer, puis échanger un sourire en répétant, pour clore le sujet, l'axiome nietzschéen laconique mais sincère de Gloria : « Je m'en fiche ! »

La situation s'était sensiblement dégradée. Il y

avait la question de l'argent, de plus en plus exaspérante, de plus en plus inquiétante. Et puis ils se rendaient compte que l'alcool était devenu un besoin indispensable à leurs distractions — ce qui, un siècle auparavant, était de pratique courante dans l'aristocratie anglaise, mais qui ne laissait pas de poser un problème inquiétant dans une civilisation tendant de plus en plus à la tempérance et à la suspicion. En outre, ils semblaient tous deux avoir quelque peu perdu de la force de caractère, non pas tant dans ce qu'ils faisaient que, subtilement, dans leurs réactions à la société qui les entourait. Chez Gloria avait pris naissance quelque chose dont elle n'avait jusque-là pas connu le besoin ; le squelette, incomplet, mais néanmoins identifiable sans erreur possible, de ce qui lui avait auparavant fait horreur — la conscience. L'aveu qu'elle s'en fit fut concomitant avec le lent déclin de son courage physique.

Puis, le matin du mois d'août qui suivit la visite inopinée d'Adam Patch, ils se réveillèrent, nauséeux et las, démoralisés par la vie, et en proie à une seule réaction envahissante : la peur.

PANIQUE

« Alors ? » Anthony se redressa dans le lit et baissa les yeux sur Gloria. Les commissures de ses lèvres s'affaissaient de découragement, sa voix était tendue et sonnait creux.

La réponse de Gloria consista à porter sa main à sa bouche et à se mettre à se mordiller le doigt avec lenteur et précision.

« Ce qui est fait est fait », dit-il après un silence ;

puis, comme elle se taisait, il s'énerva : « Pourquoi est-ce que tu ne dis rien ?

— Qu'est-ce que tu veux que je dise ?

— Qu'est-ce que tu en penses ?

— Rien.

— Alors, arrête de te ronger les ongles ! »

Il s'ensuivit une courte discussion pour savoir si elle avait oui ou non pensé quelque chose. Il semblait essentiel à Anthony qu'elle dise tout haut son sentiment sur le désastre qui avait eu lieu la veille au soir. Le silence de Gloria était une façon de rejeter la responsabilité sur lui. Quant à elle, elle ne voyait pas la nécessité de dire quelque chose ; la seule réaction possible lui semblait être de se ronger les ongles comme une enfant apeurée.

« Il faut que j'arrange cette foutue histoire avec mon grand-père », dit-il avec une conviction mal affermie. Une nuance de respect naissant s'exprimait dans le choix de la formule « mon grand-père » plutôt que simplement « grand-père ».

« Tu n'y arriveras pas, affirma-t-elle sur un ton tranchant. Jamais, au grand jamais. Il ne te pardonnera jamais, aussi longtemps qu'il vivra.

— Peut-être, convint Anthony, la mine piteuse. N'empêche que... je pourrais peut-être rétablir un peu la situation en annonçant que je vais m'amender, ce genre de chose...

— Il avait l'air malade, interrompit-elle, il était pâle comme la mort.

— Il *est* malade. Je te l'ai dit il y a trois mois.

— Si seulement il était mort la semaine dernière ! lança-t-elle avec humeur. Il est trop égoïste, ce vieillard ! »

Aucun des deux ne rit.

« Mais je vais te dire une chose, ajouta-t-elle avec

calme, la prochaine fois que je te vois te conduire avec une femme comme tu l'as fait avec Rachel Barnes hier soir, je te quitte, aussi sec. Il n'est pas question que je supporte ça. »

Anthony accusa le coup.

« Oh, ne dis pas de bêtises, protesta-t-il. Tu sais qu'aucune autre femme que toi n'existe pour moi, aucune au monde, mon ange. »

Sa tentative de mettre une note de tendresse dans ses mots échoua lamentablement ; le danger le plus imminent repassa au premier plan.

« Si j'allais le trouver, suggéra Anthony, et que je lui dise, avec les références bibliques appropriées, que j'ai trop longtemps foulé le chemin de l'iniquité et qu'enfin j'ai vu la lumière… » Il s'interrompit et regarda sa femme d'un air perplexe. « Peut-on imaginer ce qu'il ferait ?

— Je n'en sais rien. »

Elle était en train de se demander si leurs invités auraient le tact de repartir tout de suite après le petit déjeuner.

Il fallut à Anthony une semaine entière pour trouver le courage de se rendre à Tarrytown. L'idée même lui faisait horreur ; livré à lui-même, il n'aurait jamais pu faire le voyage, mais si sa volonté s'était détériorée au cours des trois années précédentes, il en était de même de sa capacité à résister aux pressions. Gloria l'obligea à y aller. C'était très bien d'attendre une semaine, avait-elle dit, car cela laissait à la fureur de son grand-père le temps de se calmer, mais attendre davantage serait une erreur ; cela lui donnerait l'occasion de se cristalliser.

Il partit, dans un état de grande nervosité… et ce fut en vain. Adam Patch était souffrant, déclara Shuttleworth avec indignation. Des consignes très strictes avaient été données, lui interdisant toute visite. Sous le regard vindicatif de l'alcoolique repenti, Anthony perdit contenance. Il retourna à son taxi subrepticement, telle une ombre, ne retrouvant un peu de dignité qu'au moment de monter dans le train, content d'aller se réfugier, comme un gosse, dans les merveilleux palais de la consolation qui scintillaient encore dans son esprit.

Lorsqu'il revint à Marietta, Gloria le reçut avec mépris. Pourquoi n'avait-il pas forcé la consigne ? C'est cela qu'il aurait dû faire !

À eux deux, ils rédigèrent une lettre au vieil homme, et après de multiples révisions, ils l'envoyèrent. Elle contenait pour moitié des excuses et pour moitié une sorte d'explication fabriquée de toutes pièces. Il n'y eut pas de réponse.

Vint un jour du mois de septembre, un jour zébré de soleil et de pluie en alternance, un soleil sans chaleur, une pluie sans fraîcheur. Ce jour-là, ils quittèrent la maison grise, qui avait vu leur amour en fleur. Quatre malles et trois énormes caisses s'empilaient dans la pièce dévastée où, deux ans plus tôt, ils s'étaient affalés à leur aise, habités par des rêves lointains, langoureux, qui les comblaient. La pièce résonnait de l'écho du vide. Gloria, dans une robe marron toute neuve bordée de fourrure, était assise, muette, sur une malle, et Anthony marchait nerveusement de long en large en fumant, tandis qu'ils attendaient le camion qui allait déménager leurs affaires à New York.

« Qu'est-ce que c'est que ça ? » dit-elle en désignant des livres empilés sur l'une des caisses.

« C'est ma vieille collection de timbres, avoua-t-il, penaud. J'ai oublié de les emballer.

— Anthony, est-ce que ce n'est pas idiot de la trimbaler avec toi ?

— C'est que le jour où nous avons quitté l'appartement, au printemps dernier, j'étais en train de la regarder, et j'ai décidé de ne pas la ranger.

— Tu ne pourrais pas la vendre ? Comme si on n'était pas assez encombrés !

— Désolé », s'excusa-t-il.

Dans un grondement de tonnerre, le camion vint s'arrêter devant la porte. Gloria salua les quatre murs en agitant son poing d'un air de défi.

« Comme je suis heureuse de partir, s'écria-t-elle. Tellement heureuse. Je hais cette maison de tout mon cœur ! »

C'est ainsi que la belle et brillante dame regagna New York avec son mari. Dans le train qui les emmenait, déjà ils se disputèrent. Les paroles amères de Gloria avaient la fréquence, la régularité, l'inévitabilité des gares qu'ils traversaient.

« Ne te fâche pas, supplia Anthony, d'un ton navré. Après tout, notre couple est tout ce qui nous reste.

— Et même ça, la plupart du temps, nous ne l'avons pas, s'écria Gloria.

— Quand, par exemple ?

— Oh, des tas de fois... à commencer par une certaine scène sur le quai de la gare de Redgate.

— Tu ne vas pas me dire que...

— Non, interrompit-elle froidement. Je ne rumine pas ce qui s'est passé. Ce fut passager. Mais une fois terminé, ça a été la fin de quelque chose. »

Elle se tut brusquement. Anthony restait sans rien dire, désorienté, démoralisé. Les localités en bordure de la voie ferrée, Mamaroneck, Larchmont, Rye, Pelham Manor, se succédaient, mornes, avec entre elles des terrains vagues désolés qui n'arrivaient guère à donner l'image de ce qu'on appelle la campagne. Il se surprit à évoquer le souvenir du matin d'été où ils avaient tous les deux quitté New York à la recherche du bonheur. Ils n'avaient peut-être jamais espéré le trouver, mais cette quête en elle-même avait été plus heureuse que ce qu'il pouvait escompter dorénavant. La vie, se disait-il, consiste à dresser des étais autour de soi, sinon, c'est la catastrophe. Pas de repos, pas de tranquillité. Il avait fait une grave erreur en aspirant à se laisser aller à dériver et à rêver. Toute dérive menait à des maelstroms, tout rêve se transformait en un cauchemar grotesque d'indécision et de regrets.

Pelham ! Ils s'étaient disputés à Pelham parce que Gloria voulait à tout prix conduire. Et quand elle avait posé son petit pied sur l'accélérateur, la voiture avait démarré d'un bond fringant, et leurs deux têtes avaient été projetées en arrière comme des marionnettes actionnées par un même fil.

Le Bronx : les maisons regroupées luisant au soleil, un soleil dont les rayons traversaient maintenant un ciel radieux pour inonder les rues en cascades de lumière. New York, pas de doute, c'était sa ville, la ville du luxe et du mystère, des espoirs extravagants et des rêves exotiques. Là, à la périphérie, se dressaient dans la fraîcheur du coucher de soleil d'absurdes palais en stuc, suspendus un instant dans une froide irréalité, puis glissant et s'évanouissant au loin, suivis du dédale confus des rues du quartier de Harlem River. Le train pénétrait dans la ville à travers un crépuscule de plus en plus intense, croisant du haut de la voie aérienne une cinquantaine de rues animées et transpirantes de l'Upper

East Side, qui défilaient toutes devant la fenêtre du wagon comme l'espace entre les rayons d'une roue gigantesque, chacune dévoilant à son tour une scène vive et pittoresque, celle d'une nuée d'enfants pauvres en proie à une activité fiévreuse, telles des fourmis qui s'agitent dans des allées de sable rouge. Aux fenêtres des habitations, on voyait se pencher des femmes rondes, en forme de lune, constellations de ce firmament sordide ; des femmes semblables à de sombres bijoux grossièrement taillés, semblables à des légumes ou à de grands sacs de linge affreusement sale.

« J'aime ces rues, fit remarquer Anthony tout haut. J'ai toujours dans l'idée que c'est une représentation que l'on a montée en mon honneur. Comme si, à la seconde où je m'éloigne, ils allaient tous arrêter de sauter et de rire pour prendre des mines tristes, se rappeler comme ils sont pauvres, et rentrer, tête basse, dans leur maison. On a souvent cette impression à l'étranger, mais rarement ici. »

En contrebas, dans une grand-rue commerçante, il lut une douzaine de noms juifs sur les façades des boutiques. Sur le seuil de chacune se tenait un petit homme noiraud qui observait les passants d'un regard concentré, les yeux brillants de suspicion, d'orgueil, de lucidité, de cupidité, d'intelligence. New York — il ne parvenait plus aujourd'hui à dissocier la ville de l'ascension insidieuse de ce peuple —, les petites boutiques qui grandissaient, se développaient, fusionnaient, déménageaient, surveillées d'un œil de faucon et avec une attention d'abeille aux détails : elles s'infiltraient de toutes parts. C'était impressionnant, et cela ne ferait que croître et embellir.

La voix de Gloria interrompit ces pensées avec un étrange à-propos :

« Je me demande où Bloeckman a passé l'été. »

L'APPARTEMENT

Aux certitudes de la jeunesse succède une période d'une complexité intense et intolérable. Pour l'employé de drugstore, cette période est si brève qu'elle en est presque négligeable. Les hommes situés plus haut dans l'échelle sociale s'efforcent pendant plus longtemps de préserver les nuances raffinées des relations humaines, de maintenir un idéal d'intégrité en dehors de toute visée pratique. Mais quand on approche de la trentaine, l'affaire se complique, et ce qui avait été jusque-là immédiat et déroutant devient progressivement vague et lointain. La routine s'abat comme le crépuscule sur un paysage aride, l'adoucissant jusqu'à le rendre tolérable. La complexité est trop subtile, trop variée. Avec chaque coup de canif donné à la vitalité, les valeurs se transforment radicalement. On commence à réaliser que le passé ne peut rien nous apprendre qui soit en mesure de nous aider à faire face à l'avenir. Alors nous cessons d'être des hommes impulsifs, influençables, qui s'intéressent à la vérité éthique jusque dans ses nuances ; aux idéaux d'intégrité nous substituons des règles de conduite, nous valorisons la sécurité plus que les sentiments, nous devenons, à notre insu, pragmatiques. C'est l'apanage du petit nombre que de continuer à se préoccuper des nuances des relations humaines et encore, chez eux ce n'est que pendant certaines heures réservées à cette tâche.

Anthony Patch avait cessé d'être un individu doté d'un esprit aventureux et curieux, pour devenir un homme en proie aux idées reçues et aux préjugés, souhaitant surtout que rien d'ordre émotionnel ne vienne le perturber. Ce changement s'était produit graduellement au cours des dernières années, processus accéléré par les angoisses et soucis qui l'avaient assailli. Il y avait, avant tout, le sentiment d'avoir gâché quelque chose, sentiment toujours latent au fond de son cœur, et que sa situation présente venait réveiller. Dans ses moments d'insécurité, il était hanté par l'idée que la vie pourrait, après tout, avoir un sens. Avant d'avoir vingt-cinq ans, les philosophies qu'il admirait, ainsi que son association avec Maury Noble et, plus tard, avec sa femme, l'avaient conforté dans sa conviction que tout effort était vain, et que la sagesse résidait dans le renoncement. Il y avait pourtant eu des occasions — juste avant sa rencontre avec Gloria, par exemple, et lorsque son grand-père avait suggéré qu'il parte pour l'Europe en tant que correspondant de guerre — où son insatisfaction avait failli le pousser à une démarche positive.

Un jour, avant de quitter Marietta pour la dernière fois, feuilletant distraitement les pages du bulletin d'information des anciens de Harvard, il était tombé sur une rubrique qui lui avait appris ce que ses contemporains étaient devenus au cours des six années qui s'étaient écoulées depuis qu'ils avaient obtenu leur diplôme. Certes, la plupart étaient dans les affaires, et plusieurs d'entre eux s'occupaient à convertir les païens de Chine ou d'Amérique à un protestantisme fumeux. Mais quelques-uns, avait-il constaté, accomplissaient une œuvre constructive dans des emplois qui n'étaient ni de la routine ni une sinécure. Il y avait Calvin Boyd, par exemple, qui, à peine terminées ses études de médecine, avait découvert un nouveau traitement contre le typhus, s'était embarqué pour l'Europe et y tempérait quelque peu les effets de la civilisation que les Grandes Puissances avaient importée en Serbie. Il y avait Eugene Bronson, que ses articles dans *The New Democracy* montraient comme un homme aux idées qui transcendaient à la fois l'opportunisme vulgaire et l'hystérie populaire. Il y avait un garçon du nom de Daly, qui avait été suspendu de l'université conservatrice où il enseignait, pour avoir prêché dans ses cours les doctrines marxistes. Dans les arts, les sciences, la politique, Anthony voyait émerger les personnalités authentiques de sa génération. Il y avait même Severance, le champion de base-ball, qui avait, avec élégance, sacrifié sa vie dans la Légion étrangère lors de la bataille de l'Aisne.

Il déposa la revue et réfléchit un instant à la diversité de ces destins. À l'époque de son intégrité morale, il aurait défendu *mordicus* sa propre attitude : Épicure au nirvana, il aurait proclamé que se battre, c'était croire, et que croire, c'était se limiter. Il n'aurait pas décidé de devenir dévot parce que la perspective de l'immortalité lui plaisait, ni de se lancer dans le commerce du cuir sous prétexte que l'intensité de la concurrence l'aurait préservé du malheur. Mais à présent, il n'avait plus ces scrupules délicats. Cet automne, où il entrait dans sa vingt-neuvième année, il inclinait à fermer son esprit à bien des choses, à éviter de trop s'interroger sur les motifs et les causes premières, et surtout il aspirait ardemment à se protéger du monde et de lui-même. Il avait horreur d'être seul ; et, comme on l'a dit, il redoutait bien souvent de se retrouver seul avec Gloria.

À cause de l'abîme que la visite de son grand-père avait creusé devant lui, et de la répugnance que, par contrecoup, lui inspirait maintenant son mode de vie passé, il était inévitable qu'il se tournât, dans cette ville soudain hostile, vers les amis et les lieux qui lui avaient jadis semblé être les plus chaleureux et les plus sûrs. Sa première démarche fut de chercher à récupérer à tout prix son ancien appartement.

Au printemps de l'année 1912, il avait signé un bail de quatre ans pour un loyer de mille sept cents dollars par an, avec option de renouvellement. Ce bail était venu à échéance au mois de mai. Au moment de la location, le logement ne payait pas de mine, mais Anthony avait vu qu'il y avait là un potentiel, et il avait fait inscrire dans le bail une clause selon laquelle le propriétaire et lui s'engageraient chacun à dépenser une certaine somme pour effectuer des améliorations. Les loyers avaient augmenté au cours des quatre années passées et, au printemps précédent, lorsque Anthony avait résilié son bail, le propriétaire, un certain Mr. Sohenberg, s'était rendu compte qu'il pouvait demander bien davantage pour un appartement qui avait maintenant très bonne allure. En conséquence, lorsque, en septembre, Anthony vint le trouver pour aborder le sujet avec lui, Sohenberg lui proposa un bail de trois ans et un loyer de deux mille cinq cents dollars par an. Anthony s'en étrangla. Cela voulait dire qu'un tiers de leurs revenus passerait dans le loyer. En vain fit-il valoir que si l'appartement était devenu si engageant, c'était grâce à son propre argent et à ses propres idées de réaménagement.

En vain offrit-il deux mille dollars — deux mille

deux cents dollars, même si c'était bien cher pour eux. Mr. Sohenberg resta de marbre. Apparemment, il avait deux autres offres en vue ; c'était exactement le genre d'appartement qui était recherché à ce moment-là, et ç'aurait été manquer au sens des affaires que de le laisser pour une bouchée de pain à Mr. Patch. En outre, même s'il n'en avait jamais parlé jusque-là, plusieurs autres locataires s'étaient plaints du bruit au cours de l'hiver précédent — du chant et de la danse à des heures indues, ce genre de choses.

Intérieurement ulcéré, Anthony rentra au Ritz en toute hâte pour rendre compte à Gloria de sa déconfiture.

« Je crois te voir, lança-t-elle avec colère, te dégonflant devant ce type !

— Qu'est-ce que je pouvais dire ?

— Tu aurais pu lui dire son fait. Moi, je n'aurais pas supporté ça. Aucun homme au monde n'aurait supporté ça ! Tu laisses les gens te mener par le bout du nez, t'escroquer, t'exploiter comme si tu étais un gamin. C'est ridicule !

— Pour l'amour du Ciel, ne te mets pas en colère.

— Je sais, je sais, mais quel imbécile tu fais !

— Bon, peut-être. De toute façon, cet appartement est trop cher pour nous. Mais moins cher que de loger au Ritz.

— C'est toi qui as insisté pour qu'on vienne ici.

— Oui, parce que je savais que tu serais trop malheureuse dans un hôtel bon marché.

— Bien sûr que je l'aurais été.

— En tout cas, il faut qu'on trouve un endroit où habiter.

— Combien pouvons-nous mettre ? demanda-t-elle.

— Eh bien, nous pouvons même payer ce qu'il demande si nous vendons encore des obligations. Mais hier, nous avions décidé que jusqu'à ce que je trouve une situation sûre, nous…

— Écoute, je sais tout ça. Je t'ai demandé combien on pouvait payer sans toucher à notre capital.

— On dit qu'il ne faut pas payer plus d'un quart de ses revenus.

— Et un quart, ça fait combien ?

— Cent cinquante dollars par mois.

— Tu veux dire que nous n'avons que six cents dollars de revenus par mois ?

— Bien sûr ! répondit-il avec colère. Comment crois-tu que nous avons pu dépenser plus de douze mille dollars par an sans entamer notre capital ?

— Je savais qu'on avait vendu des obligations, mais… On a vraiment dépensé ça par an ? Comment est-ce possible ? » Elle avait la gorge serrée.

« Oh, je vérifierai dans ces livres de comptes que nous avons tenus si soigneusement, dit-il avec ironie, avant d'ajouter : deux loyers une bonne partie de l'année, les vêtements, les voyages. Par exemple, chacun de ces printemps en Californie nous a coûté environ quatre mille dollars. Cette foutue bagnole a coûté de l'argent du début jusqu'à la fin. Et les soirées, les fêtes, et… bref, une chose ou une autre. »

Ils étaient maintenant surexcités tous les deux, et incroyablement déprimés. À l'étaler au grand jour, la situation paraissait pire que quand Anthony en avait pris conscience.

« Il faut que tu gagnes de l'argent, dit-elle brusquement.

— Je sais.

— Et il faut que tu fasses une autre tentative pour voir ton grand-père.

— Je vais le faire.

— Quand ?

— Quand nous serons installés. »

Ce fut le cas une semaine plus tard. Ils louèrent un petit appartement sur la 57e Rue pour cent cinquante dollars par mois. Dans un petit immeuble en pierre blanche, il se composait d'une chambre, d'un salon, d'une kitchenette, d'une salle de bains, et bien que les pièces fussent trop petites pour pouvoir y mettre les plus beaux meubles d'Anthony, elles étaient propres, neuves, et dans le genre hygiénique et clair, elles ne manquaient pas de charme. Bounds était parti en Europe s'enrôler dans l'armée britannique, et pour le remplacer ils tolérèrent, en faisant contre mauvaise fortune bon cœur, les services d'une Irlandaise osseuse que Gloria détestait parce qu'elle chantait les mérites du Sinn Féin en servant le petit déjeuner. Mais ils s'étaient juré qu'ils n'auraient plus de Japonais, et par les temps qui couraient, il était difficile d'avoir des domestiques anglais. Comme Bounds, cette femme ne préparait que le petit déjeuner. Ils prenaient leurs autres repas dans des restaurants et des hôtels.

Ce qui décida finalement Anthony à se rendre en toute hâte à Tarrytown, ce fut l'entrefilet paru dans plusieurs journaux de New York, annonçant qu'Adam Patch, le multimillionnaire, le philanthrope, le vénérable réformateur, était sérieusement malade et qu'on ne s'attendait pas qu'il guérisse.

LE PETIT CHAT

Anthony ne put le voir. Le docteur avait interdit toute visite, dit Mr. Shuttleworth, qui offrit aimablement de se charger de tout message qu'Anthony voudrait bien lui confier, et de le remettre à Adam Patch quand son état le permettrait. Mais il laissa entendre clairement qu'Anthony avait raison de supposer, hélas, que la présence du petit-fils prodigue serait particulièrement indésirable au chevet du malade. À un moment de la conversation, Anthony, se rappelant les directives formelles de Gloria, fit un pas en avant, prêt à bousculer le secrétaire, mais Shuttleworth, avec un sourire, bomba son torse imposant, et Anthony comprit l'inanité d'une telle tentative.

Complètement démoralisé, il rentra à New York, où mari et femme passèrent une semaine fébrile. Un petit incident qui eut lieu un soir montra à quel point ils avaient les nerfs tendus.

Rentrant chez eux par une rue transversale après le dîner, Anthony remarqua un chat, sorti pour la nuit, qui rôdait près d'une grille.

« J'éprouve toujours la tentation de donner un coup de pied à un chat, lança-t-il avec désinvolture.

— Moi, je les aime.

— Une fois, j'ai cédé à mon envie.

— Quand ça ?

— Oh, il y a des années, avant de te connaître. Un soir, pendant un entracte de spectacle. Une nuit froide, comme ce soir, et j'avais un peu bu ; c'était une des toutes premières fois où je buvais, ajouta-t-il. Le pauvre, il cherchait un endroit où dormir, j'imagine, et moi j'étais d'humeur agressive, alors l'envie m'est venue de lui flanquer un bon coup de pied.

— Oh, le pauvre petit chat », s'écria Gloria, sincèrement émue.

Inspiré par l'instinct du conteur, Anthony se mit à broder sur le thème.

« Pas de quoi me vanter, reconnut-il. La pauvre petite bête s'est retournée et m'a regardé d'un air suppliant, comme si elle espérait que j'allais la prendre et me montrer gentil avec elle — c'était en fait juste un chaton — et au lieu de ça, un grand pied lui décoche un coup, vlan, en plein dans son petit dos.

— Oh ! » Le cri de Gloria était chargé d'angoisse.

« Il faisait tellement froid cette nuit-là », poursuivit Anthony, mû par un instinct pervers, et sur le ton de la mélancolie. « Il attendait sans doute un geste d'affection, et il ne reçut que de la souffrance... »

Anthony s'interrompit brusquement — Gloria sanglotait. Ils étaient arrivés chez eux, et quand ils furent dans l'appartement, elle se jeta sur le divan en pleurant comme si c'était son âme même qu'il avait atteinte.

« Le pauvre petit, le pauvre petit chaton, répétait-elle d'un ton douloureux. Pauvre petit, dans ce froid...

— Gloria...

— Ne t'approche pas de moi. Je t'en conjure, ne t'approche pas. Tu as tué ce pauvre petit chaton. »

Touché, Anthony s'agenouilla à côté d'elle.

« Ma chérie, dit-il. Gloria, ma chérie. Ça n'est pas vrai. J'ai tout inventé, de A jusqu'à Z. »

Mais elle refusa de le croire. Il y avait quelque chose dans les détails qu'il avait choisis pour décrire la scène qui la fit pleurer jusqu'à ce qu'elle trouve le sommeil — pleurer sur le chat, sur Anthony, sur elle-même, sur la souffrance et l'amertume et la cruauté du monde entier.

LA MORT D'UN MORALISTE AMÉRICAIN

Le vieil Adam mourut un soir à minuit, vers la fin du mois de novembre, avec, sur ses lèvres minces, un pieux compliment à son Dieu. Lui, qu'on avait tant flatté, s'en alla en flattant l'Abstraction omnipotente qu'il craignait d'avoir offensée dans les moments les plus dissolus de sa jeunesse. Il fut annoncé qu'il avait conclu avec la divinité une sorte d'armistice, dont les termes ne furent pas rendus publics, même si l'on soupçonnait qu'ils comprenaient une importante contribution financière. Tous les journaux publièrent sa biographie, et deux d'entre eux firent paraître de brefs éditoriaux, estimant son poids en or, et le rôle qu'il avait joué dans les péripéties de l'industrialisme avec lequel il avait grandi. On fit prudemment allusion aux sociétés de redressement moral qu'il avait soutenues et financées. On invoqua la mémoire d'Anthony Comstock et de Caton le Censeur, dont on fit parader les tristes fantômes dans les colonnes des journaux.

Toute la presse signala que ne lui survivait qu'un membre de sa famille, un petit-fils, Anthony Comstock Patch, de New York.

L'enterrement eut lieu dans la concession familiale du cimetière de Tarrytown. Anthony et Gloria étaient dans la première voiture, trop soucieux pour se sentir ridicules, essayant tous les deux désespérément de glaner un présage de fortune dans les mines des personnes de sa suite qui l'avaient accompagné dans ses derniers instants.

Ils attendirent par décence une semaine, une semaine fiévreuse au bout de laquelle, n'ayant reçu aucun avis d'aucune sorte, Anthony appela le notaire de son grand-père. Mr. Brett était absent, il serait de retour dans une heure. Anthony laissa son numéro de téléphone.

C'était le dernier jour de novembre, dehors il faisait un froid piquant, avec un soleil sans éclat qui jetait un jour terne à l'intérieur. Pendant qu'ils attendaient l'appel en s'absorbant ostensiblement dans leur lecture, l'atmosphère, au-dedans comme au-dehors, semblait l'interprétation intentionnelle de leur situation. Après un moment interminable, la sonnerie retentit et Anthony, sursautant violemment, décrocha le combiné.

« Allô… ? » Sa voix était tendue et sonnait creux. « Oui, en effet, j'ai laissé un message. Qui est à l'appareil ?… Oui… Eh bien, c'était à propos de la succession. Naturellement cela m'intéresse, et je n'ai eu aucune nouvelle concernant la lecture du testament… Je me suis dit que vous n'aviez peut-être pas mon adresse… Pardon ?… Oui… »

Gloria tomba à genoux. Chacun des silences entre les répliques d'Anthony était comme un garrot qu'on faisait tourner pour lui comprimer le cœur. Elle se retrouva à tortiller nerveusement les gros boutons d'un coussin de velours. Puis :

« C'est… c'est très, très étrange… c'est très étrange… c'est très étrange. Pas même la moindre… euh… mention ou la moindre… euh… raison… ? »

Sa voix étouffée avait l'air de venir de loin. Gloria émit un petit bruit, mi-halètement, mi-cri.

« Oui, je vais voir… d'accord, merci… merci… »

Le téléphone cliqueta. Les yeux de Gloria, rivés au sol, virent les pieds d'Anthony barrer le motif d'une tache de lumière sur le tapis. Elle se leva et lui fit face d'un regard gris, neutre, tandis qu'il la serrait dans ses bras.

« Ma chérie, murmura-t-il d'une voix rauque. Il l'a fait, ce salaud ! »

LE LENDEMAIN

« Qui sont les héritiers ? demanda Mr. Haight. Vous comprenez, vous me donnez si peu de détails… »

Mr. Haight était grand, voûté, avec des sourcils broussailleux. Il avait été recommandé à Anthony comme un avocat capable et tenace.

« Je ne le sais que vaguement, répondit Anthony. Un homme qui s'appelle Shuttleworth, qui était en quelque sorte son homme à tout faire, est chargé de tout en qualité d'exécuteur testamentaire ou d'administrateur, quelque chose comme ça…, tout sauf les donations à des œuvres de charité, et les dispositions concernant les domestiques et les deux cousins de l'Idaho.

— Quel lien de parenté y a-t-il avec ces cousins ?

— Oh, troisième ou quatrième degré, au moins. Je n'ai même jamais entendu parler d'eux. »

Mr. Haight hocha la tête d'un air compréhensif.

« Et vous voulez contester une des dispositions du testament ?

— Oui, j'imagine, acquiesça Anthony, irrésolu. Je

veux faire ce qui a le plus de chances d'aboutir ; c'est ce que je vous demande de me dire.

— Vous voulez qu'ils refusent d'homologuer le testament ? »

Anthony secoua la tête.

« Je ne sais pas quoi vous répondre. Je n'ai pas la moindre idée de ce que c'est qu'"homologuer". Je veux une part de la succession.

— Tâchez de me donner quelques détails supplémentaires. Par exemple, savez-vous pourquoi le testateur vous a déshérité ?

— Eh bien, oui, commença Anthony. Voyez-vous, il s'est toujours laissé embringuer dans les mouvements de redressement moral, tout ça…

— Je sais, interrompit Mr. Haight, impersonnel.

— … et je suppose qu'il n'a jamais pensé grand bien de moi. Je ne suis pas entré dans les affaires, voyez-vous. Mais je suis certain que jusqu'à l'été dernier, je faisais partie des légataires. Nous avions une maison à Marietta, et un soir grand-père s'est mis dans la tête de venir nous voir. Il se trouve qu'il y avait ce soir-là une fête passablement animée, et il est arrivé sans prévenir. D'un seul coup d'œil, il a vu la scène, il a aussitôt tourné les talons, avec son Shuttleworth, et ils sont rentrés dare-dare à Tarrytown. Après cela, il n'a plus jamais répondu à mes lettres, et il a même refusé de me recevoir.

— Il était prohibitionniste, n'est-ce pas ?

— Il était tout ce qu'on veut, un vrai bigot fanatique.

— Combien de temps avant sa mort ce testament qui vous déshérite a-t-il été rédigé ?

— Récemment… je veux dire, depuis le mois d'août.

— Et vous pensez que la raison directe pour

laquelle il ne vous a pas laissé la majeure partie de ses biens est son mécontentement à cause de votre conduite récente ?

— Oui. »

Mr. Haight réfléchit. Sur quels arguments Anthony comptait-il se fonder pour contester le testament ?

« Est-ce qu'on ne peut pas faire valoir une mauvaise influence ?

— L'abus de faiblesse est un argument — mais c'est le plus difficile à faire valoir. Il faudrait prouver qu'une pression s'est exercée sur le défunt, qui l'a amené à disposer de sa fortune contrairement à ses intentions...

— Eh bien, imaginons que ce Shuttleworth l'ait fait venir à Marietta exactement au moment où il se doutait qu'il devait y avoir une fête ?

— L'argument n'aurait aucune portée. Il y a une distinction claire et nette entre avis et influence. Il faudrait prouver que le secrétaire avait une arrière-pensée bien précise. Je proposerais plutôt d'invoquer d'autres motifs. On refuse automatiquement d'homologuer un testament en cas de folie, d'intempérance (là, Anthony esquissa un sourire), ou de faiblesse mentale pour cause de sénilité.

— Mais, objecta Anthony, comme son médecin privé est l'un des légataires, il ne témoignera pas pour dire qu'il était faible d'esprit. Et il ne l'était pas. En vérité, il a sans doute fait avec son argent exactement ce qu'il avait l'intention de faire, c'est tout à fait en accord avec tout ce qu'il a fait dans sa vie.

— Voyez-vous, la faiblesse d'esprit ressemble beaucoup à l'influence abusive : cela suppose que le testateur ait disposé de la fortune contrairement à ses intentions originelles. L'argument le plus fréquent est la coercition, la pression physique. »

Anthony secoua la tête.

« Guère de chances de ce côté-là. C'est l'abus de faiblesse qui me paraît le meilleur argument. »

Après une longue discussion, si technique qu'Anthony n'en saisit pas le quart, Anthony garda Mr. Haight comme avocat-conseil. Celui-ci proposa un entretien avec Shuttleworth qui, conjointement avec Wilson, Hiemer & Hardy, était l'exécuteur testamentaire. Anthony était prié de revenir plus tard dans la semaine.

On apprit alors que la fortune était évaluée à environ quarante millions de dollars. Le legs le plus important destiné à une seule personne était d'un million de dollars, attribué à Edward Shuttleworth, qui recevait en outre un salaire de trente mille dollars par an en tant qu'administrateur du fonds de trente millions de dollars, à répartir entre différentes œuvres de charité et sociétés de redressement moral, plus ou moins à sa discrétion. Les neuf millions restants se partageaient entre les deux cousins de l'Idaho et environ vingt-cinq autres bénéficiaires : amis, secrétaires, domestiques et employés qui avaient, à un moment ou à un autre, su mériter l'approbation d'Adam Patch.

Au bout d'une nouvelle quinzaine, Mr. Haight, contre une provision de quinze mille dollars, avait entrepris les démarches préparatoires à la contestation du testament.

L'HIVER DU DÉPLAISIR

Ils n'étaient pas depuis deux mois dans le petit appartement de la 57e Rue que celui-ci s'imprégnait déjà pour eux deux de la même souillure indéfinissable mais presque matérielle que la maison grise de Marietta. Il y avait en permanence l'odeur du tabac : tous deux fumaient à la chaîne ; elle pénétrait leurs vêtements, leurs couvertures, les rideaux et les tapis jonchés de cendres. À quoi il faut ajouter les relents de vinasse, qui évoquaient inévitablement le flétrissement de la beauté et le dégoût succédant aux parties de plaisir. Cette odeur se dégageait tout particulièrement d'un service de verres à pied sur le buffet et, dans le salon, un cerne de cercles blancs sur la table en acajou marquait l'endroit où l'on y avait posé des verres. Il y avait eu de nombreuses fêtes, les gens cassaient des choses ; les gens vomissaient dans la salle de bains de Gloria ; les gens renversaient du vin ; les gens laissaient la kitchenette dans une pagaïe indescriptible.

Ces choses faisaient partie de leur existence quotidienne. Malgré les sages résolutions de bien des lundis, il était tacitement entendu, quand approchait le week-end, qu'il fallait l'honorer avec une sorte de ferveur païenne. Quand arrivait le samedi, sans même se poser la question, ils appelaient telle ou telle personne parmi leur cercle d'amis suffisamment irresponsables, et lui proposaient un rendez-vous. C'est seulement lorsque les amis étaient rassemblés et qu'Anthony avait sorti des carafons, qu'il murmurait d'un ton détaché : « Je crois que je vais prendre moi aussi un petit cocktail. »

Et alors, c'était parti pour deux jours. Ils se rendaient compte, à l'aube d'un matin d'hiver, qu'ils avaient été les membres les plus bruyants et excités de la bande la plus bruyante et excitée du Boul' Mich' ou du club Ramée, ou d'autres boîtes plus tolérantes vis-à-vis des explosions de gaieté de leur clientèle. Ils s'apercevaient qu'ils avaient plus ou moins dépensé quatre-vingts ou quatre-vingt-dix dollars, comment ? mystère. Généralement, ils attribuaient cela au fait que les « amis » qui les accompagnaient étaient tous fauchés.

Les plus sincères de leurs amis s'employèrent à les mettre en garde, avant même que la fête fût terminée, leur prédisant un triste avenir dans lequel Gloria perdrait sa beauté et Anthony sa santé. Le récit de la fête interrompue à Marietta avait, bien entendu, filtré dans tous ses détails. « Muriel n'a pas l'intention d'en parler à la terre entière, avait dit Gloria à Anthony, mais elle croit que chaque personne à qui elle en parle est la seule à qui elle va en parler. » Sous un voile diaphane, l'histoire avait fait la une de *Potins mondains*. Quand les termes du testament d'Adam Patch furent rendus publics et que la presse publia des informations concernant le procès intenté par Anthony, l'histoire fut complétée et embellie, au grand dam d'Anthony. Gloria et lui furent assaillis, de toutes parts, de rumeurs les concernant, rumeurs qui contenaient généralement un soupçon de vérité, mais agrémentées de précisions extravagantes et sinistres.

En apparence, ils ne montraient pas de signes de détérioration. Gloria à vingt-six ans était toujours la Gloria de vingt ans ; son teint frais mettait en valeur ses yeux candides ; ses cheveux avaient encore leur splendeur enfantine, allant de la blondeur des blés à un or roux vénitien ; sa silhouette élancée évoquait toujours une nymphe courant et dansant dans des bosquets orphiques. Les yeux des hommes, par douzaines, la suivaient avec fascination lorsqu'elle traversait le hall d'un hôtel ou qu'elle descendait l'allée centrale d'un théâtre. Les hommes demandaient à lui être présentés, tombaient durablement dans des états d'admiration sincère, lui faisaient expressément la cour — car elle était toujours une créature d'une beauté rare, exquise. Quant à Anthony, au physique, il avait plutôt gagné que perdu ; son visage avait acquis un je-ne-sais-quoi de tragique, qui contrastait de façon romantique avec l'élégance immaculée de sa personne.

Au début de l'hiver, alors que toutes les conversations tournaient autour de la probabilité de l'entrée en guerre de l'Amérique, qu'Anthony essayait désespérément et sincèrement de se lancer enfin dans un travail d'écriture, Muriel Kane arriva à New York et vint immédiatement les voir. Comme Gloria, elle ne changeait pas. Elle connaissait l'argot du jour, dansait les danses à la mode, parlait des chansons et des pièces en vogue avec la même ferveur que lorsqu'elle avait débarqué à New York en petite provinciale. Elle jouait toujours les ingénues, avec le même manque de succès ; elle portait des vêtements excentriques ; ses cheveux noirs étaient maintenant coupés au carré, comme ceux de Gloria.

« Je suis venue pour le bal de la saison d'hiver de Yale », annonça-t-elle, partageant son délicieux secret. Même si elle était plus âgée que tous les étudiants encore à l'université, elle s'arrangeait toujours pour avoir une invitation, s'imaginant vaguement qu'à la prochaine fête aurait lieu le flirt qui aboutirait, de la façon la plus romantique, à l'échange des alliances.

« Qu'est-ce que vous devenez ? demanda Anthony, qu'elle amusait toujours.

— J'arrive de Hot Springs. L'automne a été follement brillant, animé. Des hommes, des hommes !

— Vous êtes amoureuse, Muriel ?

— L'amour, qu'est-ce que vous entendez par là ? » C'était la grande question rhétorique de l'année. « Laissez-moi vous dire quelque chose, enchaîna-t-elle en changeant brusquement de sujet. Je suppose que ça ne me regarde pas, mais je trouve qu'il serait temps que vous vous rangiez, tous les deux.

— Mais nous *sommes* rangés.

— Parlons-en ! se moqua-t-elle. Partout où je vais, j'entends parler de vos frasques. Croyez-moi, j'ai un mal fou à vous défendre.

— Ne te donne pas cette peine, répondit Gloria froidement.

— Enfin, Gloria, tu sais que je suis l'une de vos meilleures amies. »

Gloria se tut. Muriel poursuivit :

« Le problème, ce n'est pas tellement qu'une femme boive, mais Gloria est si jolie, et tant de gens la connaissent de vue, ici ou là, que naturellement cela se remarque...

— Qu'est-ce que tu as entendu dire récemment ? » demanda Gloria, la dignité cédant à sa curiosité.

« Eh bien, par exemple, que la fête à Marietta avait *tué* le grand-père d'Anthony. »

Aussitôt mari et femme se montrèrent ulcérés.

« C'est honteux de dire une chose pareille.

— C'est pourtant ce qu'on dit », insista Muriel, butée.

Anthony faisait les cent pas. « C'est incroyable ! déclara-t-il. Les personnes que nous invitons à des fêtes colportent cette histoire sous forme de plaisanterie, et pour finir, voilà sous quelle forme ça nous revient. »

Gloria se mit à taquiner du doigt une mèche follette un peu rousse. Muriel lécha sa voilette en préparant la remarque suivante.

« Vous devriez avoir un bébé. »

Gloria leva les yeux avec lassitude.

« Nous n'en avons pas les moyens.

— Tous les gens des bas quartiers en ont », assena Muriel, sans se laisser abattre.

Anthony et Gloria échangèrent un sourire. Ils avaient atteint le stade de disputes violentes qui n'aboutissaient pas à une réconciliation, des disputes qui couvaient sous la cendre et se réveillaient soudain à un moment ou à un autre, ou alors s'éteignaient par pure indifférence. Mais la visite de Muriel les rapprochait provisoirement. Quand le malaise dans lequel ils vivaient était montré du doigt par une tierce personne, cela leur donnait l'élan nécessaire pour faire face ensemble à un monde hostile. Il était très rare, maintenant, que le rapprochement provienne du dedans.

Anthony se surprit à associer sa propre existence à celle du liftier de nuit de l'immeuble, un homme d'une soixantaine d'années, pâle, à la barbe enchevêtrée, un homme qui semblait être plus ou moins au-dessus de sa condition. C'était sans doute à cause de cette qualité qu'il avait obtenu le poste. Cela faisait de lui l'emblème pathétique et mémorable de l'échec. Anthony se rappelait, sans amusement, la plaisanterie éculée sur la carrière d'un liftier faite de hauts et de bas. C'était, en tout état de cause, une vie enfermée, d'une monotonie accablante. Chaque fois qu'Anthony montait dans l'ascenseur, il attendait en retenant son souffle que le bonhomme lance : « Eh bien, je pense qu'on va avoir du soleil aujourd'hui. » Anthony se disait qu'il devait bien peu profiter du soleil ou de la pluie, calfeutré dans cette petite cabine, dans le hall sans fenêtres, couleur de fumée.

Personnage obscur, il atteignit une dimension tragique lorsqu'il quitta une vie qui l'avait si peu gâté. Trois jeunes malfaiteurs armés arrivèrent une nuit, le ligotèrent et le laissèrent sur un tas de charbon dans la cave pendant qu'ils fouillaient le débarras. Quand le concierge le trouva le lendemain matin, il était à moitié mort de froid. Il mourut d'une pneumonie quatre jours plus tard.

Il fut remplacé par un Martiniquais volubile, avec un accent britannique incongru et une tendance à se montrer bougon. Anthony le détestait. La mort du vieux liftier eut à peu près sur lui le même effet que l'histoire du petit chat sur Gloria. Elle lui rappela la cruauté de la vie en général et, par voie de conséquence, l'amertume croissante de la sienne propre.

Il écrivait, prenant enfin cette tâche au sérieux. Il était allé trouver Dick et avait écouté attentivement pendant une heure les détails des procédures à suivre qu'il avait jusqu'alors traitées par le mépris. Il avait besoin d'argent de façon urgente. Tous les mois, il vendait des titres pour payer leurs factures. Dick fut franc et explicite :

« Pour ce qui est des articles sur des sujets littéraires dans ces obscures petites revues, cela ne te permettrait pas de payer ton loyer. Bien sûr, si un type a le sens de l'humour, ou des connaissances dans un domaine spécialisé, ou la chance d'écrire une biographie importante, il peut faire fortune. Mais pour toi, le seul débouché, c'est la fiction. Tu dis que tu as besoin d'argent immédiatement ?

— Très exactement.

— Eh bien, si tu écrivais un roman, il faudrait au moins un an et demi avant que cela te rapporte un sou. Lance-toi dans la nouvelle populaire. Et, à propos, faute d'être exceptionnellement brillantes, elles doivent être optimistes et il ne faut pas faire dans la dentelle si tu veux que cela te rapporte de l'argent. »

Anthony pensait à la production récente de Dick, qui paraissait dans un mensuel connu. Il s'agissait principalement des comportements extravagants de mannequins bourrés de son qui, expliquait-on, représentaient les personnages de la bonne société new-yorkaise, et l'intrigue concernait en règle générale des interrogations sur la « pureté » de l'héroïne, au sens technique du terme, avec des commentaires pseudo-sociologiques sur les « folies des quatre cents familles ».

« Mais tes histoires à toi... » s'exclama Anthony tout haut, presque involontairement.

« Oh, ça, c'est différent », déclara Dick, laissant Anthony abasourdi. « J'ai une réputation ; vois-tu, alors on attend de moi que j'aborde les grands thèmes. »

Anthony eut un sursaut intérieur, comprenant par cette remarque à quel point Richard Caramel avait décliné. Croyait-il vraiment que ses fables récentes valaient son premier roman ?

Anthony rentra chez lui et se mit au travail. Il découvrit que l'objectif d'une fin optimiste n'était pas une mince affaire. Après une demi-douzaine de tentatives avortées, il se rendit à la bibliothèque de son quartier et fit des recherches pendant une semaine dans les archives d'un magazine populaire. Alors, mieux équipé, il vint à bout de sa première nouvelle. « Le Dictaphone du destin ». Elle avait pour point de départ l'une des rares impressions qui lui restaient des six semaines passées à Wall Street l'année précédente. Elle se présentait comme l'heureuse histoire d'un employé de bureau qui, par pur accident, fredonne une ravissante mélodie dans le dictaphone. Le cylindre est découvert par le frère du patron, producteur connu de comédies musicales, puis il est immédiatement perdu. L'essentiel du récit concernait la recherche du cylindre perdu et, finalement, le mariage du noble employé (devenu dans l'intervalle un compositeur connu) avec Miss Rooney, vertueuse sténographe, mi-Jeanne d'Arc, mi-Florence Nightingale.

Il avait cru comprendre que c'était là ce que les magazines attendaient. Il offrait, avec ses protagonistes, les citoyens habituels du monde de la littérature à l'eau de rose, les faisant évoluer dans un scénario sucré à la saccharine qui pourrait être avalé sans indigestion par n'importe quel habitant de Marietta. Il le fit taper avec un espace double, suivant en cela la recommandation du manuel *Comment réussir une carrière d'écrivain*, de R. Meggs Widdlestein, qui assurait au plombier ambitieux qu'il aurait bien tort de se tuer à la tâche, étant donné qu'après avoir suivi six semaines de cours il pourrait gagner au moins mille dollars par mois.

Après avoir lu son récit à une Gloria bâillant d'ennui et lui avoir extorqué la remarque mémorable que c'était « mieux que des tas de choses qu'on publie », il apposa satiriquement sur son manuscrit le nom de plume « Gilles de Sade », joignit à son envoi une enveloppe-réponse et l'expédia.

Après ce gigantesque effort de création, il décida d'attendre d'avoir des nouvelles du premier récit avant d'en entreprendre un second. Dick lui avait dit qu'il pouvait espérer toucher deux cents dollars.

Si par hasard son texte se trouvait ne pas convenir, la lettre du rédacteur en chef lui donnerait sans nul doute une idée des changements à apporter.

« C'est, à coup sûr, le texte le plus nul de tous ceux qu'on peut lire », déclara Anthony.

Le rédacteur en chef, il ne faut pas trop s'en étonner, fut d'accord avec lui. Il renvoya le manuscrit avec un avis de refus. Anthony le soumit à un autre magazine et commença une autre nouvelle. La deuxième s'intitulait « Les Petites Portes ouvertes » et fut torchée en trois jours. Elle avait pour sujet l'occultisme. Un couple séparé était réuni par un médium dans un spectacle de cabaret.

Il y en eut six en tout, six tentatives pitoyables pour composer un texte, de la part d'un homme qui ne s'était jamais jusque-là donné la peine d'écrire quoi que ce fût. Aucune d'entre elles ne contenait la moindre étincelle de vitalité, et au total on n'aurait même pas pu y recueillir le charme et le bonheur d'expression que contient un article de journal moyen. En circulant d'une rédaction à l'autre, elles totalisèrent trente et un avis de rejet, pierres tombales pour les paquets qu'il trouvait gisant devant sa porte comme autant de cadavres.

À la mi-janvier, le père de Gloria mourut, et ils retournèrent à Kansas City — voyage déprimant, car Gloria ne cessait de broyer du noir, non sur la mort de son père, mais sur celle de sa mère. Une fois démêlées les affaires de Russel Gilbert, ils se retrouvèrent en possession d'environ trois mille dollars et d'une grande quantité de meubles. Tout cela était au garde-meubles, car Mr. Gilbert avait passé ses derniers jours dans un petit hôtel. C'est à l'occasion de cette mort qu'Anthony fit une nouvelle découverte concernant Gloria. Pendant le voyage de retour, elle se dévoila, à l'immense surprise d'Anthony, comme bilphiste.

« Voyons, Gloria, s'écria-t-il, tu ne vas pas me dire que tu crois à toutes ces sottises ?

— Et alors, lança-t-elle d'un air de défi, pourquoi pas ?

— Parce que c'est… c'est insensé. Tu sais bien que tu es agnostique, dans tous les sens du terme. Tu accablerais de moqueries toute forme d'orthodoxie chrétienne, et voilà que tu viens me dire que tu crois à je ne sais quel système absurde de réincarnation.

— Et alors ? Je vous ai souvent entendu dire, à Maury et à toi, et à tous les gens que j'ai quelque peu en estime sur le plan intellectuel, que la vie telle qu'elle nous apparaît est totalement dénuée de sens. Mais il m'a toujours semblé que si inconsciemment j'apprenais ici quelque chose, la vie pourrait être un peu moins dépourvue de signification.

— Tu n'apprends rien du tout, c'est juste que tu commences à être fatiguée. Et si tu as besoin de te raccrocher à une foi pour adoucir les épreuves, trouves-en au moins une qui puisse attirer d'autres personnes qu'une bande de femmes hystériques. Quelqu'un comme toi ne devrait pas accepter de croire en quelque chose qui ne soit pas tant soit peu démontrable.

— La vérité, je m'en fiche. Ce que je veux, c'est un peu de bonheur.

— Écoute, pour un esprit bien fait, le bonheur doit être au moins en partie conditionné par la vérité. Toute âme simple peut se laisser tromper par des bêtises.

— Je m'en fiche, s'obstina-t-elle, et de toute manière, je ne défends pas une doctrine. »

La discussion prit fin, mais Anthony eut l'occasion

d'y revenir plusieurs fois par la suite. Il était troublant de voir que cette vieille croyance, que Gloria avait visiblement empruntée à sa mère, était réintégrée par elle sous le déguisement immémorial d'une idée innée.

Ils revinrent à New York en mars, après une semaine qu'ils avaient eu la mauvaise idée de passer à Hot Springs et qui leur avait coûté fort cher, et Anthony reprit ses tentatives d'écriture avortées. Au fur et à mesure qu'il se confirmait que le salut ne viendrait pas de la littérature pour le grand public, ils perdaient tous les deux courage et confiance l'un dans l'autre. Une lutte compliquée se livrait sans cesse entre eux. Tous leurs efforts pour réduire les dépenses échouaient par pure inertie, et lorsque vint mars, tout leur servit à nouveau de prétexte pour organiser « une fête ». Faisant montre d'une belle audace, Gloria lança qu'ils devraient retirer tout leur argent et le dépenser, tant qu'il y en aurait, à prendre du bon temps ; tout valait mieux que de le voir leur filer peu à peu entre les doigts sans leur apporter la moindre satisfaction.

« Gloria, tu as autant envie que moi de faire la fête.

— Ce n'est pas moi qui compte. Tout ce que je fais est en accord avec mes principes : utiliser chaque minute de ces années, tant que je suis jeune, pour prendre tout le plaisir que je peux.

— Et ensuite ?

— Ensuite, ça n'aura plus d'importance.

— Bien sûr que si.

— Bon, peut-être, mais je n'y pourrai plus rien. Et au moins, j'aurai eu du bon temps.

— Tu seras la même que maintenant. En un sens, nous l'avons eu, notre bon temps, nous avons fait une bringue à tout casser, et maintenant est venu le moment de payer. »

N'empêche que l'argent continuait à filer. Ils connaissaient deux jours de liesse, puis deux jours moroses, dans une ronde perpétuelle, presque invariable. Les jours où il leur arrivait de dételer, Anthony se remettait, brièvement, à la tâche, cependant que Gloria, maussade, énervée, restait au lit ou se rongeait pensivement les ongles. Cela durait un jour ou deux, puis ils prenaient rendez-vous avec des amis et... oh, quelle importance... La soirée, la douce chaleur, la fin des angoisses, et le sentiment qu'après tout, même si la vie n'avait pas de sens, elle était au moins furieusement romanesque ! Le vin donnait une sorte de panache à leur échec.

Entre-temps, le procès suivait lentement son cours, avec, interminablement, toutes les auditions des témoins et la collecte des preuves. Les procédures préliminaires au règlement de la succession étaient terminées, Mr. Haight ne voyait aucune raison qui eût pu s'opposer à ce que l'affaire soit jugée avant l'été.

Bloeckman débarqua à New York à la fin du mois de mars. Il avait passé presque un an en Angleterre pour des questions concernant *Films par excellence**. Ses manières continuaient à s'améliorer de façon notoire : il s'habillait de mieux en mieux, sa diction était plus raffinée, et l'on percevait dans toute sa personne la conviction de plus en plus affirmée que ce que le monde peut offrir de mieux lui appartenait en vertu d'un droit naturel et inaliénable. Il vint leur rendre visite, ne resta qu'une heure, pendant laquelle il parla principalement de la guerre, et il les quitta en les assurant qu'il reviendrait. Lors de sa deuxième visite, Anthony n'était pas là, mais à la fin de l'après-midi, c'est une Gloria tout excitée qui accueillit son mari.

« Anthony, lança-t-elle, est-ce que tu verrais toujours un inconvénient à ce que je fasse du cinéma ? »

Le cœur d'Anthony se soulevait tout entier à cette idée. Au moment où Gloria semblait s'éloigner de lui, ne serait-ce que sous la forme d'une menace, sa présence lui paraissait non pas tant précieuse que désespérément nécessaire.

« Oh, Gloria... !

— Blockhead a dit qu'il me ferait avoir un rôle. Seulement, si je dois faire quelque chose, il faut que je le fasse tout de suite. Ils ne prennent que des femmes jeunes. Pense à ce que ça rapporterait, Anthony !

— Pour toi, oui. Mais moi ?

— Tu sais bien que tout ce qui est à moi est à toi !

— Ce sont des carrières épouvantables », éclata-t-il, lui, Anthony le puritain, et toujours circonspect. « Et les gens avec qui on travaille ! J'en ai plus qu'assez de ce Bloeckman qui débarque et qui se mêle de nos affaires, je déteste tout ce monde du théâtre.

— Mais ce n'est pas le monde du théâtre ! C'est tout à fait autre chose.

— Je suis censé faire quoi ? Parcourir l'Amérique à tes trousses ? Vivre à tes crochets ?

— Alors, gagne de l'argent toi-même. »

La conversation dégénéra en l'une des pires disputes qu'ils eussent jamais connues. Après la réconciliation qui suivit, et l'inévitable période d'inertie morale, Gloria se rendit compte qu'Anthony avait vidé le projet de sa substance. Aucun des deux ne mentionna la probabilité que Bloeckman fût tout sauf désintéressé, mais tous deux savaient que cette pensée était à la racine des objections d'Anthony.

En avril, la guerre fut déclarée à l'Allemagne. Le président Wilson et son cabinet — un assemblage qui évoquait quelque chose comme les douze apôtres — lâchèrent les chiens affamés de la guerre, et la presse commença à vilipender hystériquement la morale sinistre, la philosophie sinistre et la musique sinistre que propageait le tempérament teuton. Ceux qui voulaient faire montre d'ouverture d'esprit introduisirent une nuance subtile : c'était seulement le gouvernement allemand qui était la cause de toute cette hystérie. Les autres furent conditionnés jusqu'à un degré écœurant d'indécence. Toute chanson qui contenait le mot « mère » ou le mot « Kaiser » était assurée d'un succès fantastique. On tenait enfin un sujet de conversation, et presque tout le monde en profitait, comme si l'on avait distribué à chacun son rôle dans un sombre drame romantique.

Anthony, Maury et Dick envoyèrent leur candidature pour être admis dans des camps d'entraînement pour officiers, et Maury et Dick paradèrent avec un sentiment étrange d'exaltation et de vertu ; ils bavardaient comme de jeunes étudiants, se racontant que la guerre était la seule excuse et justification de l'aristocratie, et ils rêvaient d'une impossible caste d'officiers qui se serait composée, apparemment, des anciens élèves les plus doués de trois ou quatre universités de l'Ivy League. Gloria avait l'impression qu'à la lueur de cette grande lumière rouge qui se répandait sur toute la nation, même Anthony se parait d'un éclat nouveau.

Le 10e d'infanterie, arrivant de Panama, se retrouva, à son grand étonnement, escorté à New

York de bar en bar par des citoyens patriotes. Pour la première fois depuis des années, on porta attention aux élèves officiers de West Point. L'impression générale était qu'on baignait dans la gloire, et que cela n'était rien à côté de ce que cela serait sous peu ; tous les Américains étaient des chic types, toutes les races des races formidables, à l'exception — toujours — des Allemands. Et dans toutes les couches de la société, les réprouvés et les boucs émissaires n'avaient qu'à se montrer en uniforme pour être pardonnés, applaudis et inondés de larmes par leurs proches, leurs ex-amis et de parfaits inconnus.

Malheureusement, un petit médecin pointilleux déclara que la tension d'Anthony laissait à désirer. Il ne pouvait pas, en toute conscience, le déclarer bon pour un camp de formation d'officiers.

LE LUTH BRISÉ

Leur troisième anniversaire de mariage passa, sans être fêté ni remarqué. La saison se réchauffa avec le dégel, fondit à l'approche de l'été, et bouillonna à petits puis à gros bouillons. En juillet, le testament fut soumis pour homologation, et, du fait de la contestation, il fut renvoyé par le juge devant un jury. Les choses se prolongèrent jusqu'en septembre : il était difficile de réunir un jury objectif en raison des questions morales en jeu. À la grande déception d'Anthony, un verdict fut finalement rendu en faveur du testateur, sur quoi Mr. Haight fit assigner Edward Shuttleworth en appel.

Tandis que l'été déclinait, Anthony et Gloria parlaient de ce qu'ils feraient lorsque l'argent serait à eux, et des endroits où ils se rendraient après la guerre lorsqu'ils seraient « à nouveau d'accord sur tout », car ils aspiraient tous deux à un avenir où l'amour, renaissant tel le phénix de ses propres cendres, jaillirait à nouveau de son repaire mystérieux, insondable.

Anthony fut appelé sous les drapeaux par le conseil de révision, et le médecin qui l'examina ne signala pas une tension trop basse. Il y eut une scène à la fois absurde et triste, où Anthony déclara à Gloria que ce qu'il souhaitait par-dessus tout, c'était se faire tuer. Mais comme toujours, ils se faisaient du souci l'un pour l'autre pour les mauvaises raisons et au mauvais moment.

Ils décidèrent que, dans l'immédiat, elle n'irait pas avec lui dans son camp, dans le Sud, où son contingent avait reçu l'ordre de se rendre. Elle resterait à New York « pour que l'appartement serve à quelque chose », pour réaliser des économies et surveiller les progrès du procès — en instance devant la cour d'appel qui, expliqua Mr. Haight, avait pris du retard sur son calendrier.

Leur dernière conversation, ou presque, fut une dispute ridicule sur la répartition de leurs revenus : il aurait suffi d'un mot pour que chacun des deux cède le tout à l'autre. Signe de la confusion dans laquelle étaient plongées leurs vies, le soir d'octobre où Anthony était convoqué à Grand Central Station pour rejoindre son camp, Gloria n'arriva qu'à la dernière minute, le temps de croiser son regard par-dessus les têtes d'une foule anxieuse. Dans le faible éclairage de l'aire de stationnement du train, ils s'entr'aperçurent par-dessus une zone d'hystérie, polluée par les sanglots jaunes et l'odeur que dégageait cette foule de femmes pauvres. Ils durent se demander, chacun de son côté, comment ils en étaient arrivés là, et chacun dut s'accuser d'avoir tissé le sombre motif dans lequel ils évoluaient de manière à la fois si tragique et si obscure. Au moment de se quitter, aucun des deux ne put apercevoir les larmes de l'autre.

LIVRE III

Chapitre I

UNE QUESTION DE CIVILISATION

En réponse à un ordre aboyé par une source invisible, Anthony chercha sa place en tâtonnant dans le train. Il songeait que pour la première fois depuis plus de trois ans, il allait être séparé de Gloria pendant plus d'une nuit. L'irrévocabilité de la chose avait un attrait mélancolique. C'était sa belle, sa charmante qu'il quittait.

Ils en étaient arrivés, se disait-il, à l'arrangement financier le plus pratique qui fût : elle aurait trois cent soixante-quinze dollars par mois — ce qui n'était pas trop, si l'on comptait que la moitié de cette somme servirait à payer le loyer —, et lui en prenait cinquante en complément de sa solde. Il ne voyait pas le besoin d'avoir plus : nourriture, vêtements, logement lui seraient fournis, et un simple soldat n'avait pas de frais de représentation.

Le wagon était bondé, et déjà saturé d'haleines. Il était du type connu sous le nom de « wagon touristes », une sorte de Pullman au rabais, sans tapis, avec des banquettes paillées salies. Anthony fut néanmoins soulagé. Il s'attendait vaguement que le voyage ait lieu dans un wagon de marchandises, avec, à un bout, huit chevaux et à l'autre, quarante hommes. Il avait entendu si souvent l'histoire qui circulait, « *hommes 40, chevaux 8** », que c'était devenu une formule aussi vague qu'inquiétante.

Il parcourut le couloir en tanguant, avec son sac réglementaire en bandoulière comme une grosse saucisse bleue, sans trouver de place libre, mais au bout d'un moment ses yeux tombèrent sur une place occupée par les pieds d'un petit Sicilien basané qui, le chapeau rabattu sur les yeux, se carrait dans un coin d'un air de bravade. Lorsque Anthony s'arrêta à côté de lui, il le dévisagea en fronçant les sourcils, afin, visiblement, d'intimider l'adversaire. C'était évidemment la défense qu'il avait adoptée pour résoudre cette équation géante. À la demande sèche d'Anthony : « Cette place est prise ? » il souleva très lentement ses pieds, comme s'il s'agissait d'un paquet fragile, et les plaça par terre avec application. Il ne quitta pas des yeux Anthony, qui s'assit et déboutonna la capote militaire qu'on lui avait remise la veille au camp Upton. Elle le gênait aux entournures.

Avant qu'Anthony ait pu examiner les autres occupants du compartiment, un jeune sous-lieutenant entra en trombe à une extrémité de la voiture et la parcourut d'un pas léger en proclamant avec véhémence :

« Il est interdit de fumer dans ce wagon. Défense de fumer. Ne fumez pas, les gars, dans ce wagon. »

Tandis qu'il sortait du même pas vif, une douzaine de petits nuages de protestation s'élevèrent de tous côtés.

« Putain !

— Merde !

— On n'a pas le droit de fumer !

— Eh, reviens par ici, mon gars !

— Et quoi encore ? »

Deux ou trois cigarettes furent jetées par les fenêtres ouvertes. D'autres restèrent à l'intérieur, en essayant de ne pas trop se montrer. Ici et là s'élevèrent des accents de bravade, de moquerie, de soumission, quelques remarques furent lancées qui se fondirent bientôt dans l'apathie du silence général.

Soudain, le quatrième occupant du compartiment d'Anthony éleva la voix.

« Adieu liberté, lança-t-il d'un ton amer. Adieu à tout, reste plus qu'à être le cabot d'un officier. »

Anthony le regarda. C'était un grand Irlandais avec une expression d'indifférence et de dédain mêlés. Ses yeux tombèrent sur Anthony, comme s'il attendait une réponse, puis sur les autres. Ne recevant qu'un regard de défi de l'Italien, il grogna et cracha bruyamment par terre, comme pour assurer avec dignité le retour au mutisme.

Quelques minutes plus tard, la porte s'ouvrit à nouveau, et le sous-lieutenant apparut, toujours poussé par le petit zéphyr de sa mission officielle, annonçant cette fois une tout autre nouvelle :

« O.K. les gars, fumez si vous voulez. Je me suis gouré, les gars, allez-y, fumez, je me suis gouré ! »

Cette fois, Anthony l'examina. Il était jeune, mince, déjà fané. Il ressemblait à sa moustache : un grand brin de paille luisante. Il avait le menton vaguement fuyant ; il corrigeait cela par un air hargneux, arboré avec morgue mais sans autorité. Anthony devait souvent, dans l'année qui suivit, observer cette mimique chez les jeunes officiers.

Aussitôt, tous les hommes se mirent à fumer, qu'ils en aient eu envie auparavant ou non. La cigarette d'Anthony contribua à l'oxydation brumeuse qui, à chaque mouvement du train, semblait tanguer, d'avant en arrière, en nuages opalescents. Les conversations, qui s'étaient interrompues entre les deux visites spectaculaires du jeune officier, reprirent mollement. D'un côté à l'autre de l'allée centrale, les hommes s'essayèrent à des expériences peu concluantes sur le confort relatif de leurs banquettes. Deux jeux de cartes, commencés sans entrain, attirèrent bientôt plusieurs spectateurs perchés sur les accoudoirs. Quelques minutes plus tard, Anthony prit conscience d'un bruit persistant désagréable : c'était le petit Sicilien bravache qui s'était endormi de façon sonore. Il était démoralisant de contempler ce protoplasme animé, doué de raison par aimable autorisation, enfermé dans un wagon par une civilisation incompréhensible, emmené quelque part pour faire un vague je-ne-sais-quoi sans but, sans signification, sans conséquence. Anthony soupira, ouvrit un journal qu'il n'avait pas le souvenir d'avoir acheté, et se mit à lire sous le faible éclairage jaune.

11 heures vinrent succéder lourdement à 10 heures, les heures s'aggloméraient, se heurtaient les unes aux autres, ralentissaient. Sans qu'on sache pourquoi, le train s'arrêta en rase campagne dans la nuit, faisant de temps en temps de brèves embardées en avant ou en arrière, et sifflant des hymnes stridents en pleine nuit d'octobre. Ayant lu son journal de bout en bout, éditoriaux, dessins satiriques et poèmes de guerre, ses yeux tombèrent sur une demi-colonne intitulée *Shakespeareville, Kansas*. Apparemment, la chambre de commerce de Shakespeareville, Kansas, avait récemment tenu un débat enthousiaste sur la question de savoir si l'on devait appeler les soldats américains des

« Sammies » ou des « Combattants chrétiens ». Anthony s'en étranglait. Il lâcha le journal, bâilla, et laissa son esprit dériver en liberté. Il se demandait pourquoi Gloria avait été en retard. Il y avait déjà si longtemps de cela, lui semblait-il — il eut un élancement de solitude fantasmée. Il essaya d'imaginer sous quel angle elle allait considérer sa nouvelle situation, quel rôle il continuerait à jouer dans ses réflexions. Cette pensée le déprima encore un peu plus. Il rouvrit son journal et se remit à le lire.

Les membres de la chambre de commerce de Shakespeareville avaient finalement opté pour « Les Gars de la liberté ».

Pendant deux nuits et deux jours, ils continuèrent à brinquebaler en direction du sud, faisant des arrêts mystérieux, inexplicables, dans des zones apparemment désertiques, puis traversant en toute hâte des grandes villes, avec l'air pompeux de ceux qui n'ont pas de temps à perdre. Les incohérences de ce train semblaient présager ce que seraient les incohérences de toute l'administration militaire.

Dans les zones désertiques, on leur servait, du fourgon à bagages, des haricots au bacon qu'au début il fut incapable d'avaler. Il dîna sommairement de chocolat au lait distribué par une cantine de village. Mais le deuxième jour, les vivres en provenance du fourgon à bagages lui parurent étonnamment mangeables. Le troisième matin, la rumeur circula que, dans moins d'une heure, ils atteindraient leur destination, le camp Hooker.

Il faisait maintenant intolérablement chaud dans le compartiment, et les hommes étaient en bras de chemise. Le soleil pénétrait par les fenêtres, un vieux soleil fatigué, jaune comme du parchemin, et qui, au passage, s'étirait et se déformait. Il essayait d'entrer en carrés triomphaux et ne produisait que des taches de lumière difformes, mais avec une constance accablante, au point qu'Anthony s'étonnait de ne pas être le pivot de toutes les scieries entr'aperçues, de tous les arbres et poteaux télégraphiques qui tournaient si vite autour de lui. Dehors, le soleil jouait son lourd trémolo sur des rangées d'oliviers et des champs de coton en jachère, à l'arrière-plan desquels courait un tracé irrégulier de bois, entrecoupé de rochers gris en surplomb. Le premier plan était ici et là ponctué de cabanes misérables rafistolées tant bien que mal, où s'apercevait parfois, en un éclair, un spécimen languissant de la paysannerie de Caroline du Sud, ou bien un Noir errant dans la campagne, avec des yeux vides, effarés.

Puis les bois disparurent et firent place à un vaste espace plat comme le dessus d'un énorme gâteau, saupoudré d'une infinité de tentes formant des dessins géométriques à sa surface. Le train s'arrêta en hésitant, le soleil, les poteaux télégraphiques, les arbres s'effacèrent, et l'univers reprit doucement sa forme habituelle, avec Anthony Patch au centre. Les hommes s'extirpèrent du train par paquets, fatigués, transpirant, et Anthony sentit cette odeur inoubliable qui imprègne tous les campements permanents, une odeur de détritus.

Le camp Hooker était une excroissance étonnante et spectaculaire, évoquant une « Ville minière en 1870 — deuxième semaine ». Il se composait de hangars de bois et de tentes d'un blanc grisâtre, reliés par un réseau de routes, avec des champs de manœuvres au sol durci, de couleur brune, bordés d'arbres. Ici et là s'élevaient les baraquements verts de la Y.M.C.A., sortes d'oasis peu engageantes, avec leur odeur suintante de flanelle mouillée et de cabines téléphoniques fermées. Entre elles, il y avait généralement une cantine, pleine de vie, tenue avec indolence par un officier qui, avec son side-car, s'arrangeait le plus souvent pour faire de son poste une sinécure conviviale.

Les soldats du corps de l'intendance, eux aussi en side-car, sillonnaient les routes poussiéreuses. Les généraux les parcouraient dans leurs voitures officielles, s'arrêtant de temps à autre pour mettre au garde-à-vous tel ou tel soldat à l'improviste, pour inspecter d'un air sévère les capitaines marchant à la tête de leur compagnie, pour donner pompeusement la cadence du jeu de parade qui se déroulait triomphalement sur toute la zone.

La semaine qui suivit l'arrivée au camp du contingent d'Anthony fut consacrée à d'interminables vaccins et examens médicaux, et aux exercices préliminaires. Les journées laissaient Anthony recru de fatigue. Le sergent d'approvisionnement, un type gentil que tout le monde aimait bien, lui avait alloué des chaussures qui n'avaient pas la bonne pointure, et, en conséquence, ses pieds enflaient tellement que les dernières heures de l'après-midi étaient une véritable torture. Pour la première fois de sa vie, il pouvait se jeter sur sa couchette entre le dîner et l'appel pour les exercices de l'après-midi et sombrer immédiatement dans le sommeil, avec l'impression de s'enfoncer dans un lit sans fond, tandis que les bruits et les rires autour de lui n'étaient plus que l'agréable bourdonnement d'une somnolente journée d'été. Le matin, il se réveillait courbatu, endolori, creux comme un fantôme, et se hâtait d'aller retrouver d'autres fantômes qui peuplaient le terne quartier de la compagnie, tandis qu'un clairon strident hurlait et postillonnait vers le ciel gris.

Il était dans une compagnie d'infanterie squelettique composée d'une centaine d'hommes. Après l'inévitable petit déjeuner de bacon graisseux, de toasts froids et de céréales, comme un seul homme tous les cent se précipitaient aux latrines qui, si bien entretenues fussent-elles, semblaient toujours intolérables, comme les toilettes des hôtels bon marché. Puis en avant sur le terrain, en ordre dispersé, avec le boiteux à la gauche d'Anthony, qui contrecarrait grotesquement ses efforts pour marcher au pas, et les adjudants qui faisaient du zèle, rageusement, pour impressionner les officiers et les recrues, ou bien se planquaient près de la colonne afin d'éviter de se fatiguer et de se faire remarquer.

Quand ils arrivaient sur le terrain, l'exercice commençait aussitôt. Ils enlevaient leur chemise pour la gymnastique. C'était la seule partie de la journée qu'Anthony aimait bien. Le lieutenant Kretching, qui présidait à leurs gesticulations, était un gars nerveux et musclé, et Anthony suivait fidèlement ses instructions, ayant le sentiment de faire quelque chose qui lui était personnellement profitable. Les autres officiers et les adjudants circulaient au milieu des hommes avec une méchanceté de collégiens, s'attroupant ici ou là autour d'un malheureux qui manquait de contrôle musculaire, l'abreuvant de consignes contradictoires. Quand ils tombaient sur un spécimen particulièrement vulnérable, mal nourri, ils s'attardaient une demi-heure à faire des remarques sarcastiques et à ricaner entre eux.

Un petit officier, du nom de Hopkins, qui avait été sergent dans l'armée régulière, était particulièrement insupportable. Il considérait la guerre comme une revanche que les dieux eux-mêmes lui avaient accordée, et ses harangues répétaient immuablement que les bleus n'appréciaient pas à leur juste valeur le sérieux et le poids de responsabilité du « service ». Il considérait que c'était grâce à sa clairvoyance alliée à une efficacité hors pair qu'il s'était élevé à son enviable position. Il singeait les manières tyranniques de tous les officiers sous les ordres desquels il avait servi jadis. Son sourcil restait froncé en permanence. Avant de donner à un simple soldat un laissez-passer pour aller en ville, il supputait laborieusement les effets que son absence pourrait avoir sur la compagnie, l'armée et les intérêts supérieurs du monde militaire dans son ensemble.

Le lieutenant Kretching, blond, insipide, flegmatique, initia pompeusement Anthony aux problèmes du garde-à-vous, quart de tour à droite, demi-tour, repos. Son défaut principal était sa distraction. Il lui arrivait de laisser la compagnie au garde-à-vous, raidie par l'effort, cinq grandes minutes, pendant qu'il expliquait un nouveau mouvement devant les hommes. Le résultat était que seuls les hommes placés au centre savaient de quoi il retournait — ceux des deux flancs ayant été trop sévèrement impressionnés par l'obligation de regarder droit devant eux.

L'exercice se poursuivait jusqu'à midi. Il consistait à mettre l'accent sur une série de détails gratuits, et même si Anthony voulait bien croire que c'était en accord avec la logique de la guerre, cela n'en était pas moins irritant. Qu'une tension artérielle déficiente fût incompatible avec les fonctions d'un officier mais n'empêchât en rien un simple soldat de faire face à ses obligations, la chose était d'un illogisme saugrenu. Quelquefois, après avoir écouté une longue diatribe sur le sujet ennuyeux et, selon toute apparence, absurde, du code de conduite militaire, Anthony soupçonnait que le but masqué de la guerre était de laisser les officiers de carrière — des hommes qui avaient une mentalité et des aspirations de collégiens — pouvoir enfin s'entretuer pour de bon. On le sacrifiait, si incroyable que ce fût, aux vingt ans de patience d'un Hopkins.

De ses trois camarades de tente — un objecteur de conscience du Tennessee au visage plat, un grand Polonais terrifié et le Celte dédaigneux qui avait été son voisin dans le train —, les deux premiers passaient leurs soirées à écrire d'interminables lettres à leurs familles, cependant que l'Irlandais restait assis à l'entrée de la tente à siffler sans fin une demi-douzaine d'imitations de cris d'oiseaux, perçants et monotones. C'est pour éviter de passer une heure en leur compagnie plutôt que dans l'espoir de se distraire que, lorsqu'à la fin de la semaine la quarantaine fut levée, il se rendit en ville. Il monta dans l'une des nombreuses navettes qui sillonnaient le camp tous les soirs et une demi-heure plus tard, il fut déposé devant l'hôtel Stonewall dans la grand-rue chaude et somnolente.

À la tombée du crépuscule, la ville, contre toute attente, ne manquait pas de charme. Les trottoirs étaient peuplés de filles trop maquillées aux vêtements voyants, qui bavardaient avec volubilité de leurs voix indolentes et graves, de douzaines de chauffeurs de taxi qui apostrophaient au passage les officiers d'un « Je vous emmène où vous voulez, mon lieutenant », et, de façon intermittente, d'un cortège de Noirs en haillons, obséquieux, traînant la savate. Anthony, flânant dans la tiédeur de ce début de soirée, retrouvait pour la première fois depuis des années le souffle alangui, érotique du Sud, inséparable de la chaude douceur de l'air, de la torpeur irrésistible de la pensée et du temps.

À deux rues de là, il fut brusquement arrêté par une voix impérieuse à ses côtés : « On ne vous a pas appris à saluer les officiers ? »

Il regarda d'un air vague l'homme qui s'adressait à lui, un capitaine corpulent aux cheveux noirs, qui le fixait du regard menaçant de ses yeux bruns légèrement exorbités.

« Garde… à vous ! » Les mots furent lancés d'une voix de stentor. Quelques passants s'arrêtèrent pour regarder. Une fille aux prunelles douces, dans une robe lilas, pouffa avec sa camarade.

Anthony se mit au garde-à-vous.

« Quel régiment, quelle compagnie ? »

Anthony le lui dit.

« Dorénavant, quand vous croiserez un officier dans la rue, vous vous mettrez au garde-à-vous et vous saluerez !

— D'accord !

— On dit : "Oui, mon capitaine" !

— Oui, mon capitaine. »

L'officier corpulent grogna, fit un quart de tour et repartit d'un pas martial. Au bout d'un moment, Anthony reprit son chemin. La ville n'était plus indolente et exotique ; le crépuscule avait perdu sa magie. Anthony fit aussitôt retraite en lui-même pour constater l'indignité de sa position. Il haïssait cet officier, tous les officiers. La vie était insupportable.

Après avoir fait encore quelques pas, il se rendit compte que la fille à la robe lilas qui avait ri sous cape de sa mésaventure marchait avec son amie à une dizaine de pas devant lui. Elle s'était retournée plusieurs fois pour dévisager Anthony, de ses grands yeux rieurs qui semblaient de la même couleur que sa robe.

Arrivées au coin de la rue, sa compagne et elle ralentirent sensiblement, Anthony devait choisir entre les accoster ou les doubler sans leur prêter attention. Il les dépassa, hésita, puis ralentit. Quelques secondes plus tard, les deux filles étaient à nouveau à sa hauteur, riant maintenant de bon cœur, pas avec la gaieté stridente que l'on eût attendue, dans le Nord, de deux actrices jouant cette comédie familière, mais d'un doux rire en cascade, comme le débordement d'une subtile plaisanterie à laquelle il se serait trouvé mêlé par mégarde.

« Enchanté ! » dit-il.

Les yeux de la fille étaient doux comme des ombres. Étaient-ils violets, ou d'un bleu foncé qui se mélangeait avec les teintes grises du crépuscule ?

« Agréable soirée, risqua Anthony, intimidé.

— C'est bien vrai, lança la deuxième fille.

— Pas trop agréable pour vous », soupira la jeune fille en lilas. Sa voix semblait faire partie de la nuit au même titre que la douce brise qui agitait doucement le large bord de son chapeau.

« Il avait envie de faire son intéressant, dit Anthony avec un rire méprisant.

— Peut-être que oui... »

Ils tournèrent au coin de la rue et remontèrent à petits pas nonchalants une rue transversale, comme s'ils suivaient un câble à la dérive auquel ils seraient attachés. Dans cette ville, il paraissait tout à fait naturel de tourner, comme ça, au coin des rues ; il paraissait naturel de n'aller nulle part en particulier, de ne penser à rien... La rue latérale n'était pas éclairée, c'était un embranchement qui, soudain, débouchait dans un quartier de haies d'églantines et de petites maisons tranquilles en retrait de la rue.

« Où allez-vous ? demanda-t-il poliment.

— On va, simplement. » La réponse était une excuse, une question, une explication.

« Je peux vous tenir compagnie ?

— Peut-être que oui. »

Que son accent fût différent, c'était un avantage. Il ne pouvait pas détecter le statut social d'une fille du Sud à sa façon de parler. À New York, une fille du peuple aurait eu une voix rauque, il l'aurait trouvée insupportable — à moins de la voir avec les lunettes roses de l'ivresse.

La nuit venait doucement. Parlant peu — Anthony avec des questions posées pour la forme, les deux autres avec une économie de paroles toute provinciale dans leurs réponses —, ils dépassèrent en flânant un coin de rue, puis un autre. Au milieu d'un pâté de maisons, ils s'arrêtèrent sous un lampadaire.

« J'habite près d'ici, dit l'autre fille.

— J'habite au coin de la rue, dit la fille en robe lilas.

— Je peux vous raccompagner ?

— Jusqu'au coin, si vous voulez. »

L'autre fille recula de quelques pas. Anthony souleva son chapeau.

« Vous êtes censé faire le salut militaire, dit en riant la fille à la robe lilas. C'est ce que font tous les soldats.

— Je m'en souviendrai », répondit-il, l'air sérieux.

L'autre fille dit : « Bon… » Elle hésita, puis ajouta : « Appelle-moi demain, Dot », et elle sortit du cercle de lumière jaune du réverbère. Alors, en silence, Anthony et la fille en robe lilas dépassèrent encore trois rues avant d'arriver à la petite bicoque où elle habitait. Devant le portillon de bois elle hésita :

« Eh bien… merci.

— Vous êtes obligée de rentrer si tôt ?

— Il faudrait.

— Vous ne pouvez pas vous promener encore un peu ? »

Elle le regarda avec calme.

« Je ne vous connais même pas. »

Anthony se mit à rire.

« Il n'est pas trop tard.

— Je pense que je ferais mieux de rentrer.

— Je me disais qu'on aurait pu retourner en ville voir un film.

— Ça me plairait bien.

— Et puis je vous ramènerai chez vous. J'ai juste le temps. Il faut que je sois de retour au camp à 11 heures. »

Il faisait si noir maintenant qu'il pouvait à peine la voir. Elle était une robe qui bougeait imperceptiblement au vent, deux yeux limpides, hardis.

« Allons, pourquoi ne pas venir, Dot ? Vous n'aimez pas le cinéma ? Venez donc. »

Elle secoua la tête.

« Il vaut mieux pas. »

Elle lui plaisait, parce qu'il se rendait compte qu'elle temporisait pour l'impressionner. Il s'approcha et lui prit la main.

« Si on est rentrés à 10 heures, allez ? Rien qu'un petit film ?

— Peut-être que oui. »

Main dans la main, ils retournèrent vers le centre-ville par une rue embrumée où un petit vendeur de journaux noir annonçait une édition spéciale d'une voix modulée selon la tradition locale, une voix aussi musicale qu'une chanson.

DOT

La liaison d'Anthony avec Dorothy Raycroft fut le résultat inévitable de sa négligence croissante envers tout ce qui le concernait. Il n'alla pas vers elle par désir de posséder le désirable, il ne succomba pas non plus aux attraits d'une personnalité plus énergique, plus impérieuse que la sienne, comme cela lui était arrivé avec Gloria quatre ans plus tôt. Il se laissa simplement glisser dans la situation par inaptitude à formuler des jugements clairs et nets. Il ne savait dire « non » à personne, homme ou femme ; emprunteur et tentatrice le trouvaient également réceptif et malléable. En fait, il ne prenait presque jamais de décision et lorsqu'il le faisait, il ne s'agissait que de résolution prise dans la panique de quelque découverte soudaine et catastrophique.

La faiblesse à laquelle il céda dans ce cas particulier fut son besoin d'être stimulé et distrait de l'extérieur. Il avait le sentiment que, pour la première fois depuis quatre ans, il allait pouvoir s'exprimer et se comprendre lui-même de façon neuve. Cette jeune fille serait son repos ; les heures passées dans sa compagnie tous les soirs allégeaient les martèlements morbides et forcément vains de son imagination. Il était devenu, pour de vrai cette fois, un lâche, l'esclave de cent pensées désordonnées qui le hantaient, libérées par l'effondrement de cet amour sincère et exclusif pour Gloria qui avait jusque-là tenu sous le boisseau ses propres insuffisances.

Le premier soir, devant le portillon, il embrassa Dorothy et lui promit de la revoir le samedi suivant. Puis il retourna au camp, et laissant la lumière allumée sous la tente en dépit du règlement, il écrivit une longue lettre à Gloria, une lettre enflammée, pleine de tâtonnements sentimentaux, pleine du souvenir du parfum des fleurs, pleine d'une tendresse réelle et débordante, toutes choses qu'il avait réapprises momentanément grâce à un baiser échangé à la tiède clarté de la lune à peine une heure plus tôt.

Quand arriva le samedi soir, il trouva Dot qui l'attendait à l'entrée du cinéma Le Bijou. Elle portait, comme le mercredi précédent, sa robe lilas en organdi vaporeux, mais qui avait de toute évidence été lavée et amidonnée entre-temps, car elle était comme neuve. La lumière du jour confirma sa première impression : Dot était charmante à sa façon rudimentaire, imparfaite. Elle était fraîche et nette, avec un petit visage aux traits irréguliers mais expressifs et qui s'harmonisaient entre eux. C'était une petite fleur brune, qui se fanerait vite. Pourtant, il croyait détecter chez elle une qualité de retenue spirituelle, de force tirée d'une acceptation passive des choses. En quoi il se trompait.

Dorothy Raycroft avait dix-neuf ans. Son père tenait jadis une petite échoppe qui ne rapportait guère et elle termina ses études secondaires, avec un mauvais classement, deux jours avant sa mort. À l'école, elle avait acquis une réputation assez douteuse. En fait, au cours du pique-nique de la classe, point de départ des rumeurs la concernant, sa conduite n'avait été qu'imprudente : elle avait conservé sa virginité jusqu'à plus d'un an plus tard.

Le garçon en cause était employé dans un magasin de Jackson Street, et, le lendemain de l'incident, il était parti sans prévenir pour New York. Il avait l'intention de s'en aller depuis un certain temps déjà, mais avait retardé le moment afin de voir aboutir son entreprise amoureuse.

Un peu plus tard, elle fit part de son aventure à une amie, et ensuite, en voyant son amie disparaître dans la rue assoupie toute poudreuse de soleil, elle comprit en un éclair que son histoire allait être exposée au grand jour. Pourtant, après l'avoir racontée, elle se sentit beaucoup mieux, en même temps qu'un peu amère, et elle fit preuve de caractère, à la mesure de ses capacités, en s'engageant dans une autre direction et en rencontrant un autre homme avec l'intention non dissimulée de se faire à nouveau plaisir. De manière générale, il lui arrivait des choses. Elle n'était pas faible, parce que rien en elle ne lui permettait de savoir qu'elle était faible. Elle n'était pas forte, parce qu'elle n'avait pas conscience du fait que certaines des choses qu'elle faisait étaient courageuses. Il n'y avait de sa part ni défi, ni conformisme, ni compromis.

Elle n'avait pas le sens de l'humour mais, à la place, un heureux tempérament qui la faisait rire au bon moment lorsqu'elle était avec des hommes. Elle n'avait pas d'intentions précises. Quelquefois, elle regrettait vaguement que sa réputation lui interdise de pouvoir assurer sa sécurité. Elle n'avait jamais eu à déballer ouvertement sa conduite : la seule chose qui intéressait sa mère, c'était de la faire partir à l'heure le matin, pour se rendre à la bijouterie où elle gagnait quatorze dollars par semaine. Mais certains des garçons qu'elle avait connus à l'école faisaient maintenant semblant de ne pas la voir quand ils sortaient avec une « fille comme il faut », et elle trouvait cela blessant. Quand cela se produisait, elle rentrait chez elle et se mettait à pleurer.

À part l'employé de Jackson Street, il y avait eu deux autres hommes, dont l'un était un officier de marine, qui était passé par la ville aux premiers jours de la guerre. Il y était resté dormir une nuit pour attraper une correspondance, et se tenait négligemment appuyé contre l'une des colonnes de l'hôtel Stonewall lorsqu'elle était passée devant. Il resta en ville quatre jours. Elle pensa qu'elle l'aimait, répandit sur lui les feux de la passion qu'elle aurait vouée au vendeur pusillanime. L'uniforme de l'officier de marine — il n'y en avait pas beaucoup à l'époque — avait eu un effet magique. Il repartit en murmurant de vagues promesses, et, une fois dans le train, se félicita de ne pas lui avoir donné son vrai nom.

La dépression qui en résulta la jeta dans les bras de Cyrus Fielding, le fils d'un marchand de nouveautés du quartier, qui l'avait hélée depuis son roadster un jour où elle passait sur le trottoir. Elle le connaissait de nom depuis toujours. Il l'aurait rencontrée plus tôt si elle avait été d'extraction moins modeste. Elle était descendue un peu plus bas, alors il finit par faire sa connaissance. Au bout d'un mois, il était paru pour un camp d'entraînement, un peu inquiet de cette relation, un peu soulagé de s'apercevoir qu'elle ne s'était pas trop attachée à lui et n'était pas du genre à créer des ennuis. Dot enjoliva cette histoire sur le mode romanesque, et sa vanité la poussa à penser que c'était la guerre qui lui avait arraché ces hommes. Elle se raconta qu'elle aurait pu épouser l'officier de marine. Cela la troublait pourtant de se dire qu'en l'espace de huit mois il y avait eu trois hommes dans sa vie. Avec plus d'appréhension que de fierté au fond de son cœur, elle se dit qu'elle allait bientôt ressembler à ces « créatures » de Jackson Street, qu'elle et les autres filles avaient observées avec fascination, tout en mâchouillant leur chewing-gum, trois ans plus tôt.

Pendant un moment, elle s'efforça de faire plus attention. Elle laissait des hommes l'accoster ; elle les laissait l'embrasser, et leur permettait même, en se faisant prier, d'autres privautés, mais elle n'ajouta personne à son trio. Au bout de plusieurs mois, la force de sa résolution — ou plutôt l'avantage douloureux qu'elle trouvait à ses craintes — s'émoussa. Elle s'inquiétait de rester assoupie, en marge de la vie et du temps, cependant que les mois d'été déclinaient. Les soldats qu'elle rencontrait étaient soit manifestement au-dessous de sa condition, soit, moins manifestement, au-dessus — auquel cas ils n'avaient pour but que de profiter d'elle. C'étaient des Yankees, rudes, grossiers ; ils étaient toujours toute une bande... Et puis elle rencontra Anthony.

Ce premier soir, il n'avait été qu'un visage à l'air agréable et malheureux, une voix, un moyen de passer une heure, mais quand elle accepta de le revoir le samedi suivant, elle l'apprécia davantage. Il lui plaisait. Inconsciemment, elle voyait reflétés sur son visage ses propres drames.

Ils retournèrent au cinéma, ils se promenèrent de nouveau dans les rues ombreuses, parfumées, main dans la main cette fois, parlant un peu à voix basse. Ils passèrent le portillon de bois, jusqu'à la petite galerie.

« Je peux rester un petit peu, non ?

— Chut, murmura-t-elle. Il ne faut pas faire de bruit. Maman n'est pas couchée, elle lit les histoires du magazine *Snappy Stories*. » Il entendit effectivement le craquement d'une page qu'on tourne. Des fentes entre les persiennes parvenaient des traits de lumière qui dessinaient de minces lignes parallèles sur la jupe de Dorothy. La rue était silencieuse, à l'exception d'un groupe qui se tenait sur les marches d'une maison en face et qui, de temps en temps, faisait entendre une petite chanson moqueuse et douce :

Quand tu t'éveilleras
Tu auras
Tous les jolis petits chevaux…

Puis, comme si elle avait attendu leur arrivée sur un toit voisin, la lune se montra soudain et ses rayons obliques, à travers les plantes grimpantes, donnèrent au visage de la jeune fille la couleur des roses blanches.

Anthony fut brusquement submergé par un souvenir si vif que, devant ses yeux fermés, se forma une image aussi précise qu'un flash-back sur un écran de cinéma — une nuit de dégel printanier hors saison, au cours d'un hiver à demi oublié, cinq ans plus tôt, un autre visage, rayonnant, semblable à une fleur, levé vers des lumières aussi changeantes que les étoiles…

Ah, *la belle dame sans merci** qui vivait dans son cœur, que lui avaient fait connaître, dans sa splendeur éphémère, deux yeux noirs au Ritz, un regard jeté d'une voiture passant au bois de Boulogne ! Mais ces nuits n'étaient qu'un fragment de chanson, un souvenir enchanté, alors qu'ici il retrouvait les vents légers, les illusions, l'éternel présent avec sa promesse d'aventure romanesque.

« Oh, murmura-t-elle, est-ce que tu m'aimes ? Est-ce que tu m'aimes ? »

Le charme était rompu, les fragments d'étoile à la dérive redevinrent un simple éclairage, le chant dans la rue s'estompa jusqu'à n'être plus qu'un refrain monotone, un chant plaintif de grillons dans l'herbe. Avec un demi-soupir, il embrassa sa bouche fervente, tandis que les bras de la jeune fille lui caressaient les épaules.

L'HOMME D'ARMES

Tandis que les semaines se desséchaient, bientôt emportées par le vent, Anthony élargit le champ de ses randonnées à l'ensemble du camp et ses alentours. Pour la première fois de sa vie, il se trouvait toute la journée en contact personnel avec les serveurs à qui il avait donné des pourboires, les chauffeurs qui l'avaient salué en portant la main à la casquette, les charpentiers, les plombiers, les coiffeurs et les fermiers qu'il n'avait jusqu'alors remarqués que dans l'exercice de leurs génuflexions professionnelles. Pendant ses deux premiers mois au camp, il n'avait pas eu une conversation de plus de dix minutes avec le même interlocuteur.

Sur le registre de service, il figurait comme « étudiant ». Sur le questionnaire préliminaire, il avait prématurément inscrit « écrivain » ; mais quand les hommes de sa compagnie lui demandaient ce qu'il faisait dans le civil, il disait le plus souvent qu'il était « employé de banque ». S'il leur avait dit la vérité, à savoir qu'il ne travaillait pas, ils se seraient méfiés de lui comme faisant partie de la « classe oisive ».

Son adjudant, Pop Donnelly, était un vieux troupier décharné, usé par la boisson. Il avait jadis passé d'innombrables semaines au poste, mais récemment, grâce à la pénurie de sergents instructeurs, il avait été élevé à son « bâton de maréchal » actuel. Sa peau était labourée de trous d'obus, elle ressemblait à s'y méprendre à une photo aérienne d'un champ de bataille. Une fois par semaine, il allait se soûler au rhum en ville, puis rentrait sans bruit au camp, s'effondrait sur sa couchette, et au matin, quand on sonnait la diane, il rejoignait la compagnie, blanc comme le masque de la mort.

Il nourrissait l'incroyable illusion d'avoir « bien eu » le gouvernement : il avait passé dix-huit ans de sa vie à son service pour une solde minime, et devait bientôt prendre sa retraite (là, il faisait généralement un clin d'œil) avec une fastueuse pension de cinquante-cinq dollars par mois. Il voyait cela comme une bonne farce jouée à ces douzaines de personnes qui l'avaient malmené, méprisé, depuis qu'à dix-neuf ans, petit paysan, il avait quitté sa Géorgie natale.

Pour l'heure, il n'y avait que deux lieutenants : Hopkins et le très populaire Kretching. Celui-ci était considéré comme un brave type et un bon meneur d'hommes. Jusqu'au jour où, un an plus tard, il disparut avec la caisse de la popote qui contenait onze cents dollars et, en bon meneur, se révéla extrêmement difficile à suivre.

En dernier lieu, il y avait le capitaine Dunning, dieu de ce microcosme éphémère mais autarcique. C'était un officier de réserve, nerveux, énergique, enthousiaste. Cette dernière qualité allait jusqu'à se traduire sous la forme matérielle d'une fine écume au coin de ses lèvres. Comme la plupart des chefs, il voyait ses hommes strictement depuis sa position de responsabilité et, sous son regard optimiste, les soldats qu'il commandait étaient exactement l'excellente unité que réclamait cette excellente guerre. En dépit de tous ses soucis et de sa concentration, il vivait les plus belles heures de sa vie.

Baptiste, le petit Sicilien du train, eut maille à partir avec lui la deuxième semaine d'entraînement. Le capitaine avait plusieurs fois ordonné à ses hommes d'être rasés de près lorsqu'ils se présentaient à l'appel tous les matins. Un jour, on découvrit une inquiétante infraction à cette règle, qui ne pouvait être qu'un cas de complicité avec l'ennemi teuton. Pendant la nuit, quatre hommes s'étaient laissé pousser la barbe. Le fait que trois d'entre eux ne comprenaient qu'un minimum d'anglais rendait les travaux pratiques d'autant plus indispensables. Le capitaine Dunning envoya donc un barbier volontaire chercher un rasoir au cantonnement. Sur quoi, au nom de la sécurité de la démocratie, une demi-once de poils fut rasée à sec sur les joues de trois Italiens et d'un Polonais.

En dehors de l'univers de la compagnie, on voyait apparaître, de temps à autre, le colonel, un homme lourd, montrant les crocs, qui faisait le tour du champ de manœuvres du bataillon sur un bel étalon noir. C'était un élève de l'académie militaire de West Point et, par mimétisme, un gentleman. Il avait une femme sans grâce et un esprit sans grâce, et passait le plus clair de son temps en ville, à profiter du statut social privilégié qu'avait acquis l'armée récemment. Et puis, en tout dernier, il y avait le général, qui traversait les routes du camp précédé de son fanion, personnage si austère, si lointain, si splendide, qu'il défiait toute analyse.

Décembre. Des vents froids la nuit, désormais, et des petits matins humides et frisquets sur le terrain d'exercice. À mesure que la chaleur déclinait, Anthony appréciait de plus en plus le simple fait d'être vivant. Il se sentait, à sa grande surprise, physiquement régénéré, presque insouciant, et il existait au présent dans une sorte de bien-être animal. Non que Gloria ou la vie qu'elle représentait occupât moins ses pensées, c'est seulement qu'elle devenait, jour après jour, moins réelle, moins vivante. Pendant une semaine, ils avaient échangé une correspondance passionnée, presque hystérique. Puis, par un accord tacite, ils ne s'étaient plus écrit que deux fois, puis une fois par semaine. Elle disait qu'elle s'ennuyait. Si la brigade d'Anthony devait rester là-bas longtemps, elle allait venir le rejoindre. Mr. Haight allait soumettre un dossier plus étayé que prévu, mais il doutait que le procès pût venir en appel avant la fin du printemps. Muriel était à New York, où elle travaillait pour la Croix-Rouge, et elles sortaient assez souvent ensemble. Qu'en penserait Anthony, si elle entrait elle aussi à la Croix-Rouge ? L'ennui, c'est qu'elle s'était laissé dire qu'il lui faudrait bassiner des Noirs avec de l'alcool, cela avait refroidi son zèle patriotique. La ville était bourrée de garçons qu'elle n'avait pas vus depuis des années…

Anthony ne voulait pas qu'elle vienne dans le Sud. Il se racontait qu'il y avait à cela plusieurs raisons : il avait besoin de se reposer d'elle, et elle de lui. Elle s'ennuierait mortellement en ville, et ne pourrait voir Anthony que quelques heures par jour. Mais au fond de son cœur, il craignait que ce ne fût à cause de son attirance pour Dot. En fait, il vivait dans la terreur que Gloria n'apprenne par hasard ou par des ragots sa nouvelle relation. Au bout d'une quinzaine de jours, cette liaison se mit parfois à le faire souffrir — quand il songeait à son infidélité. Malgré tout, lorsque arrivait la fin de la journée, il ne résistait pas à l'envie pressante qui le poussait à sortir de sa tente pour aller téléphoner de la Y.M.C.A.

« Dot ?

— Oui ?

— Je crois que je vais pouvoir me libérer ce soir.

— Ah, je suis bien contente.

— Tu es prête à te soumettre à ma splendide éloquence pendant quelques heures étoilées ?

— Oh, tu me fais rire... »

Un instant, il lui revint un souvenir vieux de cinq ans : Geraldine. Puis :

« Je serai là vers 8 heures. »

À 7 heures, il était dans l'une des navettes qui se rendaient en ville, où des centaines de petites jeunes filles attendaient leur amoureux sur les galeries au clair de lune. Il était impatient de retrouver ses chauds baisers qui se faisaient attendre, la douceur admirative des regards qu'elle lui jetait, des regards plus proches de l'adoration que tout ce qu'il avait pu inspirer jusque-là. Gloria et lui avaient été sur un pied d'égalité, donnant ce qu'ils donnaient sans avoir à se dire merci. Alors que pour cette jeune fille, les caresses d'Anthony étaient à elles seules un don inestimable. Étouffant quelques larmes, elle lui avait avoué qu'il n'était pas le premier homme dans sa vie. Il y en avait eu un autre ; il croyait comprendre que cette histoire avait pris fin à peine commencée.

En fait, de son point de vue à elle, elle disait la vérité. Elle avait oublié l'employé de banque, l'officier de marine, le fils du marchand de nouveautés, oublié la vivacité de ses émotions — ce qui constitue le véritable oubli. Elle savait que dans une vague existence nébuleuse, quelqu'un l'avait possédée ; c'était comme si cela s'était passé dans son sommeil.

Presque tous les soirs, Anthony se rendait en ville. Comme il faisait à présent trop frais pour se tenir sur la galerie, la mère de Dorothy les laissa s'installer dans le petit living, avec ses douzaines de chromos dans des cadres bon marché, ses mètres de franges décoratives et son atmosphère épaissie par des années de proximité avec la cuisine. Ils faisaient un feu puis, avec bonheur, sans jamais se lasser, elle se livrait à l'amour. Tous les soirs à 10 heures, elle le raccompagnait à la porte, ses cheveux noirs en désordre, son visage pâle sans fard, plus pâle encore dans la blancheur de la lune. D'une manière générale, la lumière, au-dehors, était claire et argentée. Parfois, il y avait une pluie tiède et lente, presque trop indolente pour atteindre le sol.

« Dis-moi que tu m'aimes, murmurait-elle.

— Mais bien sûr, mon joli bébé.

— Je suis un bébé ? » Cela, presque avec nostalgie.

« Un tout petit bébé. »

Elle connaissait vaguement l'existence de Gloria. Cela la faisait souffrir d'y penser, alors elle l'imaginait hautaine, fière, froide. Elle avait décidé que Gloria devait être plus âgée qu'Anthony et qu'il n'y avait pas d'amour entre le mari et la femme. Quelquefois, elle se laissait aller à rêver qu'après la guerre Anthony divorcerait et qu'ils se marieraient... mais elle n'en parlait jamais à Anthony, elle ne savait pas trop pourquoi. Comme les hommes de la compagnie d'Anthony, elle s'imaginait qu'il était plus ou moins employé de banque, elle se disait qu'il était pauvre et respectable. Il lui arrivait de dire :

« Si l'avais de l'argent, mon chéri, je te donnerais jusqu'au dernier sou… J'aimerais bien avoir autour de cinquante mille dollars.

— Oui, ce serait une jolie somme », approuvait Anthony.

Dans sa lettre, ce jour-là, Gloria avait écrit : « Si l'on peut arriver à un accord sur un million de dollars, il vaudrait mieux dire à Mr. Haight d'accepter l'accord, mais ce serait dommage… »

« On pourrait s'acheter une automobile ! » s'exclama Dot, dans une ultime explosion de triomphe.

UNE OCCASION EN OR

Le capitaine Dunning se flattait d'être fin psychologue. Quand il rencontrait quelqu'un, au bout d'une demi-heure il le classait dans une des catégories élaborées par lui : homme de qualité, brave type, type astucieux, intellectuel, poète, ou encore « voyou ». Un jour, au début du mois de février, il fit appeler Anthony sous la tente qui faisait office de salle du rapport.

« Patch, dit-il d'un ton sentencieux, j'ai l'œil sur vous depuis maintenant quelques semaines. »

Anthony resta très droit, sans broncher.

« Et je pense que vous avez l'étoffe d'un bon soldat. »

Il attendit que la bonne chaleur, que ces mots ne pouvaient manquer de susciter, se dissipât, puis il poursuivit :

« Cela n'est pas un jeu d'enfant », dit-il en fronçant les sourcils.

Anthony acquiesça d'un mélancolique « Non, mon capitaine.

— C'est une affaire d'hommes ; et il nous faut de nouveaux chefs. » Puis le grand coup, rapide, sûr, électrique : « Patch, je vais vous nommer caporal. »

À ce moment-là, Anthony était censé faire un pas en arrière en trébuchant, submergé par l'émotion. Il était élu parmi un quart de million d'engagés pour occuper ce poste de confiance entre tous. Il allait pouvoir aboyer la formule consacrée « Suivez-moi ! » à sept autres hommes de troupe terrifiés.

« Vous me paraissez être un homme qui a de l'instruction, dit le capitaine Dunning.

— Oui, mon capitaine.

— C'est bien, c'est bien. L'instruction, c'est très important, mais il ne faut pas que cela vous monte à la tête. Continuez dans la voie où vous êtes engagé, et vous serez un bon soldat. »

Sur ces paroles d'adieu qui lui résonnaient encore aux oreilles, le caporal Patch fit le salut militaire, puis un demi-tour à droite, et il sortit de la tente.

La conversation avait amusé Anthony, mais surtout, elle lui mit dans l'idée que la vie serait plus amusante s'il était sergent, ou, s'il trouvait un médecin militaire moins pointilleux, officier. Il ne s'intéressait guère à sa tâche, qui semblait démentir la réputation d'élégance de l'armée. Lors des inspections, on ne se mettait pas sur son trente et un pour avoir belle allure, on le faisait pour ne pas s'exposer à des reproches.

Mais tandis que l'hiver approchait de son terme — un hiver court, sans neige, marqué par des nuits humides et des journées fraîches et pluvieuses —, il s'étonna de voir à quelle vitesse le système s'était emparé de lui. Il était soldat ; tous ceux qui n'étaient pas des soldats étaient des civils. Le monde se divisait principalement entre ces deux catégories.

Il lui apparut que toutes les classes précisément définies, telles que l'armée, divisaient les hommes en deux espèces : ceux qui appartenaient à la vôtre et les autres. Pour les prêtres, il y avait le clergé et les laïcs, pour les catholiques, il y avait les catholiques et les non-catholiques, pour les Noirs, les Noirs et les Blancs, pour les prisonniers, les hommes en prison et les hommes libres, et, pour les malades, les malades et les bien-portants. C'est ainsi que sans y penser, dans sa vie, il avait été civil, laïque, non-catholique, non-juif, blanc, libre et, bref…

Quand les troupes américaines se déversèrent dans les tranchées françaises et anglaises, il commença à trouver les noms de nombreux anciens de Harvard dans les notices nécrologiques de l'*Army and Navy Journal*. Mais malgré toute la sueur, tout le sang répandu, la situation demeurait inchangée, et il ne voyait pas comment la guerre pourrait se terminer dans un avenir prévisible. Dans les vieilles chroniques, l'aile droite d'une armée était toujours vaincue par l'aile gauche de l'autre armée, l'aile gauche étant, pendant le même temps, vaincue par l'aile droite de l'ennemi. Après quoi, les mercenaires prenaient la fuite. Tout était si simple, à cette époque-là, comme arrangé à l'avance…

Gloria écrivait qu'elle lisait beaucoup. Comme ils avaient mal géré leur vie, disait-elle. Elle avait si peu à faire à présent qu'elle passait son temps à imaginer comment les choses auraient pu tourner autrement. Tout son environnement lui paraissait tellement précaire, alors que quelques années auparavant, elle avait eu le sentiment de tenir tous les fils dans sa petite main...

En juin, ses lettres se firent hâtives, moins fréquentes. Elle cessa brusquement d'envisager de venir dans le Sud.

LA DÉFAITE

Mars, dans la campagne environnante, offrit un spectacle rare, avec du jasmin, des jonquilles et des plaques de violettes dans l'herbe qui se réchauffait peu à peu. Il devait se rappeler plus tard un après-midi en particulier d'une beauté si fraîche et magique que, dans la fosse de tirailleur où il était occupé à viser des cibles, il récita *Atalante à Calydon* devant un Polonais médusé, sa voix se mêlant au lancer, au sifflement puis à l'explosion des obus qui volaient au-dessus de leurs têtes.

Quand les limiers du printemps...

Bang !

Poursuivent à la trace l'hiver...

Phhhh !...

La mère des mois...

« *Ho !* Réveille-toi, Cible numéro trois !... »

En ville, les rues étaient à nouveau prises dans une somnolence rêveuse et, ensemble, Anthony et

Dot refaisaient en flânant leurs promenades de l'automne précédent. Anthony sentait monter en lui un attachement paresseux pour ce Sud — un Sud qui tenait plus d'Alger que de l'Italie, eût-on dit, avec des aspirations languissantes qui, par-delà d'innombrables générations, renouaient avec quelque nirvana primitif et chaleureux, sans souci ni espoir. Il y avait, en ce lieu, des inflexions de cordialité, de compréhension dans toutes les voix. « La Vie nous joue à tous le même tour délicieux et déchirant », semblaient-elles dire dans leur mélodie plaintive et charmeuse aux intonations montantes qui se terminaient sur une note mineure non résolue.

Il aimait la boutique de son coiffeur, où il était hélé d'un « Salut, mon caporal » par un maigre jeune homme pâle qui le rasait et passait sans fin un appareil froid et vibrant sur son crâne qui ne s'en lassait pas. Il aimait le Johnston's Gardens où ils allaient danser, où un Noir tragique jouait au saxophone une musique nostalgique, douloureuse, qui transformait la grande salle criarde en une jungle enchantée aux rythmes barbares, pleine de rires enfumés, où il pouvait oublier le passage monotone du temps, au son des doux soupirs et des tendres murmures de Dorothy, accomplissement de toute aspiration, de tout contentement.

Il y avait dans le caractère de Dorothy un arrière-fond de tristesse, une façon d'éviter consciemment tout ce qui n'était pas les petits détails agréables de la vie quotidienne. Ses yeux violets restaient apparemment insensibles pendant des heures, tandis que, sans penser à rien, insouciante, elle se prélassait comme une chatte au soleil. Il se demandait ce que sa mère morne et fatiguée pouvait penser d'eux, et si, dans ses moments de cynisme extrême, elle parvenait à deviner ce qu'était leur relation.

Le dimanche après-midi, ils se promenaient dans la campagne, se reposant par moments sur la mousse sèche à l'orée d'un bois. Les oiseaux s'y étaient rassemblés, ainsi que des touffes de violettes et des cornouillers blancs. Les arbres chenus brillaient là, frais et cristallins, sans souci de la chaleur enivrante qui guettait à l'extérieur. Et là il s'exprimait, par intermittence, en un monologue distrait, en une conversation insignifiante, qui n'appelait pas de réponse.

Juillet arriva, torride. On ordonna au capitaine Dunning de détacher l'un de ses hommes pour lui faire apprendre le métier de maréchal-ferrant. Le régiment augmentait ses effectifs pour faire face à la guerre, et le capitaine avait besoin de presque tous ses anciens comme instructeurs. Il choisit donc le petit Italien, Baptiste, dont il pouvait le plus facilement se passer. Baptiste n'avait jamais eu affaire, de près ou de loin, aux chevaux. Il en avait peur, ce qui n'arrangeait rien. Il se présenta un jour dans la salle du rapport et annonça au capitaine Dunning qu'il était prêt à mourir si l'on ne le relevait pas de cette tâche. Les chevaux lui donnaient des coups de pied, disait-il ; il n'avait aucun don pour ce travail. Il finit par tomber à genoux et par supplier le capitaine Dunning, dans un mélange de mauvais anglais et d'italien littéraire, de le sortir de là. Il ne dormait plus depuis trois jours : des étalons monstrueux ruaient et se cabraient dans ses rêves.

Le capitaine Dunning réprimanda le préposé aux écritures (qui avait éclaté de rire), et dit à Baptiste qu'il ferait ce qu'il pourrait. Mais après réflexion, il décida qu'il ne pouvait pas prendre quelqu'un de plus compétent pour le remplacer. Le petit Baptiste alla de mal en pis. Les chevaux semblaient deviner sa peur, et ils en profitaient tant qu'ils pouvaient. Deux semaines plus tard, une grande jument noire qu'il essayait de faire sortir de son box lui défonça le crâne d'un coup de sabot.

À la mi-juillet parvinrent des rumeurs, puis des ordres, concernant un changement de camp. La brigade devait être transférée dans un cantonnement vide, à environ cent cinquante kilomètres plus au sud, pour être incorporée à une division. Au début, les hommes pensèrent qu'on les envoyait dans les tranchées, et toute la soirée des petits groupes se retrouvèrent pour papoter dans l'artère principale du camp, se lançant d'un air bravache des « Sûr qu'on y va ! ». Quand la vérité transpira, elle fut rejetée avec indignation comme un leurre destiné à masquer leur véritable destination. Les hommes se gargarisaient de leur importance. Cette nuit-là, ils racontèrent à leurs petites amies qu'ils allaient « se faire les boches ! ». Anthony circula un moment au milieu des groupes, puis il prit une navette pour aller annoncer à Dot qu'il partait.

Elle l'attendait sur la galerie plongée dans le noir, vêtue d'une robe blanche bon marché qui accentuait la jeunesse et la douceur de son visage.

« Oh, murmura-t-elle, j'avais tellement envie de te voir, mon chéri. Je n'ai pensé qu'à ça toute la journée.

— J'ai quelque chose à te dire. »

Elle l'attira à ses côtés sur la balançoire, sans remarquer son ton solennel.

« Dis-moi.

— Nous partons la semaine prochaine. »

Ses bras prêts à étreindre les épaules d'Anthony restèrent suspendus dans le noir, elle avait le menton relevé. Quand elle ouvrit la bouche, la douceur avait disparu de sa voix.

« Vous partez pour la France ?

— Non. On n'a même pas cette chance. On part pour une espèce de camp dans le Mississippi. »

Elle ferma les yeux, et il vit que ses paupières tremblaient.

« Ma petite Dot chérie, la vie, c'est sacrément dur. »

Elle pleurait sur son épaule.

« Sacrément dur, sacrément dur, répétait-il dans le vide. Elle fait souffrir les gens, elle les fait souffrir, et à la fin elle les fait tellement souffrir qu'ils ne peuvent même plus souffrir. Et c'est ce qu'elle fait de pire. »

Dans tous ses états, folle d'angoisse, elle se serra contre sa poitrine.

« Mon Dieu, murmura-t-elle d'une voix altérée, tu ne peux pas me quitter. J'en mourrai. »

Il n'arrivait pas à présenter son départ comme un coup du sort impersonnel, banal. Il était trop proche d'elle pour pouvoir faire autre chose que répéter : « Ma pauvre petite Dot. Ma pauvre petite Dot. »

« Et ensuite ? demanda-t-elle d'une voix éteinte.

— Qu'est-ce que tu veux dire ?

— Tu es toute ma vie, voilà tout. Si tu me le demandais, je mourrais pour toi sur-le-champ. Je prendrais un couteau et je me tuerais. Tu ne peux pas me laisser. »

Son ton lui fit peur.

« Ce sont des choses qui arrivent, dit-il d'un ton calme.

— Alors, je viens avec toi. » Des larmes ruisselaient sur ses joues. Sa bouche tremblait dans une transe de douleur et de peur.

« Ma douce, murmura-t-il sur un ton sentimental, ma douce petite fille. Est-ce que tu ne vois pas que cela ne ferait que reculer le moment qui va forcément arriver tôt ou tard ? Dans quelques mois, on va m'envoyer en France... »

Elle s'écarta de lui et, serrant les poings, elle leva son visage vers le ciel.

« Je veux mourir », dit-elle, comme si elle ciselait chaque mot soigneusement dans son cœur.

« Dot, murmura-t-il, mal à l'aise, tu oublieras. Quand on perd les choses, elles paraissent bien plus belles. Je le sais, parce qu'une fois j'ai voulu une chose, et je l'ai eue. C'est la seule chose que j'aie vraiment voulue de toutes mes forces, ma petite Dot. Et quand je l'ai eue, elle est tombée en poussière entre mes mains.

— D'accord. »

Absorbé dans ses pensées, il poursuivit :

« Je me suis souvent dit que si je n'avais pas obtenu ce que je voulais, les choses auraient sans doute été différentes. J'aurais pu trouver dans mon esprit des pensées que j'aurais eu plaisir à mettre en circulation. J'aurais eu de la satisfaction à accomplir ce travail, et la douce vanité de connaître le succès. Je suppose qu'à une époque j'aurais pu avoir tout ce que je voulais, dans des limites raisonnables, mais c'était la seule chose que j'aie vraiment voulue de toutes mes forces. Ciel ! Cela m'a appris qu'on ne peut rien avoir, qu'on ne peut jamais rien avoir. Parce que le désir ne fait que vous tromper. C'est comme un rayon de soleil qui se promène ici et là dans une pièce. Il s'arrête et fait briller comme de l'or un objet quelconque, et nous, pauvres idiots, nous essayons de l'attraper, mais pendant ce temps-là le rayon de soleil est parti se poser ailleurs, et vous avez attrapé l'objet quelconque, mais le bel éclat qui vous avait donné envie de le posséder a disparu... » Il s'interrompit, mal à l'aise. Elle s'était levée, et se tenait debout, les yeux secs, cueillant dans le noir des petites feuilles sur une plante grimpante.

« Dot...

— Va-t'en, dit-elle froidement.

— Quoi ? Pourquoi ?

— Ça ne m'intéresse pas, les paroles. Si c'est tout ce que tu as à m'offrir, il vaut mieux que tu partes.

— Écoute, Dot...

— Ce qui me tue, pour toi ce ne sont que des paroles. Tu les enfiles comme des perles.

— Je suis désolé. C'est de toi que je parlais, Dot.

— Va-t'en d'ici. »

Il s'approcha d'elle, les bras grands ouverts, mais elle le tint à distance.

« Tu ne veux pas que je parte avec toi, dit-elle d'une voix calme. Peut-être que tu vas retrouver cette... cette fille... » Elle n'arrivait pas à dire ta femme. « Qu'est-ce que j'en sais ? Dans ce cas-là, il n'y a plus rien entre nous. Alors va-t'en. »

Pendant un moment, des désirs et des prémonitions contradictoires assaillirent Anthony. Et il lui semblait vivre un de ces rares instants où la décision qu'il allait prendre serait dictée de l'intérieur. Il hésita. Puis une vague de lassitude le submergea. Il était trop tard, trop tard pour tout. Depuis des années, il tenait le monde à l'écart en lui préférant ses rêves, fondant ses décisions sur des émotions aussi instables que l'eau. La petite fille en robe blanche le dominait, si proche de la beauté grâce à la dure symétrie de son désir. Le feu qui brûlait dans son cœur sombre et meurtri semblait l'auréoler d'une flamme. Avec un orgueil profond, spontané, elle avait pris ses distances et, ce faisant, avait obtenu gain de cause.

« Je ne voulais pas me montrer si cruel, ma petite Dot.

— Ça fait rien. »

Le feu enveloppa Anthony de ses flammes. Quelque chose lui déchira les entrailles, et il restait là désarmé, vaincu.

« Viens avec moi, Dot, ma petite Dot chérie. Oui, viens avec moi. Je ne pourrais plus te quitter maintenant. »

Avec un sanglot, elle noua ses bras autour de lui, et s'appuya contre lui de tout son poids tandis que la lune, poursuivant son interminable travail de maquillage du vilain teint de la terre, répandait son miel illicite sur la rue assoupie.

LA CATASTROPHE

Début septembre, au camp Boone, dans le Mississippi. La nuit, vibrante d'insectes, venait battre contre la moustiquaire, sous l'abri de laquelle Anthony essayait d'écrire une lettre. De la tente d'à côté parvenaient par intermittence les éclats de voix d'une partie de poker, et dehors un homme arpentait l'artère principale du camp en serinant un refrain à la mode sur *K-K-K-Katy*.

Avec effort, Anthony se souleva sur le coude et, crayon en main, regarda la feuille blanche. Puis, sans préambule, il commença :

Je ne comprends pas ce qui peut se passer, Gloria. Il y a quinze jours que je n'ai pas eu une ligne de toi, et il est normal que je m'inquiète...

Il jeta la page avec un bougonnement énervé et recommença :

Je ne sais pas quoi penser, Gloria. Ta dernière lettre, brève, froide, sans un mot d'affection ni même un compte rendu de ce que tu fais, m'est parvenue voilà deux semaines. Il est normal que je m'interroge. Si ton amour pour moi n'est pas totalement mort, je pourrais attendre de toi au moins que tu m'empêches de m'inquiéter...

Il froissa à nouveau la page et la jeta avec colère par une déchirure de la tente, se rendant compte aussitôt qu'il faudrait qu'il la ramasse le lendemain matin. Il n'avait plus envie de recommencer. Il n'arrivait pas à mettre un peu de chaleur dans sa lettre, rien d'autre qu'un fond persistant de jalousie et de soupçon. Depuis le milieu de l'été, ces anomalies dans les lettres de Gloria s'étaient faites de plus en plus sensibles. Au début, il les avait à peine remarquées. Il était si habitué aux formules de routine — « mon amour » et « mon chéri » — qui émaillaient ses lettres qu'il ne faisait pas attention à leur présence ou à leur absence. Mais cette dernière quinzaine, il s'apercevait de plus en plus que quelque chose n'allait pas.

Il lui avait envoyé une lettre exprès pour lui annoncer qu'il avait réussi son examen lui permettant de rejoindre un camp d'entraînement pour officiers, et qu'il comptait partir sous peu pour la

Géorgie. Elle n'avait pas répondu. Il lui avait à nouveau envoyé un télégramme. Quand il n'avait pas eu de nouvelles, il avait pensé qu'elle n'était peut-être pas à New York. Mais il se dit et se répéta qu'elle y était bel et bien, et il commença à être en proie à des élucubrations plus ou moins délirantes. Et si par hasard Gloria, désœuvrée et ne sachant comment s'occuper, avait rencontré quelqu'un — comme il l'avait fait lui-même ? Cette pensée le rendait fou. C'était surtout parce qu'il était absolument sûr de sa constance qu'il n'avait guère pensé à elle pendant toute l'année. Et maintenant qu'un doute était né, les vieilles colères, les accès de rage possessive lui revenaient au centuple. Quoi de plus normal qu'elle soit à nouveau amoureuse ?

Il se rappelait la Gloria qui avait promis que si jamais elle voulait quelque chose, elle le prendrait, insistant sur le fait que, comme elle agirait simplement pour se faire plaisir, une aventure de ce genre serait sans conséquence. La seule chose qui comptait, c'était l'effet mental, et sa réaction après coup serait celle des hommes : un sentiment de satiété et de léger dégoût.

Mais cela, c'était au début de leur mariage. Depuis, lorsqu'elle avait découvert qu'elle pouvait être jalouse d'Anthony, elle avait, apparemment du moins, changé d'avis. Les autres hommes n'existaient pas pour elle. Il n'en avait été que trop convaincu. Persuadé qu'une certaine attitude désinvolte de sa part réglerait sa conduite, il avait négligé de préserver l'intensité de l'amour de Gloria, ce qui était, après tout, la clef de voûte de tout l'édifice.

Pendant ce temps-là, durant tout l'été, il avait entretenu Dot dans une pension en ville. Pour ce faire, il lui avait fallu demander de l'argent à son agent de change. Dot avait caché les motifs de son voyage en partant de chez elle la veille du déménagement de la brigade, en laissant à sa mère un mot disant qu'elle partait pour New York. Le lendemain soir, Anthony était passé chez elle comme pour lui rendre visite. Mrs. Raycroft était dans tous ses états, et il y avait un policier dans le salon. Il s'en était suivi un interrogatoire, dont Anthony s'était tiré non sans peine.

En septembre, avec Gloria comme objet de sa jalousie soupçonneuse, la compagnie de Dot devint fastidieuse, puis presque intolérable. Il était nerveux et irritable par manque de sommeil ; son cœur était mélancolique, craintif. Trois jours plus tôt, il était allé trouver le capitaine Dunning pour lui demander une permission qui, en toute amabilité, avait été repoussée à plus tard. La division commençait à partir pour l'Europe, alors qu'Anthony allait dans un camp d'entraînement pour officiers. Les rares permissions étaient réservées aux hommes qui quittaient le pays.

Devant ce refus, Anthony s'était dirigé vers la poste, afin d'envoyer un télégramme à Gloria lui disant de venir dans le Sud. Ayant atteint la porte, il avait, au désespoir, fait machine arrière, comprenant à quel point une telle démarche était impraticable. Puis il avait passé la soirée, de fort méchante humeur, à se disputer avec Dot, et il était rentré au camp maussade et furieux contre la terre entière. Il y avait eu une scène désagréable, au beau milieu de laquelle il avait pris congé de façon précipitée. La façon dont il allait régler ses affaires avec elle ne semblait pas, pour l'heure, le concerner de façon vitale : il était complètement absorbé par le silence démoralisant de sa femme...

Le battant de la tente se replia en triangle et une tête brune apparut sur fond de nuit.

« Sergent Patch ? » L'accent était italien, et Anthony reconnut à son ceinturon une ordonnance de l'état-major.

« On me réclame ?

— Y a une dame qu'a appelé l'état-major y a dix minutes. Elle dit qu'y faut qu'elle vous parle. Très important. »

Anthony écarta la moustiquaire et se leva. Il pouvait s'agir d'un message téléphonique de Gloria.

« Elle dit de venir vous chercher. Elle va rappeler à 10 heures.

— D'accord, merci. » Il prit son chapeau et, un instant plus tard, il marchait à grands pas à côté de l'ordonnance dans la nuit chaude, presque suffocante. Arrivé à l'état-major, il salua un officier de garde à moitié endormi.

« Asseyez-vous pour attendre, suggéra le lieutenant avec nonchalance. La jeune dame avait l'air rudement pressée de vous parler. »

Les espoirs d'Anthony s'évanouirent.

« Merci beaucoup, mon lieutenant. » Et en entendant couiner le téléphone mural, Anthony sut qui l'appelait.

« C'est Dot, dit une voix hésitante. Il faut que je te voie.

— Dot, je t'ai dit que je ne pourrais pas venir en ville d'ici plusieurs jours.

— Il faut que je te voie ce soir. C'est important.

— Il est trop tard, dit-il froidement. Il est 10 heures, et je dois être au camp à 11 heures.

— Ah bon. » Il y avait une telle détresse contenue dans ces deux mots qu'Anthony eut des remords.

« Qu'est-ce qui se passe ?

— Il faut que je te dise adieu.

— Ne fais pas ta petite sotte ! » s'exclama-t-il. Mais il respirait. Ce serait formidable, si elle quittait la ville le soir même. Quel immense soulagement ! Il dit pourtant : « Tu ne peux en tout cas pas partir avant demain. »

Du coin de l'œil, il vit l'officier de garde qui le regardait d'un air goguenard. Puis, coup de théâtre, Dot lâcha :

« Je ne veux pas dire "partir" dans ce sens-là. »

La main d'Anthony se crispa sur le combiné. Il sentit son sang se glacer dans ses veines.

« Quoi ? »

Puis il entendit une voix brisée lancer en toute hâte :

« Adieu... oh, adieu ! »

Clac ! Elle avait raccroché. Lâchant un son qui était mi-râle, mi-cri, Anthony sortit précipitamment du quartier général. Dehors, sous les étoiles qui ruisselaient comme des glands d'argent à travers les arbres du petit bosquet, il resta immobile, hésitant. Avait-elle eu le projet de se tuer ? Oh, quelle petite idiote ! Il se sentait pris d'une haine amère contre elle. Avec un tel dénouement, il n'arrivait pas à comprendre comment il avait pu se lancer dans cette histoire, dans ce gâchis, *mélange** sordide d'angoisse et de souffrance.

Il s'éloigna à pas lents, se répétant encore et encore qu'il ne servait à rien de s'inquiéter. Il ferait mieux de rentrer dans sa tente et de dormir. Il avait besoin de sommeil. Ciel ! Arriverait-il un jour à dormir ? Il avait l'esprit sens dessus dessous. En arrivant sur la route, il fit demi-tour en pleine panique et se mit à courir, non vers sa compagnie, mais en sens inverse. C'était l'heure où les hommes rentraient, il pourrait trouver un taxi. Au bout d'une minute, deux yeux jaunes apparurent à un tournant. Désespérément, il courut vers eux.

« Navette ! Navette !... » C'était une Ford vide...
« Il faut que j'aille en ville.

— Ça vous coûtera un dollar.

— D'accord. Mais dépêchez-vous... »

Au bout d'un temps interminable, il monta en courant les marches d'une petite maison branlante, plongée dans le noir, et s'engouffra par la porte, manquant de renverser une immense négresse qui marchait dans le vestibule, une bougie à la main.

« Où est ma femme ? s'écria-t-il à tue-tête.

— Elle est allée se coucher. »

Il monta les escaliers quatre à quatre, courut dans le couloir qui grinçait sous ses pas. La chambre était noire et silencieuse, et, avec des doigts tremblants, il frotta une allumette. Deux grands yeux se levèrent vers lui, émergeant d'un paquet de vêtements roulés en boule sur le lit.

« Ah, je savais que tu viendrais », murmura-t-elle d'une voix défaite.

Anthony fut glacé de colère.

« Alors, c'était juste une manigance pour m'attirer ici, pour me causer des ennuis ! dit-il. Bon Dieu, tu as crié au loup une fois de trop ! »

Elle le regarda d'un air misérable.

« Il fallait que je te voie ! Je n'aurais pas pu vivre sinon. Oh, il fallait que je te voie... »

Il s'assit au bord du lit et secoua lentement la tête.

« Tu es incorrigible », dit-il, pour conclure, parlant sans s'en rendre compte comme Gloria aurait pu le faire avec lui. « Ce n'est pas gentil pour moi, ce que tu fais là.

— Viens plus près. » Il pouvait dire ce qu'il voulait, Dot était heureuse à présent. Il tenait à elle. Elle l'avait fait venir à son chevet.

« Seigneur », dit Anthony, accablé. Envahi par une vague de lassitude insurmontable, il sentit sa colère se calmer, s'éloigner, disparaître. Il s'effondra soudain, tomba en sanglotant sur le lit à ses côtés.

« Oh, mon amour, le supplia-t-elle, ne pleure pas ! Oh, ne pleure pas ! »

Elle prit sa tête contre sa poitrine et le berça, mêlant ses larmes de bonheur aux larmes amères d'Anthony. Elle passait doucement la main dans ses cheveux bruns.

« Je ne suis qu'une petite idiote, murmura-t-elle d'une voix entrecoupée, mais je t'aime, et quand tu me traites avec froideur, j'ai l'impression que cela ne vaut plus la peine de vivre. »

Tout cela respirait la paix, en somme : la chambre tranquille avec son odeur féminine de poudre de riz et de parfum mêlés, la main de Dot, douce comme une brise tiède dans ses cheveux, son sein qui se soulevait au rythme de sa respiration. L'espace d'un instant, ce fut comme si c'était Gloria qui était là, comme s'il avait trouvé le repos dans un abri plus sûr et plus doux que tous les foyers qu'il avait pu connaître.

Une heure passa. Une horloge se mit à sonner dans le vestibule. Il se leva d'un bond et regarda les aiguilles phosphorescentes de sa montre. Il était minuit.

À cette heure-là, il eut du mal à trouver un taxi qui voudrait bien l'emmener en dehors de la ville. Tout en demandant au chauffeur de rouler plus vite sur la route, il s'interrogeait sur la meilleure marche à suivre pour rentrer au camp. Il avait été en retard plusieurs fois ces derniers temps, et il savait que s'il se faisait prendre une fois de plus, il risquait de voir son nom rayé de la liste des candidats au rang d'officier. Il se demanda s'il ne valait pas mieux renvoyer le taxi et essayer de passer devant la sentinelle dans le noir. Sauf qu'après minuit, il y avait souvent des officiers qui passaient en voiture devant les sentinelles.

« Halte ! » Le monosyllabe claqua, en provenance de la tache de lumière jaune projetée par les phares sur la route qui changeait de direction. Le chauffeur de taxi débraya et une sentinelle s'approcha, fusil en bandoulière. Par malchance, l'officier de garde était avec lui.

« Vous rentrez tard, sergent ?

— Oui, mon lieutenant. J'ai été retardé.

— Pas de chance. Je suis obligé de prendre votre nom. »

Tandis que l'officier attendait, calepin et crayon à la main, quelque chose qui n'était pas vraiment prémédité monta aux lèvres d'Anthony, des mots dictés par la panique, le trouble, le désespoir.

« Sergent R. A. Foley, répondit-il, le souffle court.

— Quelle unité ?

— Compagnie Q, 83e d'infanterie.

— Bien. À partir d'ici, il faudra continuer à pied, sergent. »

Anthony salua, paya rapidement son chauffeur de taxi, et partit au pas de course en direction du régiment qu'il avait nommé. Dès qu'il fut hors de vue, il fit volte-face et, le cœur battant à tout rompre, il rejoignit en toute hâte sa compagnie, avec le sentiment qu'il avait fait une fatale erreur de jugement.

Deux jours plus tard, l'officier qui avait été de garde cette nuit-là le reconnut chez un coiffeur en ville. Sous la garde d'un policier militaire, il fut ramené au camp, rétrogradé sans jugement au rang d'homme de troupe, et consigné dans le quartier de sa compagnie pendant un mois.

Avec ce coup du sort, il tomba dans un accès de profonde dépression, et moins d'une semaine plus tard, il fut à nouveau surpris en ville, errant dans les rues, ivre, dans un état d'extrême confusion, avec une pinte de whisky de contrebande dans sa poche-revolver. À cause du caractère délirant de sa conduite, lorsqu'il passa en jugement, il ne fut condamné qu'à trois semaines aux arrêts.

CAUCHEMAR

Au début de son emprisonnement, il acquit la conviction qu'il était en train de devenir fou. C'était comme si son esprit se composait de toute une série de personnalités obscures mais vivantes, certaines d'entre elles familières, d'autres étranges et terribles, le tout sous la garde d'un petit contrôleur qui se tenait quelque part là-haut pour surveiller. Ce qui l'inquiétait, c'est que le contrôleur était malade, et qu'il avait du mal à tenir bon. Si par malheur il flanchait, s'il relâchait une seconde son attention, ces êtres intolérables se déchaîneraient. Seul Anthony savait dans quelle nuit totale il serait plongé si ce qu'il y avait de pire en lui pouvait rôder dans sa conscience en toute liberté.

Sans qu'on sache comment, la chaleur du jour s'était transformée ; c'était à présent une sorte d'obscurité cuivrée qui écrasait une terre dévastée. Au-dessus de sa tête, les cercles bleus de soleils menaçants, inconnus, d'innombrables noyaux de feu tournoyaient interminablement devant ses yeux, comme s'il était allongé sur le dos, exposé en permanence à la lumière brûlante, dans un état de fièvre comateuse. À 7 heures du matin, quelque chose de fantasmatique, d'irréel presque jusqu'à l'absurde, dont il savait que c'était son enveloppe mortelle, partait avec sept autres prisonniers et deux gardes travailler aux routes du camp. Un jour, ils chargeaient et déchargeaient des quantités de gravier, l'étalaient, le ratissaient ; le lendemain, ils travaillaient avec d'énormes barils de goudron chauffé au rouge, inondant le gravier de plaques noires et brillantes de chaleur en fusion. La nuit, enfermé au poste, Anthony restait allongé sans une pensée, sans avoir le courage de venir à bout d'une pensée, les yeux fixés sur les poutres irrégulières du plafond, jusqu'au moment où, vers 3 heures du matin, il sombrait dans un sommeil troublé, entrecoupé.

Pendant les heures de corvée, il travaillait avec une hâte brouillonne, essayant, cependant que la journée déclinait vers le coucher de soleil oppressant du Mississippi, de se fatiguer physiquement de façon à pouvoir, le soir venu, s'endormir d'un sommeil profond par pur épuisement... Puis, un après-midi de la deuxième semaine, il eut l'impression que deux yeux le dévisageaient, à quelques pas derrière l'un des gardes. Cela déclencha en lui une sorte de terreur. Il leur tourna le dos et s'escrima fiévreusement avec sa pelle, jusqu'au moment où il dut faire demi-tour pour aller rechercher du gravier. Les yeux entrèrent à nouveau dans son champ de vision, et ses nerfs déjà tendus furent sur le point de craquer. Les yeux se moquaient de lui. Dans un silence torride, il entendit son nom prononcé par une voix tragique, et la terre se mit à tanguer d'avant en arrière dans un pandémonium indescriptible.

Lorsqu'il reprit connaissance, il était à nouveau au poste, et les autres prisonniers lui jetaient des regards bizarres. Les yeux ne reparurent plus. Il fallut plusieurs jours avant qu'il ne comprenne que la voix avait dû être celle de Dot, qu'elle était venue jusqu'à lui, et qu'elle avait dû provoquer quelque esclandre. Il en vint à cette conclusion juste avant l'expiration de sa peine, lorsque le nuage qui l'avait oppressé jusque-là se leva, le laissant dans un état de découragement et de profonde léthargie. À mesure que le médiateur conscient, le contrôleur qui régnait sur cette abominable et terrifiante cohorte reprenait des forces, Anthony s'affaiblissait physiquement. Il fut à peine capable de faire face aux deux derniers jours de corvée, et lorsqu'il fut remis en liberté, par un pluvieux après-midi, et retourna dans sa compagnie, il n'atteignit sa tente que pour tomber dans un sommeil profond dont il ne se réveilla qu'à l'aube, endolori et tout aussi fourbu. À côté de son lit, il y avait deux lettres qui l'attendaient depuis quelque temps dans la tente de l'ordonnance. La première était de Gloria, elle était brève et froide :

Le procès passera en jugement à la fin novembre. Te sera-t-il possible d'obtenir une permission ?

J'ai essayé de t'écrire à plusieurs reprises, mais on dirait que cela ne fait qu'empirer les choses. Il faut que je te voie pour plusieurs affaires à régler, mais tu sais que tu m'as empêchée une fois de venir te retrouver et je n'ai pas envie de recommencer. Pour un certain nombre de questions, il paraît nécessaire que nous ayons une discussion. Je suis très contente de ta promotion.

GLORIA.

Il était trop fatigué pour essayer de comprendre, et ça lui était égal. Les formules, les intentions de Gloria appartenaient à un passé lointain qui lui était étranger. Il jeta à peine un coup d'œil à la deuxième lettre. Elle était de Dot : un gribouillis incohérent, mouillé de larmes, un torrent de protestations, de mots doux et de chagrin. Au bout d'une page, il la laissa tomber de sa main inerte, et replongea dans sa rêverie d'une contrée lointaine et nébuleuse. Quand on sonna pour l'exercice du matin, il se réveilla avec une forte fièvre et s'évanouit lorsqu'il essaya de sortir de sa tente. À midi, on l'envoyait à l'hôpital de la base avec la grippe.

Il se rendait compte que cette maladie était providentielle. Elle lui épargna de retomber dans l'hystérie, et il guérit à point nommé pour se faire embarquer, par une humide journée de novembre, dans le train pour New York, et, de là, vers l'interminable massacre.

Quand le régiment atteignit le camp Mills, à Long Island, Anthony n'avait qu'une idée, c'était de se rendre à New York pour voir Gloria aussi vite que possible. Il était maintenant évident que l'armistice allait être signé dans la semaine, mais la rumeur disait que, dans tous les cas, les troupes continueraient à être acheminées vers l'Europe jusqu'à la dernière minute. Anthony était terrifié à l'idée de la longue traversée, du débarquement fastidieux dans un port français, et à la perspective de rester en Europe une année entière, peut-être, pour remplacer les troupes qui avaient connu le combat.

Son intention avait été d'obtenir une permission de deux jours, mais le camp Mills était sous stricte quarantaine à cause de la grippe ; même les officiers ne pouvaient quitter le camp que pour raisons officielles. Pour un simple soldat, c'était hors de question.

Le camp lui-même était un lieu désolé, froid, battu par les vents, malpropre, avec toute la saleté accumulée par les divisons qui s'y étaient succédé. Leur train arriva à 7 heures du soir, et ils attendirent en rang jusqu'à 1 heure du matin, le temps de régler quelque imbroglio militaire en amont. Les officiers couraient en tous sens, lançant des ordres et faisant un grand tapage. On sut plus tard que le problème venait du colonel, qui était dans une vertueuse colère parce qu'il était un ancien de West Point et que la guerre allait s'arrêter avant qu'il eût l'occasion de partir pour l'Europe. Si les gouvernements en guerre avaient eu conscience du nombre de cœurs qu'ils brisèrent parmi les anciens de West Point au cours de cette semaine, ils auraient prolongé sans aucun doute le massacre d'encore un mois. C'était à pleurer !

Observant les sinistres rangées de tentes qui s'étendaient sur des kilomètres, sur un terrain couvert de boue et de neige, Anthony comprit qu'il n'arriverait pas à se frayer un chemin jusqu'à un téléphone ce soir-là. Il appellerait Gloria à la première occasion le lendemain matin.

Réveillé à l'aube, par un temps glacial, à l'appel de

la diane, il se tint debout pour écouter une harangue passionnée du capitaine Dunning.

« Soldats, vous pensez peut-être que la guerre est finie. Eh bien, laissez-moi vous dire qu'elle ne l'est pas. Ces gens-là ne vont pas signer l'armistice. C'est encore un piège, et ce serait de la folie que de nous relâcher, ici, dans la compagnie, parce que laissez-moi vous dire que dans moins d'une semaine, nous allons nous embarquer, et qu'alors nous allons voir de vrais combats. » Il s'arrêta pour que l'effet de sa déclaration puisse être pleinement ressenti. Puis : « Si vous pensez que la guerre est finie, parlez à quelqu'un qui l'a faite, et demandez-leur si eux, ils pensent que les Allemands sont au bout du rouleau. Ils ne le pensent pas. Personne ne le pense. J'ai parlé à des gens qui *savent*, et ils disent que dans tous les cas la guerre durera encore un an. Eux, ils ne pensent pas qu'elle est terminée. Alors, soldats, ne vous mettez surtout pas dans la tête que c'est fini. »

Et répétant pour la souligner cette admonestation finale, il ordonna de rompre les rangs.

À midi, Anthony partit au petit trot jusqu'au téléphone de campagne le plus proche. En arrivant à ce qui correspondait au centre-ville du camp, il remarqua que beaucoup d'autres soldats couraient eux aussi, et qu'un homme près de lui avait bondi en l'air en claquant des talons. La tendance à courir devenait générale. Des petits groupes tout excités, çà et là, lançaient des hourras. Il s'arrêta pour écouter : sur toute la plaine gelée, on entendait des coups de sifflet, et les carillons des églises de Garden City remplirent l'air de leurs échos.

Anthony se remit à courir. Les cris étaient à

présent clairs et distincts, s'élevaient avec la buée des haleines gelées dans l'air glacial.

L'Allemagne a capitulé ! L'Allemagne a capitulé !

LE FAUX ARMISTICE

Ce soir-là, dans l'obscurité opaque de 6 heures, Anthony se glissa entre deux wagons de marchandises, et une fois qu'il eut traversé les rails, il suivit la voie ferrée jusqu'à Garden City, où il monta dans un train électrique pour New York. Il risquait de se faire prendre ; il savait qu'on envoyait souvent la police militaire dans les compartiments pour vérifier les laissez-passer. Mais il se disait que ce soir la vigilance se relâcherait. Dans tous les cas, il aurait essayé de se faufiler, car il n'était pas arrivé à joindre Gloria par téléphone, et un jour de plus de suspense lui aurait été intolérable.

Après des arrêts et des attentes inexplicables qui lui rappelaient la nuit où il avait quitté New York, plus d'un an plus tôt, ils atteignirent Pennsylvania Station, et Anthony suivit le chemin bien connu qui menait à la station de taxis, trouvant absurde et bizarrement stimulant de donner sa propre adresse.

Broadway était une débauche de lumières, où se pressait comme jamais auparavant une foule de carnaval qui se frayait un chemin scintillant au milieu de papiers amoncelés sur les trottoirs jusqu'à hauteur de cheville. Ici et là, perchés sur des bancs ou des caisses, des soldats s'adressaient à la masse inattentive où chaque visage se découpait avec netteté, dans la lumière blanche. Anthony distingua une demi-douzaine de personnages. Un matelot ivre, à demi renversé en arrière et soutenu par deux autres matafs, agitait son béret en poussant des rugissements sauvages ; un soldat blessé, béquille à la main, était porté au milieu du tourbillon sur les épaules de civils braillards. Une fille aux cheveux bruns était assise, jambes croisées, l'air méditatif, sur le toit d'un taxi à l'arrêt. Pour tous ces gens, la victoire arrivait en temps voulu, l'heure de gloire avait été programmée avec une clairvoyance céleste. La grande nation riche avait mené la guerre jusqu'à son terme triomphal, avait assez souffert pour que l'émotion soit forte, mais pas assez pour connaître l'amertume — d'où le carnaval, les réjouissances, l'allégresse. Sous ces brillantes lumières s'illuminaient les visages de peuples dont la gloire était passée depuis longtemps, dont les civilisations elles-mêmes étaient mortes, des hommes dont les ancêtres avaient entendu proclamer la victoire à Babylone, à Ninive, à Bagdad, à Tyr, cent générations plus tôt. Des hommes dont les ancêtres avaient vu un cortège jonché de fleurs et orné d'esclaves défiler avec sa cohorte de captifs dans les avenues de la Rome impériale…

Il passa devant le Rialto, la façade illuminée de l'Astor, la magnificence scintillante de Times Square… et devant lui une somptueuse artère incandescente… Puis — était-ce des années plus tard ? — il se retrouva payant le chauffeur de taxi devant un immeuble blanc de la 57e Rue. Il était dans le hall. Ah, le jeune Martiniquais était toujours là, paresseux, indolent, semblable à lui-même.

« Est-ce que Mrs. Patch est chez elle ?

— Je viens d'awiver, M'sieu », annonça le liftier à l'accent britannique insolite.

« Faites-moi monter. »

Puis le ronronnement de l'ascenseur, les trois marches jusqu'à la porte, qui s'ouvrit toute grande lorsqu'il frappa avec élan.

« Gloria ! » Sa voix tremblait. Pas de réponse. Une fine volute de fumée s'élevait d'un cendrier. Un numéro de *Vanity Fair* était étalé sur la table.

« Gloria ! »

Il courut dans la chambre, la salle de bains. Elle n'était pas là. D'un peignoir bleu de porcelaine jeté sur le lit émanait un parfum léger, évanescent, familier. Sur une chaise, il y avait une paire de bas et une robe de ville. Un poudrier ouvert était posé sur la commode.

Tout à coup le téléphone sonna, et Anthony sursauta. Il répondit avec les sensations qui peuvent être celles d'un imposteur.

« Allô. Est-ce que Mrs. Patch est là ?

— Non, je la cherche moi-même. Qui est à l'appareil ?

— C'est Mr. Crawford.

— Ici Mr. Patch. Je viens d'arriver à l'improviste, et je ne sais pas où la trouver.

— Ah. » Mr. Crawford eut l'air un peu déconcerté. « J'imagine qu'elle doit être au bal de l'Armistice. Je sais qu'elle avait l'intention d'y aller, mais je ne pensais pas qu'elle partirait si tôt.

— Où se passe le bal de l'Armistice ?

— À l'hôtel Astor.

— Merci. »

Anthony raccrocha brusquement et se leva. Qui était Mr. Crawford ? Et qui donc emmenait Gloria au bal ? Depuis quand est-ce que cela durait ? Toutes ces questions, il se les posa une douzaine de fois et il leur donna une douzaine de réponses. Le fait qu'il fût si près d'elle le rendait à moitié fou.

Dans une frénésie de suspicion, il parcourut l'appartement en tous sens, à la recherche de quelque signe de présence masculine, ouvrant le placard de la salle de bains, fouillant fiévreusement les tiroirs de la commode. Puis il trouva quelque chose qui le fit s'arrêter net et s'asseoir sur l'un des lits jumeaux, les coins de sa bouche s'abaissant comme s'il allait se mettre à pleurer. Là, dans un coin du tiroir, liés par un fragile ruban bleu, se trouvaient toutes les lettres et tous les télégrammes qu'il lui avait écrits au cours de l'année. Il fut envahi par un sentiment de honte et de bonheur.

« Je ne suis pas digne de l'approcher. Je ne suis pas digne de toucher sa petite main. »

Il partit à sa recherche, malgré tout.

Dans le hall de l'Astor, il fut aussitôt submergé par une foule si dense qu'il était presque impossible d'avancer. Il demanda où se trouvait la salle de bal à une demi-douzaine de personnes, avant d'obtenir une réponse raisonnable et compréhensible. Finalement, après une longue attente, il déposa sa capote militaire au vestiaire.

Il n'était que 9 heures, mais le bal battait son plein. Le spectacle était incroyable. Des femmes, des femmes partout, des filles égayées par le vin qui chantaient d'une voix aiguë par-dessus la clameur de la foule étincelante couverte de confettis. Des filles mises en valeur par les uniformes d'une douzaine de nations ; de grosses femmes qui s'effondraient à terre sans dignité et retrouvaient leur quant-à-soi en s'écriant « Hourra pour les Alliés ! » ; trois femmes aux cheveux blancs dansant main dans la main autour d'un marin qui tournoyait jusqu'au vertige sur le plancher, serrant contre son cœur une bouteille de champagne vide.

Le souffle court, Anthony scrutait les danseurs, scrutait les files entremêlées qui dansaient la farandole autour des tables, scrutait les groupes qui soufflaient dans des serpentins, s'embrassaient, toussaient, riaient, buvaient, sous les grands drapeaux déployés qui se penchaient, dans leurs couleurs vives, au-dessus de la foule joyeuse et du bruit.

Puis il vit Gloria. Elle était assise à une table pour deux à l'autre bout de la salle. Elle avait une robe noire au-dessus de laquelle son visage animé, teinté du plus ravissant rose, apportait, pensa-t-il, une touche de beauté poignante au spectacle. Le cœur d'Anthony bondit comme lorsqu'un air de musique vient vous surprendre. Il se fraya un chemin jusqu'à elle, et prononça son nom au moment même où elle levait ses yeux gris et découvrait sa présence. Pendant cet instant où leurs deux corps se rejoignirent, fusionnèrent, le monde entier, la fête, la complainte syncopée de la musique ne furent plus qu'un bourdonnement de bonheur aussi doux que celui des abeilles.

« Oh, ma Gloria ! » s'écria-t-il.

Son baiser avait la fraîcheur d'un ruisseau jaillissant de son cœur.

Chapitre II

UNE QUESTION D'ESTHÉTIQUE

La nuit où Anthony était parti pour le camp Hooker, un an plus tôt, tout ce qui restait de la belle Gloria Gilbert — sa coquille, son corps jeune et charmant — remonta les larges marches de marbre de Grand Central Station avec le rythme de la locomotive qui battait à ses tempes comme un rêve, puis rejoignit Vanderbilt Avenue où l'énorme masse du Biltmore dominait la rue et, en bas, par son porche illuminé, aspirait les robes du soir multicolores de jeunes femmes somptueusement habillées. Elle s'arrêta un moment près de la station de taxis, et les contempla, s'étonnant de se rappeler qu'à peine quelques années plus tôt elle était l'une d'entre elles, toujours sur le départ pour quelque radieuse destination, toujours sur le point de connaître cette ultime aventure passionnée pour laquelle les capes des femmes étaient délicates et ornées d'une ravissante fourrure, pour laquelle leurs joues étaient fardées et leurs cœurs s'élançaient plus haut que le dôme de plaisir éphémère qui allait les engloutir, avec leur coiffure, leur sortie de bal et tout le reste.

Il commençait à faire plus froid, et les passants avaient remonté le col de leur pardessus. Ce changement convenait à Gloria. Elle aurait encore préféré que tout changeât, le temps qu'il faisait, les rues, les gens, être transportée d'un coup de baguette magique, se réveiller seule dans une chambre au parfum frais, aux fenêtres hautes, et se découvrir, à l'intérieur comme à l'extérieur, pareille à une statue, comme lors de son passé virginal richement coloré.

Une fois dans le taxi, elle pleura des larmes d'impuissance. Que, depuis plus d'un an, elle n'ait pas été heureuse avec Anthony, cela n'importait guère. Récemment, sa présence n'avait été rien de plus que les images qu'elle réveillait de ce mémorable mois de juin. L'Anthony de ces derniers temps, irritable, faible et pauvre, ne pouvait que la rendre irritable en retour, et ne trouvant d'intérêt à rien, sinon au fait que, dans une jeunesse débordante d'imagination et d'éloquence, ils avaient été réunis dans un enivrant carnaval d'émotions. À cause de ce vif souvenir qu'ils partageaient, Anthony était l'homme pour qui elle aurait été prête à faire plus que pour n'importe qui d'autre. Aussi, lorsqu'elle entra dans le taxi, elle pleura à chaudes larmes, avec l'envie de clamer son nom à haute voix.

Malheureuse, esseulée comme une enfant abandonnée, elle se retrouva dans l'appartement silencieux et écrivit à Anthony une lettre pleine de sentiments exaltés.

… *Je crois encore voir les rails du chemin de fer et toi qui t'en vas, mais sans toi, mon amour, mon amour, je ne peux ni voir, ni entendre, ni sentir, ni penser. Être séparés — quoi qu'il nous soit arrivé ou qui puisse nous arriver —, c'est comme de supplier qu'on vous délivre d'un orage, mon Anthony. C'est comme de vieillir. J'ai tellement envie de t'embrasser*

— sur la nuque, à la naissance de tes cheveux noirs lorsqu'ils repoussent. Parce que je t'aime — et quoi qu'on se fasse ou se dise, quoi qu'on se soit fait ou dit, il faut que tu saches à quel point je t'aime, à quel point je cesse d'exister quand tu n'es pas là. Je ne peux même pas détester la présence odieuse des GENS*, ces gens, dans la gare, qui n'ont aucun droit à l'existence, je ne peux pas leur en vouloir, même s'ils salissent notre monde à nous, parce que ma seule pensée, c'est que c'est toi que je veux.*

Si tu me haïssais, si tu étais couvert de pustules comme un lépreux, si tu partais avec une autre femme, ou que tu me laisses mourir de faim, ou que tu me battes — hypothèse idiote —, je te désirerais quand même, je t'aimerais quand même. Je le SAIS*, mon chéri.*

Il est tard — j'ai laissé toutes les fenêtres ouvertes et l'air qui vient du dehors est aussi doux qu'au printemps, et, en un sens, plus jeune, plus fragile qu'au printemps. Pourquoi est-ce qu'on représente le printemps comme une jeune fille, pourquoi est-ce que cette illusion se promène en dansant et chantant de par le monde pendant trois mois, sur une terre ridiculement aride ? Le printemps est un vieux cheval de labour aux côtes saillantes, c'est un tas d'ordures dans un champ que le soleil et la pluie ont parcheminé jusqu'à lui donner une propreté de mauvais augure.

Dans quelques heures tu te réveilleras, mon chéri, et tu seras malheureux, dégoûté par la vie. Tu seras dans le Delaware ou la Caroline, où tu compteras pour rien. Je crois qu'il n'existe personne au monde qui soit capable de se considérer comme une institution éphémère, un luxe ou un mal non nécessaire. Très peu de ceux qui soulignent la futilité de la vie prennent note de leur propre futilité. Les gens croient peut-être qu'en proclamant que c'est la vie qui est mauvaise, ils peuvent sauver du désastre leur précieuse personne, mais il n'en est rien, même pour toi et moi…

… Malgré tout, je te vois. Il y a une brume bleue qui entoure les arbres où tu vas passer, mais ils sont si beaux qu'ils sont rares. Non, ce qui sera le plus fréquent, ce sont les terres en jachère — elles longeront la voie comme des draps grossiers d'un brun sale qui sèchent au soleil, vivantes, mécaniques, abominables. La nature, cette vieille pute, a couché dedans avec tous les vieux fermiers, nègres ou immigrants qui se trouvaient avoir envie d'elle…

Tu vois, maintenant que tu n'es plus là, j'écris une lettre toute pleine de mépris et de désespoir. Et cela veut seulement dire que je t'aime, mon Anthony, avec toute la capacité d'amour de ta

GLORIA.

Quand elle eut rempli l'adresse, elle alla s'allonger sur son lit jumeau, serrant l'oreiller d'Anthony dans ses bras comme si, par la simple force de son émotion, elle avait le pouvoir de le métamorphoser en corps chaud et vivant. 2 heures la virent les yeux secs, fixant les ténèbres avec son chagrin persistant, se rappelant, se rappelant sans merci, se reprochant mille gestes imaginaires peu gentils, forgeant un Anthony à l'image d'un Christ martyr et transfiguré. Pendant un temps, elle pensa à lui comme, sans doute, dans ses moments d'effusion sentimentale, il devait se voir lui-même.

À 5 heures, elle ne dormait toujours pas. Un grincement mystérieux qui se produisait tous les matins, de l'autre côté de la cour, lui indiqua l'heure qu'il était. Elle entendit la sonnerie d'un réveil et vit une lumière découper un carré jaune sur un mur blanc illusoire, en face. Avec la résolution à demi formulée d'aller immédiatement le retrouver dans le Sud, son chagrin s'estompa et la quitta, cependant que les ténèbres se déplaçaient vers l'ouest. Elle s'endormit.

Quand elle se réveilla, la vue du lit vide à ses côtés réveilla sa détresse qui fut cependant bientôt dissipée par l'inévitable indifférence d'une belle matinée. Sans qu'elle en eût conscience, il y avait un certain soulagement à prendre son petit déjeuner sans avoir en face d'elle le visage fatigué et soucieux d'Anthony. Maintenant qu'elle était seule, elle avait perdu l'envie de se plaindre de la nourriture. Elle allait changer de menu au petit déjeuner, se dit-elle : limonade et sandwich à la tomate au lieu des sempiternels œufs au bacon avec toasts.

Néanmoins, à midi, ayant téléphoné à plusieurs de ses connaissances, y compris Muriel la va-t-en-guerre, et ayant appris qu'elles étaient toutes prises pour le déjeuner, elle s'apitoya en silence sur son sort et sa solitude. Blottie sur son lit, avec papier et crayon, elle écrivit une deuxième lettre à Anthony.

En fin d'après-midi arriva une lettre exprès, postée d'une petite ville du New Jersey, et elle reconnaissait si bien les tournures de phrases familières, le ton général, de souci et de contrariété, qu'elle croyait presque entendre, que cela la réconforta. Qui sait ? Peut-être que la discipline de l'armée allait tremper le caractère d'Anthony, et qu'il s'habituerait à l'idée de travailler ? Elle avait la conviction inébranlable que la guerre serait finie avant qu'il soit appelé au combat. Entre-temps ils auraient gagné leur procès, et ils pourraient repartir de zéro, sur de nouvelles bases, cette fois. La première chose qui serait différente serait qu'elle aurait un enfant. C'était insupportable d'être aussi totalement seule.

Il se passa une semaine avant qu'elle pût rester dans l'appartement en étant à peu près sûre de ne pas se mettre à pleurer. Il n'y avait à New York guère de choses amusantes à faire. Muriel avait été mutée dans un hôpital du New Jersey, et elle ne rentrait à New York qu'un week-end sur deux. Cette absence fit prendre conscience à Gloria qu'elle s'était fait bien peu d'amis pendant toutes ces années passées à New York. Les hommes qu'elle connaissait étaient à l'armée. « Les hommes qu'elle connaissait ? » Elle avait plus ou moins admis qu'elle pouvait compter comme amis tous ceux qui avaient été amoureux d'elle. Chacun d'entre eux avait, pendant toute une période, il y avait longtemps de cela, considéré qu'obtenir ses faveurs était ce qu'il y avait de plus désirable au monde. Mais maintenant, où étaient-ils ? Deux d'entre eux au moins étaient morts, une demi-douzaine ou davantage étaient mariés, et le reste dispersé, de la France aux Philippines. Elle se demandait si certains d'entre eux pensaient à elle, souvent ou pas, et en quels termes. La plupart devaient avoir gardé l'image de la petite fille de dix-sept ans, la sirène adolescente qu'elle était neuf ans plus tôt.

Les filles, elles aussi, avaient pris du champ. Elle n'avait jamais été très appréciée en classe. Elle était trop belle, trop paresseuse, pas assez consciente d'être une « élève de Farmover » et une FUTURE ÉPOUSE ET MÈRE, en lettres capitales gravées dans le marbre. Et les filles qui n'avaient jamais été embrassées laissaient entendre, avec une expression choquée sur leurs visages — des visages assez ordinaires qui ne respiraient pas pour autant la santé —, que Gloria, elle, l'avait été. Puis ces filles étaient parties vers l'Est ou l'Ouest ou le Sud, elles s'étaient mariées et avaient épousé de beaux partis, prédisant, s'il leur arrivait de faire des prédictions à propos de Gloria, qu'elle « finirait mal », ne sachant pas qu'il n'y a pas de mauvaise fin et que, pas plus que Gloria, elles n'étaient maîtresses de leur destin.

Gloria se remémorait les gens qui étaient venus leur rendre visite dans la maison grise de Marietta. Il semblait à l'époque qu'il y avait toujours du monde chez eux. Sans le dire, elle aimait à penser que chaque invité lui devait pour toujours un petit quelque chose. Ils lui devaient une sorte de billet de dix dollars symbolique, et si elle était un jour dans le besoin, elle pourrait leur emprunter cette somme imaginaire. Mais ils n'étaient plus là, dispersés comme paille au vent, mystérieusement et subtilement évanouis, virtuellement ou pour de vrai.

Lorsque arriva Noël, Gloria avait été reprise par la conviction qu'elle devait aller rejoindre Anthony, et cette fois, ce n'était plus un élan passager, mais un besoin récurrent. Elle décida de lui annoncer par écrit son arrivée, mais remit cette démarche à plus tard sur les conseils de Mr. Haight, qui s'attendait que leur affaire passe en jugement d'une semaine à l'autre.

Un jour, au début du mois de janvier, en descendant la Cinquième Avenue, qui était maintenant toute bariolée d'uniformes et ornée des drapeaux des nations vertueuses, elle tomba sur Rachel Barnes, qu'elle n'avait pas vue depuis près d'un an. Même Rachel, qu'elle n'aimait plus trop, représentait une distraction bienvenue, et elles allèrent ensemble prendre le thé au Ritz.

Après le deuxième cocktail, l'enthousiasme monta. Elles s'adoraient. Elles parlèrent de leurs maris,

Rachel sur le ton de la vanité publique et des réserves privées, qui est la façon dont les épouses parlent de leur mari.

« Rodman est en Europe, dans le corps d'intendance. Il est capitaine. Il était déterminé à partir, et il ne pensait pas pouvoir être pris ailleurs.

— Anthony est dans l'infanterie. » Les paroles, plus les cocktails, donnaient à Gloria une sorte d'aura. À chaque nouvelle gorgée, elle se rapprochait d'un patriotisme chaleureux et réconfortant.

« À propos », dit Rachel une demi-heure plus tard, au moment où elles partaient, « tu ne viendrais pas dîner demain soir ? Je reçois deux officiers adorables qui sont sur le point de partir. Je pense que nous devons faire tout notre possible pour leur procurer un départ agréable. »

Gloria accepta avec plaisir. Elle nota l'adresse, reconnaissant grâce au numéro un immeuble chic de Park Avenue.

« Ça m'a fait un plaisir fou de te revoir, Rachel.

— Moi aussi, j'ai été ravie. J'espérais bien que ça arriverait. »

Avec ces trois phrases, une certaine soirée à Marietta, deux étés plus tôt, où Anthony et Rachel avaient un peu trop prêté attention l'un à l'autre, était pardonnée : Gloria pardonnait à Rachel, Rachel pardonnait à Gloria. Était également pardonné le fait que Rachel avait été témoin du plus grand désastre survenu dans la vie de Mr. et Mrs. Anthony Patch.

Composant avec les événements, le temps va de l'avant.

LE MANÈGE DU CAPITAINE COLLINS

Les deux officiers étaient capitaines dans un corps très populaire, l'artillerie. Pendant le dîner, ils parlèrent d'eux-mêmes, avec un ennui étudié, pour dire qu'ils faisaient partie du « club du Suicide » (à l'époque, toute branche un peu spécialisée de l'armée disait faire partie du « club du Suicide »). L'un des capitaines — le capitaine de Rachel, remarqua Gloria — était un grand type chevalin de trente ans avec une jolie moustache et de vilaines dents. L'autre, le capitaine Collins, était poupin, avec le teint rose, et une tendance à rire à gorge déployée chaque fois que son regard croisait celui de Gloria. Il s'enticha aussitôt d'elle, et pendant tout le dîner la couvrit de compliments ineptes. Avec sa deuxième coupe de champagne, Gloria parvint à la conclusion que, pour la première fois depuis des mois, elle s'amusait énormément.

Après le dîner, quelqu'un proposa d'aller danser quelque part. Les deux officiers firent provision de bouteilles d'alcool prises sur la desserte de Rachel — une loi interdisait la vente d'alcool aux militaires — et, ainsi pourvus, ils allèrent danser le fox-trot dans plusieurs caravansérails illuminés de Broadway, prenant grand soin de faire alterner leurs partenaires, tandis que Gloria, de plus en plus gaie, paraissait de plus en plus amusante au capitaine au teint rose, qui trouvait plus simple d'arborer en permanence son sourire jovial.

À 11 heures, à sa grande surprise, elle fut la seule à vouloir poursuivre la soirée dehors. Les autres voulaient rentrer chez Rachel, pour reprendre de l'alcool, dirent-ils. Gloria expliquait avec obstination que la flasque du capitaine Collins était encore à moitié pleine — elle venait de le constater —, puis, croisant le regard de Rachel, elle vit que celle-ci lui faisait un très net clin d'œil. Elle en conclut, plus ou moins confusément, que Rachel voulait se débarrasser des officiers, et elle accepta de se laisser embarquer dans un taxi.

Le capitaine Wolf était assis à gauche avec Rachel sur ses genoux. Le capitaine Collins était assis au milieu, et en s'installant, il glissa son bras autour de l'épaule de Gloria. Le bras resta là, inanimé, un instant, puis il se resserra comme un étau. Le capitaine se pencha sur Gloria.

« Vous êtes drôlement jolie, murmura-t-il.

— Vous êtes bien bon, m'sieur. » Elle n'était ni charmée ni agacée. Avant Anthony, tant de bras l'avaient entourée de cette façon que ce n'était pour elle guère plus qu'un geste, sentimental mais sans importance.

Dans le salon tout en longueur de Rachel, la seule lumière provenait d'un feu qui couvait et de deux lampes voilées par des abat-jour orangés, si bien que les coins de la pièce recelaient des ombres profondes et engourdies. L'hôtesse, évoluant dans une robe en mousseline de soie vaporeuse de couleur sombre, accentuait l'atmosphère de sensualité. Pendant un moment, ils restèrent tous les quatre ensemble, à goûter les sandwichs préparés sur la table à thé, puis Gloria se retrouva seule avec le capitaine Collins sur le sofa près du feu. Rachel et le capitaine Wolf s'étaient retirés à l'autre bout de la pièce, où ils s'entretenaient à voix basse.

« Je regrette que vous soyez mariée », dit Collins,

son visage s'appliquant à mimer, de façon ridicule, l'expression du « plus grand sérieux ».

« Pourquoi ? » Elle lui tendait son verre pour qu'il le remplisse d'un whisky soda.

« Arrêtez de boire, dit-il en fronçant les sourcils.

— Pourquoi ?

— Ça vous irait mieux, d'arrêter de boire. »

Gloria comprit soudain quelle atmosphère il cherchait à créer. Elle eut envie de rire, et en même temps elle se disait qu'il n'y avait pas de quoi rire. Elle s'était bien amusée, et elle n'avait pas envie de rentrer chez elle, mais en même temps, cela blessait son orgueil qu'on flirte avec elle à ce niveau.

« Versez-moi encore un verre, insista-t-elle.

— Je vous en prie...

— Oh, ne soyez pas ridicule, s'exclama-t-elle, exaspérée.

— Très bien. » Il céda de mauvaise grâce.

Puis il entoura à nouveau son épaule de son bras, et, cette fois encore, elle ne protesta pas. Mais quand sa joue rose se rapprocha, Gloria s'écarta.

« Vous êtes adorable », dit-il, sans y mettre d'intention particulière.

Elle se mit à fredonner doucement, et maintenant, elle aurait voulu qu'il enlève son bras. Soudain, son œil tomba sur une scène d'intimité à l'autre bout du salon. Rachel et le capitaine Wolf échangeaient un long baiser. Gloria frissonna légèrement, sans savoir pourquoi... « Teint rose » s'approcha à nouveau.

« Il ne faut pas les regarder », murmura-t-il. Presque aussitôt, il l'entourait de son autre bras... Elle sentait son haleine sur sa joue. Une fois de plus, c'est l'absurdité de la chose qui eut raison de son dégoût, et son rire était une arme qui se passait de mots blessants.

« Oh, je croyais que vous étiez de meilleure composition, dit-il.

— C'est quoi, "de meilleure composition" ?

— Eh bien, quelqu'un qui aime profiter des plaisirs de la vie.

— Vous embrasser, à votre avis, ça fait partie des plaisirs de la vie ? »

Ils furent interrompus par la présence soudaine de Rachel et du capitaine Wolf devant eux.

« Il est tard, Gloria », dit Rachel. Elle avait le feu aux joues et les cheveux en désordre. « Tu ferais mieux de rester ici pour la nuit. »

L'espace d'un instant, Gloria crut qu'on signifiait leur congé aux officiers. Puis elle comprit, et, comprenant, elle se leva de la façon la plus désinvolte possible.

Sans saisir, Rachel continuait :

« Tu peux prendre la chambre à côté de celle-ci. Je peux te prêter tout ce qu'il te faut. »

Les yeux de Collins l'imploraient comme un chien. Le bras du capitaine entourait familièrement la taille de Rachel. Ils attendaient.

Mais la tentation de la promiscuité, pittoresque, variée, labyrinthique, dégageant toujours une légère odeur de moisi, n'avait pas de charme pour Gloria. Si elle en avait eu le désir, elle serait restée, sans hésitation, sans l'ombre d'un regret. Dans la situation actuelle, elle pouvait supporter froidement les trois paires d'yeux qui la suivirent, hostiles et offensées, jusqu'à sa sortie dans le hall, avec une politesse forcée et des paroles creuses.

« Il n'a même pas eu l'élégance de me ramener

chez moi », pensa-t-elle dans le taxi ; puis, avec un élan de rancune : « Quelle vulgarité ! »

ESPRIT CHEVALERESQUE

En février, elle fit une expérience d'un genre très différent. Tudor Baird, une de ses anciennes flammes, un jeune homme qu'elle avait eu, à une certaine époque, la ferme intention d'épouser, vint à New York avec le corps d'aviation et lui rendit visite. Ils allèrent plusieurs fois au théâtre, et en moins d'une semaine, pour le plus grand plaisir de Gloria, il était aussi épris d'elle qu'il l'avait été jadis. Elle provoqua ce sentiment, ne se rendant compte que trop tard que c'était pervers de sa part. Il allait jusqu'à rester près d'elle enfermé dans un silence douloureux lorsqu'ils sortaient ensemble.

À Yale, il avait été membre de la société secrète Scroll & Key, et il possédait la réserve de bon ton propre au « chic type », ainsi que les notions correctes de chevalerie et de *noblesse oblige**, mais aussi, malheureusement, les préjugés et le manque d'idées qui vont avec, toutes choses qu'Anthony avait appris à Gloria à mépriser, mais pour lesquelles elle avait, malgré tout, une certaine admiration. Contrairement à la plupart des hommes du même acabit, elle ne le trouvait pas ennuyeux. Il était beau garçon, il avait de l'esprit, mais sans lourdeur, et quand elle était avec lui, elle était convaincue qu'à cause de quelque chose qu'il avait en lui, quel que fût le nom qu'on lui donnât — stupidité, loyauté, ou sentimentalisme, ou encore autre chose de moins précis —, il aurait fait n'importe quoi en son pouvoir pour lui faire plaisir.

Il lui expliqua cela parmi d'autres choses, avec correction et avec une virilité solennelle qui masquait une véritable souffrance. N'étant pas du tout amoureuse de lui, il lui faisait de la peine, et un soir elle l'embrassa sentimentalement, parce que c'était un garçon charmant, le vestige d'une génération en voie de disparition — une génération qui vivait une illusion de bienséance et de grâce, et qui était peu à peu remplacée par de jeunes idiots moins chevaleresques. Plus tard, elle fut contente de l'avoir embrassé, parce que le lendemain, lorsque son avion fit une chute de cinq cents mètres à Mineola, un éclat de réservoir à essence lui transperça le cœur.

GLORIA SEULE

Quand Mr. Haight lui annonça que le procès n'aurait pas lieu avant l'automne, elle décida que, sans en parler à Anthony, elle allait faire du cinéma. Quand il verrait sa réussite, à la fois comme vedette et sur le plan financier, quand il verrait qu'elle avait pu obtenir ce qu'elle voulait de Joseph Bloeckman, sans rien céder en retour, c'en serait fini de ses sots préjugés. Elle resta éveillée la moitié d'une nuit à imaginer sa future carrière et à jouir à l'avance de ses succès, et le lendemain matin, elle appela *Films par excellence**. Mr. Bloeckman était en Europe.

Mais l'idée lui tenait si fort à cœur, cette fois, qu'elle décida de faire le tour des agences de placement cinématographiques. Comme cela lui était si souvent arrivé, son odorat eut le dessus sur ses bonnes intentions. L'agence de placement donnait olfactivement l'impression d'être quelque chose de mort depuis très longtemps. Elle attendit cinq minutes, examinant ses rivales qui ne payaient pas de mine, puis marcha d'un pas vif jusqu'aux confins les plus éloignés de Central Park, et y resta si longtemps qu'elle attrapa un rhume. Elle essayait de chasser l'odeur de l'agence de son costume tailleur.

Au printemps, elle commença à se rendre compte, d'après les lettres d'Anthony — non d'après une lettre en particulier, mais d'après leur effet cumulatif —, qu'il n'avait pas envie qu'elle vienne le rejoindre dans le Sud. Des excuses curieusement répétées, qui semblaient le hanter par leur insuffisance même, revenaient avec une régularité freudienne. Il les redisait dans chaque lettre, comme s'il craignait de les avoir oubliées la fois précédente, comme s'il était absolument vital de les imprimer dans son esprit. Et les diminutifs affectueux dont ses lettres étaient parsemées se firent mécaniques, manquant de spontanéité, un peu comme si, ayant terminé sa lettre, il l'avait relue et l'en avait littéralement farcie, comme les épigrammes dans une pièce d'Oscar Wilde. Elle en tira une conclusion immédiate, la rejeta, fut alternativement en colère et déprimée, et se détourna finalement de toute l'affaire avec orgueil, laissant une froideur s'insinuer progressivement dans sa partie de la correspondance.

Elle avait depuis peu amplement trouvé de quoi se distraire. Plusieurs aviateurs qu'elle avait connus grâce à Tudor Baird vinrent à New York pour la voir, et deux autres anciens amoureux débarquèrent, cantonnés au camp Dix. Au fur et à mesure qu'ils partaient pour l'Europe, ils la transmettaient, si l'on peut dire, à leurs amis. Mais après une autre expérience assez désagréable avec un capitaine Collins en puissance, elle fit clairement entendre que lorsqu'on lui présentait quelqu'un, il devait être dûment averti de son état de femme mariée et de ses intentions personnelles.

Quand arriva l'été, elle prit l'habitude, comme Anthony, de surveiller la notice nécrologique des officiers, prenant une sorte de plaisir mélancolique à apprendre la mort de quelqu'un avec qui elle avait dansé l'allemande, et à reconnaître à leur nom les jeunes frères d'anciens prétendants, se disant — tandis que la marche vers Paris progressait — qu'ici, enfin, le monde allait vers une destruction inévitable et chèrement gagnée.

Elle avait vingt-sept ans. Son anniversaire était passé presque inaperçu. Des années plus tôt, elle avait eu peur lorsqu'elle avait eu vingt ans et, dans une certaine mesure, lorsqu'elle avait atteint vingt-six ans, mais maintenant elle se regardait dans la glace avec une calme approbation en voyant la fraîcheur tout anglaise de son teint et sa silhouette toujours aussi mince et juvénile.

Elle s'efforçait de ne pas penser à Anthony. C'était comme si elle écrivait à un inconnu. Elle raconta à ses amies qu'il avait été nommé caporal, et fut agacée lorsqu'elles réagirent avec une indifférence polie. Une nuit, elle pleura parce qu'elle le plaignait. Il aurait suffi de la moindre marque d'affection de sa part pour qu'elle prît sans hésiter le premier train afin d'aller le retrouver. Peu importe ce qu'il faisait, il avait besoin de réconfort spirituel, et elle sentait qu'elle serait capable à présent de lui offrir cela. Ces derniers temps, libérée de la pression qu'il exerçait sur ses forces morales, elle se sentait revivre. Avant le départ d'Anthony, elle avait eu tendance, par simple association, à se lamenter sur les occasions qu'elle avait perdues. Maintenant, elle retrouvait son état d'esprit normal : fort, dédaigneux, prenant ce que chaque jour apportait. Elle acheta une poupée et l'habilla. Une semaine, elle pleura à la lecture d'*Ethan Frome*, la semaine suivante, elle prit un grand plaisir à lire des romans de Galsworthy : elle aimait chez lui ce pouvoir de faire naître le printemps au milieu de l'obscurité, et de recréer cette illusion du jeune amour romantique que les femmes ne cesseront jamais d'attendre et de regretter.

En octobre, les lettres d'Anthony se multiplièrent, presque jusqu'au délire, puis cessèrent brusquement. Pendant un mois d'inquiétude, Gloria dut rassembler toutes ses forces pour se retenir de partir immédiatement pour le Mississippi. Puis un télégramme lui annonça qu'Anthony avait été à l'hôpital et qu'elle pouvait s'attendre à son retour à New York dans les dix jours. Comme une silhouette dans un rêve, il revint dans sa vie en traversant la salle de bal en cette soirée de novembre, et pendant les longues heures de joie retrouvée, elle le serra contre son cœur, entretenant une illusion de bonheur et de sécurité qu'elle n'aurait pas cru connaître à nouveau.

DÉCONFITURE DES GÉNÉRAUX

Au bout d'une semaine, le régiment d'Anthony retourna dans le camp du Mississippi pour y être démobilisé. Les officiers s'enfermèrent dans leurs compartiments des voitures Pullman pour boire le whisky qu'ils avaient acheté à New York, et dans les wagons de deuxième classe, les soldats se soûlèrent aussi tant qu'ils purent. Chaque fois que le train s'arrêtait dans un village, ils prétendaient qu'ils rentraient tout juste de France où ils avaient pratiquement anéanti l'armée allemande. Comme ils portaient tous des calots d'outre-mer et affirmaient qu'ils n'avaient pas eu le temps de faire coudre leurs galons d'or, les péquenots de la côte étaient fort impressionnés et leur demandaient comment c'était, dans les tranchées ; à quoi ils répondaient : « Ah, si vous saviez ! » avec de grands claquements de langue et hochements de tête. Quelqu'un prit un morceau de craie et gribouilla sur la paroi du train : *On a gagné la guerre, on rentre chez nous* ; les officiers se contentèrent de rire, et laissèrent l'inscription. Ils essayaient de pallier par des rodomontades leur retour sans gloire.

Tandis qu'ils roulaient vers le camp, Anthony était inquiet à l'idée qu'il pourrait trouver Dot l'attendant patiemment à la gare. À son grand soulagement, elle ne lui donna aucun signe de vie et, se disant que si elle était encore en ville, elle chercherait sûrement à communiquer avec lui, il en conclut qu'elle était partie. Pour où, il n'en savait rien et ça lui était bien égal. Il n'avait qu'une envie, c'était de rentrer retrouver Gloria, une Gloria ressuscitée et merveilleusement vivante. Quand il finit par être démobilisé, il quitta sa compagnie à l'arrière d'un grand camion avec une foule de soldats qui avaient fait des ovations indulgentes, voire sentimentales, à l'adresse de leurs officiers, en particulier du capitaine Dunning. Le capitaine, de son côté, s'était adressé à eux, les larmes aux yeux, pour évoquer le plaisir, etc., et le travail, etc., et le temps bien employé, etc., et le devoir, etc. C'était très humain et très ennuyeux. En écoutant cela, Anthony, l'esprit stimulé par la semaine passée à New York, vit se raviver le profond dégoût que lui inspirait le métier militaire et tout ce qu'il impliquait. Dans leurs cœurs puérils, deux officiers de carrière sur trois étaient persuadés que les guerres étaient faites pour les armées et non pas les armées pour les guerres. Il se réjouit de voir le général et les officiers supérieurs parcourir à cheval d'un air désolé le camp désert auquel ils n'avaient plus d'ordres à donner. Il se réjouit d'entendre les hommes de sa compagnie rire avec mépris des invites qu'on leur faisait à rester dans l'armée. Ils pourraient intégrer des « écoles ». Anthony savait ce que c'était, ces « écoles ».

Deux jours plus tard, il était avec Gloria à New York.

UN HIVER DE PLUS

Par une fin d'après-midi du mois de février, Anthony rentra dans l'appartement et, traversant en tâtonnant la petite entrée, plongée dans le noir en ce crépuscule d'hiver, il trouva Gloria assise près de la fenêtre. Elle se retourna à son arrivée.

« Alors, qu'est-ce que Mr. Haight avait à dire ? demanda-t-elle d'un air absent.

— Rien, répondit-il. Toujours la même rengaine. Peut-être le mois prochain. »

Gloria l'observa de près. Son oreille habituée à sa voix perçut une hésitation dans la diction d'Anthony.

« Tu as bu, fit-elle remarquer, sans émotion.

— Un ou deux verres.

— Ah. »

Il bâilla dans le fauteuil et il y eut un moment de silence entre eux. Puis elle demanda brusquement :

« Est-ce que tu es allé chez Mr. Haight ? Dis-moi la vérité.

— Non. » Il fit un pâle sourire. « En fait, je n'ai pas eu le temps.

— Je me disais bien que tu n'y étais pas allé. Il t'avait demandé de passer.

— Je m'en fiche. J'en assez de faire le poireau dans sa salle d'attente. On croirait que c'est lui qui me fait une faveur. » Il jeta un coup d'œil à Gloria comme pour quêter son soutien moral, mais elle avait tourné le dos pour se replonger dans la contemplation du dehors vague et sans grand intérêt.

« Aujourd'hui, je me sens plutôt las de la vie », dit-il pour essayer de relancer la conversation. Elle resta silencieuse. « J'ai rencontré un type et on a bavardé au bar du Biltmore. »

La nuit tomba brusquement, mais aucun des deux ne fit l'effort d'allumer la lumière. Perdus dans Dieu sait quelle contemplation, ils restaient là, jusqu'au moment où une rafale de neige arracha un soupir languissant à Gloria.

« Et toi, qu'est-ce que tu as fait ? dit-il, trouvant le silence oppressant.

— Je lisais un magazine plein d'articles idiots écrits par des auteurs prospères qui plaignent les gens pauvres d'avoir un mal fou à s'acheter des chemises en soie. Et pendant que je lisais ça, je ne pouvais penser à rien d'autre qu'à l'envie que j'avais de m'acheter un manteau en petit-gris, et au fait que nous ne pouvons pas nous offrir ça.

— Mais si, nous pouvons.

— Mais non.

— Mais si. Si tu veux un manteau de fourrure, tu peux en avoir un. »

La voix de Gloria, parvenant dans l'obscurité, eut une inflexion de mépris.

« Tu veux dire que nous pouvons vendre encore un titre ?

— S'il le faut. Je ne veux pas que tu te prives. Mais c'est vrai que, depuis que je suis rentré, on a dépensé pas mal d'argent.

— Oh, tais-toi, lança-t-elle, irritée.

— Pourquoi ?

— Parce que j'en ai plus qu'assez de t'entendre parler tout le temps de ce que nous avons dépensé ou de ce que nous avons fait. Il y a deux mois que tu es rentré, et depuis, on est sortis presque tous les soirs. On voulait tous les deux sortir, et on l'a fait. Bon, tu ne m'as pas entendue me plaindre, si ? Mais toi, tout ce que tu fais, c'est de geindre, geindre, geindre. Ça m'est bien égal de savoir ce que nous allons faire ou ce que nous allons devenir, et au moins je suis cohérente. Mais je refuse de supporter tes jérémiades et ton perpétuel catastrophisme…

— Tu n'es pas toujours charmante toi-même, tu sais.

— Je n'ai pas de raison de l'être. Tu ne fais aucun effort pour améliorer notre situation.

— Mais si…

— Ah, j'ai déjà entendu ce couplet. Ce matin, tu jurais que tu ne toucherais plus à une goutte d'alcool tant que tu n'aurais pas trouvé un travail. Et tu n'as même pas eu le cran d'aller trouver Mr. Haight quand il t'a convoqué à propos du procès. »

Anthony se leva pour aller allumer.

« Écoute voir, s'écria-t-il en clignant des yeux. J'en ai assez de t'entendre dire des méchancetés.

— Eh bien, qu'est-ce que tu comptes faire ?

— Tu crois que moi, je suis particulièrement heureux ? poursuivit-il, sans tenir compte de sa question. Tu crois que je ne sais pas que nous ne menons pas la vie que nous devrions mener ? »

Une seconde plus tard, Gloria se tenait tremblante à ses côtés.

« Je ne vais pas supporter ça ! éclata-t-elle. Je refuse qu'on me chapitre ! Toi et tes malheurs ! Tu n'es qu'une pauvre mauviette, et c'est ce que tu as toujours été ! »

Ils se faisaient face de façon grotesque, aucun des deux n'arrivant à impressionner l'autre, et chacun des deux excédé, jusqu'à en trembler. Alors Gloria alla dans la chambre, et ferma la porte derrière elle.

Le retour d'Anthony avait ramené au premier plan toutes leurs exaspérations d'avant-guerre. Les prix avaient augmenté de façon alarmante, et hélas, en proportion inverse, leurs revenus avaient diminué d'environ la moitié de ce qu'ils étaient au départ. Il y avait eu l'importante provision à verser à Mr. Haight ; il y avait des actions achetées cent dollars qui n'en valaient plus que trente ou quarante, et d'autres investissements qui ne rapportaient rien du tout. Au cours du printemps précédent, Gloria avait dû choisir entre libérer l'appartement, ou signer un bail d'un an pour un loyer de deux cent cinquante dollars par mois. Elle avait signé le bail. Inévitablement, alors que la nécessité d'économiser augmentait, ils se trouvaient, en tant que couple, parfaitement incapables de mettre de l'argent de côté. Ils en revinrent à leur vieille politique d'atermoiement.

Las de leur impuissance, ils causaient de ce qu'ils allaient faire — oh, demain, ils n'iraient plus à des fêtes, et Anthony travaillerait. Mais quand venait le soir, Gloria se sentait reprise par son vieux besoin de bouger. Elle se tenait à la porte de la chambre en se rongeant furieusement les ongles, croisant parfois le regard d'Anthony lorsqu'il levait les yeux de son livre. Puis le téléphone sonnait, et Gloria, soudain détendue, allait répondre en cachant mal son empressement. Quelqu'un allait passer… « oh, pour quelques minutes » et… oh ! la fatigue de faire semblant, le guéridon qu'on avançait, le coup de fouet donné à leur humeur déprimée et le retour de la lucidité, point central de la nuit d'insomnie dans laquelle ils se débattaient.

Tandis que l'hiver avançait, avec le défilé des troupes rentrées d'Europe sur la Cinquième Avenue, ils prenaient de plus en plus conscience que, depuis le retour d'Anthony, leur relation avait changé du tout au tout. Après le regain de tendresse et de passion, chacun des deux s'en était retourné dans un rêve solitaire où l'autre n'avait pas de part, et les échanges affectueux qui avaient parfois lieu entre eux allaient d'un cœur vide à un autre cœur vide, escortant avec un son creux la disparition de ce dont ils savaient, enfin, qu'ils l'avaient perdu.

Anthony avait à nouveau fait le tour des journaux new-yorkais, et avait été éconduit par une cohorte d'employés de bureau, de standardistes et de rédacteurs. La formule était : « Nous réservons les emplois à pourvoir pour nos soldats qui sont encore en France. » Puis, à la fin du mois de mars, il tomba sur une petite annonce dans le journal du matin et, en conséquence, trouva au moins un semblant d'occupation.

VOUS ÊTES CAPABLES DE VENDRE !!!

Pourquoi ne pas gagner de l'argent
tout en apprenant ?
Nos vendeurs gagnent entre 50 et 200 dollars
par semaine.

C'était suivi d'une adresse dans Madison Avenue, et des directives pour se présenter l'après-midi même à 1 heure. Gloria, jetant un coup d'œil par-dessus l'épaule d'Anthony lors d'un de leurs habituels petits déjeuners tardifs, le vit qui regardait l'annonce d'un air distrait.

« Pourquoi n'essayerais-tu pas ? suggéra-t-elle.

— Oh, c'est encore un de ces attrape-nigauds.

— Peut-être pas. En tout cas, ce serait une expérience. »

Poussé par Gloria, il se rendit à 1 heure au lieu de rendez-vous, où il se trouva au milieu d'un troupeau d'hommes en tous genres qui attendaient devant la porte. Cela allait du petit coursier qui prenait évidemment sur le temps qu'il devait à son employeur, à un individu d'âge immémorial, avec un corps tordu et une canne tordue. Certains des hommes étaient de pauvres diables, avec des joues creuses et des yeux roses bouffis, d'autres étaient jeunes, peut-être même encore d'âge scolaire. Au bout d'un quart d'heure de bousculade pendant lequel ils s'épièrent avec une apathie soupçonneuse, apparut un jeune berger vêtu d'un costume ceintré à la taille et arborant les manières d'un assistant de pasteur. Il guida son troupeau jusqu'à une grande salle, au premier étage, qui ressemblait à une salle de classe et contenait d'innombrables pupitres d'écoliers. C'est là que s'assirent les futurs vendeurs et, à nouveau, ils attendirent. Après un moment, une estrade au bout de la salle se trouva occupée par une demi-douzaine d'hommes d'aspect strict mais pleins d'allant qui, à une exception près, s'assirent en demi-cercle, face au public.

L'exception était l'homme qui avait l'aspect le plus strict et le plus plein d'allant. C'était le plus jeune du lot, il s'avança jusqu'au-devant de l'estrade. Le public le scruta d'un regard optimiste. Il était plutôt petit, plutôt joli garçon, dans le genre vendeur plutôt que dans le genre acteur. Il avait des sourcils blonds bien fournis et des yeux qui respiraient l'honnêteté, avec emphase, et lorsqu'il s'avança jusqu'à son pupitre, il semblait projeter ces yeux jusqu'au milieu du public, avançant en même temps son bras avec deux doigts tendus. Puis, tandis qu'il se balançait jusqu'à se mettre en position d'équilibre, un silence attentif tomba sur la salle. Avec une parfaite assurance, le jeune homme avait pris en main ses auditeurs, et quand il ouvrit la bouche, il en sortit des paroles calmes, confiantes, du style « je ne vais pas tourner autour du pot ».

« Messieurs ! » commença-t-il, puis il marqua un temps. Le mot alla s'évanouir au fond de la salle ; les visages levés vers lui, avec optimisme, cynisme ou lassitude, étaient tous captivés. Six cents yeux étaient rivés sur lui. Avec un élan sans grâce qui rappela à Anthony le lancement des boules au bowling, il plongea dans l'océan de son exposé.

« En cette belle matinée ensoleillée, vous avez pris votre quotidien préféré et vous êtes tombés sur une annonce qui disait sans détour, sans ornement, que vous étiez capables de vendre. C'est tout ce que cela disait. Cela ne disait pas "quoi", cela ne disait pas "comment" ni "pourquoi". Cela affirmait juste, en termes tout simples, que *vous*, et *vous*, et *vous* (montrant du doigt les uns et les autres) étiez capables de vendre. Mon but n'est pas de vous donner la réussite, parce que tout homme naît avec la réussite en lui, c'est lui qui construit ses échecs. Ce n'est pas de vous apprendre l'art de parler, parce que tout homme est un orateur-né, et c'est lui qui se transforme en carpe. Mon but, c'est de vous dire une chose de façon à ce que vous en preniez bien conscience, c'est de vous dire que *vous*, et *vous*, et *vous* avez en héritage l'argent et la prospérité, qui attendent que vous veniez en prendre possession. »

À ce moment-là, un Irlandais d'apparence saturnienne quitta son pupitre au fond de la salle et sortit.

« Cet homme croit qu'il va les trouver au pub du coin. (Rires.) Ce n'est pas là qu'il les trouvera. Jadis, j'ai fait ça moi-même (rires), mais c'était avant de faire ce que chacun d'entre vous, mes amis, que vous soyez jeunes ou vieux, pauvres ou riches (léger frémissement de rires sarcastiques) peut faire. C'était avant de — *me trouver* !

« Voilà. Je me demande s'il y en a parmi vous qui savent ce que c'est que *À cœur ouvert*. *À cœur ouvert*, c'est un petit livre dans lequel j'ai commencé, il y a environ cinq ans, à noter ce que j'avais compris des principales raisons des échecs et des principales raisons de la réussite d'un homme, en remontant de John D. Rockefeller à John D. Napoleon (rires) et avant cela, aux jours où Abel a vendu son droit d'aînesse pour un plat de lentilles. Il existe maintenant une centaine de ces brochures. Ceux d'entre vous qui sont sincères, qui s'intéressent à notre proposition, et par-dessus tout ceux qui sont mécontents de la façon dont les choses tournent pour eux actuellement, recevront un exemplaire à emporter chez eux quand ils passeront la porte cet après-midi.

« Dans ma poche, j'ai quatre lettres que je viens de recevoir concernant *À cœur ouvert*. Ces lettres sont signées de personnalités bien connues dans tous les foyers américains. Écoutez celle-ci, qui vient de Detroit :

Cher Mr. Carleton,

*Je désire commander encore trois mille exemplaires d'*À cœur ouvert *pour les distribuer à mes vendeurs. Ce livre a fait plus pour les stimuler dans leur travail que n'importe quelle prime de rendement. Je le lis constamment moi-même, et je tiens à vous féliciter de tout cœur pour avoir été à la racine du plus grand problème que rencontre aujourd'hui notre génération — l'art de la vente. Notre pays a pour fondation l'art de la vente. Avec toutes mes félicitations, je vous prie de croire à mes sentiments cordiaux,*

HENRY W. TERRAL. »

Il prononça le nom en détachant les syllabes sur un ton de triomphe, leur laissant le temps de produire leur effet magique. Puis il lut deux autres lettres, l'une d'un fabricant d'aspirateurs, l'autre du président d'une manufacture de napperons, la Great Northern Doily Company.

« Et maintenant, poursuivit-il, je vais vous dire en quelques mots en quoi consiste la proposition qui va faire la réussite de ceux qui s'y appliqueront avec l'esprit voulu. En bref, voici de quoi il s'agit. "À cœur ouvert" s'est constitué en société. Nous allons remettre ces petites brochures entre les mains de toutes les grandes entreprises commerciales, de tous les voyageurs de commerce, de tous les individus qui *savent* — je ne dis pas qui croient, je dis qui *savent* — qu'ils sont capables de vendre ! Nous mettons sur le marché une partie des actions d'"À cœur ouvert", et pour que la distribution soit le plus large possible, et également afin de fournir un exemple vivant, concret, palpable de ce qu'est l'art de la vente, ou plutôt de ce qu'il pourrait être, nous allons donner à ceux d'entre vous qui ont du cœur au ventre l'occasion d'écouler ces actions. Je ne veux pas savoir ce que vous avez déjà essayé de vendre ou comment vous vous y êtes pris. Je ne veux pas savoir si vous êtes jeune ou vieux. Il n'y a que deux choses que je veux savoir : premièrement, est-ce que vous voulez vraiment réussir, et deuxièmement, est-ce que vous êtes prêt à travailler pour y parvenir ?

« Je m'appelle Sammy Carleton. Pas "Mr." Carleton, Sammy, tout simplement. Je ne suis pas quelqu'un qui fait des manières, je ne cherche pas midi à 14 heures. Et je veux que vous m'appeliez Sammy.

« C'est tout ce que j'ai à vous dire pour aujourd'hui. Demain, je veux que ceux qui auront réfléchi et qui auront lu l'exemplaire d'*À cœur ouvert* qui leur aura été distribué à la porte reviennent dans cette même salle à la même heure. Alors, nous approfondirons la proposition, et je vous expliquerai ce que sont les principes de la réussite tels que je les ai découverts. Je vous ferai comprendre de l'intérieur que *vous*, et *vous*, et *vous* êtes capables de vendre ! »

La voix de Mr. Carleton se réverbéra un instant

dans la salle avant de s'éteindre. Au milieu des martèlements de pieds, Anthony, poussé, bousculé, quitta la salle avec la foule.

SUITE DES AVENTURES D'« À CŒUR OUVERT »

Accompagnant son récit de rires ironiques, Anthony raconta à Gloria son aventure commerciale. Mais elle l'écouta sans se montrer amusée.

« Tu vas laisser tomber une fois de plus ? demanda-t-elle froidement.

— Tu… ne t'attends quand même pas que…

— Je n'ai jamais rien attendu de toi. »

Il hésita.

« Je ne vois pas l'avantage qu'il y a à se rendre malade de rire avec ce genre d'affaire. C'est le plus vieux des trucs mis à la sauce moderne. »

Il fallut une incroyable somme d'énergie morale à Gloria pour forcer Anthony à retourner là-bas, et quand il se présenta le lendemain, passablement déprimé d'avoir parcouru les platitudes antédiluviennes dont était émaillé *À cœur ouvert* sur l'ambition, il ne trouva que cinquante des trois cents candidats de la veille qui étaient là à attendre l'arrivée du sémillant Sammy Carleton. La vitalité et le dynamisme de Mr. Carleton s'appliquaient cette fois à analyser cet objet de réflexion magnifique : l'art de la vente. Il apparaissait que la bonne méthode consistait à formuler une offre et à dire ensuite… oh, surtout pas : « Et maintenant, voulez-vous acheter ? »… Ce n'était pas comme ça qu'il fallait s'y prendre… pas du tout ; il fallait formuler son offre et ensuite, ayant réduit l'adversaire à quia, lui présenter l'impératif catégorique : « Écoutez, vous m'avez pris mon temps à vous expliquer tout ça. Vous avez approuvé mes arguments, alors ma seule question c'est : "Combien en voulez-vous ?" »

En écoutant Mr. Carleton empiler affirmation sur affirmation, Anthony commençait à ressentir vis-à-vis de lui une sorte de confiance mêlée de dégoût. Ce type semblait savoir de quoi il parlait. Manifestement prospère, il s'était élevé jusqu'à la position où c'était lui qui dictait aux autres leur conduite. Il ne venait pas à l'esprit d'Anthony que le genre d'homme qui atteint la réussite commerciale sait rarement le comment et le pourquoi, et lorsque, comme dans le cas de son grand-père, il lui attribue des raisons, ce sont le plus souvent des raisons erronées et absurdes.

Anthony remarqua que parmi les nombreux hommes âgés qui avaient répondu à l'annonce le premier jour, il n'en restait que deux, et que parmi la trentaine de personnes présentes le troisième jour pour écouter les instructions concrètes de Mr. Carleton concernant la vente, on ne voyait plus qu'une tête grise. Ces trente-là étaient des convertis pleins d'ardeur. Leurs bouches suivaient les mouvements de la bouche de Mr. Carleton. Ils se balançaient d'enthousiasme dans leurs sièges, et, lorsqu'il marquait une pause, ils échangeaient des chuchotements d'approbation. Et pourtant, parmi les rares élus qui, selon l'expression de Mr. Carleton, « étaient bien décidés à cueillir ces récompenses qui leur appartenaient de droit », moins d'une demi-douzaine combinaient un minimum de bonne présentation avec ce grand don d'être des « fonceurs ». Mais on leur dit qu'ils étaient tous de vrais fonceurs. La seule chose nécessaire, c'était de croire dur comme fer au produit qu'ils vendaient. Il invita même chacun à acheter lui-même des actions, si possible, afin de renforcer la sincérité de ses arguments.

C'est ainsi que, le cinquième jour, Anthony se lança dans la rue avec toutes les palpitations d'un homme recherché par la police. Suivant les instructions reçues, il choisit un grand immeuble de bureaux afin de pouvoir prendre l'ascenseur jusqu'au dernier étage et descendre à partir de là en s'arrêtant à tous les bureaux qui avaient un nom sur la porte. Mais, à la dernière minute, il hésita. Peut-être valait-il mieux s'acclimater à l'atmosphère glaciale qui l'attendait, craignait-il, en essayant quelques bureaux, disons dans Madison Avenue. Il entra dans une galerie marchande qui ne semblait qu'à moitié prospère, et voyant une enseigne qui disait PERCY B. WEATHERBEE, ARCHITECTE, il ouvrit héroïquement la porte et entra. Une jeune femme compassée leva vers lui un regard interrogateur.

« Pourrais-je voir Mr. Weatherbee ? » Il se demanda s'il y avait un trémolo dans sa voix. Elle posa la main sur le combiné.

« Qui dois-je annoncer ?

— Il... euh, il ne doit pas me connaître. Mon nom ne lui dira rien.

— C'est pour quel genre d'affaire ? Vous êtes un agent d'assurances ?

— Oh non, rien de tel ! protesta vivement Anthony. Non, non. C'est... pour une affaire personnelle. » Il se demanda s'il aurait dû dire ça. Cela avait l'air si simple quand Mr. Carleton avait dit à ses ouailles : « Ne vous laissez pas éconduire. Montrez-leur que vous êtes bien décidé à leur parler, et ils vous écouteront. »

La fille se laissa attendrir par le visage avenant et mélancolique d'Anthony, et un instant plus tard la porte du bureau intérieur s'ouvrait, laissant passer un homme grand, aux pieds plats et aux cheveux gominés. Il s'approcha d'Anthony avec une impatience mal dissimulée.

« Vous vouliez me voir pour une affaire personnelle ? »

Anthony tressaillit.

« Je voulais vous parler, dit-il d'un air de défi.

— À propos de quoi ?

— Cela ne peut pas s'expliquer en deux minutes.

— Bon, de quoi s'agit-il ? » La voix de Mr. Weatherbee signalait que son irritation montait.

Alors Anthony, butant sur chaque mot, chaque syllabe, commença : « Je ne sais pas si vous avez entendu parler d'une série de brochures qui s'intitulent *À cœur ouvert*... ?

— Sans blague ! s'écria Percy B. Weatherbee, Architecte, vous essayez de toucher mon cœur ?

— Non, non, c'est une question d'affaires. "À cœur ouvert" est une société cotée en Bourse, et nous mettons des actions sur le marché... »

Sa voix mourut lentement sous le regard dur et méprisant de sa proie récalcitrante. Il lutta encore une minute, de plus en plus mal à l'aise, s'embrouillant dans ses propres paroles. Sa confiance en lui s'échappait en exhalaisons nauséeuses qui semblaient être des morceaux de son corps. Presque miséricordieusement, Percy B. Weatherbee, Architecte, mit fin à l'entretien :

« Sans blague ! explosa-t-il, exaspéré, et vous appelez ça une affaire personnelle ! » Il se retourna comme un fouet et s'engouffra dans son bureau privé, claquant la porte derrière lui. N'osant pas regarder la secrétaire, Anthony, tête basse, parvint, sans savoir comment, à s'éclipser. Suant à grosses gouttes, il restait là, dans le hall, se demandant pourquoi on ne venait pas l'arrêter. Dans tous les regards furtifs qu'il croisait, il discernait infailliblement une touche de mépris.

Au bout d'une heure et avec l'aide de deux whiskys bien tassés, il se décida à faire une deuxième tentative. Il entra dans la boutique d'un plombier, mais quand il expliqua son affaire, le plombier passa en vitesse son pardessus, annonçant qu'il sortait déjeuner. Anthony fit poliment remarquer que ventre affamé n'a pas d'oreilles, et le plombier en tomba d'accord de tout cœur.

Anthony trouva cet épisode encourageant. Il essaya de se dire que si le plombier n'avait pas dû partir déjeuner, il aurait au moins écouté.

Dépassant quelques bazars rutilants et qui en jetaient plein les yeux, il entra dans une épicerie. Un patron volubile lui dit qu'avant d'acheter des actions, il attendait de voir comment l'armistice allait influencer le marché. Pour Anthony, à la limite, ce n'était pas de jeu. Dans l'art de la vente utopique de Mr. Carleton, la seule raison que des acheteurs potentiels pouvaient donner pour ne pas acheter des actions, c'était qu'ils n'étaient pas certains que ce serait de bon rapport. Un homme dans cette disposition d'esprit était évidemment une proie facile, il suffisait de lui appliquer judicieusement les principes de vente prévus pour ce cas. Mais que faire de ceux-là… qui n'avaient même pas l'intention d'acheter quoi que ce soit !

Anthony prit plusieurs autres whiskys avant d'aborder son quatrième client potentiel, un agent immobilier. Il fut néanmoins mis au tapis par un coup aussi décisif qu'un syllogisme. L'agent immobilier lui expliqua qu'il avait trois frères représentants. Anthony se fit l'effet d'un briseur de foyer, s'excusa et sortit.

Après un whisky de plus, il lui vint l'idée brillante de vendre des actions aux barmen de Lexington Avenue. Cela occupa plusieurs heures, car il fallait chaque fois prendre quelques verres pour mettre les tenanciers dans l'humeur adéquate pour parler affaires. Mais les barmen firent tous remarquer que s'ils avaient assez d'argent pour s'acheter des valeurs en Bourse, ils ne feraient pas ce métier. On aurait cru qu'ils s'étaient mis d'accord pour avancer cet argument. Tandis qu'approchaient les 5 heures d'un après-midi sombre et noyé de pluie, Anthony les vit manifester une tendance plus désagréable encore, celle de l'envoyer promener en blaguant.

À 5 heures donc, grâce à un énorme effort de concentration, il décida qu'il fallait qu'il mette plus de variété dans son démarchage. Il choisit une charcuterie de taille moyenne et entra. Il eut une illumination : la chose à faire était d'envoûter non seulement le commerçant mais tous ses clients. Peut-être que grâce à l'instinct de troupeau qui s'emparerait d'eux, ils se mettraient, convaincus et émerveillés, à acheter comme un seul homme.

« 'Soir, commença-t-il d'une voix lourde et pâteuse. P'tite offre à vous faire. »

S'il avait voulu le silence, il l'obtint. Une sorte de stupeur médusée s'abattit sur la demi-douzaine de clientes qui faisaient leurs courses et sur le vieil employé à cheveux gris qui, en toque et tablier, découpait un poulet.

Anthony sortit une liasse de papiers de sa serviette entrouverte et l'agita gaiement.

« Achetez un bon, lança-t-il, ça vaut les bons du Trésor. » La formule lui plut, il décida de la développer. « Mieux que les bons du Trésor. Chacun de ces bons vaut *deux* bons du Trésor. » Son esprit sauta un tour et alla droit à la péroraison, qu'il accompagna des gestes appropriés, seulement entravé dans son élan par le fait qu'il lui fallait s'appuyer au comptoir d'une main ou des deux. « Bon, écoutez-moi. Vous m'avez pris mon temps. J' veux pas savoir *pourquoi* vous voulez pas acheter. J' veux juste que vous disiez *pourquoi*. J' veux juste que vous disiez *combien* ! »

À ce stade, ils auraient dû s'approcher de lui avec leurs carnets de chèques et leurs stylos à la main. Se rendant compte qu'ils avaient dû rater une réplique, Anthony, avec l'instinct de l'acteur, reprit du début et répéta son finale.

« Bon, écoutez-moi. Vous m'avez pris mon temps. Vous avez suivi mon offre. Vous êtes d'accord avec les arguments. Tout ce que j' veux de *vous*, c'est combien de bons du Trésor ?

— Holà ! » intervint une voix nouvelle. Un homme imposant, dont le visage s'ornait de deux rouleaux symétriques de cheveux jaunes, venait de sortir d'une cage de verre à l'arrière du magasin et s'avançait sur Anthony. « Holà, vous !

— Combien ? répéta le vendeur d'un air sévère. Vous m'avez pris mon temps…

— Dites donc ! cria le propriétaire. Moi, je vais vous faire prendre par la police.

— Il n'en est pas question ! répliqua Anthony, le

prenant de haut. Tout ce que j' veux savoir, c'est combien ? »

Ici et là, dans le magasin, explosaient des bulles de commentaires et de protestations.

« Pas croyable !

— C'est un fou furieux.

— C'est honteux d'être soûl à ce point. »

Le propriétaire saisit Anthony par le bras sans ménagement.

« Sortez, ou j'appelle un agent. »

Quelque vestige de rationalité poussa Anthony à faire oui de la tête, et à remettre maladroitement ses bons dans la serviette.

« Combien ? répéta-t-il sur un ton hésitant.

— Toute la brigade s'il le faut ! » tonna son adversaire, sa moustache jaune tremblant furieusement.

« Leur vendrai des bons. »

Sur quoi Anthony se retourna, salua gravement son public et sortit du magasin en titubant. Il trouva un taxi au coin de la rue et rentra chez lui. Il s'effondra sur le sofa et s'y endormit aussitôt, et c'est ainsi que Gloria le trouva, son haleine emplissant l'air d'une odeur âcre désagréable, tenant toujours sa serviette serrée dans sa main.

Lorsque Anthony ne buvait pas, ses sensations étaient à peine plus variées que celles d'un vieillard en bonne santé. Quand arriva la Prohibition en juillet, il s'aperçut que, pour ceux qui pouvaient se le payer, l'alcool coulait encore plus à flots. Maintenant, sous le moindre prétexte, on sortait une bouteille pour ses invités. La tendance à exhiber son alcool relevait du même instinct que celui qui conduisait un homme à couvrir sa femme de bijoux. Posséder de l'alcool était un défi, presque un gage de respectabilité.

Le matin, Anthony se réveillait fatigué, nerveux et soucieux. Il avait aussi peu de réaction devant les exquis crépuscules de l'été que devant le froid violacé du petit matin. Ce n'est que l'espace d'un bref instant, tous les jours, dans la chaleur et le regain de vie du premier cocktail, que son esprit caressait des rêves opalins de plaisirs à venir — l'héritage commun aux heureux et aux damnés. Mais cela ne durait guère. À mesure qu'il s'enfonçait dans l'ivresse, ses rêves s'effaçaient, et Anthony devenait un spectre égaré, circulant parmi d'étranges recoins de son esprit, ayant recours à des expédients inattendus, se drapant au mieux dans un dédain arrogant, ou atteignant des abîmes de dépression imbibée d'alcool. Un soir de juin, il se querella violemment avec Maury, au sujet d'une bagatelle sans la moindre importance. Il crut vaguement se rappeler le lendemain matin qu'il s'agissait d'une bouteille de champagne brisée. Maury lui avait dit d'arrêter de boire, et Anthony, blessé dans son orgueil, se leva de table dans un effort pour montrer de la dignité, et saisissant Gloria par le bras, l'entraîna, à moitié morte de honte, jusqu'à un taxi, laissant Maury avec trois dîners commandés et des billets pour l'opéra.

Ce genre de fiasco semi-tragique était devenu si fréquent que lorsque cela se produisait, Anthony ne se donnait plus la peine de faire amende honorable. Si Gloria protestait — et récemment, il lui arrivait plutôt de se réfugier dans un silence méprisant —, il se lançait avec amertume dans un plaidoyer *pro domo*, ou bien quittait l'appartement d'un air solennel et lugubre. Depuis l'incident sur le quai de la gare de Redgate, il n'avait plus jamais porté la main sur elle dans un mouvement de colère, même si, souvent, il n'était retenu que par une force instinctive qui, en elle-même, le faisait trembler de rage. Comme elle était la personne qui comptait pour lui plus que toute autre au monde, elle était aussi celle qu'il pouvait haïr le plus intensément et le plus fréquemment.

Jusque-là, les juges de la cour d'appel n'étaient pas parvenus à rendre une sentence, mais après un nouvel ajournement, ils confirmèrent le verdict de la cour de première instance, à l'unanimité moins deux juges. Un appel fut intimé à Edward Shuttleworth. L'affaire irait devant la Cour suprême, et il faudrait prévoir une autre attente interminable. Six mois, peut-être un an. C'était devenu pour eux extraordinairement irréel, aussi incertain et éloigné que le Ciel.

Pendant tout l'hiver précédent, un problème mineur avait été une source d'irritation subtile et omniprésente ; la question du manteau de fourrure de Gloria. À cette époque, on pouvait voir tous les dix mètres, dans la Cinquième Avenue, des femmes enveloppées dans de longues capes de petit-gris. Les femmes avaient pris des allures de toupies. Elles avaient un aspect porcin, obscène. Elles ressemblaient à des femmes entretenues dans le camouflage luxueux, l'animalité féminine de ce vêtement. Pourtant, Gloria voulait un manteau de petit-gris.

Discutant de la question — ou, plus précisément, se disputant à ce propos, car, plus même que lors de leur première année de mariage, toute discussion prenait la forme d'un débat acerbe ponctué de formules telles que « c'est plus qu'évident », « c'est proprement scandaleux », « n'empêche que c'est comme ça », et de l'ultra-emphatique « quoi qu'il en soit » —, ils concluaient que ce n'était pas dans leurs moyens.

Et c'est ainsi que, petit à petit, le manteau en vint à symboliser leurs soucis financiers grandissants.

Pour Gloria, la diminution de leurs revenus était un phénomène ahurissant, inexplicable et sans précédent. Que cela eût pu se produire en l'espace de cinq années semblait presque un acte de cruauté intentionnelle, pensé et mis à exécution par quelque Dieu sardonique. Quand ils s'étaient mariés, des revenus de sept mille cinq cents dollars par an avaient semblé amplement suffisants pour un jeune ménage, surtout lorsqu'on y ajoutait la perspective de plusieurs millions de dollars. Gloria ne s'était pas rendu compte que leurs revenus diminuaient non seulement en quantité absolue, mais aussi en pouvoir d'achat, et il avait fallu le versement de la provision de Mr. Haight, à hauteur de quinze mille dollars, pour l'obliger brutalement à se rendre à l'évidence. Quand Anthony fut mobilisé, ils avaient calculé leurs revenus comme étant de plus de quatre cents dollars par mois, avec le dollar dont le cours baissait déjà. Mais lorsqu'il rentra à New York, ils s'aperçurent que leur situation était bien pire. Leurs investissements ne leur rapportaient que quatre mille cinq cents dollars par an. Et même si la contestation du testament était à l'horizon comme un mirage persistant, et que la ligne de danger financier se rapprochait de façon critique, ils s'apercevaient néanmoins qu'il leur était impossible de vivre dans les limites de leurs revenus.

Gloria se passa donc de son manteau de petit-gris, et tous les jours, dans la Cinquième Avenue, elle avait un peu honte de son manteau trois-quarts en léopard, qui avait fait pas mal d'usage, et qui était désespérément démodé. Tous les deux mois, ils vendaient un titre de rente, mais malgré cela, une fois les factures payées, les dépenses courantes avalaient goulûment ce qui restait. Les calculs d'Anthony montraient que leur capital durerait encore à peu près sept ans. Et le cœur de Gloria débordait d'amertume car une fois, en une semaine de folie ininterrompue, au cours de laquelle, au théâtre, Anthony se mit, sans raison apparente, à se défaire de son veston, de son gilet et de sa chemise, et dut être évacué de force par une escouade de placeurs, ils dépensèrent deux fois ce qu'aurait coûté le manteau de petit-gris.

Novembre était là, ou plutôt l'été indien, et la nuit était chaude — chaude hors de propos, car l'été avait terminé sa besogne. Babe Ruth avait pulvérisé pour la première fois le record des *home runs*, et dans l'Ohio, Jack Dempsey avait brisé la mâchoire de Jess Willard. Là-bas, en Europe, le nombre habituel d'enfants avaient le ventre ballonné par la malnutrition, et les diplomates s'employaient comme d'habitude à assurer la sécurité du monde en vue de nouvelles guerres. À New York, on « disciplinait » le prolétariat, et les chances de Harvard de gagner le prochain match étaient généralement cotées à cinq contre trois. La paix était la paix pour de bon, présageant une ère nouvelle.

Là-haut, dans la chambre de l'appartement de la 57e Rue, Gloria était allongée sur son lit et se tournait et se retournait, se redressant parfois pour rejeter une couverture superflue, et demandant à un moment à Anthony, qui ne dormait pas, à son côté, de lui apporter un verre d'eau glacée. « N'oublie pas de mettre des glaçons, insista-t-elle, elle n'est jamais assez froide quand elle sort du robinet. »

À travers les minces rideaux, elle voyait la lune ronde par-dessus les toits et, au-delà dans le ciel, la clarté jaune de Times Square. Et en regardant ces deux lumières bizarrement assorties, elle avait l'esprit hanté par une émotion, ou plutôt par le mélange complexe d'émotions qui l'avait occupée toute la journée, et le jour d'avant, et depuis aussi longtemps qu'elle se rappelait avoir eu une pensée claire et suivie sur quelque chose — ce qui devait remonter à la période où Anthony était dans l'armée.

Elle aurait vingt-neuf ans en février. Ce mois prenait une signification menaçante et inéluctable, qui la faisait se demander, pendant ces heures floues, à demi enfiévrées, si, après tout, elle n'avait pas gâché sa beauté déjà presque sur le déclin, et s'il était possible de faire usage d'une qualité qui était cernée par la dure et inévitable échéance de la mort.

Des années plus tôt, lorsqu'elle avait vingt et un ans, elle avait écrit dans son journal : « La beauté n'est faite que pour être admirée, pour être aimée… il faut la recueillir soigneusement, et puis la jeter comme des roses qu'on offre à un amant choisi. Il me semble, si je suis en mesure d'en juger, que c'est ainsi que ma beauté devrait être utilisée… »

Et maintenant, pendant tout ce jour de novembre, ce jour désolé, sous un ciel d'un blanc sale, Gloria se disait et se répétait qu'elle s'était peut-être trompée. Pour préserver l'intégrité de son premier don, elle n'avait plus recherché l'amour. Quand la première flamme, la première extase s'étaient estompées, puis éteintes, puis avaient disparu pour de bon, elle s'était mise à préserver… à préserver quoi ? Cela la troublait de ne pas arriver à savoir exactement ce qu'elle préservait — un souvenir sentimental ou quelque notion d'honneur enfouie, fondamentale. Elle n'était plus très sûre qu'il y eût eu dans son mode de vie des conceptions morales en jeu, dans le fait de s'avancer sans souci, sans regret, dans les chemins les plus gais possibles, et de garder sa fierté en étant toujours elle-même et en faisant toujours ce qu'il lui semblait qu'il y avait de plus beau à faire. Depuis le premier petit garçon à col dur dont elle avait été « l'amoureuse », jusqu'au dernier homme de passage dont les yeux avaient pétillé en amateur en se posant sur elle, elle n'avait eu besoin que de cette candeur incomparable qu'elle pouvait mettre dans un regard ou dans une phrase qui ne tirait pas à conséquence — depuis toujours, elle parlait en phrases inachevées — pour faire naître autour d'elle des illusions illimitées, des distances illimitées, une lumière illimitée. Pour créer chez les hommes une âme, pour créer un bonheur raffiné, un désespoir raffiné, il lui fallait sauvegarder une profonde fierté : la fierté d'être inviolée, mais également de s'abandonner, d'être prise de passion, de se laisser posséder.

Elle savait qu'au fond de son cœur, elle n'avait jamais voulu d'enfants. Les réalités terre à terre, insupportables, de la maternité, la menace sur sa beauté que cela représentait, tout cela lui faisait horreur. Elle voulait n'exister que comme une fleur consciente qui perdure et se préserve. Son sentimentalisme pouvait la faire s'accrocher de toutes ses forces à ses propres illusions, mais dans l'ironie de son for intérieur, elle se murmurait qu'avoir des enfants était également le privilège de la femelle du babouin. Aussi ne rêvait-elle que d'enfants fantômes, d'enfants qui seraient le symbole parfait de son amour parfait pour Anthony, dans les débuts.

Au bout du compte, sa beauté était la seule chose qui ne lui avait jamais tait défaut. Elle n'avait jamais vu une beauté comme la sienne. Ce que cela signifiait sur le plan éthique ou esthétique s'effaçait devant la splendeur concrète de ses pieds rose et blanc, la pure perfection de son corps, et la bouche enfantine qui était comme le symbole matériel d'un baiser.

Elle aurait vingt-neuf ans en février. Comme la longue nuit se dissipait peu à peu, elle se sentit de plus en plus convaincue qu'elle et sa beauté allaient tirer le meilleur parti des trois mois à venir. Au début, elle ne savait pas trop quelle forme cela prendrait, mais le problème se trouva progressivement résolu grâce à sa vieille fascination pour le cinéma. Maintenant, c'était du sérieux. Aucun besoin matériel n'aurait pu la motiver autant que cette peur. Peu importait Anthony, Anthony le pauvre d'esprit, l'homme faible et brisé aux yeux injectés de sang, pour qui elle avait encore des moments de tendresse. Peu importait. Elle aurait vingt-neuf ans en février ; cent jours, pas plus, pas moins. Elle irait voir Bloeckman demain.

Avec la décision vint le soulagement. Cela la réjouissait de penser que, d'une certaine façon, l'illusion de la beauté pourrait être maintenue, ou peut-être préservée sur pellicule une fois que la réalité aurait disparu. C'était décidé : demain.

Le lendemain, elle se sentit faible et malade. Elle essaya de sortir, et n'évita de tomber qu'en se raccrochant à une boîte à lettres près de la porte. Le liftier martiniquais l'aida à remonter chez elle, et elle attendit le retour d'Anthony sur son lit, sans avoir le courage de dégrafer son soutien-gorge.

Elle resta alitée cinq jours avec une grippe qui, juste au moment où le mois allait entrer dans l'hiver, tourna à la double pneumonie. Dans les divagations fiévreuses de son esprit, elle errait dans une maison aux pièces lugubres et glaciales, non éclairées, à la recherche de sa mère. Tout ce qu'elle voulait, c'était être une petite fille, et être confiée aux soins compétents de quelque puissance bienveillante mais supérieure, plus stupide et plus stable qu'elle. Il lui semblait que le seul amant qu'elle eût jamais désiré était un amant de rêve.

« ODI PROFANUM VULGUS »

Un jour, au milieu de la maladie de Gloria, survint un incident qui ne laissa pas d'étonner durablement Miss McGovern, l'infirmière qualifiée. Il était midi, mais la chambre dans laquelle se trouvait la patiente était sombre et calme. Miss McGovern était près du lit, à préparer une potion, lorsque Mrs. Patch, qui semblait plongée dans un profond sommeil, se redressa et se lança dans un discours véhément :

« Des millions de gens, dit-elle, grouillant comme des rats, jacassant comme des singes, puant comme l'enfer... des singes ! Ou des poux, je suppose. Pour un palais splendide... disons sur Long Island, ou même à Greenwich... pour un palais plein de tableaux du Vieux Monde et d'objets exquis, avec des avenues bordées d'arbres et des pelouses vertes, et donnant sur la mer bleue, et peuplé de personnes élégantes dans leurs jolis costumes... Je sacrifierais cent mille, un million de ces gens. » Elle leva une main affaiblie et fit claquer ses doigts. « Je n'en ai rien à faire, de ceux-là — vous comprenez ? »

Le regard qu'elle jeta sur Miss McGovern à la fin de ce discours était curieusement impertinent, curieusement intense. Puis elle eut un petit rire bref et teinté de mépris, retomba couchée et se rendormit.

Miss McGovern n'en revenait pas. Elle se demanda ce que pouvaient être ces milliers de choses que Mrs. Patch était prête à sacrifier pour son palais. Des dollars, supposait-elle, sauf que cela n'avait pas exactement eu l'air d'être des dollars.

LE CINÉMA

On était en février, sept jours avant l'anniversaire de Gloria, et la neige qui avait abondamment obstrué les rues transversales, comme la saleté bouche les fissures d'un parquet, s'était transformée en bouillasse que les tuyaux d'arrosage des services de la voierie évacuaient vers les égouts. Le vent, intermittent mais non moins cinglant pour autant, s'engouffrait par les fenêtres ouvertes du salon, apportant avec lui les secrets de la cour en contrebas et débarrassant l'appartement des Patch des miasmes de vieux tabac, dans un échange maussade.

Gloria, enveloppée dans un kimono bien chaud, pénétra dans la pièce glaciale et, décrochant le combiné du téléphone, appela Joseph Bloeckman.

« Vous voulez dire Mr. Joseph Black ? demanda la réceptionniste de *Films par excellence**.

— Bloeckman, Joseph Bloeckman. B-l-o...

— Mr. Joseph Bloeckman a changé son nom en Black. Vous voulez lui parler ?

— Euh... oui, s'il vous plaît. » Elle se rappelait

non sans gêne qu'elle s'était jadis moquée de son nom en l'appelant « Blockhead ».

Pour atteindre son bureau, il fallut l'intervention de deux voix féminines supplémentaires. La dernière était une secrétaire qui prit son nom. C'est seulement en entendant au bout du fil la voix familière mais légèrement impersonnelle de Bloeckman qu'elle se rendit compte qu'ils ne s'étaient pas revus depuis trois ans. Et il avait changé son nom en Black.

« Pouvez-vous me recevoir ? demanda-t-elle sur un ton léger. C'est pour une raison professionnelle, en fait. Je vais enfin faire du cinéma... si je peux.

— J'en suis ravi. J'ai toujours pensé que ça vous plairait.

— Vous croyez que vous pourriez m'obtenir un bout d'essai ? » demanda-t-elle avec l'arrogance propre à toutes les jolies femmes — à toutes les femmes qui se sont un jour ou l'autre considérées comme de jolies femmes.

Il l'assura que la seule question était de savoir quand elle voulait le passer. N'importe quand ? Eh bien, il la rappellerait plus tard dans la journée, et lui préciserait une heure qui conviendrait. La conversation se termina par les politesses d'usage, de part et d'autre. Alors, de 3 heures de l'après-midi à 5 heures, elle resta assise près du téléphone, sans résultat.

Mais le lendemain matin arriva un mot qui la combla d'aise :

Ma chère Gloria,

Par un pur hasard, je prends connaissance d'une occasion qui, je pense, vous conviendrait à merveille. J'aimerais vous voir débuter dans quelque chose qui vous ferait connaître. En même temps, si une très belle femme comme vous joue dans un film au côté d'une de ces stars rompues au métier qui sont hélas le lot de toute société de cinéma, cela fera forcément jaser. Mais il y a un rôle de « garçonne » dans un film de Percy B. Debris dont je pense qu'il vous conviendrait à merveille et qu'il vous ferait connaître. Willa Sable joue, avec Gaston Mears pour partenaire, une sorte de rôle de composition, et votre rôle, je crois, serait celui de sa jeune sœur.

Quoi qu'il en soit, Percy B. Debris, qui est le réalisateur du film, dit que si vous venez aux studios après-demain (jeudi), il vous fera tourner un bout d'essai. Si 10 heures du matin vous convient, je serai là pour vous accueillir à l'heure dite.

En vous souhaitant bonne chance.

Votre toujours fidèle
JOSEPH BLACK.

Gloria avait décidé qu'Anthony ne devait pas être au courant avant qu'elle ait obtenu quelque chose de précis ; aussi, le lendemain matin, elle s'habilla et sortit de l'appartement avant son réveil. Son miroir lui avait donné, croyait-elle, à peu près la même réponse que d'habitude. Elle se demanda si l'on pouvait apercevoir quelque trace de sa maladie. Elle était encore un peu amaigrie, et il lui avait semblé, quelques jours plus tôt, que ses joues s'étaient un tout petit peu creusées. Mais c'était là un état passager et, ce jour-là, elle avait l'air aussi fraîche que jamais. Elle avait acheté à crédit un nouveau chapeau, et comme il faisait bon, elle avait laissé chez elle le manteau de léopard.

Dans les studios de *Films par excellence**, on annonça sa présence par téléphone et on lui dit que

Mr. Black allait descendre. Elle regarda autour d'elle. Un petit monsieur grassouillet en veste à poches fendues faisait visiter les lieux à deux jeunes filles. Une des jeunes filles montra du doigt une pile d'enveloppes, contre le mur, à hauteur d'homme, sur six mètres de longueur.

« C'est le courrier qu'envoie le studio, expliqua le petit homme. Des photos des stars qui travaillent pour *Films par excellence**.

— Eh bien...

— Chaque photo est dédicacée par Florence Kelley ou Gaston Mears ou Mack Dodge... » Il fit un clin d'œil complice. « Enfin, quand Minnie McGlook, de Sauk Centre, recevra la photographie qu'elle a demandée, elle pensera que c'est un autographe.

— Un fac-similé ?

— Bien sûr. Ça leur prendrait une bonne journée de huit heures de signer la moitié d'entre elles. On dit que le courrier de Mary Pickford lui coûte cinquante mille dollars par an.

— Ça, alors !

— Parfaitement. Cinquante mille dollars. Mais il n'y a pas de meilleure publicité. »

Ils s'éloignèrent hors de portée de voix, et Bloeckman apparut presque aussitôt. Un Bloeckman affable, très à l'aise, portant avec grâce sa quarantaine mûrissante, qui accueillit Gloria avec une chaleur courtoise et l'assura qu'elle n'avait pas changé le moins du monde en trois ans. Il la conduisit dans un grand hall, aussi vaste qu'un entrepôt, occupé ici et là par des décors de films et des rangées aveuglantes d'éclairages insolites. Chaque décor portait une pancarte en grandes lettres blanches : GASTON

MEARS COMPANY, MACK DODGE COMPANY ou simplement FILMS PAR EXCELLENCE.

« Vous avez déjà été dans un studio de cinéma ?

— Jamais. »

Elle était séduite. Il n'y avait pas cette odeur lourde et oppressante de maquillage, ces exhalaisons de costumes criards et salis qui lui avaient fait horreur, des années plus tôt, dans les coulisses d'une comédie musicale. Le travail ici se faisait le matin, dans la propreté. Les accessoires étaient de toute beauté, respirant le neuf. Sur un des plateaux égayé de tentures mandchoues, un Chinois plus vrai que nature jouait une scène en suivant les indications données par un mégaphone, tandis que la grande machine étincelante dévidait son antique conte moral pour l'édification du peuple américain.

Un rouquin s'approcha d'eux et parla avec déférence et familiarité à Bloeckman, qui lui répondit.

« Salut, Debris. Je voudrais vous présenter à Mrs. Patch... Mrs. Patch veut faire du cinéma, comme je vous l'ai expliqué... Alors, où allons-nous ? »

Mr. Debris — le grand Percy B. Debris, se dit Gloria — les emmena sur un plateau qui représentait l'intérieur d'un bureau. Il y avait des chaises autour de la caméra, qui était sur le devant du décor, et ils s'assirent tous les trois.

« Vous êtes déjà venue dans un studio ? » demanda Mr. Debris, en lui lançant un regard qui était, à coup sûr, la quintessence de l'acuité. « Non ? En bien, je vais vous expliquer exactement ce qui va se passer. Nous allons faire ce que nous appelons un bout d'essai pour voir si vous êtes photogénique, si vous avez une présence scénique naturelle, et comment vous réagissez aux indications du réalisateur. Que cela ne vous inquiète pas. Je vais juste demander au caméraman de tourner quelques centaines de pieds de pellicule d'un épisode que j'ai marqué ici dans le scénario. D'après cela, nous pourrons assez bien nous faire une idée. »

Il sortit un scénario dactylographié et expliqua à Gloria quel épisode elle devait jouer. Il se trouvait qu'une certaine Barbara Wainwright avait épousé en secret l'associé adjoint de la compagnie, dont le présent décor représentait le bureau. En entrant par hasard un jour dans le bureau vide, elle se montrait naturellement curieuse de voir l'endroit où travaillait son mari. Le téléphone sonnait et, après un moment d'hésitation, elle répondait. Elle apprenait que son mari avait été renversé par une automobile et tué sur le coup. Elle était sous le choc. Au début, elle ne parvenait pas à se rendre compte de ce qui s'était passé, mais lorsque finalement elle comprenait, elle tombait à terre, évanouie.

« Voilà, c'est tout ce que nous voulons, conclut Mr. Debris. Je vais rester là et vous dire en gros ce qu'il faut faire, et vous, vous devez faire comme si je n'étais pas là, et jouer la scène à votre façon. Il ne faut pas avoir peur en vous disant qu'on va vous juger avec sévérité. Nous voulons juste une impression générale de votre potentiel cinématographique.

— Je vois.

— Vous trouverez une table de maquillage dans la loge au fond du plateau. Ne forcez pas la dose. Très peu de rouge.

— Je vois », répéta Gloria, en hochant la tête. Elle

passa nerveusement le bout de sa langue sur ses lèvres.

L'AUDITION

En entrant sur le plateau par une vraie porte en bois, et en la refermant soigneusement derrière elle, Gloria ressentit la contrariété d'avoir mal choisi ses vêtements. Elle aurait dû acheter pour l'occasion une robe au rayon « jeunes filles » — cela lui allait encore, et c'eût été un bon investissement, en accentuant son air de jeunesse désinvolte.

Son esprit fut brusquement ramené à l'instant critique qu'elle vivait, avec la voix de Mr. Debris qui lui parvenait depuis la lumière aveuglante des projecteurs sur le devant du plateau.

« Vous cherchez votre mari... Vous ne le voyez pas... Vous observez le bureau avec curiosité... »

Elle prit conscience du ronronnement régulier de la caméra. Cela la dérangea. Elle lui jetait des regards involontaires et se demandait si elle s'était correctement maquillée. Puis, en faisant un énorme effort, elle se força à jouer. Elle ne s'était jamais rendu compte à quel point les mouvements de son corps étaient banals, maladroits, dépourvus de grâce ou de distinction. Elle fit le tour du bureau, ramassant un objet ici et là et le regardant d'un air vide. Puis elle scruta le plafond, le plancher, et se livra à une inspection détaillée d'un crayon quelconque sur le bureau. Finalement, parce qu'elle n'arrivait pas à trouver quoi faire d'autre, et encore moins quoi exprimer, elle se força à sourire.

« Bon. Maintenant, le téléphone sonne. *Dring ! dring !* Hésitez, et puis répondez. »

Elle hésita et puis... trop vite, se dit-elle, elle décrocha le combiné.

« Allô. »

Sa voix sonnait creux, sonnait faux. Les mots résonnaient sur le plateau vide avec l'irréalité d'un fantôme. L'absurdité de ce qu'on lui demandait l'accablait. Est-ce qu'ils croyaient que sur un claquement de doigts, elle pouvait se mettre à la place de ce personnage absurde, dont elle ne savait rien ?

« ... Non... non... Pas encore ! Maintenant, écoutez : John Sumner vient de se faire renverser par une automobile et a été tué sur le coup ! »

Gloria ouvrit lentement sa bouche enfantine tout grand. Puis :

« Maintenant, raccrochez ! En faisant claquer l'appareil ! »

Elle obéit, se retint à la table, les yeux fixes, grands ouverts. Elle se sentait enfin un peu encouragée, la confiance lui revenait.

« Mon Dieu ! » s'écria-t-elle. Elle avait une bonne voix, se dit-elle. « Oh mon Dieu ! »

« Maintenant, évanouissez-vous. »

Elle tomba sur ses deux genoux et, projetant son corps en avant, resta allongée à terre sans respirer.

« Bien ! lança Mr. Debris. C'est suffisant, merci. Ça suffit largement. Levez-vous, c'est suffisant. »

Gloria se releva, rassemblant sa dignité et époussetant sa jupe.

« Nul ! » fit-elle remarquer avec un petit rire détaché, alors que son cœur battait à tout rompre. « C'était très mauvais, non ?

— Ça vous a demandé un effort ? dit Mr. Debris,

avec un sourire poli. Ça vous a paru dur ? Je ne peux rien en dire tant que je n'aurai pas vu les rushes.

— Bien sûr », acquiesça-t-elle, essayant de déchiffrer le sens de sa remarque, et n'y parvenant pas. C'était exactement le genre de chose qu'il aurait dite s'il avait voulu ne pas l'encourager.

Quelques instants plus tard, elle quitta le studio, Bloeckman lui avait promis qu'elle aurait les résultats de l'audition quelques jours plus tard. Trop fière pour lui demander un commentaire précis, elle resta dans une incertitude déconcertante. Et c'est seulement à ce moment-là, après avoir enfin sauté le pas, qu'elle se rendit compte que la possibilité de faire carrière au cinéma avait été présente à son esprit tout au long de ces trois dernières années. Ce soir-là, elle essaya de repasser dans sa tête les éléments qui pouvaient jouer en sa faveur ou contre elle. Elle s'inquiétait de savoir si elle avait ou non mis assez de maquillage, et, comme elle était censée jouer le rôle d'une fille de vingt ans, elle se demandait si elle n'avait pas été un tantinet trop grave. C'est de son jeu qu'elle était le moins satisfaite. Son entrée avait été abominable. Ce n'est que lorsqu'elle avait atteint le téléphone qu'elle avait fait preuve d'un minimum d'assurance, et voilà que l'audition était terminée. S'ils avaient seulement su comprendre ! Elle aurait voulu pouvoir faire un deuxième essai. L'idée folle lui vint d'appeler le lendemain matin et de demander un autre essai, puis elle repartit aussi brusquement qu'elle était venue. Il ne paraissait pas poli ni de bonne politique de demander à Bloeckman encore une faveur.

Le troisième jour d'attente la trouva dans un état de grande nervosité. Elle s'était si bien mordu l'intérieur des joues qu'elle avait les muqueuses à vif et douloureuses, et lorsqu'elle les rinçait avec du bain de bouche, cela la brûlait affreusement. Elle s'était disputée avec Anthony avec tant d'opiniâtreté qu'il avait quitté l'appartement en proie à une rage froide. Mais, intimidé par sa dureté exceptionnelle, il l'avait rappelée une heure plus tard, s'était excusé et avait dit qu'il dînait à l'Amsterdam Club, le seul dont il fût encore membre.

Il était plus d'1 heure, et elle avait pris son petit déjeuner à 11 heures. Alors, décidant de sauter le déjeuner, elle partit se promener dans Central Park. À 3 heures, le courrier serait arrivé ; elle serait de retour pour 3 heures.

C'était l'après-midi d'un printemps précoce. L'eau séchait dans les allées, et dans le parc, des petites filles promenaient gravement des landaus de poupées blancs sous des arbres qui n'avaient pas encore toutes leurs feuilles, suivies par des bonnes d'enfants à la mine ennuyée, qui allaient deux par deux en discutant de ces formidables secrets qui n'appartiennent qu'aux bonnes d'enfants.

2 heures à sa petite montre en or. Il lui faudrait une montre neuve, une de ces montres ovales en platine incrustées de diamants, mais elles coûtaient plus cher encore que des manteaux en petit-gris, et bien sûr c'était devenu inaccessible, comme tout le reste — sauf si, peut-être, la lettre qu'il fallait l'attendait... dans une heure environ... cinquante-huit minutes exactement. Dix minutes pour arriver, restaient quarante-huit minutes, plus que quarante-sept...

Les petites filles promenant gravement leurs landaus dans les allées humides et ensoleillées. Les bonnes d'enfants se communiquant, deux par deux, leurs secrets impénétrables. Ici et là, un homme en haillons assis sur des journaux étalés sur un banc en train de sécher, associé non à ce radieux après-midi, mais à la neige sale qui dormait, épuisée, dans des coins obscurs, attendant d'être éliminée...

Une éternité plus tard, dans le hall faiblement éclairé, elle vit le liftier martiniquais sur qui le vitrail de l'entrée jetait une lumière insolite.

« Y a-t-il du courrier pour nous ? demanda-t-elle.

— Là-haut, M'dame. »

Le standard couina abominablement, et Gloria attendit pendant que le liftier répondait au téléphone. Elle crut défaillir dans l'ascenseur qui ahanait, poussif, en se hissant d'un étage à l'autre : des siècles s'écoulaient d'un palier au suivant, chacun d'eux redoutable, accusateur, lourd de sens. La lettre, tache blanche lépreuse, gisait sur le carrelage sale du hall.

Ma chère Gloria,

Nous avons vu les rushes hier après-midi, et Mr. Debris a eu l'air de penser que pour le rôle tel qu'il le voyait, il lui fallait une femme plus jeune. Il a dit que votre jeu lui-même n'était pas mauvais, et qu'il y avait un petit rôle qui doit être celui d'une riche veuve très hautaine dont il pensait que vous pourriez...

Abattue, Gloria détacha les yeux de la lettre jusqu'à ce qu'ils tombent de l'autre côté de la cour en contrebas. Mais elle s'aperçut qu'elle ne pouvait pas voir le mur d'en face, parce que ses yeux gris étaient pleins de larmes. Elle alla dans la chambre, la lettre froissée en boule dans sa main, et s'affaissa sur ses genoux devant la grande psyché posée sur le parquet de la penderie. C'était son vingt-neuvième anniversaire, et le monde se dissolvait devant ses yeux. Elle essaya de se dire que c'était le maquillage, mais elle était trop écrasée, submergée par ses émotions pour que cela pût lui apporter du réconfort.

Elle fit un tel effort pour y voir clair qu'elle sentit sa peau se tendre sur ses tempes. Oui, les joues étaient imperceptiblement creusées, les coins des paupières étaient bordés de toutes petites rides. Les yeux avaient changé. Mais oui, ils avaient changé !… Et elle comprit soudain à quel point ses yeux étaient fatigués.

« Oh, mon joli visage, murmura-t-elle, avec un chagrin sans fond. Oh, mon joli visage ! Non, je ne veux pas vivre sans mon joli visage ! Mais qu'est-ce qui a bien pu se passer ? »

Puis elle glissa vers le miroir, et, comme lors du bout d'essai, s'abattit face contre terre et resta là à sangloter. C'était la première fois de sa vie qu'elle avait un mouvement incontrôlé.

Chapitre III

PEU IMPORTE !

Pendant l'année qui suivit, Anthony et Gloria étaient devenus comme des acteurs qui ont perdu leur costume, et qui n'ont pas l'orgueil nécessaire pour poursuivre sur la note tragique. En sorte que lorsque Mrs. et Miss Hulme, de Kansas City, firent semblant de ne pas les reconnaître, un soir, au Plaza, c'était seulement parce que Mrs. et Miss Hulme, comme la plupart des gens, avaient horreur des miroirs qui leur montraient leur moi héréditaire.

Leur nouvel appartement, pour lequel ils payaient quatre-vingt-cinq dollars par mois, était situé dans Claremont Avenue, à deux pâtés de maisons de l'Hudson tout au nord de l'Upper West Side. Ils l'habitaient depuis un mois lorsque Muriel Kane vint leur rendre visite une fin d'après-midi.

C'était un crépuscule irréprochable sur le versant estival du printemps. Anthony était allongé sur le divan et regardait vers le fleuve par la 127e Avenue, et il apercevait une seule tache d'arbres d'un vert vif qui garantissait une ombre succincte à Riverside Drive. De l'autre côté de l'eau, il y avait les Palisades, couronnées par la vilaine charpente du parc d'attractions, mais ce serait bientôt le crépuscule, et ces mêmes toiles d'araignées métalliques se profileraient splendidement dans le ciel, palais enchanté se dressant au-dessus de l'éclat velouté d'un canal tropical.

Les rues proches de l'appartement, avait découvert Anthony, étaient des rues où des enfants jouaient, des rues un peu plus plaisantes que celles qu'il croisait quand il se rendait à Marietta, mais à peu près de même nature, avec ici ou là une vielle ou un orgue de Barbarie et, dans la fraîcheur du soir, une kyrielle de jeunes filles qui allaient deux par deux au drugstore du coin pour prendre un ice-cream soda, et se perdre dans des rêves sans limites sous le ciel bas.

Voici venu le crépuscule dans les rues, et les enfants jouent, lançant des mots pleins d'allégresse, incohérents, qui viennent mourir près de la fenêtre ouverte. Et Muriel, qui rendait visite à Gloria, lui parlait à travers l'obscurité opaque où baignait la pièce.

« Si on allumait la lampe, non ? suggéra-t-elle. On va être envahis par les fantômes ! »

Mollement, il se leva et obéit. Les carreaux gris des fenêtres disparurent. Il s'étira. Il avait pris de l'embonpoint, son ventre, lourd, pesait contre sa ceinture. Il était plus mou, plus arrondi. Il avait trente-deux ans et son cerveau était une épave glauque et informe.

« Vous voulez prendre un petit verre, Muriel ?

— Rien pour moi, merci, je ne touche plus à l'alcool. À quoi vous occupez-vous, Anthony ? demanda-t-elle avec curiosité.

— J'ai passé pas mal de temps à m'occuper du procès, répondit-il sur un ton indifférent. Il est à présent en cour d'appel ; les choses devraient se régler d'une manière ou d'une autre à l'automne. Il y a eu des discussions pour savoir si la cour d'appel était habilitée à traiter ce cas. »

Muriel fit un petit claquement de langue et pencha la tête sur le côté.

« Secouez-les ! Je n'ai jamais vu une affaire traîner aussi longtemps.

— Si, c'est toujours comme ça, répondit-il du bout des lèvres, pour toutes les affaires de succession. On dit que c'est exceptionnel d'en voir une aboutir en moins de quatre ou cinq ans.

— Ah... » Muriel changea hardiment de cap : « Pourquoi est-ce que vous ne travaillez pas, fai-né-ant !

— Qu'est-ce que je ferais ? demanda-t-il du tac au tac.

— Je ne sais pas, moi, n'importe quoi. Vous êtes encore jeune.

— Si vous appelez ça un encouragement, merci beaucoup », répondit-il sèchement, puis avec une soudaine lassitude : « Ça vous dérange tellement, que je ne veuille pas travailler ?

— Moi non, mais cela dérange un tas de gens qui estiment que...

— Seigneur ! dit-il entre ses dents. Depuis trois ans, je n'entends rien d'autre sur mon compte que des histoires invraisemblables et de vertueux conseils. Ça commence à me fatiguer. Si vous ne voulez pas nous voir, laissez-nous tranquilles, je n'embête pas mes anciens "amis". Mais je n'ai pas besoin de visites de charité ni de remontrances sous couvert d'avis éclairés... » Puis il ajouta, sur un ton d'excuse : « Je suis désolé, mais franchement, Muriel, ne me parlez pas comme une dame patronnesse, même si vous venez dans les bas quartiers. »

Fâché, il tourna vers elle ses yeux injectés de sang, des yeux qui avaient été naguère d'un bleu d'azur limpide, et qui étaient à présent faibles, fatigués, usés à force de lire quand il était soûl.

« Pourquoi est-ce que vous me dites toutes ces horreurs ? protesta-t-elle. On croirait que Gloria et vous faites partie des petits-bourgeois !

— Pourquoi prétendre le contraire ? Je déteste les gens qui veulent passer pour de grands aristocrates alors qu'ils n'ont même pas les moyens de préserver les apparences.

— Vous pensez qu'il faut avoir de l'argent pour appartenir à l'aristocratie ? » Muriel, la démocrate... s'en étranglait !

« Bien sûr. L'aristocratie, ce n'est rien d'autre que d'admettre que certains traits que nous valorisons — tels que le courage, l'honneur, la beauté, tout ce genre de choses — ont besoin d'un environnement favorable pour s'épanouir, sans subir les déformations de l'ignorance et du besoin. »

Muriel se mordit la lèvre inférieure et secoua la tête de droite à gauche.

« Tout ce que je dis, c'est que si une personne vient d'une bonne famille, elle fera toujours partie des gens bien. C'est ça, le problème, avec Gloria et vous. Vous croyez que parce que vous avez des ennuis, pour l'instant, tous vos vieux amis cherchent à vous éviter. Vous êtes trop susceptibles...

— En fait, dit Anthony, vous ne savez pas de quoi vous parlez. En ce qui me concerne, c'est une simple question de fierté et, pour une fois, Gloria est assez raisonnable pour admettre que nous n'avons pas à aller là où l'on ne veut pas de nous. Et les gens ne veulent pas de nous. Nous représentons le type même du mauvais exemple.

— C'est ridicule ! Votre pessimisme ne trouve pas place dans mon petit solarium personnel. Vous devriez oublier toutes ces spéculations morbides et vous mettre à travailler.

— Bon, me voilà, j'ai trente-deux ans. Imaginons que je me lance dans un boulot idiot. Dans deux ans peut-être, ayant eu de l'augmentation, je gagnerai cinquante dollars par semaine — si j'ai de la chance. C'est-à-dire si, pour commencer, je trouve un boulot. Il y a énormément de chômage. Bon, disons que je gagne cinquante dollars par semaine. Est-ce que ça me rendrait plus heureux ? Est-ce que vous croyez que si je n'arrive pas à obtenir cet argent de mon grand-père la vie sera *supportable* ? »

Muriel eut un sourire un peu condescendant.

« Tout ça, c'est très joli, dit-elle, mais ça n'a pas le sens commun. »

Quelques minutes plus tard, Gloria entra. Elle semblait apporter avec elle une sorte de couleur sombre, indéfinissable et précieuse. Sans le dire, elle était heureuse de voir Muriel. Elle lança à Anthony un « salut » désinvolte.

« Je viens de parler philosophie avec ton mari ! s'écria l'irrépressible Miss Kane.

— Nous avons abordé quelques concepts fondamentaux », dit Anthony, un faible sourire animant ses joues pâles, dont une barbe de deux jours accentuait la pâleur.

Ne tenant nul compte de son ironie, Muriel repartit sur son cheval de bataille. Quand elle eut terminé, Gloria dit calmement :

« Anthony a raison. Ce n'est pas drôle d'aller dans des endroits où l'on a l'impression que les gens vous regardent avec un certain air. »

Anthony interrompit plaintivement :

« Vous ne trouvez pas que lorsque même Maury Noble, qui était mon meilleur ami, ne se donne pas la peine de venir nous voir, il est grand temps d'arrêter de faire signe aux gens ? » Il avait les larmes aux yeux.

« Avec Maury Noble, c'était de ta faute, dit Gloria froidement.

— Pas du tout.

— Bien sûr que si. »

Muriel se hâta d'intervenir :

« L'autre jour, j'ai rencontré une jeune femme qui connaissait Maury, et elle dit qu'il a cessé de boire. Il est devenu moins sociable.

— Plus du tout ?

— Presque plus. Il gagne des mille et des cents. Il a pas mal changé depuis la guerre. Il va épouser une fille de Philadelphie qui possède des millions, Ceci Larrabee — en tout cas c'est ce qu'on dit dans *Potins mondains*.

— Il a trente-trois ans, dit Anthony, pensant tout haut. Mais ça fait bizarre de l'imaginer se mariant. Dans le temps, je le trouvais tellement brillant.

— Il l'était, en un sens, murmura Gloria.

— Mais les gens brillants ne font pas une fin en entrant dans les affaires ? Si ? Qu'est-ce qu'ils font ? Que deviennent donc les gens qu'on connaissait et avec qui on avait tant de choses en commun ?

— On s'éloigne », suggéra Muriel, avec le regard lointain qui s'imposait.

« Ils changent, dit Gloria. Toutes les qualités dont ils ne se servent pas dans leur vie quotidienne se couvrent de toiles d'araignées.

— La dernière chose qu'il m'ait dite, se rappela Anthony, c'est qu'il allait travailler pour oublier qu'il n'y a rien qui justifie la peine de travailler. »

Muriel réagit aussitôt :

« C'est cela que vous devriez faire, s'exclama-t-elle sur un ton de triomphe. Personne n'a envie de travailler pour rien. Mais cela vous donnerait quelque chose à faire. À quoi passez-vous vos journées, de toute manière ? On ne vous voit jamais au Montmartre ni… ni nulle part. Vous faites des économies ? »

Gloria éclata d'un rire méprisant, lorgnant Anthony du coin de l'œil.

« Eh bien, demanda-t-il, de quoi est-ce que tu ris ?

— Tu sais très bien de quoi je ris, répondit-elle froidement.

— C'est à cause de cette caisse de whisky ?

— Oui (elle se tourna vers Muriel), hier, il a dépensé soixante-quinze dollars pour une caisse de whisky.

— Et alors ? Ça revient moins cher comme ça que si on l'achète au détail. Ne fais pas comme si tu n'allais pas en boire aussi.

— Moi, au moins, je ne bois pas dans la journée.

— Ah, c'est intéressant, comme différence ! » s'écria-t-il, bondissant sur ses pieds dans une rage impuissante. « Tu crois vraiment que tu peux me jeter ça à la figure toutes les cinq minutes !

— C'est la vérité.

— Non ! Et je commence à en avoir vraiment assez de cette manie de me critiquer devant des hôtes ! » Il s'était mis dans un tel état qu'on voyait ses bras et ses épaules trembler. « On croirait que tout est ma faute. On croirait que ce n'est pas toi qui m'as encouragé à dépenser de l'argent, pas toi qui as dépensé dix fois plus pour tes propres dépenses que moi pour les miennes. »

Ce fut au tour de Gloria de se lever.

« Je ne tolérerai pas que tu me parles sur ce ton !
— Très bien. Tu n'auras plus à le supporter ! »
Avec une certaine précipitation, il quitta la pièce. Les deux femmes entendirent ses pas dans le hall, puis elles entendirent claquer la porte d'entrée. Gloria retomba dans son fauteuil. Éclairé par la lampe, son visage était ravissant, calme, impénétrable.

« Oh, s'écria Muriel, consternée. Mais qu'est-ce qui se passe ?
— Rien de spécial. Il est soûl, voilà tout.
— Soûl ? Mais il ne l'est pas du tout. Il parlait... »
Gloria secoua la tête.

« Oh, ça ne se voit pas, sauf quand il ne tient plus debout, et il peut parler normalement, jusqu'au moment où il s'énerve. Il parle beaucoup mieux que quand il n'a pas bu. Mais il a passé la journée ici sans rien faire d'autre que boire, à part le moment où il est sorti pour aller chercher le journal au coin de la rue.
— C'est affreux ! » Muriel était sincèrement émue. Ses yeux s'emplirent de larmes. « Ça arrive souvent ?
— Tu veux dire, qu'il boive ?
— Non, qu'il s'en aille, comme ça ?
— Oh, oui. Souvent. Il reviendra vers minuit, il pleurera et me demandera de lui pardonner.
— Et tu le fais ?
— Je ne sais pas. On continue, voilà tout. »
Les deux femmes restaient assises sous la lumière de la lampe et se regardaient, impuissantes, chacune à sa façon, devant la situation. Gloria était toujours jolie, aussi jolie qu'elle pouvait espérer l'être désormais. Elle avait le rose aux joues, et elle portait une robe neuve pour laquelle elle avait commis l'imprudence de dépenser cinquante dollars. Elle avait espéré qu'elle pourrait convaincre Anthony de

la sortir ce soir, de remmener dans un restaurant ou même dans un de ces luxueux cinémas, de vrais palaces, où il y aurait des gens pour la regarder, et à qui elle pourrait rendre sans honte leur regard. C'est ce qu'elle aurait aimé, parce qu'elle savait qu'elle avait le rose aux joues et parce que sa robe était neuve et d'une délicatesse seyante. Ce n'était désormais que très rarement qu'ils recevaient des invitations. Mais elle ne dit rien de tout cela à Muriel.

« Gloria, mon chou, j'aurais bien aimé qu'on puisse dîner ensemble, mais je me suis engagée... et il est déjà 7 heures et demie, il faut que je file !

— Oh, de toute façon, je n'aurais pas pu. J'ai été mal fichue toute la journée, je ne pourrais rien avaler. »

Après avoir raccompagné Muriel à la porte, Gloria revint dans la pièce, éteignit la lampe et, appuyant ses coudes sur le rebord de la fenêtre, elle regarda au loin Palisades Park, où le cercle brillant et tournoyant de la grande roue était comme un miroir tremblant qui captait le reflet jaune de la lune. La rue se taisait à présent. Les enfants étaient rentrés, elle apercevait de l'autre côté de la rue une famille attablée pour le dîner. Sans raison, de façon ridicule, les gens se levaient, circulaient autour de la table ; de son point de vue, tout ce qu'ils faisaient semblait dénué de sens : on aurait dit qu'ils étaient mus par des fils invisibles qui les manipulaient au petit bonheur.

Elle regarda sa montre : il était 8 heures. Elle avait passé agréablement une partie de la journée — le début de l'après-midi — à se promener dans le Broadway de Harlem, à la hauteur de la 125e Rue, les narines en alerte, à guetter les odeurs, et l'esprit enchanté par la beauté de certains des enfants italiens. Curieusement, cela la touchait, comme elle avait été touchée naguère par la Cinquième Avenue, lorsque, avec la confiance sereine de la beauté, elle savait que tout cela était à elle, toutes ces boutiques et leur contenu, tous ces jouets pour grandes personnes qui brillaient aux vitrines, elle n'avait qu'un signe à faire. Là, dans la 125ᵉ Rue, il y avait des fanfares de l'Armée du Salut, et des vieilles dames en châles de toutes sortes de couleurs sur le seuil des maisons, et des sucres d'orge poisseux dans les mains sales d'enfants aux cheveux brillants, et le soleil oblique éclairant les côtés des immeubles d'habitation. Tout cela riche, relevé et savoureux, comme le plat d'un cuisinier français prévoyant, auquel on prendrait plaisir même si l'on savait que les ingrédients en étaient probablement des restes…

Gloria frissonna soudain en entendant une sirène venue du fleuve qui gémissait par-dessus les toits envahis par la pénombre, et, se penchant en arrière jusqu'à laisser les rideaux fantomatiques tomber sur son épaule, elle alluma la lumière. Il se faisait tard. Elle savait qu'elle avait de la monnaie dans son porte-monnaie, et elle se demandait si elle allait sortir prendre un café et des petits pains là où le métro, émergeant du souterrain, transformait Manhattan Street en une caverne rugissante, ou si elle mangerait à la cuisine une tartine au corned-beef. Son porte-monnaie décida pour elle. Il contenait une pièce de cinq cents et deux pennies.

Au bout d'une heure, le silence dans la pièce était devenu intenable, et elle s'aperçut que ses regards erraient de son magazine au plafond, où ses yeux restaient fixés sans penser à rien. Soudain elle se leva, hésita un moment, se mordillant le doigt, puis elle se rendit à l'office, descendit de l'étagère une bouteille de whisky et se versa un verre. Elle y ajouta du *ginger ale*, et retournant s'asseoir, termina un article du magazine. Il y était question de la dernière veuve de l'époque de la guerre révolutionnaire qui, quand elle était jeune, avait épousé un ancien combattant de l'armée continentale, et qui était morte en 1906. Cela parut étrange et bizarrement romanesque à Gloria de penser que cette femme et elle avaient été contemporaines.

Elle tourna une page et découvrit qu'un candidat au Congrès était accusé d'athéisme par un adversaire. Sa surprise disparut en apprenant que l'accusation était fausse. Le candidat s'était contenté de dire qu'il ne croyait pas au miracle des pains et des poissons. Poussé dans ses derniers retranchements, il avait admis qu'il croyait dur comme fer à la marche sur les eaux.

Ayant fini son premier verre, Gloria s'en servit un second. Après avoir passé un peignoir et s'être confortablement installée sur le divan, elle se rendit compte qu'elle était malheureuse et que des larmes coulaient sur ses joues. Elle se demanda si c'étaient des larmes d'apitoiement sur son sort, et elle fit tous ses efforts pour ne pas pleurer, mais cette existence sans espoir, sans bonheur, était oppressante, et elle secouait la tête de gauche à droite, les coins de la bouche abaissés et tremblotants, comme si elle disait non à une affirmation formulée par quelqu'un, quelque part. Elle ignorait que ce geste était vieux comme le monde ; que, pendant cent générations d'hommes, la douleur intolérable et persistante avait offert ce geste de dénégation, de protestation, de stupeur, à une entité plus profonde, plus puissante que le Dieu fait à l'image de l'homme et devant laquelle ce Dieu, s'il existait, serait également sans pouvoir.

C'est une vérité inscrite au cœur de la tragédie, que cette force ne donne jamais d'explication ni de réponse, cette force aussi intangible que l'air, plus indiscutable que la mort.

RICHARD CARAMEL

Au début de l'été, Anthony démissionna de son dernier club, l'Amsterdam. Il n'y allait plus que deux fois par an à peine, et la cotisation grevait lourdement son budget. Il y avait adhéré à son retour d'Italie parce que son grand-père et son père en avaient fait partie, et parce que c'était un club auquel, si l'on en avait la possibilité, il allait de soi de s'inscrire. En fait, il préférait le Harvard Club, à cause de Dick et de Maury. Mais, avec ses revers de fortune, c'était comme une breloque à laquelle il devenait de plus en plus désirable de rester attaché. Il finit par y renoncer, non sans regret...

Ses compagnons actuels formaient une petite équipe curieusement assortie. Il en avait rencontré une bonne partie dans un endroit qui s'appelait le Sammy's, dans la 43e Rue. Là, si l'on frappait à la porte et qu'on montrait patte blanche à un petit guichet grillagé, on pouvait s'asseoir autour d'une grande table ronde et boire un whisky passable. C'est là qu'il rencontra un type du nom de Parker Allison qui, à Harvard, était le genre de noceur infréquentable, et dilapidait aussi vite que possible une fortune familiale acquise dans la levure de boulanger. L'idée que se faisait Parker Allison de la distinction consistait à conduire une voiture de course rouge et jaune pétaradante dans Broadway, avec à ses côtés deux filles tape-à-l'œil au regard de marbre. C'était le genre d'homme qui préférait dîner avec deux filles plutôt qu'une seule : son imagination peinait à soutenir un dialogue.

En plus d'Allison, il y avait Pete Lytell, coiffé d'un chapeau melon gris posé de travers. Il avait toujours de l'argent, et était généralement de bonne humeur, si bien qu'Anthony passa avec lui de nombreux après-midi de l'été et de l'automne en longues conversations à propos de tout et de rien. Lytell, s'était-il aperçu, ne parlait pas seulement, mais raisonnait en parlant. Sa philosophie tenait dans une série de formules, assimilées ici et là tout au long d'une vie active et insouciante. Il avait des formules sur le socialisme, celles qu'on connaît depuis toujours. Il en avait sur l'existence d'une divinité personnelle (l'une se rapportant au jour où il s'était trouvé dans un accident de chemin de fer). Il avait des formules concernant la question irlandaise, le genre de femmes qu'il respectait, et l'imbécillité de la Prohibition. La seule circonstance dans laquelle sa conversation s'élevait au-dessus de ces platitudes confuses, grâce à quoi il interprétait tous les incidents baroques d'une existence plus mouvementée que la plupart, c'était lorsqu'il en venait aux détails de sa vie au niveau le plus directement physique ; il savait, à une nuance près, les nourritures, les alcools et les femmes qu'il préférait.

Il était le produit à la fois le plus commun et le plus remarquable de la civilisation. Il représentait quatre-vingt-dix pour cent des gens qu'on croise dans la rue et, en même temps, c'était un singe sans poils qui avait deux douzaines de tours de passe-passe à sa disposition. Il était le héros de mille aventures romanesques dans la vie et dans l'art et, en même temps, c'était virtuellement un crétin qui avait accompli posément mais sans motif, pendant soixante ans, une série de performances épiques compliquées et spectaculaires.

Avec des hommes comme ces deux-là, Anthony buvait et discutait et buvait et se disputait. Il les aimait bien, parce qu'ils ne savaient rien de lui, parce qu'ils vivaient dans l'évidence immédiate et n'avaient pas la moindre idée de la vie dans son inévitable continuité. Ils n'assistaient pas à un film composé de bobines consécutives, mais à un vieux compte rendu de voyage illustré aux contrastes sommaires qui brouillaient toute vraie signification. Pourtant, eux-mêmes n'avaient pas de perspectives brouillées, parce qu'ils n'avaient pas de perspectives du tout. De mois en mois, ils changeaient de formules comme on change de cravate.

Anthony le courtois, le subtil, le perspicace, était ivre tous les jours — au Sammy's avec ces hommes, dans l'appartement en lisant un livre, un livre qu'il connaissait déjà et, très rarement, avec Gloria, qui, à ses yeux, s'était mise à endosser toutes les caractéristiques d'une femme querelleuse et instable. Ce n'était pas, en tout cas, la Gloria d'autrefois, celle qui, si elle avait été malade, aurait préféré persécuter tout le monde autour d'elle plutôt que d'avouer qu'elle avait besoin de sympathie ou de soutien. À présent, elle n'hésitait pas à se plaindre ; elle n'hésitait pas à s'apitoyer sur son sort. Tous les soirs, quand elle faisait sa toilette avant de se coucher, elle s'enduisait la figure de quelque nouvel onguent, espérant, contre toute logique, qu'il lui permettrait de retrouver l'éclat et la fraîcheur de sa beauté déclinante. Quand Anthony avait bu, il se moquait de cette habitude. Quand il n'avait pas bu, il était poli avec elle, parfois même tendre. Pendant quelques heures brèves, il semblait retrouver une trace de son ancienne faculté de comprendre trop bien pour ne pas excuser — ce don qui était ce qu'il y avait de meilleur en lui, et qui l'avait promptement et sans relâche mené à sa perte.

Mais il ne supportait pas de ne pas être ivre. Il prenait alors conscience des gens autour de lui, de cette atmosphère de lutte, d'ambition avide, d'espoir plus sordide que le désespoir, d'alternance incessante de hauts et de bas, tout ce qui, dans une grande ville, se manifeste tout particulièrement dans l'instabilité de la classe moyenne. Ne pouvant vivre avec les riches, il aurait encore préféré vivre avec les très pauvres. Tout valait mieux que ce calice de sueur et de larmes.

Le sens de l'immense panorama qu'offre la vie, qui n'avait jamais été prépondérant chez Anthony, s'était amenuisé, avait presque totalement disparu. De loin en loin, quelque incident, quelque geste de Gloria réveillait son intérêt, mais les voiles gris s'étaient abattus sur lui pour de bon. À mesure qu'il prenait de l'âge, ces choses s'affaiblissaient. Restait le vin.

L'ivresse procurait une sorte de douceur ; il y avait ce lustre indescriptible, ce charme, comme les souvenirs de soirées éphémères et lointaines. Après quelques whiskys sodas, il y avait de la magie dans la grande nuit d'Arabie du Bush Terminal Building, son sommet qui se dressait de toute sa hauteur, doré, rêveur, vers le ciel inaccessible. Et Wall Street, dans sa grossièreté, sa banalité — à nouveau c'était le triomphe de l'or, un spectacle sensuel, somptueux. C'est là que les grands monarques gardaient leur argent pour leurs guerres…

... Le fruit de la jeunesse ou de la vigne, la magie transitoire du bref passage de la nuit à la nuit — la vieille illusion selon laquelle vérité et beauté, en quelque sorte, s'entrelaçaient.

Un soir, devant le Delmonico's, en train d'allumer une cigarette, il vit deux fiacres arrêtés près du trottoir, attendant de profiter de l'aubaine de quelque client éméché. Les fiacres d'un autre âge étaient fatigués, sales ; le cuir craquelé était plissé comme la peau d'un vieillard, les coussins fanés avaient pris une couleur de lavande brunâtre ; les chevaux eux-mêmes étaient vieux et fatigués, tout comme les hommes à cheveux blancs perchés là-haut, qui faisaient claquer leur fouet avec une affectation de panache grotesque. Un vestige du bon vieux temps !

Anthony Patch s'éloigna, saisi d'un brusque accès de dépression, songeant à l'amertume de ces survivances. Rien, eût-on dit, ne se dégrade aussi vite que le plaisir.

Dans la 42e Rue, un après-midi, il tomba sur Richard Caramel pour la première fois depuis des mois, un Richard Caramel prospère, qui prenait de l'embonpoint, dont le visage se remplissait pour s'harmoniser avec son front bostonien.

« Je viens de rentrer cette semaine de Californie. J'allais t'appeler, mais je ne connaissais pas votre nouvelle adresse.

— Nous avons déménagé. »

Richard Caramel remarqua qu'Anthony portait une chemise sale, que ses manchettes étaient légèrement mais visiblement élimées, que ses yeux étaient cernés de croissants couleur de fumée de cigare.

« C'est ce que j'ai cru comprendre », dit-il, en

fixant son ami de son œil jaune brillant. « Mais où est Gloria, comment va-t-elle ? Ma parole, Anthony, j'ai entendu circuler les histoires les plus épouvantables sur votre compte, même là-bas en Californie, et quand je rentre à New York, tu as disparu de la circulation. Ressaisis-toi, mon vieux.

— Écoute, bredouilla Anthony d'une voix mal assurée, je déteste les longs sermons. Nous avons perdu de l'argent de toutes les manières possibles, et bien sûr les gens jasent, à cause du procès, mais tout ça va prendre fin pour de bon cet hiver, c'est sûr…

— Tu parles tellement vite que je ne comprends pas ce que tu dis, interrompit Dick calmement.

— J'ai dit tout ce que j'avais à dire, siffla Anthony. Viens nous voir si tu veux, ou ne viens pas ! »

Sur quoi il se retourna et partit pour se perdre dans la foule, mais Dick le rattrapa aussitôt et lui saisit le bras.

« Ho, Anthony, tu ne vas pas t'en tirer comme ça ! Tu sais bien que Gloria est ma cousine, et tu es l'un de mes plus vieux amis, alors il est normal que ça m'intéresse quand j'entends dire que tu vas de mal en pis, et que tu entraînes Gloria avec toi.

— Je ne veux pas qu'on me sermonne.

— Bon, d'accord. Qu'est-ce que tu dirais de monter chez moi prendre un verre ? Je viens de m'installer. J'ai acheté trois caisses de gin Gordon's à un employé des douanes. »

Tout en marchant, il continuait, fulminant.

« Et l'argent de ton grand-père ? Tu vas finir par le toucher ?

— Ha, dit Anthony, avec les accents du ressentiment, ce vieil imbécile de Haight a l'air d'avoir de l'espoir, surtout parce que les gens en ont assez des réformateurs, à l'heure actuelle. Tu sais, ça pourrait modifier un peu le résultat, si un juge, par exemple, s'apercevait qu'Adam Patch lui a rendu difficile de se procurer de l'alcool.

— On ne peut pas se passer d'argent, déclara Dick, sentencieux. Tu as un peu essayé d'écrire, ces derniers temps ? »

Anthony secoua la tête en silence.

« C'est drôle, déclara Dick. J'avais toujours pensé que Maury et toi, vous écririez un jour, et voilà que lui, il est devenu une sorte d'aristocrate près de ses sous, et toi, tu es…

— Un mauvais exemple.

— Je me demande pourquoi.

— Tu dois te dire que tu le sais, suggéra Anthony en faisant un effort de concentration. Ceux qui connaissent l'échec comme ceux qui connaissent la réussite sont persuadés, au fond de leur cœur, que leurs points de vue s'équilibrent, l'homme arrivé parce qu'il a réussi, et le raté parce qu'il a échoué. L'homme arrivé dit à son fils de tirer profit de la bonne fortune de son père, et le raté dit à son fils à lui de tirer profit des erreurs de son père.

— Je ne suis pas d'accord avec toi, dit l'auteur de *Sous-lieutenant en France*. Quand on était jeunes, je vous écoutais, Maury et toi, et vous me bluffiez, parce que vous étiez tellement cyniques, à tout propos, mais maintenant… eh bien, finalement, de nous trois, lequel est entré dans… disons la vie intellectuelle ? Je ne veux pas avoir l'air de me vanter, mais… c'est moi, et moi j'ai toujours cru aux valeurs morales, et je continue à y croire.

— Écoute, objecta Anthony, qui prenait assez de plaisir à cet échange, même si tu as raison, tu sais que dans la pratique, la vie ne présente jamais les problèmes de façon aussi tranchée, non ?

— Pour moi, si. Il y a certains principes que je ne violerais pour rien au monde.

— Mais comment sais-tu quand tu les violes ? Tu tâtonnes, comme tout le monde. Ensuite, après coup, tu ajustes les valeurs. C'est à ce moment-là que tu achèves le portrait, que tu ajoutes les détails et les ombres. »

Dick secoua la tête avec hauteur et obstination.

« Toujours le même vieux cynique, sans esprit de sérieux, dit-il. C'est juste une façon de t'apitoyer sur toi-même. Tu ne fais rien — alors rien n'a d'importance.

— Oui, je suis tout à fait capable de pleurnicher sur mon sort, reconnut Anthony. Et je ne prétends pas que ma vie soit aussi amusante que la tienne.

— Tu dis, en tout cas tu disais, que le bonheur est la seule chose qui compte, dans la vie. Tu crois que ça te rend plus heureux d'être pessimiste ? »

Anthony poussa un grognement de bête. Le plaisir qu'il prenait à la conversation commençait à s'émousser. Il était énervé, il avait besoin d'un verre.

« Seigneur Jésus ! s'écria-t-il, où est-ce que tu habites ? Je ne peux pas continuer à marcher comme ça indéfiniment.

— Ton endurance n'est que mentale, je vois, répliqua Dick, sarcastique. Bon, on est arrivés. »

Il entra dans un petit immeuble d'habitation dans la 49e Rue et, quelques minutes plus tard, ils étaient dans une grande pièce neuve avec une cheminée allumée et quatre murs tapissés de livres. Un maître d'hôtel de couleur leur servit un gin tonic, et une heure s'écoula poliment, avec le gin velouté qui baissait lentement dans les verres et la lueur d'un feu léger de la mi-automne.

« Les arts sont quelque chose de très ancien », dit Anthony au bout d'un moment. Après quelques verres, la tension de ses nerfs se relâchait et il se retrouvait en mesure de penser.

« Quel art ?

— Tous les arts. La poésie est ce qui meurt en premier. Tôt ou tard, elle sera absorbée par la prose. C'est ainsi que la beauté du mot, du mot coloré, chatoyant, la beauté de l'image, tout cela appartient maintenant à la prose. Pour se faire remarquer, la poésie est obligée d'avoir recours au mot inusité, au mot dur, terre à terre, qui n'avait jamais été beau jusque-là. La beauté, en tant que somme de plusieurs éléments dont chacun est beau, a atteint son apothéose avec Swinburne. Elle ne peut pas aller plus loin, sauf peut-être dans le roman. »

Dick l'interrompit avec impatience.

« Tu sais, ces nouveaux romans me fatiguent. Seigneur ! où que j'aille, une jeune idiote me demande si j'ai lu *Loin du paradis*. Est-ce que les jeunes Américaines ressemblent vraiment à ça ? Si c'est véridique, ce dont je doute, alors toute la nouvelle génération va de mal en pis. J'en ai assez de ce réalisme de caniveau. Je crois qu'il y a de la place pour le romantisme en littérature. »

Anthony essayait de se rappeler ce qu'il avait lu de Dick récemment. Il y avait *Sous-lieutenant en France*, un roman qui s'appelait *La Terre des hommes forts*, et plusieurs douzaines de nouvelles, qui étaient encore plus mauvaises. Il était devenu habituel, parmi les jeunes chroniqueurs en vue, de mentionner Richard Caramel avec un sourire condescendant. « Monsieur » Richard Caramel, disaient-ils de lui. On traînait ignominieusement son cadavre dans tous les suppléments littéraires. On l'accusait de se faire une fortune en écrivant des inepties pour le cinéma. Au fur et à mesure que la mode littéraire changeait, il était devenu le symbole de tout ce qu'on trouvait méprisable.

Pendant qu'Anthony pensait à cela, Dick s'était levé et semblait hésiter au bord d'un aveu.

« J'ai rassemblé quelques bouquins, dit-il soudain.

— C'est ce que je vois.

— J'ai fait une collection exhaustive de ce qu'il y a de bon dans la littérature américaine, ancienne et moderne. Je ne veux pas dire le genre Longfellow, Whittier, tout ça ; en fait, presque tout ce que j'ai là est moderne. »

Il s'approcha de l'un des murs et, voyant ce qu'on attendait de lui, Anthony se leva et le suivit.

« Regarde ! »

Sous une étiquette imprimée qui disait *Americana*, il montrait six longues rangées de livres, magnifiquement reliés et, de toute évidence, choisis avec soin.

« Et là, ce sont les romanciers contemporains. »

Alors Anthony vit la manipulation. Coincés entre Mark Twain et Dreiser, il y avait huit volumes étranges et qui n'avaient rien à faire là, les œuvres de Richard Caramel. Certes, il y avait *L'Amant-démon*, mais également sept autres livres exécrables, dépourvus de grâce comme de sincérité.

Malgré lui, Anthony jeta un regard sur le visage de Dick, et crut y voir une lueur d'incertitude.

« Bien sûr j'ai mis mes propres ouvrages, se hâta de dire Richard Caramel, bien qu'un ou deux d'entre eux soient de qualité inégale — j'ai écrit un peu vite quand j'ai eu ce contrat avec un magazine. Mais je ne crois pas à la fausse modestie. Il est vrai que certains critiques ne m'ont pas accordé autant d'attention depuis que je suis un écrivain reconnu, mais après tout, ce ne sont pas les critiques qui comptent. Ce sont de simples moutons. »

Pour la première fois depuis des siècles, aussi loin que ses souvenirs remontaient, Anthony sentit un léger regain agréable de l'ancien mépris pour son ami. Richard Caramel continuait :

« Tu sais, mes éditeurs me présentent comme le Thackeray de l'Amérique, à cause de mon roman sur New York.

— Oui, parvint à dire Anthony. Je suppose qu'il y a du vrai dans ce que tu dis. »

Il savait que son mépris n'était pas rationnel. Il savait qu'il aurait échangé sans hésiter sa place pour celle de Dick. Lui-même avait essayé tant qu'il avait pu d'écrire en gardant une distance ironique. Ah, un homme peut-il dénigrer si facilement l'œuvre de sa vie ?…

Et cette nuit-là, tandis que Richard Caramel était en plein travail, à taper sur les mauvaises touches et à froncer dans l'effort ses yeux dépareillés, produisant de la sous-littérature jusqu'aux heures sans joie où le feu s'éteint, et ou la tête vous tourne à force de concentration, Anthony, de son côté, abominablement soûl, était affalé sur la banquette arrière d'un taxi, en train de regagner son appartement de Claremont Avenue.

LA RACLÉE

Avec l'approche de l'hiver, une sorte de folie semblait s'être emparée d'Anthony. Le matin, il se réveillait si nerveux que Gloria le sentait trembler dans son lit avant qu'il retrouve assez de vitalité pour aller jusqu'à l'office se chercher à boire. Il était maintenant impossible à vivre sauf lorsqu'il était sous l'influence de l'alcool, et en le voyant se détériorer et se durcir sous ses yeux, Gloria, corps et âme, se révulsait et prenait ses distances. Quand il ne rentrait pas de la nuit, ce qui lui était arrivé plusieurs fois, non seulement elle n'avait pas pitié de lui, mais elle éprouvait même une sorte de soulagement morose. Le lendemain, il se montrait vaguement repentant et remarquait de façon bourrue, en chien battu, qu'il buvait sans doute un peu trop.

Il passait des heures dans le grand fauteuil qui était dans son ancien appartement, dans un état de morne stupeur. Il semblait même ne plus trouver le moindre attrait à la relecture de ses livres favoris, et même si mari et femme ne cessaient de se chamailler, le seul sujet qui les occupait vraiment était la marche de leur procès. Ce que Gloria espérait, dans les profondeurs ténébreuses de son âme, les changements qu'elle pensait qu'apporterait cet énorme pactole, il est difficile de l'imaginer. Son environnement actuel faisait d'elle une caricature de femme au foyer. Elle qui, trois ans plus tôt, n'avait jamais fait de café, préparait quelquefois trois repas par jour. Elle se promenait beaucoup l'après-midi, et le soir elle lisait — des livres, des magazines, tout ce qui lui tombait sous la main. S'il lui était venu un désir d'enfant — même d'un enfant de l'Anthony qui venait la rejoindre dans son lit, ivre mort —, elle n'en disait mot, et ne manifestait sous aucune forme aucun signe d'intérêt pour les enfants. Il n'est pas sûr qu'elle aurait su dire à qui que ce fût ce qu'elle voulait, ni même ce qu'il pouvait y avoir à désirer.

Gloria — une femme solitaire, jolie, qui avait maintenant trente ans, retranchée derrière une sorte de défense inexpugnable née de sa beauté et coexistant avec elle.

Un après-midi où la neige était à nouveau sale dans Riverside Drive, Gloria — qui était allée faire les courses, entra dans l'appartement pour trouver Anthony marchant de long en large dans un état de nervosité redoublée. Les yeux fiévreux qu'il posa sur elle étaient striés de minuscules lignes roses qui lui rappelaient les rivières sur les cartes. Elle eut, un instant, l'impression qu'il était devenu définitivement vieux d'un seul coup.

« Est-ce que tu as de l'argent ? lui demanda-t-il avec précipitation.

— Quoi ? Qu'est-ce que tu veux dire ?

— Ce que j'ai dit. De l'argent ! De l'argent ! Tu ne comprends plus l'anglais ? »

Sans lui prêter attention, elle passa devant lui pour aller déposer les œufs et le bacon dans la glacière. Quand il avait bu encore plus que d'habitude, il était invariablement d'humeur larmoyante. Cette fois-ci, il la suivit et, debout devant la porte de l'office, il réitéra sa question.

« Tu as entendu ce que j'ai dit. Est-ce que tu as de l'argent ? »

Elle se retourna et lui fit face.

« Anthony, tu es complètement fou ! Tu sais bien que je n'ai pas d'argent, à part un dollar en petite monnaie. »

Il fit brusquement demi-tour et retourna dans le living-room, où il recommença à marcher de long en large. Il était évident qu'il avait quelque chose de grave en tête ; il voulait que Gloria lui demande de quoi il s'agissait. Venant le rejoindre un moment plus tard, elle s'assit sur le long canapé et se mit à dénouer ses cheveux. Elle ne les portait plus coupés au carré, et au cours de l'année précédente, ils étaient passés d'un or riche saupoudré de roux, à un châtain sans éclat. Elle avait acheté du shampooing, et avait le projet de se les laver. Elle avait envisagé de mettre de l'eau oxygénée dans l'eau de rinçage.

« Eh bien ? semblait dire son silence.

— Cette maudite banque ! lança-t-il d'une voix tremblante. Ils ont mon compte depuis plus de dix ans. Dix ans ! Eh bien, il semble qu'ils aient une sorte de règlement autocratique selon lequel il faut avoir plus de cinq cents dollars sur son compte pour qu'ils le gardent ouvert. Ils m'ont écrit une lettre il y a quelques mois pour me dire que je n'avais pas la somme nécessaire. Une fois j'ai fait deux chèques en bois — tu te rappelles ? Ce soir-là au Reisenweber's ? Mais j'ai réapprovisionné dès le lendemain. Bon, j'ai promis au vieux Halloran — c'est le directeur, Mick-le-fric — que je ferais attention. Et je pensais être en règle. Je gardais mes talons à peu près à jour dans mon carnet de chèques. Eh bien, aujourd'hui, je suis allé sortir de l'argent, et Halloran est venu me dire qu'ils avaient été obligés de fermer mon compte. Trop de chèques sans provision, a-t-il dit, et je n'avais jamais plus de cinq cents dollars sur mon compte, et cela seulement pendant un jour ou deux chaque fois. Et nom d'un chien, qu'est-ce que tu crois qu'il a dit ensuite ?

— Quoi ?

— Il a dit qu'il était grand temps, parce que je n'avais plus un sou sur mon compte.

— C'est vrai ?

— C'est ce qu'il m'a dit. Apparemment, j'avais fait aux gens de Bedros un chèque de soixante dollars pour cette dernière caisse de whisky, et je n'avais plus que quarante-cinq dollars en banque. Alors les types de chez Bedros ont déposé quinze dollars, et ils ont tiré le tout. »

Dans son ignorance, Gloria évoqua le spectre d'un emprisonnement et du déshonneur.

« Non, ils ne feront rien du tout, lui assura-t-il. Vendre de l'alcool en contrebande est un commerce bien trop dangereux. Ils m'enverront une facture de quinze dollars, et je la payerai.

— Ah bon. » Elle réfléchit un moment. « Bon, on peut toujours vendre un titre ? »

Il eut un rire sarcastique.

« Eh oui, c'est toujours facile. Quand les quelques titres que nous avons qui rapportent un intérêt quelconque ne valent plus qu'entre cinquante et quatre-vingts centimes par dollar. Chaque fois qu'on vend, on perd à peu près la moitié de la valeur nominale du titre.

— Qu'est-ce qu'on peut faire d'autre ?

— Oh, on vendra quelque chose, comme d'habitude. Sur le papier, nous avons environ quatre-vingt mille dollars en valeur nominale. » Il rit à nouveau d'un mauvais rire. « On en tirera environ trente mille sur le marché.

— Je me suis toujours méfiée de ces placements à dix pour cent.

— Tu parles ! Tu faisais semblant, pour pouvoir te retourner contre moi si les cours s'effondraient, mais tu voulais tout autant que moi qu'on tente notre chance. »

Elle resta sans rien dire un moment, comme si elle réfléchissait, puis :

« Anthony, s'écria-t-elle soudain, deux cents dollars par mois, c'est pire que rien. Vendons tous nos titres et déposons les trente mille dollars à la banque. Si nous perdons le procès, nous pourrons vivre trois ans en Italie, et ensuite, eh bien, nous mourrons. » Dans son excitation, elle sentait renaître comme l'ombre d'un élan sentimental — le premier depuis bien des jours.

« Trois ans, dit-il nerveusement, trois ans ! Tu es folle. Mr. Haight prendra plus que ça si nous perdons. Tu crois qu'il travaille pour nos beaux yeux ?

— J'avais oublié ça.

— Et nous sommes samedi, poursuivit-il, et je n'ai qu'un dollar et un peu de monnaie, et nous devons vivre jusqu'à lundi, où je pourrai aller chez mon agent de change… Et rien à boire dans la maison », ajouta-t-il, comme une pensée importante qui lui venait après coup.

« Et tu ne peux pas appeler Dick ?

— Je l'ai fait. Son domestique dit qu'il est à Princeton pour parler à un club littéraire, ou quelque chose de ce genre. Il ne sera pas rentré avant lundi.

— Bon, voyons. Tu n'as pas un ami que tu pourrais aller trouver ?

— J'ai essayé un ou deux types. Ils n'étaient pas chez eux. J'aurais dû vendre cette lettre de Keats, comme j'ai failli le faire la semaine dernière.

— Et ces hommes avec qui tu joues aux cartes à ton espèce de Sammy's ?

— Tu ne t'imagines pas que je pourrais leur demander *à eux* ! » Sa voix avait un ton outragé. Gloria tressaillit. Il aimait encore mieux la voir dans l'embarras le plus vif que de devoir s'abaisser à demander une faveur inappropriée. « J'ai pensé à Muriel, suggéra-t-il.

— Elle est en Californie.

— Et ces types avec qui tu t'es tellement bien amusée pendant que j'étais dans l'armée ? On pourrait croire que ça leur ferait plaisir de te rendre un petit service. »

Elle lui jeta un regard plein de mépris, mais il n'y fit pas attention.

« Ou ta vieille amie Rachel... ou Constance Merriam ?

— Constance Merriam est morte il y a un an, et je ne demanderais pas à Rachel.

— Et ce monsieur qui avait tellement envie de t'aider qu'il ne tenait plus en place, Bloeckman ?

— Oh... ! » Il avait enfin touché la corde sensible, et il n'était pas assez obtus ou distrait pour ne pas s'en apercevoir.

« Pourquoi pas lui ? insista-t-il, remuant le fer dans la plaie.

— Parce que... il ne m'aime plus », articula-t-elle avec peine. Et comme il ne lui répondait pas et qu'il la regardait seulement avec cynisme : « Si tu veux savoir pourquoi, je peux te le dire. Il y a un an, je suis allée trouver Bloeckman — il a changé son nom en Black — et je lui ai demandé de me faire faire du cinéma.

— Tu es allée trouver Bloeckman ?

— Oui.

— Pourquoi ne m'en as-tu pas parlé ? » demanda-t-il, incrédule, le sourire s'effaçant de son visage.

« Parce que tu étais probablement en train de te soûler quelque part. Il leur a demandé de me faire faire un bout d'essai, et ils ont trouvé que je n'étais pas assez jeune pour autre chose qu'un rôle de composition.

— De composition ?

— "La femme de trente ans", quelque chose de

ce genre. Je n'avais pas trente ans, et je n'avais pas l'impression que je les faisais.

— Quel culot ! » s'exclama Anthony, prenant violemment la défense de sa femme avec une réaction curieusement irrationnelle. « Ça par exemple...

— Bon, c'est pour ça que je ne peux pas aller le trouver.

— Ça par exemple, le culot ! insista Anthony, remué. Le culot !

— Anthony, ça n'a plus d'importance. Notre problème, c'est qu'il faut tenir jusqu'à lundi et qu'il n'y a rien dans la maison que du pain, une demi-livre de bacon et deux œufs pour le petit déjeuner. » Elle lui tendit le contenu de son porte-monnaie. « Il y a soixante-dix, quatre-vingts... un dollar quinze. Avec ce que tu as, ça fait en tout deux dollars et demi, d'accord ? Anthony, ça nous suffit. On peut acheter largement de quoi manger avec ça, plus que ce qu'il nous faut. »

Faisant sonner la monnaie dans sa main, il secoua la tête.

« Non. Il faut que j'aie quelque chose à boire. Je suis tellement nerveux que j'en tremble. » Une pensée le traversa. « Peut-être que Sammy encaisserait un chèque. Et lundi, je pourrais courir à la banque avec l'argent.

— Mais ils ont fermé ton compte.

— C'est vrai, c'est vrai, j'avais oublié. Bon, écoute : je vais aller au Sammy's, et là je trouverai quelqu'un qui me prêtera quelque chose. Sauf que je déteste l'idée de leur demander... » Il fit soudain claquer ses doigts. « Je sais ce que je vais faire. Je vais mettre ma montre en gage. On m'en donnera vingt dollars, et je la récupérerai lundi en payant soixante cents de plus. Je l'ai déjà mise en gage, quand j'étais à Cambridge. »

Il avait mis son pardessus, et, avec un bref au revoir, il partit dans le hall vers la porte palière.

Gloria s'était levée. Elle avait tout d'un coup compris où il irait probablement en premier.

« Anthony ! appela-t-elle pour le rattraper. Est-ce que tu ne ferais pas mieux de me laisser deux dollars ? Tu n'as besoin que du ticket de métro. »

La porte de l'appartement claqua ; il avait fait semblant de ne pas l'entendre. Elle resta debout un moment à regarder dans sa direction ; puis elle alla dans la salle de bains au milieu de ses onguents tragiques, et s'apprêta à se laver les cheveux.

Au Sammy's, il trouva Parker Allison et Pete Lytell assis tout seuls à une table, buvant des *whisky sour*. Il était un peu plus de 6 heures et Sammy, ou Samuele Bendiri, d'après son nom de baptême, balayait, repoussant dans un coin une accumulation de mégots de cigarettes et de verres brisés.

« Salut, Tony ! » lança Parker Allison. Quelquefois il appelait Anthony Tony, d'autres fois, c'était Dan. Pour lui, tous les Anthony relevaient de l'un ou l'autre de ces diminutifs.

« Assieds-toi. Qu'est-ce que tu prends ? »

Dans le métro, Anthony avait compté son argent et s'était aperçu qu'il avait presque quatre dollars. Il pouvait payer deux tournées à cinquante cents le verre, ce qui voulait dire qu'il pourrait boire six verres. Il se rendrait ensuite dans la Sixième Avenue, où on lui donnerait vingt dollars et un reçu en échange de sa montre.

« Alors, les voyous, lança-t-il d'un air jovial, comment ça va chez les truands ?

— Ça biche ! » dit Allison. Il fit un clin d'œil à Pete

Lytell. « C'est malheureux que tu sois un homme marié, on a de bonnes occases en vue pour 11 heures, à l'heure de la sortie des spectacles. Ouh… J'te dis pas. Malheureux qu'il soit marié, pas vrai, Pete ?

— Dommage. »

À 7 heures et demie, après les six tournées, Anthony s'aperçut que ses intentions se réglaient sur ses désirs. Il était maintenant de fort joyeuse humeur : il passait une excellente soirée. Il trouvait que l'histoire que Pete venait de raconter était particulièrement drôle et spirituelle, et il décida — comme tous les jours à peu près à la même heure — que c'étaient vraiment des chic types, prêts à faire bien plus pour lui que n'importe qui d'autre de sa connaissance. Les bureaux de prêt sur gage restaient ouverts, le samedi, jusqu'à une heure tardive, et il avait le sentiment que s'il buvait juste un verre de plus, il atteindrait un stade de bien-être euphorique.

Habilement, il plongea la main dans les poches de son gilet, en sortit les deux pièces de vingt-cinq cents, et les contempla avec une expression de surprise feinte.

« Ça par exemple », s'étonna-t-il sur un ton douloureusement peiné. « Voilà que je suis sorti sans mon portefeuille.

— Tu as besoin de liquide ? demanda aussitôt Lytell avec gentillesse.

— J'ai laissé mon argent sur la coiffeuse à la maison. Et moi qui voulais vous payer encore un verre.

— Oh, laisse tomber. » Lytell écartait la proposition d'un geste royal. « Un copain, on peut bien lui payer autant de verres qu'il voudra. Qu'est-ce que tu prends ? la même chose ?

— J'ai une idée, suggéra Parker Allison. Si on

envoyait Sammy en face nous chercher des sandwichs, et on dînerait ici ? »

Les deux autres en furent d'accord.

« Bonne idée.

— Ho, Sammy, tu veux bien nous rend' un p'tit service... »

Tout juste après 9 heures, Anthony se leva en titubant, leur souhaita bonne nuit d'une voix pâteuse et se dirigea d'un pas chancelant vers la porte, tendant à Sammy au passage l'une de ses deux pièces de vingt-cinq cents. Une fois dans la rue, il hésita, puis prit la direction de la Sixième Avenue, où il se rappelait avoir souvent vu des officines de prêt. Il passa devant un kiosque à journaux et un drugstore, puis il se rendit compte qu'il était devant l'endroit qu'il cherchait, et qu'il était fermé, rideau de fer baissé. Sans se laisser abattre, il poursuivit sa route. Un autre, à quelques mètres de là, était également fermé, ainsi que deux autres de l'autre côté de la rue, puis un cinquième sur la place un peu plus bas. Apercevant une faible lumière dans ce dernier, il se mit à frapper contre la porte vitrée. Il n'y renonça que lorsqu'un gardien apparut à l'arrière de la boutique et le somma sans aménité de circuler. Commençant à se décourager pour de bon, et les idées se brouillant aussi pour de bon dans sa tête, il traversa et retourna vers la 43ᵉ Rue. Au coin de la rue, près de Sammy's, il s'arrêta sans arriver à se décider. S'il retournait à l'appartement, comme son corps semblait l'exiger, il s'exposait à d'amers reproches ; et pourtant, maintenant que tous les bureaux de prêt sur gages étaient fermés, il ne voyait aucun moyen de trouver de l'argent. Il en vint à se dire qu'il pourrait demander à Parker Allison, après tout ; mais quand il s'approcha de Sammy's, ce fut pour trouver porte close, et les lumières éteintes. Il regarda sa montre : 9 heures et demie. Il se mit à marcher.

Dix minutes plus tard, il s'arrêtait sans but au coin de la 43e Rue et de Madison Avenue, face à l'entrée lumineuse mais presque déserte de l'hôtel Biltmore. Il resta là un moment, puis s'assit lourdement sur une planche humide au milieu des gravats de travaux en cours. Il s'y reposa pendant près d'une demi-heure ; dans son esprit s'agitaient des suites de pensées fuyantes, parmi lesquelles l'idée qu'il fallait qu'il trouve de l'argent et qu'il rentre chez lui avant d'être trop ivre pour retrouver son chemin.

Puis, jetant un regard vers le Biltmore, il vit un homme qui se tenait juste sous la rampe lumineuse du porche, à côté d'une femme en manteau d'hermine. Pendant qu'Anthony les regardait, le couple s'avança vers un taxi et lui fit signe. Anthony reconnut sans se tromper, comme on reconnaît un ami à sa simple démarche, que c'était Maury Noble.

Il se leva.

« Maury ! » cria-t-il.

Maury regarda dans sa direction, puis se retourna vers la jeune femme au moment où le taxi venait s'arrêter devant eux. Avec l'intention confuse de lui emprunter dix dollars, Anthony traversa Madison Avenue en courant à toutes jambes et s'engagea dans la 43e Rue.

Quand il arriva à sa hauteur, Maury était devant le taxi, portière ouverte. Sa compagne se retourna et dévisagea Anthony avec curiosité.

« Salut, Maury ! dit-il, en tendant la main. Comment vas-tu ?

— Très bien, merci. »

Leurs mains retombèrent, et Anthony hésita. Maury ne faisait pas un geste pour le présenter, mais se tenait seulement là, le regard posé sur lui, dans un silence félin indéchiffrable.

« Je voulais te voir… » commença Anthony sur un ton hésitant. Il ne se voyait pas demander de l'argent avec la jeune femme à trois pas de là. Alors il s'interrompit et fit un geste de la tête, comme pour demander à Maury de s'écarter un peu pour lui parler.

« Anthony, tu sais, je suis assez pressé.

— Je sais, mais est-ce que tu ne pourrais pas… » À nouveau, il hésita.

« Je te verrai une autre fois, dit Maury.

— C'est important.

— Désolé, mon vieux. »

Avant qu'Anthony ait pu se décider à formuler sa requête, Maury s'était froidement retourné vers la jeune femme, l'aidait à monter dans le taxi et, avec un « bonsoir » poli, s'engouffrait après elle. Le voyant faire un signe de tête, de la voiture, Anthony eut l'impression qu'il n'avait pas battu un cil. Puis, dans un grand tintamarre, le taxi s'ébranla, et Anthony se retrouva tout seul sous la rampe lumineuse.

Anthony entra dans le Biltmore, sans raison particulière, sinon que l'entrée était proche, et montant par le large escalier, il trouva à s'asseoir dans un renfoncement. Il se rendait compte avec colère qu'il avait été snobé. Il était aussi blessé et furieux qu'il lui était possible de l'être dans son état présent. Cela ne l'empêchait pas d'être obsédé par la nécessité de trouver de l'argent avant de rentrer chez lui, et une fois de plus, il compta sur les doigts de la main celles de ses connaissances qu'il pourrait appeler dans cette situation critique. Il finit par se dire qu'il pourrait appeler son agent de change, Mr. Howland, à son domicile.

Après une longue attente, il apprit que Mr. Howland était sorti. Il retourna vers la standardiste, se penchant sur son bureau et manipulant sa pièce de monnaie comme s'il ne se résignait pas à repartir bredouille.

« Appelez Mr. Bloeckman », dit-il brusquement. Il fut surpris lui-même de ses paroles. Le nom était sorti de la confrontation de deux possibilités qui s'étaient présentées à lui.

« Quel numéro, s'il vous plaît ? »

À peine conscient de ce qu'il faisait, Anthony chercha Joseph Bloeckman dans l'annuaire téléphonique. Il ne trouva personne sous ce nom, et allait refermer l'annuaire lorsqu'il se rappela, dans un éclair, que Gloria avait parlé d'un changement de patronyme. Il lui fallut une minute pour trouver Joseph Black ; puis il attendit dans la cabine que le standard fasse le numéro.

« Allô… Mr. Bloeckman, je veux dire, est-ce que Mr. Black est là ?

— Non, il est sorti ce soir. Est-ce qu'il y a un message ? » L'accent était cockney. Cela lui rappela les riches inflexions pleines de déférence de Bounds.

« Où est-il ?

— Euh, qui le demande, je vous prie ?

— C'est Mr. Patch. Affaire très importante.

— Eh bien, monsieur, il est avec un groupe d'amis au Boul' Mich'.

— Merci. »

Anthony prit ses cinq centimes de monnaie, et partit à pied pour le Boul' Mich', un cabaret en vogue de la 45e Rue. Il n'était pas loin de 10 heures, mais les rues étaient noires et presque désertes en attendant que les théâtres ne déversent leur public dans la ville une heure plus tard. Anthony connaissait le Boul' Mich', car il y était allé avec Gloria au cours de l'année précédente et il se rappelait que le règlement imposait aux clients d'être en tenue de soirée. Bon, il ne monterait pas, il enverrait un chasseur chercher Bloeckman et il l'attendrait en bas. Pendant un moment, il eut la conviction que ce projet n'avait rien que de naturel et d'élégant. Dans l'égarement de son imagination, Bloeckman n'était plus rien d'autre qu'un de ses vieux amis.

Dans le hall d'entrée du Boul' Mich', il faisait chaud. Il y avait au plafond des lumières jaunes qui éclairaient un épais tapis vert, du centre duquel partait un escalier blanc qui menait à la salle de danse.

Anthony s'adressa au chasseur.

« Il faut que je voie Mr. Bloeckman… Mr. Black, dit-il. Il est là-haut… faites-le appeler. »

Le chasseur secoua la tête.

« Contraire au règlement. Vous savez à quelle table il est ?

— Non, mais il faut que je le voie.

— Attendez, je vais chercher le maître d'hôtel. »

Au bout d'un bref instant, un maître d'hôtel apparut, portant un carton où était le plan des réservations des tables. Il lança un regard cynique sur Anthony, regard qui manqua sa cible. Ils se penchèrent ensemble sur le carton, et n'eurent aucun mal à localiser la table : huit personnes, au nom de Mr. Black.

« Dites-lui Mr. Patch. Très, très important. »

À nouveau il attendit, s'appuyant contre la balustrade et écoutant les harmonies confuses de *Jazz Mad* qui parvenaient par bouffées au bas des marches. Une demoiselle du vestiaire, à côté de lui, chantait :

À l'hôpital des fous du jazz,
Dans l' service où on soigne
Les timbrés du shimmy,
J'ai laissé ma poupée.
Le shimmy l'avait dérangée,
Le shimmy me la réarrangera...

Puis il vit Bloeckman qui descendait l'escalier, et il fit un pas en avant pour aller à sa rencontre et lui serrer la main.

« Vous vouliez me voir ? » dit froidement le plus âgé des deux hommes.

« Oui, répondit Anthony, en hochant la tête. Question personnelle. Vous pouvez venir par ici ? »

L'observant attentivement, Bloeckman suivit Anthony dans un recoin sous l'escalier où ils ne pouvaient être ni vus ni entendus des gens qui entraient ou sortaient du restaurant.

« Eh bien ? demanda-t-il.

— J' voulais vous parler.

— À quel sujet ? »

Anthony se contenta de rire, un rire niais. Il avait voulu prendre l'air désinvolte.

« De quoi voulez-vous me parler ? répéta Bloeckman.

— On a tout le temps, mon vieux ! » Il essaya de poser une main amicale sur l'épaule de Bloeckman, mais celui-ci eut un léger mouvement de recul. « Alors, comment ça va ?

— Très bien, merci... Écoutez, Mr. Patch, j'ai des invités là-haut. Je ne peux pas les quitter trop longtemps, ce serait discourtois de ma part. À quel sujet vouliez-vous me voir ? »

Pour la deuxième fois de la soirée, l'esprit d'Anthony

fit un bond abrupt, et ce qu'il dit n'était pas du tout ce qu'il avait eu l'intention de dire.

« À ce qui paraît, z'avez empêché ma femme de faire du cinéma.

— Pardon ? » Le visage coloré de Bloeckman s'assombrit en plans d'ombres parallèles.

« M'avez entendu.

— Écoutez, Mr. Patch, dit Bloeckman d'une voix égale et sans changer d'expression, vous êtes ivre. Vous êtes ivre à un degré répugnant, révoltant.

— Pas trop ivre pour vous parler, insista Anthony, avec un rictus. Primo, ma femme veut pas avoir affaire à vous. A jamais voulu. Vous saisissez ?

— Taisez-vous ! dit l'homme plus âgé avec colère. Vous pourriez montrer assez de respect pour votre femme pour ne pas la mêler à la conversation dans ces circonstances.

— Mon respect pour ma femme, c'est pas vos oignons. Alors foutez-lui la paix. Et allez vous faire foutre.

— Écoutez, je pense que vous ne tournez pas rond ! » s'exclama Bloeckman. Il fit deux pas en avant comme pour passer devant Anthony, mais celui-ci lui barra la route.

« Pas si vite, sale Juif. »

Un instant ils se firent face, Anthony se balançant doucement de droite à gauche, Bloeckman tremblant presque de rage.

« Prenez garde ! » s'écria-t-il d'une voix tendue.

Anthony aurait pu se rappeler un certain regard que lui avait décoché Bloeckman à l'hôtel Biltmore des années auparavant. Mais il ne se rappelait rien, rien de rien...

« Je vais le répéter, sale... »

Alors Bloeckman frappa, avec toute la force du

poing d'un homme de quarante-cinq ans en bonne forme, il frappa et atteignit Anthony en pleine mâchoire. Anthony s'effondra contre la cage d'escalier, se releva et lança un coup de poing d'ivrogne en direction de son adversaire, mais Bloeckman, qui faisait de la culture physique tous les jours et avait quelques notions de boxe, immobilisa facilement son bras et frappa Anthony en pleine figure de deux directs percutants. Anthony fit entendre un petit grognement, puis s'effondra sur le beau tapis vert, s'apercevant, en tombant, qu'il avait la bouche pleine de sang, avec quelque chose qui branlait bizarrement sur le devant. Il se remit tant bien que mal sur ses pieds, haletant, crachant, puis comme il marchait sur Bloeckman qui se tenait à quelques pas, les poings serrés mais pas levés, deux serveurs, surgis de nulle part, le saisirent par les bras, le tenant ferme, impuissant. Derrière eux, une douzaine de personnes s'étaient rassemblées, comme par enchantement.

« Je le tuerai, cria Anthony, se débattant comme un beau diable. Je vais le tuer...

— Jetez-le dehors ! » ordonna Bloeckman, hors de lui, au moment où un petit homme à la peau vérolée se frayait en toute hâte un chemin à travers la foule de spectateurs.

« Un problème, Mr. Black ?

— Ce clochard a essayé de me faire chanter ! » dit Bloeckman ; puis, sa voix montant dans les aigus avec une note de fierté : « Il a eu ce qu'il cherchait ! »

Le petit homme se tourna vers le serveur :

« Appelez la police ! ordonna-t-il.

— Non, non, dit aussitôt Bloeckman. Je ne veux pas me donner cette peine. Flanquez-le à la rue, voilà tout... Pouah ! quelle honte ! » Il se retourna et se dirigea d'un pas digne vers les toilettes, tandis que six mains vigoureuses attrapèrent Anthony et l'entraînaient vers la porte. Le « clochard » fut jeté violemment sur le trottoir, où il atterrit à quatre pattes avec un bruit de claque grotesque, et il roula lentement sur le côté.

Il était sous le choc. Il resta allongé un moment, ayant mal partout. Puis la douleur se concentra dans son estomac, et il reprit conscience pour s'apercevoir qu'un grand pied lui rentrait dedans.

« Faut te bouger de là, espèce de minable ! Bouge-toi de là ! »

C'était le gros portier qui parlait. Une voiture avec chauffeur venait de s'arrêter le long du trottoir et ses occupants en étaient sortis, ou plutôt deux des femmes se tenaient sur le marchepied, attendant, offusquées, que ce spectacle obscène soit ôté de leur chemin.

« Bouge-toi de là ! Ou c'est moi qui vais te jeter !

— Laissez ! je m'en occupe. »

C'était une voix nouvelle. Anthony s'imagina qu'elle était un peu plus tolérante, mieux disposée que la première. À nouveau des bras s'emparaient de lui, le tirant plus ou moins jusqu'à une ombre bienvenue à quatre portes de là, et l'adossant contre la façade en pierre d'une boutique de modiste.

« Je vous remercie », murmura Anthony d'une voix faible. Quelqu'un lui enfonça son feutre sur sa tête, et il grimaça.

« Bougez pas, mon vieux, vous vous sentirez mieux. Ils vous ont bien amoché.

— Je vais retourner tuer ce sale... » Il essaya de se remettre sur pied, mais retomba en arrière contre le mur.

« Vous pouvez rien faire pour l'instant, reprit la

voix. Vous les aurez une aut' fois. J'ai raison, non ? J'essaye de vous aider. »

Anthony approuva de la tête.

« Feriez mieux de rentrer chez vous. Vous avez perdu une dent ce soir, mon vieux. Vous le saviez ? »

Anthony explora l'intérieur de sa bouche avec sa langue, pour vérifier cette assertion. Puis, avec un effort, il leva la main pour repérer où était le trou.

« J' vais vous ramener chez vous, l'ami. De quel côté vous habitez...

— Bon Dieu de bon Dieu », interrompit Anthony, en serrant les poings de toutes ses forces. « Je leur montrerai, à ces salauds. Aidez-moi à leur régler leur compte, et vous ne le regretterez pas. Mon grand-père est Adam Patch, de Tarrytown...

— Qui ça ?

— Adam Patch, je vous dis !

— Vous voulez aller jusqu'à Tarrytown ?

— Non.

— Bon, dites-moi où vous voulez aller, l'ami, et j'appellerai un taxi. »

Anthony vit que son bon Samaritain était un individu trapu, large d'épaules, et qui avait connu des jours meilleurs.

« Alors, où vous habitez ? »

Tout pris de boisson et mal en point qu'il était, Anthony se rendit compte que son adresse s'accorderait mal avec le coup de bluff concernant son grand-père.

« Appelez-moi un taxi », dit-il, tâtant ses poches.

Un taxi s'approcha. À nouveau, Anthony essaya de se lever, mais sa cheville tourna, comme si elle était faite de deux morceaux. Il fallut bien que le Samaritain l'aide à monter, et monte après lui.

« Écoutez-moi, mon vieux, dit-il, vous êtes bourré

et vous êtes drôlement sonné, et vous arriverez pas à remonter chez vous si y a pas quelqu'un pour vous porter, alors je viens avec vous, et je sais que vous me payerez de ma peine. Où vous habitez ? »

Non sans réticence, Anthony donna son adresse. Puis, tandis que le taxi démarrait, il appuya la tête contre l'épaule de l'homme et sombra dans une torpeur douloureuse. Quand il se réveilla, l'homme l'avait extrait du taxi devant l'appartement de Claremont Avenue, et il essayait de le faire tenir debout.

« Vous pouvez marcher ?

— Plus ou moins. Il vaut mieux que vous n'entriez pas avec moi. » À nouveau, il tâta ses poches sans succès. « Écoutez, poursuivit-il, sur un ton d'excuse, en tanguant dangereusement, je suis désolé, je n'ai pas un sou.

— Pardon ?

— Je suis complètement à sec.

— Holà ! Vous aviez pas promis que vous me payeriez de ma peine ? Et qui c'est qui va payer le taxi ? » Il se tourna vers le chauffeur pour obtenir confirmation. « Vous l'avez pas entendu dire qu'il me revaudrait ça ? Ce qu'il a raconté sur son grand-père ?

— En fait, murmura Anthony imprudemment, c'est surtout vous qui avez parlé. Mais si vous pouvez revenir demain... »

Là-dessus, le chauffeur de taxi se pencha hors du taxi et dit brutalement :

« Vas-y, file-lui une bonne torgnole, à cette espèce de radin. Si c'était pas un clodo, on l'aurait pas jeté dehors. »

En réponse à cette suggestion, le poing du Samaritain partit comme un coup de massue et envoya

Anthony valdinguer contre les marches de pierre de l'immeuble, où il demeura inerte, tandis que les bâtiments tanguaient d'avant en arrière au-dessus de lui…

Au bout d'un long moment il se réveilla et constata qu'il faisait beaucoup plus froid. Il essaya de bouger, mais ses muscles refusèrent de fonctionner. Il avait une étrange envie de savoir quelle heure il était, mais quand il chercha sa montre, il ne trouva que sa poche vide. Involontairement, ses lèvres articulèrent la formule consacrée de toute éternité :

« Oh, quelle nuit ! »

Bizarrement, il n'était presque plus soûl. Sans bouger la tête, il regarda l'endroit au milieu du ciel où était ancrée la lune, qui déversait sa lumière dans Claremont Avenue comme au fond d'un abîme inconnu. Il n'y avait ni signe de vie ni aucun bruit, à part le bourdonnement continu dans ses oreilles, mais, un instant plus tard, Anthony lui-même brisa le silence par un murmure bien particulier. C'était le bruit qu'il avait essayé de produire avec insistance au Boul' Mich', lorsqu'il était face à face avec Bloeckman : le bruit caractéristique du rire ironique. Et sur ses lèvres meurtries, ensanglantées, c'était comme un pitoyable haut-le-cœur de l'âme.

Trois semaines plus tard, le procès prit fin. L'interminable écheveau de finasseries administratives qui s'était déroulé pendant une période de quatre ans et demi, cassa soudain son fil. Anthony et Gloria d'un côté et, de l'autre, Edward Shuttleworth et tout un peloton de bénéficiaires du legs, témoignèrent et mentirent et rivalisèrent de manœuvres à des degrés divers de cupidité et de désespoir. Au mois de mars, Anthony se réveilla un matin avec la conscience que le verdict devait être rendu le jour même à 4 heures et, à cette idée, il se leva et se mit à s'habiller. Se mêlait à son état d'extrême nervosité un optimisme injustifié quant au dénouement. Il croyait que la décision de la cour de première instance avait des chances d'être cassée, ne serait-ce qu'à cause de la réaction, due à la sévérité de la Prohibition, qui se faisait jour contre les réformes et les réformateurs. Il comptait plus sur les attaques personnelles qu'ils avaient lancées contre Shuttleworth que sur les aspects plus strictement légaux de la procédure.

Une fois habillé, il se versa un verre de whisky puis alla dans la chambre de Gloria, qu'il trouva déjà tout à fait réveillée. Elle était alitée depuis une semaine, se dorlotant, pensait Anthony, bien que le médecin eût dit qu'il valait mieux ne pas la déranger.

« Bonjour », murmura-t-elle, sans sourire. Ses yeux semblaient inhabituellement grands et sombres.

« Comment te sens-tu ? demanda-t-il de mauvaise grâce. Mieux ?

— Oui.

— Beaucoup mieux ?

— Oui.

— Tu te sens assez bien pour venir à l'audience avec moi cet après-midi ? »

Elle fit signe que oui.

« Oui, j'ai envie de venir. Dick a dit hier que s'il faisait beau il viendrait me prendre en voiture et qu'il m'emmènerait faire un tour à Central Park, et regarde, la chambre est déjà tout ensoleillée. »

Anthony jeta machinalement un regard par la fenêtre, puis il s'assit sur le lit.

« Je suis drôlement énervé ! s'exclama-t-il.

— Ne t'assieds pas là, s'il te plaît, dit-elle avec vivacité.

— Pourquoi ?

— Tu sens le whisky. Je ne supporte pas ça. »

Il se leva distraitement et sortit de la chambre. Un peu plus tard, elle l'appela, et il sortit lui acheter de la salade de pommes de terre et du poulet froid chez le traiteur du coin.

À 2 heures, la voiture de Richard Caramel arriva devant la porte et, quand il s'annonça d'en bas, Anthony accompagna Gloria dans l'ascenseur puis jusqu'au trottoir. Elle dit à son cousin que c'était gentil de l'emmener se promener.

« Ne sois pas sotte, répondit Dick avec légèreté. C'est tout naturel. »

Mais il ne pensait pas vraiment que c'était tout naturel, ce qui était d'ailleurs étonnant. Richard Caramel avait pardonné beaucoup de choses à beaucoup de gens. Mais il n'avait jamais pardonné à sa cousine, Gloria Gilbert, une remarque qu'elle avait faite juste avant son mariage, sept ans plus tôt. Elle avait dit qu'elle n'avait pas l'intention de lire son livre.

Richard Caramel se souvenait parfaitement de cela ; sept ans plus tard, il ne l'avait pas oublié.

« À quelle heure comptez-vous revenir ? demanda Anthony.

— On ne repassera pas par ici, répondit-elle. On te retrouvera là-bas à 4 heures.

— D'accord, marmonna-t-il. On se retrouvera là-bas. »

Là-haut, il trouva une lettre qui l'attendait. C'était une note ronéotypée qui réclamait à « nos soldats », dans une langue familière et condescendante, de payer leur cotisation à l'American Legion. Il la jeta avec impatience dans la corbeille à papiers et, accoudé au rebord de la fenêtre, il regarda, sans la voir, la rue ensoleillée.

L'Italie. Si le verdict leur était favorable, cela voulait dire l'Italie. Le terme était devenu pour lui une sorte de talisman, un pays où les inquiétudes intolérables de la vie tomberaient à terre comme un vieux vêtement. Ils se rendraient tout de suite dans les stations balnéaires et, au milieu des foules vivantes et bigarrées, ils oublieraient les guenilles grises du désespoir. Merveilleusement revigoré, il se promènerait à nouveau sur la Piazza di Spagna au crépuscule, circulant au milieu du flot mouvant des femmes brunes et des mendiants en haillons, des moines austères, pieds nus dans leurs sandales. La pensée des femmes italiennes le faisait un peu rêver. Lorsque sa bourse pèserait lourd à nouveau, qui sait, la romance pourrait revenir s'y percher, d'un coup d'aile, la romance des canaux bleus de Venise, des collines de Fiesole d'un vert doré après la pluie, et des femmes, des femmes qui changeaient, se dissolvaient, se fondaient en d'autres femmes et s'éloignaient de sa vie, mais qui étaient toujours belles et toujours jeunes.

Mais il lui apparaissait qu'il y aurait une différence dans son attitude. Toute la détresse qu'il avait pu connaître, le chagrin, la douleur, tout cela avait été causé par les femmes. C'était quelque chose que, sous des formes diverses, elles lui infligeaient, inconsciemment, presque sans y penser. Peut-être était-ce que, le trouvant doux et timoré, elles tuaient en lui ce qui aurait pu menacer leur empire absolu.

Se détournant de la fenêtre, il fit face à son reflet dans la glace et contempla, accablé, le visage blafard et bouffi, les yeux injectés de lignes entrecroisées comme des filaments de sang séché, la silhouette voûtée, avachie, dont l'affaissement même trahissait des années de léthargie. Il avait trente-trois ans ; il en paraissait quarante. Ah, les choses allaient changer.

La sonnette de l'entrée retentit brusquement et il sursauta comme s'il avait reçu un coup. Se ressaisissant, il alla dans le hall et ouvrit la porte du dehors. C'était Dot.

LA RENCONTRE

Il s'effaça devant elle pour la faire entrer dans le living-room, ne comprenant qu'un mot ici et là dans le lent écoulement de phrases qu'elle déversait sans discontinuer, l'une après l'autre, sur un ton monocorde. Elle était habillée pauvrement et correctement, un pauvre petit chapeau orné de fleurs roses et bleues couvrait et cachait ses cheveux bruns. À travers ses propos, il finit par saisir que, quelques jours plus tôt, elle avait vu dans le journal un entrefilet concernant le procès, et elle avait obtenu son adresse grâce au greffier de la cour d'appel. Elle avait appelé l'appartement et avait appris qu'Anthony était sorti grâce à une femme à qui elle avait refusé de donner son nom.

Dans le living-room, il restait près de la porte, la contemplant avec une sorte d'horreur mêlée de stupeur, tandis qu'elle continuait son verbiage… La sensation qui dominait chez lui était celle de l'étrange irréalité de la société dans laquelle il vivait et de ses traditions… Elle travaillait chez une modiste de la Sixième Avenue, disait-elle. C'était une vie solitaire. Après le départ d'Anthony pour le camp Mills, elle avait été longtemps malade. Sa mère était venue et l'avait ramenée chez elle en Caroline... Elle était venue à New York avec en tête l'idée de retrouver Anthony.

Elle était d'un sérieux effrayant. Ses yeux violets étaient rouges de larmes ; sa voix douce était rendue râpeuse par des petits sanglots hoquetants.

C'était tout. Elle n'avait absolument pas changé. Elle le voulait maintenant, et si elle ne pouvait pas l'avoir, elle n'avait plus qu'à mourir...

« Il faut que tu t'en ailles, finit-il par dire, s'exprimant avec une intensité torturée. Tu crois que je n'ai pas assez de soucis comme ça, sans que tu débarques ici ? Pour l'amour de Dieu ! Il faut que tu dégages ! »

Elle s'assit en sanglotant dans un fauteuil.

« Je t'aime, s'écria-t-elle. Tu peux bien me dire ce que tu voudras ! Je t'aime !

— Je m'en fiche ! répliqua-t-il en hurlant presque. Va-t'en... fiche le camp ! Tu trouves que tu ne m'as pas fait assez de mal ? Tu ne crois pas que *ça suffit* ?

— Frappe-moi, implora-t-elle, passionnément, stupidement. Vas-y, frappe-moi, je baiserai la main qui me frappe ! »

La voix d'Anthony monta jusque dans les aigus. « Je te tuerai ! siffla-t-il. Si tu ne t'en vas pas, je te tuerai, je te tuerai ! »

Il y avait maintenant une lueur de folie dans ses yeux, mais, sans se laisser intimider, Dot se leva et fit un pas vers lui.

« Anthony ! Anthony !... »

Il fit claquer sa langue contre ses dents et recula comme pour bondir sur elle ; puis, changeant d'avis, il lança des regards éperdus autour de lui, à terre et sur le mur.

« Je vais te tuer ! marmonnait-il en hoquetant. Je vais te *tuer* ! » Il semblait cracher le mot comme pour le forcer à se matérialiser. Prenant peur, finalement, elle cessa d'avancer vers lui et, en croisant ses yeux fous de rage, elle recula d'un pas vers la porte. Anthony se mit à tourner comme un lion en cage de son côté de la pièce, répétant toujours la même menace. Puis il trouva ce qu'il cherchait : une lourde chaise en chêne devant la table. Avec un cri rauque, il la saisit, la leva au-dessus de sa tête et la lâcha de toute sa force furibonde droit sur le visage blanc, terrifié, à l'autre bout de la pièce… Puis des ténèbres épaisses, impénétrables, s'abattirent sur lui, abolissant tout à la fois sa pensée, sa rage et sa folie… dans un craquement presque tangible, la face du monde changea sous ses yeux.

Gloria et Dick revinrent à 5 heures et l'appelèrent. Pas de réponse. Ils entrèrent dans le living-room et trouvèrent une chaise au dossier brisé gisant contre la porte, puis ils remarquèrent le désordre qui régnait dans la pièce : les tapis avaient glissé, les tableaux et les bibelots étaient renversés en vrac sur la table centrale. L'air empestait l'odeur douceâtre du parfum bon marché.

Ils trouvèrent Anthony assis par terre dans sa chambre au milieu d'une tache de soleil. Devant lui, grands ouverts, s'étalaient ses trois albums de timbres, et quand ils entrèrent, ses mains étaient plongées dans une grande pile de timbres qu'il avait fait tomber de la dernière page de l'un des albums. Levant les yeux et voyant Dick et Gloria, il pencha la tête d'un air sévère et leur fit signe de repartir.

« Anthony ! » s'écria Gloria d'une voix vibrante d'émotion. « On a gagné ! Ils ont été déboutés !

— N'entrez pas, murmura Anthony d'une voix faible. Vous allez me les déranger. Je les trie, et vous allez marcher dessus. On me dérange toujours tout.

— Qu'est-ce que tu fabriques ? demanda Dick, abasourdi. Tu retombes en enfance ? Est-ce que tu te rends compte que vous avez gagné le procès ? Ils ont cassé la décision de la cour de première instance. Tu es à la tête d'une fortune de trente millions de dollars ! »

Anthony se contenta de le regarder d'un air de reproche.

« Fermez la porte en sortant. » Il parlait comme un enfant impertinent.

Avec une lueur d'horreur qui se faisait jour dans ses yeux, Gloria le dévisagea :

« Anthony ! cria-t-elle. Qu'est-ce que tu as ? Qu'est-ce qui se passe ? Pourquoi est-ce que tu n'es pas venu ? Enfin, qu'est-ce qui se passe ?

— Écoutez-moi, dit doucement Anthony, vous sortez, tous les deux… oui, tous les deux. Sinon, je vais le dire à mon grand-père. »

Il souleva une poignée de timbres et les laissa tomber autour de lui comme des feuilles d'arbre, taches vives de toutes les couleurs, tournoyant et papillonnant dans l'air ensoleillé — des timbres d'Angleterre et de l'Équateur, du Venezuela et d'Espagne, d'Italie…

AINSI QUE LES MOINEAUX

L'exquise ironie céleste qui a dressé la liste de tant de générations de moineaux disparus a sans doute gardé la trace de la moindre inflexion verbale des passagers de paquebots tels que le *Berengaria*. Et sans doute écoutait-elle lorsque le jeune homme en casquette écossaise traversa le pont d'un pas vif pour aller parler à la jolie fille en jaune.

« C'est lui », dit-il, en montrant du doigt une silhouette emmitouflée assise dans un fauteuil roulant près du bastingage. « C'est Anthony Patch. Première fois qu'il sort sur le pont.

— Ah... c'est lui ?

— Oui. On raconte qu'il a l'esprit un peu dérangé, depuis qu'il a touché son argent, il y a quatre ou cinq mois. Voyez-vous, l'autre type, Shuttleworth, le type confit en dévotion, celui qui n'a pas eu le fric, il s'est enfermé dans une chambre d'hôtel, et il s'est tiré une balle...

— Ah bon...

— Mais je crois qu'Anthony Patch, ça ne le frappe pas trop. Il a eu ses trente millions. Et il a son médecin privé avec lui au cas où ça le tracasserait. Et *elle*, elle est sortie sur le pont ? » demanda-t-il.

La jolie fille en jaune regarda autour d'elle avec précaution.

« Elle était là il y a une minute. Elle portait un manteau de zibeline qui a dû coûter une petite fortune. » Elle fronça les sourcils et ajouta sur un ton tranchant : « Je peux pas la sentir. Elle a, je ne sais pas, l'air d'être teinte, l'air pas vraiment nette, si vous voyez ce que je veux dire. Y a des gens qui ont cet air-là, que ce soit vrai ou pas.

— Bien sûr, je vois, approuva l'homme à la casquette écossaise. N'empêche qu'elle est pas vilaine. » Il marqua un temps. « Je me demande à quoi il pense... à son fric, je suppose, ou peut-être qu'il a des remords, à cause de ce Shuttleworth.

— Probablement… »

Mais l'homme à la casquette écossaise se trompait du tout au tout. Anthony Patch, assis près du bastingage et regardant la mer, ne pensait pas à sa fortune, car dans sa vie il n'avait que rarement été sensible au côté tape-à-l'œil de la richesse, ni à Edward Shuttleworth, car dans un cas comme celui-là, il vaut mieux voir le bon côté des choses. Non, il était absorbé par toute une série de réminiscences, à peu près comme un général pourrait se remémorer une campagne victorieuse et analyser les raisons de ses succès. Il pensait aux dures épreuves, aux insupportables tribulations qu'il avait traversées. On avait cherché à lui faire payer ses erreurs de jeunesse. Il avait été exposé à l'adversité la plus cruelle, même ses aspirations romanesques avaient été châtiées, ses amis l'avaient abandonné ; même Gloria s'était retournée contre lui. Il avait été seul, entièrement seul, pour faire face.

À peine quelques mois plus tôt, on l'avait pressé de céder, de se soumettre à la médiocrité, de trouver un travail. Mais lui, il savait qu'il avait raison d'avoir choisi son mode de vie, et il s'y était tenu obstinément. Eh bien, même les amis qui avaient été les plus durs avec lui avaient fini par le respecter et reconnaître qu'il avait raison depuis le début. Les Lacy, les Meredith et les Cartwright-Smith n'étaient-ils pas venus leur rendre visite, à Gloria et à lui, au Ritz-Carlton juste une semaine avant leur départ ?

De grosses larmes lui mouillaient les yeux, et c'est d'une voix tremblante qu'il se murmura tout bas :

« Je leur ai fait voir, disait-il. La lutte a été dure, mais je n'ai pas baissé les bras, et j'ai eu le dessus. »

LIVRE I

LIVRE II

LIVRE III

DU MÊME AUTEUR

LE DERNIER NABAB (Folio n° 2002)

LA SORCIÈRE ROUSSE *précédé de* LA COUPE DE CRISTAL TAILLÉ (Folio 2 € n° 3622)

LA FÊLURE *et autres nouvelles / THE CRACK-UP and other short stories* (Folio Bilingue n° 124)

UNE VIE PARFAITE *suivi de* L'ACCORDEUR (Folio 2 € n° 4276)

L'ÉTRANGE HISTOIRE DE BENJAMIN BUTTON *suivi de* LA LIE DU BONHEUR (Folio 2 € n° 4782)

LES ENFANTS DU JAZZ (CHOIX) / *TALES OF THE JAZZ AGE (SELECTED STORIES)* (Folio Bilingue n° 158)

GATSBY LE MAGNIFIQUE (Folio n° 5338)

LE GARÇON RICHE *et autres nouvelles / THE RICH BOY and other stories* (Folio Bilingue n° 184)

CONTES DE L'ÂGE DU JAZZ (Folio n° 5691)

LA FÊLURE *et autres nouvelles* (Folio n° 5784)

BERNICE SE COIFFE À LA GARÇONNE *précédé de* LE PIRATE DE LA CÔTE (Folio 2 € n° 5835)

BEAUX ET DAMNÉS (Folio n° 5862)

TENDRE EST LA NUIT (Folio n° 5926)

LE RÉCONCILIATEUR *suivi de* GRETCHEN AU BOIS DORMANT, Folio 2 € n° 6324)

Composition IGS-CP à L'Isle-d'Espagnac (16).
Impression Grafica Veneta
à Trebaseleghe, le 30 juillet 2020
Dépôt légal : juillet 2020
1er dépôt légal dans la collection: janvier 2015

ISBN : 978-2-07-045977-3./Imprimé en Italie

369440